D1074318

STRAND PRICE

COVER ART

Antonine Column, details.
The Vatican, Rome

Scudder's

SECOND

YEAR

LATIN

Revised by CHARLES JENNEY, JR.

Head of Latin Department

Belmont Hill School · Belmont, Massachusetts

1966

ALLYN AND BACON, INC.

Boston · Rockleigh, N.J. · Atlanta · Dallas · Belmont, Calif.

Jared W. Scudder (1863–1934) specialized in Latin and Greek, first at Rutgers University, and later at Johns Hopkins University for graduate work. Dr. Scudder became a teacher at the Albany Academy, and from then on the classics were his lifework. Summer travel and study abroad enriched his wide practical knowledge and helped make his teaching stimulating and effective — qualities which have always characterized *Second Year Latin*.

Preface

This 1966 revision of *Second Year Latin* incorporates all the features that teachers hope to find in an intermediate Latin text; among the most important are substantial review, abundant and varied reading selections, and meaningful illustrations.

The review section is essential because many classes find it difficult to complete satisfactorily all the material projected for first-year Latin. It is then necessary at the start of the second year to review thoroughly, or even to learn for the first time, some part of the vocabulary and grammar of the first year. The twelve review lessons in this text include enough drills and exercises — both English to Latin and Latin to English — to allow the class to spend a day or more on each lesson. The reading passages in the review section deal with Roman social and religious life; each lesson contains one unified reading. The twelve vocabulary lists, which together cover the complete list of first-year Latin words, have been retained.

Second Year Latin provides a great variety of reading material. The first section, "The Argonauts," taken from *Fabulae Faciles*, is easy enough so that students can build skill and confidence. The section entitled "The Story of Rome" contains selections adapted from Livy and Eutropius and covers the period from the founding of the city to the war between Marius and Sulla. It provides a narrative of important events and introduces students to the great personalities of Roman history during the six centuries of growth from small city-state to world empire. This history is background for the selections from Caesar's *Commentaries on the Gallic War* and his *Civil War* which make up the largest portion of reading material in the text. *Second Year Latin* also includes four delightful poems from Ovid's *Metamorphoses* which have been warmly received because they have strong story-appeal and acquaint the students with the dactylic hexameter of Latin narrative poetry.

Effectively supporting the text are over 200 illustrations in full color and black and white. In the Caesar section, for example, dozens of photographs of the sites and of military scenes from Roman monuments along with detailed maps and battle-plans help students visualize strategy and military arrangements. Some of the photographs are new to this edition.

Supplementing *Second Year Latin* is a workbook which provides additional drills and exercises based on the first twelve review lessons and on the readings in the *Gallic Wars*. In the latter part of the workbook are multiple-choice, true-false, and completion questions which add variety to the study and give students practice in the type of standard achievement tests that many of them will take. A separate booklet of tests is also available. For those interested in reviewing first-year Latin by the audiolingual method, the publisher offers *Alpha Master Tape Recordings to Accompany First Year Latin,* an independent program designed to supplement its first-year text.

Contents

Map List

* Museo Nazionale, Naples   # Alinari, Alinari-Anderson photo

xiii

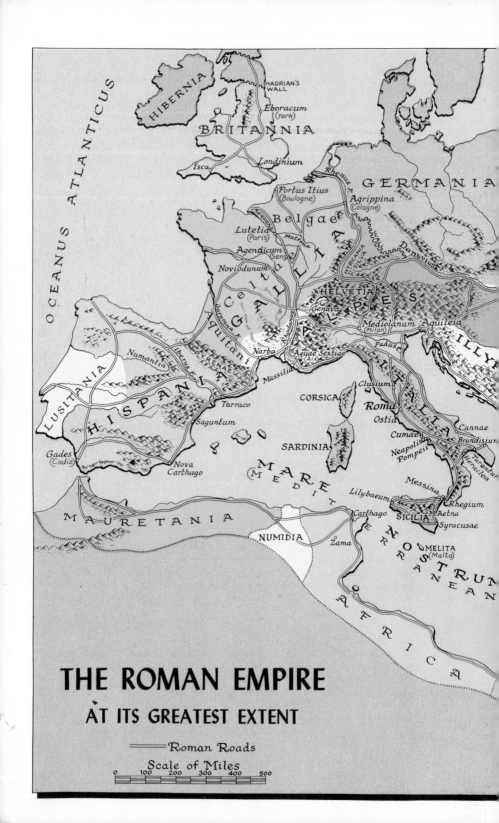

THE ROMAN EMPIRE

AT ITS GREATEST EXTENT

—— Roman Roads

Scale of Miles

0   100   200   300   400   500

I

Roma, urbs aeterna.

Rome, the eternal city.

TIBULLUS

The Declension
of Nouns

Study the declension of the model nouns of the five declensions, §§ 1–2, 4–6 in the Appendix. Also study the following:

The vocative case, § 3 and § 54 of Appendix.
Third declension I-stems, § 4*b* of Appendix.
The locative case, § 92 of Appendix.
The irregular nouns **vīs** and **deus,** § 7 of Appendix.

The words in the vocabulary of this lesson and the next eleven lessons give a complete review of the words in all vocabularies of *First Year Latin.* In reviewing these vocabularies, study the nominative and genitive cases, and the gender and meanings of all nouns, the principal parts and meanings of all verbs, as well as the meanings of all other parts of speech.

VOCABULARY

aciēs	corpus	fīlius	oculus	rēs
aestās	dea	fīnis	palūs	rēx
ager	deus	flūmen	pater	scūtum
agricola	diēs	fuga	pāx	servus
auxilium	domus	hiems	pedes	speciēs
bellum	dux	hostis	pēs	spēs
caput	eques	imperātor	pōns	turris
cīvis	equus	īnsula	porta	urbs
cīvitās	exercitus	manus	puella	via
cōnsilium	exitus	mare	puer	vir
cōnsul	fēmina	mīles	pugna	vīnum
cōpia	fenestra	mōns	rēgīna	vīs
cornū	fīlia	nāvis	rēgnum	vulnus

1

Drill

A. *Give the following forms:*

1. The genitive singular of **aciēs, auxilium, cōpia, pedes, flūmen, manus, pōns, fīlius.**

2. The dative singular of **eques, exitus, aestās, diēs, caput, rēgīna, servus, mōns.**

3. The accusative singular of **rēx, rēs, vulnus, via, puer, mare, exercitus, cornū.**

4. The ablative singular of **nāvis, speciēs, ager, caput, exitus, hiems, fuga, deus.**

5. The nominative plural of **hostis, corpus, pedes, mare, palūs, domus, vīs, diēs.**

6. The genitive plural of **cīvis, cōnsul, aciēs, urbs, dea, flūmen, servus, manus.**

7. The dative plural of **scūtum, fēmina, eques, fīlia, cōpia, cōnsilium, vīs, dea.**

8. The accusative plural of **porta, puer, diēs, caput, cornū, pōns, rēgnum, aestās.**

9. The vocative singular of **servus, fīlius, puer, mīles.**
    The vocative plural of **vir, eques, fīlia, cōnsul.**

10. The locative of **Rōma, domus, Athēnae.**

INSULA

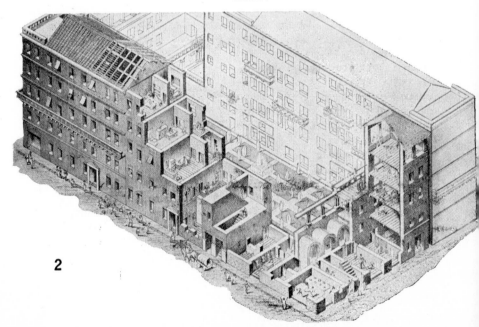

2

FORUM ROMANUM

B. *Translate into Latin:*

1. Many citizens at Rome lived in huge buildings which were called "insulae." 2. There were about two thousand very large houses near the Palatine Hill. 3. Horatius stood on the "Pile Bridge" and very bravely held off the attacks of the army of Porsena. 4. When the "Pile Bridge" was cut down, Horatius leaped into the water and swam across to his comrades who were waiting on the bank of the river. 5. There were seven hills in Rome, of which the most famous were the Capitoline and the Palatine.

3

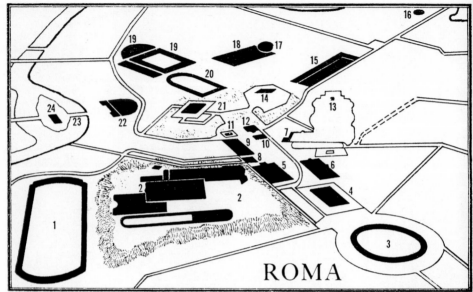

ROMA

1. Circus Maximus	7. Curia	13. Columna Traiani	19. Theatrum et
2. Mons Palatinus et	8. Templum Castoris	(Fora Imperatorum)	Porticus Pompei
Domus Imperatorum	9. Basilica Iulia	14. Templum Iunonis	20. Circus Flaminius
3. Amphitheatrum	10. Arcus Severi	Monetae in Arce	21. Templum Iovis
Flavianum (Colosseum)		15. Saepta Iulia	Capitolini
4. Templum Veneris et Romae	11. Templum Saturni	16. Mausoleum Augusti	22. Theatrum Marcelli
5. Atrium Vestae	12. Templum Concordiae	17. Pantheum	23. Pons Fabricianus
6. Basilica Constantina		18. Thermae Agrippae	24. Templum Aesculapii

READING LESSON

Rōma

Rōma, apud Tiberim posita, aberat circiter sēdecim mīlia passuum ab portū Ōstiā ad flūminis exitum. Condita est urbs in monte Palātīnō, sed brevī tempore Rōmānī propinquōs collēs occupāverant. Dēnique Servius Tullius septem collēs moenibus circumdedit, quam
5 ob rem Rōma est appellāta *urbs septicollis.*

Ex pontibus, quī Tiberim iungēbant, clārissimus erat Pōns Sublicius, in quō Horātius fortissimē Porsenae manūs impetum sustinuit.

Antīquae Rōmae viae erant angustae et tortuōsae, domūs erant

---

4. septem collēs: The famous "seven hills" of Rome could hardly be called lofty, as they were only from 120 to 160 feet above the level of the Tiber.

6. Pōns Sublicius: "The Pile Bridge." Read "Horatius at the Bridge" in Macaulay's *Lays of Ancient Rome.*

8. viae: Many streets were dark as well as narrow, and unwary pedestrians were in danger of being deluged with the refuse that was cast out by careless housewives.

miserae. At temporibus Imperī Rōmānī aspectus urbis mūtātus est. Nunc domūs Imperātōrum tōtum montem Palātīnum tegēbant. 10 Erant circiter duo mīlia domuum amplissimārum. Plūrimī cīvēs autem habitābant in ingentibus tēctīs, quae *īnsulae* appellāta sunt. Tum ubīque vidēbantur templa, amphitheatra, circī, thermae, porticūs. Sīc Rōma magnifica facta est.

Forum Rōmānum erat inter Capitōlium et Palātium. Prīmō 15 undique erant parvae tabernae. Posteā autem clārī cōnsulēs imperātōrēsque basilicās et templa in Forō aedificāvērunt. In basilicīs erant argentāriae; hīc etiam praetōrēs iūs reddēbant.

---

12. īnsulae: An appropriate name for huge apartment houses occupying an entire block, in which scores of families were huddled in cramped quarters. (Picture on p.2)

14. porticūs: Long colonnaded walks, affording shelter from sun or rain. Some housed a gallery of paintings or sculpture. They often extended through gardens made beautiful with fountains, waterfalls and shady groves.

17. basilica, -ae, f., a double-colonnaded hall, used both as a money exchange and a court of justice. Later, Roman basilicas often served as Christian places of worship, and many of our churches are still built on the basilica plan.

18. argentāria, -ae, f., [**argentum,** *silver*], *bank.* **hīc,** adv., *here.* **praetor, -ōris,** m., *judge.* **reddō, -ere, -didī, -ditus,** *render, administer.*

VIA SACRA ANTIQUA (*Via Sacra today, page 41*)

In Cūriā Hostīliā et in Templō Concordiae senātus conveniēbat.
20 In Rōstrīs Cicerō et aliī ōrātōrēs ad populum ōrātiōnēs habēbant.
Undique erant altae columnae et deōrum simulācra et clārōrum
virōrum statuae.

Togātī Rōmānī in Forum saepe conveniēbant. Hīc multa comitia
habēbant. Hinc Viā Sacrā cōnsul exercitum Rōmānum ad bellum
25 ēdūcēbat. Viā Sacrā legiōnēs victōrēs, praedā onustae, in Forum
magnīs clāmōribus populī incēdēbant.

Nunc vērō Forum est dēsertus locus. Tamen ruīnae ipsae nōbīs
antīquae Rōmae glōriae memoriam referunt.

---

19. cūria, -ae, f., *senate house;* in Rome the senate *usually* met in the **Cūria Hostīlia**
(built by king Tullus Hostilius), but sometimes in the *Temple of Concord.*

20. rōstrum, -ī, n., *beak, ship's beak;* pl., the Rostra, a speakers' platform adorned
with beaks of ships.

21. simulācrum, -ī, n., *image, statue.*

23. togātus, -a, -um, [toga], *togaed, wearing the toga,* a flowing garment of woolen
cloth, the distinctive dress of Roman citizens in public. **comitia, -ōrum,** n., *elections.*

24. hinc, adv., [hīc], *from this place, hence.* **Via Sacra,** the principal street in Rome.

25. onustus, -a, -um, [onus, *burden*], *laden.*

26. incēdō, -ere, -cessī, -cessūrus, *march, advance.*

II

Bona fide.

In good faith.

The Conjugation of Verbs

Turn to § 23 in the Appendix and review the six tenses of the indicative, active and passive, with meanings, of **portō.** Review the same forms of the verbs **moneō, dūcō, audiō,** and **capiō.**

In § 30 and § 31, study the irregular verbs **sum** and **possum,** in the indicative only. Then review the verbs **ferō, eō, volō, nōlō,** and **mālō** in the indicative. Note especially the present tense of these irregular verbs.

Review the imperatives, singular and plural, of the regular conjugations. The verbs **dīcō, dūcō, faciō,** and **ferō** have irregular imperative singulars: **dīc, dūc, fac, fer** (*pl.* **ferte**).

Learn the principal parts and meanings of the following verbs, all of which were in the vocabularies of *First Year Latin.*

VOCABULARY

agō	dō	mālō	potior	sum
amō	doceō	maneō	premō	tangō
audiō	dūcō	mittō	prohibeō	teneō
cadō	eō	moneō	pugnō	terreō
caedō	ferō	moror	regō	timeō
capiō	gerō	moveō	rīdeō	trādō
cēdō	habeō	mūniō	rumpō	trahō
cognōscō	hortor	nōlō	sciō	ūtor
cōnor	intellegō	parō	scrībō	veniō
crēdō	iubeō	petō	sentiō	videō
currō	laudō	pōnō	sequor	vincō
dēbeō	lavō	portō	solvō	vocō
dīcō	loquor	possum	stō	volō

7

AMPHORA
VITRI

Drill

A. *Give the following forms:*

1. The third person singular, active only, present tense, of **cadō, capiō, doceō, ferō, mālō, mūniō, nōlō, possum, stō,** and **volō.**

2. The third person plural, future active, of the same verbs.

3. A synopsis of **mittō,** second person singular, active and passive, with meanings (the second singular of each of the six tenses of the indicative).

4. A synopsis of **videō** in the first person plural, active and passive, indicative only, with meanings.

5. A synopsis of **possum** in the second person plural, indicative only, with meanings.

6. The imperatives, singular and plural, of **currō, moveō, audiō.**

B. *Translate the following forms:*

tetigit	audiēris	prohibitī sunt	caedēbantur
parābātur	crēdidērunt	vīs	ībit
hortābuntur	tangēmus	regunt	mālēmus
iusserō	movēmur	posuī	mānserātis
tulerat	secūtus est	laudāta erat	loquar

C. *Translate into Latin:*

they have touched   they understand
he will run   you will go

8

she had been carried	we are unwilling
you were unwilling	it was moved
I shall have given	he had ordered
they have been led	they know
we were delaying	we have come
he was able	they will be praised
I spoke	she had tried
he will wish	they had had

D. *Translate into Latin:*

1. The consul's house was being guarded at night by slaves.
2. The boys were not able to see the soldiers who were being led through the gates of the camp. 3. The boy, who fell from the high bridge into the river, was killed. 4. We wanted to go to Rome for a few days, but they preferred to remain at home. 5. On the following day Caesar led his forces out of the camp into the open field. 6. The right wing was praised by the general because it had fought bravely. 7. Run to the farmhouse, boys, and catch the small animals. 8. He had never seen the sisters of the daughter of the queen. 9. Lead the horse out of the field, Marcellus, and give it grain and water. 10. He did not want to go home with the boys who had fought with the lieutenant.

Latin Derivation

Study the following English words, and show how they are derived from the verbs in the lesson vocabulary: munitions, position, scripture, traditional, tangent, prohibition, intelligentsia, debit, current, incredible, cede, transfer, visual, audible, sequence, petition, laudable, mission, incognito, rupture, loquacious.

DOMUS ROMANA

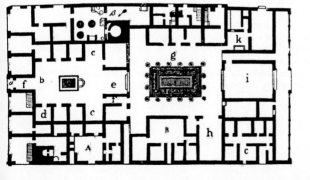

a. Vestibulum
b. Atrium
c. Alae
d. Cubiculum
e. Tablinum
f. Fauces
g. Peristylum
h. Triclinium
i. Oecus
k. Culina
A, B, and C. Suites and shops for renting out; bake shop and mill

READING LESSON

DOMUS RŌMĀNA

Vestibulum erat vacuus locus ante domum Rōmānam. Aditus ā viā erat per medium vestibulum. Iānua ipsa erat lignea, at postēs saepe erant ē marmore. In līmine plērumque erat verbum "Salvē"

IANUA

Title: **Domus Rōmāna:** Roman houses of course ranged from wretched hovels to palatial residences. The house here described is that of a well-to-do citizen.

1. **Vestibulum:** Note that this was altogether unlike the vestibule in a modern house. It was an unfenced court in front of the house, through which a paved walk ran from the street to the door. The space on each side of the walk was sometimes adorned with flowers and statuary.

2. **Iānua . . . marmore:** Aside from the door and doorposts, the exterior was exceedingly plain. If there were any windows at all, they were mere slits in the wall.

in pāvimentō tessellātō. Post iānuam erat cella, ubi iānitor noctēs
et diēs introitum cūstōdiēbat.   5
   Interior domus in trēs partēs dīvidēbātur. Eārum prīma pars est

---

4. cella: In this hallway a dog was sometimes kept chained. A famous mosaic,
found in a Pompeian house, represents a fierce dog with the warning words, **Cavē
canem,** beneath it. A photograph of the mosaic appears on page 8.

Above: ATRIUM.   *Below:* PARIETES PICTI

appellāta *ātrium*. In mediō ātrī tēctō, lūcis et āeris causā, apertum spatium relictum est, per quod pluvia in *impluvium* dēscendit.

Supellex erat exigua. Erant autem nōn nūllae statuae, atque
10 parietēs pictūrīs pulchrārum rērum ōrnābantur. In ātriō dominus amīcīs et clientibus aditum dabat.

Locus proximus ātriō appellātus est *tablīnum*. Hīc tabulae familiārēs condēbantur; hīc quoque dominus pecūniam servābat atque suum opus faciēbat.

15 *Faucēs* ab ātriō ad *peristȳlum*, tertiam partem domūs dūcēbant. In mediō peristȳlō pulcher hortus et fōns columnīs marmoreīs inclūdēbantur. Ubi vēla prō tablīnō reducta sunt, tōta domus, — ātrium, deinde tablīnum, mox pulchrum peristȳlum, — ūnum in cōnspectum vēnit.

20 Peristȳlō adiacēbant trīclīnia, culīna, bibliothēca, cubicula, et cellae omnis generis. Superior domus servīs et lībertīs attribūta est.

---

8. impluvium: An open cistern in the floor of the atrium, into which the rain fell through the opening in the roof.

12. tabula, -ae, f., *record;* pl., *papers.*

15. faucēs, -ium, f., *narrow passage.*

17. vēlum, -ī, n., *curtain.*

20. peristȳlō: dative of indirect object with a verb compounded with **ad** (62). **trīclīnium, -ī, n.,** *dining room.* **culīna, -ae, f.,** *kitchen.* **bibliothēca, -ae, f.,** *library.* **cubiculum, -ī, n.,** *bedroom.* These were so small that there was room for little more than the bed. There were day bedrooms, **diurna cubicula,** for the midday siesta, and night bedrooms, **nocturna cubicula.** The latter were on the west side of the peristyle in order to catch the rays of the morning sun.

21. cella, -ae, f., *storeroom.* **superior domus:** an upper story. **lībertus, -ī, m.,** *freedman.*

PERISTYLUM

III

E pluribus unum.
One out of many.
MOTTO OF THE UNITED STATES

Adjectives and Adverbs

Review the declension of **bonus,** § 8, and **fortis,** § 9 of the Appendix. Adjectives of the third declension may have three endings, two endings, or one ending, in the nominative singular. Review **ācer** and **potēns.**

The following adjectives are irregular in the genitive and dative singular: **alius, alter, neuter, nūllus, sōlus, tōtus, ūllus, ūnus, uter,** and **uterque.** The genitive singular of these adjectives ends in **-īus,** and the dative singular in **-ī.**

Review the comparison of adjectives, regular and irregular, in § 12 of the Appendix. Note that adjectives ending in **-er** have **-rrimus** in the superlative, and that **facilis, difficilis, similis, dissimilis,** and **humilis** have **-llimus** in the superlative. Learn especially the irregular comparison of **bonus, malus, magnus, parvus,** and **multus.**

Study the declension of comparatives, § 14 of the Appendix.

Adverbs are formed from adjectives of the first and second declension regularly by adding **-ē** to the base; in the case of third-declension adjectives, **-ter** or **-iter** is regularly added to the base.

Study the comparison of adverbs in § 13 of the Appendix.

VOCABULARY

ācer	clārus	grātus	malus	novus
alius	decimus	gravis	meus	nūllus
alter	difficilis	laetus	miser	octāvus
altus	dīligēns	lātus	multus	omnis
audāx	dissimilis	levis	niger	pār
bonus	facilis	līber	nōbilis	parātus
brevis	fīnitimus	longus	nōnus	parvus
celer	fortis	magnus	noster	posterus

13

potēns	quīntus	sōlus	tōtus	ūtilis
prīmus	secundus	summus	tūtus	vehemēns
pulcher	septimus	suus	tuus	vester
quantus	sextus	tantus	ūllus	vetus
quārtus	similis	tertius	ūnus	

Drill

A. *Give the following forms:*

1. The genitive singular masculine of **audāx, sōlus, ūnus, altior, levissimus.**

2. The dative singular feminine of **nūllus, potēns, peior, pār, simillimus.**

3. The accusative singular neuter of **facilis, vetus, longior, tōtus, ācerrimus.**

4. The ablative singular masculine of **brevis, facilior, clārus, pār, fortissimus.**

5. The nominative plural neuter of **magnus, nōbilis, levior, facilis, longissimus.**

6. The genitive plural neuter of **grātus, omnis, ūtilior, levis, brevissimus.**

7. The dative plural feminine of **suus, fortis, pulcher, ācrior, facillimus.**

8. The accusative plural masculine of **bonus, potēns, gravior, sōlus, līberrimus.**

B. *Form adverbs from the following adjectives:*

fortis, clārus, dīligēns, līber, gravis, longus, potēns, lātus.

14

C. *Give the comparative and superlative of the following:*

audāx, levis, similis, bonus, celer, magnus, multus, facilis, malus, altus.

D. *Give the comparative and superlative of the following:*

lātē, fortiter, ācriter, facile, bene, dīligenter, miserē, celeriter.

E. *Translate:*

1. iter longissimum 2. mare altius 3. nūntius celerrimus
4. sōlīus virī 5. dīligentissimē 6. maior quam tū 7. facillimē
8. imperātor nōbilissimus 9. fortior fīlius 10. hostēs ācerrimī

F. *Translate into Latin:*

1. the very beautiful queen 2. by the shortest route 3. he gave to the only soldier 4. one of the bravest foot soldiers 5. a longer bridge 6. most fiercely 7. larger than the other farmer 8. of one king 9. better homes 10. with a very wretched citizen

Exercises

A. *Translate:*

1. Virum nōbiliōrem quam tuum frātrem numquam vīdimus.
2. Plūrima tēla rēgī potentī ā nostrīs mīlitibus data sunt. 3. Miserrimī agricolae agrōs multōs nōn habēbant. 4. Difficillimum est vidēre summum montem. 5. Imperātor Rōmānus bellum quam ācerrimē gerere dēbet. 6. Nostrī mīlitēs erant multō fortiōrēs quam manus Britannōrum. 7. Peditēs ā dextrō cornū ācrius quam eī ā sinistrō cornū pugnābant. 8. Fēminae dīligentissimē labōrābant, sed labōrem nōn cōnfēcērunt. 9. Saxa dē altō ponte in aquam gravissimē cecidērunt. 10. Nāvēs celerrimē nāvigābant, sed ad īnsulam nōn pervēnērunt.

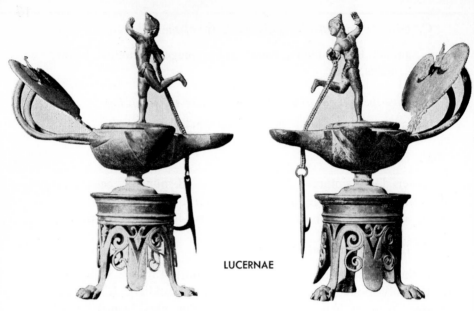

LUCERNAE

B. *Translate into Latin:*

1. On the third day we climbed by a very difficult route to the top of the mountain. 2. The men were braver than the boys, but the boys were quicker. 3. The small band of foot soldiers fought very fiercely for five hours, but was finally defeated by the enemy. 4. Very many large houses were built at Rome on the Palatine Hill. 5. They left camp in the third watch and arrived at the very wide river on the following day. 6. He was faithful to his friends who were captured by the soldiers of the tenth legion. 7. Come as quickly as possible, Lucius; there are very many horsemen in the field behind our farmhouse. 8. I have never seen a stronger man than the general's son. 9. A very brave soldier on the right wing was forced to fight without his shield. 10. Which of the two consuls fought more fiercely in the battle with the Germans?

Latin Derivation

Show how the following words are derived from the Latin words in this vocabulary: potential, accelerator, longevity, utilitarian, sole, octave, audacious, pulchritude, gravity, novice, magnify, posterity, brevity, facilitate, nullification, quantity, quintile, levity, diligence, clarify, prime, malediction, par.

READING LESSON

Supellex Domūs Rōmānae

Et in ātriō domūs Rōmānae et in peristȳlō, dē quibus suprā scrīpsimus, exigua erat supellex. In trīclīniō autem semper erat mēnsa, aut quadra aut orbis. Hārum mēnsārum multae erant pulcherrimae et magnī pretī. Plīnius Maior dē duābus mēnsīs scrīpsit, quārum pretium alterius fuit deciēs centēna mīlia sēstertium, alterius paulō 5 minus. Convīvae circum mēnsam in sellīs nōn cōnsīdēbant. Sed ex tribus mēnsae lateribus erant lectī, in quibus novem convīvae accumbēbant, trēs in quōque lectō.

Lignea aut aēnea erat lectī sponda, in quam torus et cervīcal et vestēs strāgulae impositae sunt. Lectus cubiculāris erat altior quam 10 lectus trīclīniāris et scamnō ascendēbātur.

---

4. Plīnius Maior, *Pliny the Elder,* Roman historian and scientist, who lost his life in too closely observing the eruption of Vesuvius, which destroyed Pompeii, 79 A.D.

5. sēstertius, -ī, m., (gen. pl., **sēstertium**), *sesterce,* a small silver coin worth about five cents. How much did the table cost in dollars? The most expensive table tops were made from the African citrus tree, which furnished a single board from three to four feet wide. Like the maple it took a high polish, which brought out its beautiful grain and markings.

8. quōque, abl. of **quisque.** How may it be distinguished from the adverb?

10. vestēs strāgulae: In wealthy houses the bed frames were highly artistic and the coverings were beautifully embroidered, but they could hardly be called comfortable beds. **cubiculāris:** The suffix **-āris** means *belonging to.*

MENSA

Varia erant genera sellārum in domibus Rōmānīs. Maximē ūsi-
tāta erat dūra sella quattuor rēctīs pedibus. Sed cathēdra, in quā
fēminae plērumque sedēbant, erat simillima nostrīs sellīs. Omnium
15 sellārum īnsignissima erat eburnea *sella curūlis* curvīs pedibus, in
quā sōlī magistrātūs maiōrēs sedēbant.

Pulchrae sunt lucernae Rōmānae, quārum multa exempla adhūc
exstant. Aliae fīctilēs, aliae erant aēneae, sed saepe summā arte
perfectae. Lucernae aut in mēnsās aut in alta candelābra impōnē-
20 bantur, aut etiam laqueāribus dēpendēbant. Nōn autem clāram
lūcem praebēbant.

---

12. ūsitātus, -a, -um, *used, common, ordinary.*

13. rēctus, -a, -um, [part. of **regō**], *straight.* **cathēdra, -ae,** f., a chair without arms, but with a curved back. Its later use by professors and bishops gave rise to the expression **ex cathēdrā,** i.e., an authoritative statement.

15. īnsignis, -e, [**signum**], *distinguished.* **eburneus, -a, -um,** [**ebur,** *ivory*], *ivory.* **curūlis, -e,** *curule.*

17. lucerna, -ae, f., [**luceō,** *shine*], *lamp.* Roman lamps were vessels of various shapes containing oil, into which one or more wicks were inserted through holes in the top. There was no glass of any kind to protect the lighted wick. **adhūc,** [**hūc,** *hither*], *hitherto, still.*

18. fīctilis, -e, *of clay.* **aēneus, -a, -um,** [**aēs,** *bronze*], *bronze.*

19. candelābrum, -ī, n., *lampstand.*

20. laqueāria, -ium, n., *paneled ceilings.*

FEMINA IN CATHEDRA SEDENS

IV

Veritas vos liberabit.

The truth shall set you free.

MOTTO OF JOHNS HOPKINS UNIVERSITY

§ Pronouns

Review the declension of the personal, reflexive, demonstrative, relative, and interrogative pronouns, § 16, § 17, § 18, § 20, and § 21 in the Appendix.

Learn the following rule for the relative pronoun:

The relative pronoun agrees with its antecedent in gender, number, and person, but its case depends upon its use in its own clause.

The boys to whom I gave . . .	**Pueri quibus dedi . . .**
The legions which he led . . .	**Legiōnēs quās dūcēbat . . .**

Learn the following rule for reflexives:

The reflexive pronoun **sē** *and the reflexive adjective* **suus** *usually refer to the subject of the clause in which they stand; in a subordinate clause they may refer back to the subject of the principal clause.*

He led his troops . . .	**Suās cōpiās dūxit . . .**
He ordered the messenger to bring to him . . .	**Iussit nūntium ad sē ferre . . .**

VOCABULARY

ā, ab	cum	hic	ob
ad	dē	ille	octō
ante	decem	in	per
apud	diū	inter	post
at	duo	ipse	postquam
atque	duodecim	is	prō
aut	duodēvīgintī	mīlle	propter
autem	ē, ex	mox	quam
centum	ego	nam	quattuor
circum	enim	neque	quattuordecim
contrā	etiam	novem	quī

19

quīndecim	sēdecim	sine	trēs
quīnque	septem	sub	tū
quis	septendecim	tamen	ūndecim
quod	sex	trāns	ūndēvīgintī
sed	sī	tredecim	vīgintī

Drill

A. *Give the following forms:*

1. The genitive singular of **hic, is, quī, ego, tū.**
2. The dative singular of **ille, is, quis, ego, hic.**
3. The accusative singular of **quis, hic, suī, tū, is.**
4. The nominative plural of **quī, hic, is, ille, ego.**
5. The genitive plural of **quī, ego, tū, is, suī.**
6. The ablative plural of **hic, ille, is, quī, tū.**

B. *Translate the following:*

1. Quis vēnit? 2. Quem vīdistis? 3. Puerī quī currēbant . . .
4. Epistula quam scrīpsī . . . 5. Quōrum amīcī manēbant?
6. Mīlitēs, quōrum tēla cēpimus . . . 7. Quibus locūtī sunt?
8. Quā urbe potītī sunt? 9. Poēta quem laudat . . . 10. Quōs
nautās audīvistī?

C. *Give the Latin for the italicized words:*

1. The soldiers *whose* . . . 2. The woman *to whom* . . . 3. The
rivers *on which* . . . 4. *Who* saw the farmer? 5. *To whom* did
she speak? 6. The legion *which* ran . . . 7. *By whom* was he
defeated? 8. *Whose* children were running . . . ? 9. The boys
whom I saw . . . 10. *What river* is in Spain?

D. *Give the Latin for the italicized words:*

1. I know *his* sister. 2. We saw *them.* 3. *Their* country is large.
4. Caesar led *his soldiers.* 5. I gave *it to him.* 6. He killed *himself.*
7. *This* is larger than *that.* 8. He fled *from her.* 9. I shall speak
to them. 10. He said *it to me and to them.*

Exercises

A. *Translate into English:*

1. Cōnsulem quī dē maximīs rēbus loquēbātur audiēbāmus.
2. Ūtēminī scūtō quod mīles lēgātō dedit? 3. Eōs puerōs laudāre nōn possum, quod eīs crēdō. 4. Ā mē vīsa est, sed ab eīs nōn vīsī sumus. 5. Quis cōnātus est hanc epistulam ad nostrōs amīcōs mittere? 6. Maxima manus mīlitum, quae ā duce dūcēbātur, in silvam parvam fūgit. 7. Quōrum exercitus iter per fīnēs hostium faciēbat? 8. Animal in palūdem pulsum est quae erat nōn magna. 9. Cum eā et mēcum stābat, sed nōn loquēbātur. 10. Equitēs et peditēs per agrum ad montem cōpiās hostium sequēbantur.

B. *Translate into Latin:*

1. Very many soldiers, to whom the citizens had given aid, were sent home. 2. The third line of battle was drawn up in front of the camp which had been pitched on a high hill. 3. A thousand horsemen and five thousand foot soldiers were sent around the town by the Roman general. 4. Who has seen the children who were running away from the city towards the forest? 5. Brutus led his troops down the hill, across a wide river, and through a very large swamp. 6. What did your father say to those boys who were frightening the little girl? 7. He did not want to give me the things which he was carrying. 8. The men whom we wanted to send were not able to go. 9. What will he say to them and to us? 10. I came with his sister, who has four very small sons.

Latin Derivation

Show how the following words are derived from the Latin: antecedent, postpone, December, circumlocution, subpoena, centennial, transitory, novena, contradict, octogenarian, advent, descent, millennium, egoist, sinecure, subterranean.

Left: OFFICINA TEXTRINA *Below:* VESTIS PICTA ANTIQUA

TOGA VIRI

FEMINA IN PALLA

READING LESSON

Vestis Rōmāna

Apud Rōmānōs vestīmenta virīlia erant numerō tria, — *subligāculum, tunica, toga*. Subligāculum erat lintea vestis, sed tunica et toga ex lānā albā factae sunt.

Tunica brevēs manicās habēbat atque ab umerīs ad genua pendē-
5 bat. Eam vestem Rōmānī omnium aetātum et domī et in opere suō

---

5. in opere suō: In order to allow greater freedom while working, the tunic was often shortened by the use of a belt or girdle around the waist.

gerere cōnsuērunt. Equitēs *tunicam angustī clāvī* sed senātōrēs *tunicam lātī clāvī* gerēbant.

Toga erat longa et fūsa vestis, quae ūsque ad pedēs pendēbat. Ea quidem erat vestis propria cīvibus Rōmānīs. In forō, in viīs, in templīs et iūdiciīs, in omnibus locīs pūblicīs cīvis Rōmānus semper 10 togātus appārēbat. Hinc Vergilius Rōmānōs *gentem togātam* appellāvit.

Toga praetexta, purpureō limbō circumdata, ā senātōribus et magistrātibus et puerīs gerēbātur. Puer, ubi erat circiter septendecim annōs nātus, togā praetextā dēpositā, togam virīlem sūmpsit. 15 Tum ille ā patre amīcīsque plūrimīs per Forum ad Capitōlium dēdūcitur, ubi sacrificium in templō Līberī agitur. Deinde ille, nōn iam puer, erat iuvenis.

Vestis propria mātrōnīs Rōmānīs erat *stola*, quae ūsque ad pedēs pendēbat, sed aliīs rēbus erat similis tunicae virīlī. Ubi autem 20 mātrōna forās exiit, *pallam* sūmpsit.

Hominum capillus tōnsus est. Fēminae autem modō īnsignissimō comam longam compōnere cōnsuērunt. Foris omnēs capite dētēctō ībant.

Plērumque Rōmānī domī soleās gerēbant. Ubi autem forās 25 exiērunt, calceōs induēbant.

---

6. cōnsuērunt = cōnsuēvērunt. tunicam angustī clāvī: The tunic of the *equitēs* probably had *two narrow* purple stripes running down from the shoulders both behind and in front, while that of the *senators* had *one broad* purple stripe running down the middle. We know that these classes were distinguished by *narrow* and *broad* stripes, but there is some uncertainty as to their number.

10. in omnibus locīs pūblicīs: Even in the house the Roman gentleman wore the toga *on formal occasions*, such as when he received his clients in their morning call upon him.

13. praetextus, -a, -um, [texō, *weave*], *bordered.* **limbus, -ī,** m., *border.* **circumdō, -dare, -dedī, -datus,** *surround, border.*

17. Līber, -ī, m., [libō], *Liber,* an ancient Italian god of fruits, identified with Bacchus, the Greek god of wine.

21. palla, -ae, f., *the palla,* a lady's outer garment, corresponding to the toga.

22. capillus, -ī, m., *hair.* **tondeō, -ēre, totondī, tōnsus,** *cut, clip short.* Barber shops were plentiful and were much frequented by gossiping common people. Children's hair was allowed to grow long. **īnsignis, -e,** [signum], *remarkable, striking.* The art of hairdressing was highly developed, and the *coiffure* of Roman ladies was much more remarkable than that of our time. Look for examples of elaborate hair styling on portrait statues of imperial ladies.

23. compōnō, -ere, -posuī, -positus, *arrange.* **dētegō, -ere, -tēxī, -tēctus,** *uncover, expose.*

25. solea, -ae, f., *sandal.*

26. calceus, -ī, m., a leather *shoe,* fastened with laces or straps.

23

V

Facere quam dicere.
To act rather than to talk.
Sallust

The Infinitive

The Infinitive. The infinitive is a form of the verb that has neither person nor number. It occurs in both the active and passive voices, but has only three tenses, the present, perfect, and future. The sign of the infinitive in English is *to*. Following are endings of the Latin infinitive with their English equivalents:

ACTIVE	PASSIVE
Pres. **-re,** *to*	**-rī** (3d Conj. **-ī**), *to be*
Perf. **-isse,** *to have*	**-us esse,** *to have been*
Fut. **-ūrus esse,** *to be about to*	**-um īrī,** *to be about to be* (This is very rare.)

Each ending must be attached to its proper stem: the *present*, active and passive, to the *present* stem; the *perfect active* to the *perfect active* stem; the *perfect passive*, and the *future*, active and passive, to the *participial* stem. Thus the infinitive of **amō** is formed as follows:

ACTIVE	PASSIVE
Pres. amāre, *to love*	amārī, *to be loved*
Perf. amāvisse, *to have loved*	amātus (-a, -um) esse, *to have been loved*
Fut. amātūrus (-a, -um) esse, *to be about to love*	(amātum īrī, *to be about to be loved*)

Caution

Amātūrus and **amātus** are participles, i.e. verbal *adjectives;* they must be made to agree with the subject of the infinitive in gender, number, and case.

Compare the infinitive of the four regular conjugations and of the irregular verb **sum:**

ACTIVE

Pres.	amāre	monēre	dūcere	audīre	esse
Perf.	amāvisse	monuisse	dūxisse	audīvisse	fuisse
Fut.	amātūrus esse	monitūrus esse	ductūrus esse	audītūrus esse	futūrus esse

PASSIVE

Pres.	amārī	monērī	dūcī	audīrī
Perf.	amātus esse	monitus esse	ductus esse	audītus esse
Fut.	amātum īrī	monitum īrī	ductum īrī	audītum īrī

Complementary Infinitive. In a sentence like **Cupit dīcere,** *He desires to speak,* the infinitive **dīcere** *completes* the meaning of **cupit.** Hence it is called the *complementary infinitive.*

Indirect Discourse. Verbs of *saying, knowing, thinking,* and *perceiving* are generally followed by the infinitive with its subject in the accusative.

Nūntiāvit equitēs pulsōs esse. He reported *that the cavalry had been routed* (lit., *the cavalry to have been routed*).

TENSE OF THE INFINITIVE

Dīcit / Dīxit	mīlitēs venīre.	*He says that the soldiers are coming.* / *He said that the soldiers were coming.*
Dīcit / Dīxit	mīlitēs vēnisse.	*He says that the soldiers have come.* / *He said that the soldiers had come.*
Dīcit / Dīxit	mīlitēs ventūrōs esse.	*He says that the soldiers will come.* / *He said that the soldiers would come.*

1. Observe that the tense changes in English when the verb of *saying* is in a *past* tense, while the tense of the Latin infinitive remains the same.

2. The tense of the Latin infinitive depends on the time of the principal verb. If the infinitive denotes —

 a. The *same* time as the principal verb, it will be in the *present* tense.

 b. Time *before* that of the principal verb, it will be in the *perfect* tense.

 c. Time *after* that of the principal verb, it will be in the *future* tense.

25

The following diagram will help to fix the relation between the *time* of the principal verb and the *tense* of the infinitive.

PRINCIPAL *Verb*

Before	*Same Time*	*After*
Perfect	**Present**	**Future**

TENSE OF **Infinitive**

VOCABULARY

aedificium	dōnum	labōrō	rapiō
aperiō	dubitō	lēgātus	saxum
aqua	epistula	līberō	sedeō
arbitror	exīstimō	lībertās	sella
arma	exspectō	licet	servō
audeō	fābula	locus	spērō
beneficium	faciō	lūna	tēlum
campus	fugiō	lūx	tempus
castra	gēns	mēnsa	trādūcō
celeritās	gladius	nūntiō	trānseō
cēna	habitō	nūntius	tuba
cōgō	homō	occāsus	vastō
colloquium	hōra	occupō	vendō
cōnstituō	iaciō	oppidum	ventus
cōnsuēscō	iānua	polliceor	videor
contendō	interficiō	proficīscor	vigilia
cupiō	iungō	putō	vīlla

Drill

A. *Give the following infinitives:*

1. The present passive of **līberō, rapiō, moneō, audiō, interficiō, nūntiō.**
2. The perfect active of **iaciō, cupiō, putō, cōnsuēscō, mālō, sentiō.**
3. The perfect passive of **iungō, faciō, vastō, tangō, mūniō, caedō.**
4. The future active of **servō, cōgō, trānseō, sedeō, aperiō, sum.**

B. *Translate:*

1. Nōluit fugere. 2. Proficīscī nōn poterāmus. 3. Nōbīs nōn aperīre licuit . . . 4. Coāctus est trānsīre . . . 5. Putat vōs dubi-tāre . . . 6. Pollicētur sē factūrum esse . . . 7. Crēdimus eōs

26

labōrāvisse. 8. Coēgērunt mīlitēs iter facere. 9. Spērō eam exspectātūram esse. 10. Exīstimāsne lēgātum mittī?

C. *Translate into Latin:*

1. He was not able to see. 2. You ought to be sent. 3. They tried to get possession of . . . 4. We were unwilling to announce . . . 5. They decided not to delay. 6. He prefers to set out. 7. We tried to follow. 8. He seems to be sitting. 9. They did not dare to cross. 10. I hesitated to promise . . .

D. *Translate into Latin:*

1. He says that he has seen . . . 2. We know that they will come. 3. They think that the leader will send . . . 4. They believe that the woman did not do . . . 5. I understand that you have promised. 6. Caesar said that he wanted to lead . . . 7. We hope that our army will defeat . . . 8. He says that the town has been captured. 9. I know that it is being sent. 10. The general ordered the foot soldiers to cross . . .

Exercises

A. *Translate:*

1. Plurimōs peditēs in palūde interfectōs esse nūntiāvit. 2. Putāsne eōs puerōs ex aedificiō exīre ausūrōs esse? 3. Sē in illō saxō diūtius sedēre nōlle dīxit. 4. Epistulam ad meum amīcum sē scrīptūram esse pollicita est. 5. Servīs in eā vīllā eum lībertātem datūrum esse spērō. 6. Nōn putō id oppidum ab illīs hostibus occupārī posse. 7. Lēgātum quī ā Caesare ad castra missus erat exspectāre cōnstituērunt. 8. Puerīs saxa in aquam iacere nōn licuit. 9. Flūmen lātissimum trānsīre et castra pōnere in colle cōnstituimus. 10. Optimōs mīlitēs ā dextrō cornū ācerrimē pugnāvisse lēgātō nūntiāvit.

B. *Translate into Latin:*

1. The lieutenants had decided to break camp before dawn.
2. Caesar ordered the ambassadors to be led through the camp.
3. The messenger said that the enemy already had been defeated.
4. We hope that they will remain with us for several days. 5. The

soldiers said that they had seen very large forces of foot soldiers on the hill. 6. He was not able to tell me the names of the seven kings. 7. Who thinks that he will hesitate to follow me? 8. Does he know that I have written six letters to my friends in Italy? 9. That man says that he has decided not to await his friend at this time. 10. He said that he was not allowed to give the signal with the trumpet.

READING LESSON

LĪBERĪ RŌMĀNĪ

Līberī Rōmānī prīmā aetāte ā mātre suā ēducābantur. Ab eā discēbant patriam dīligere, deōs colere, vērum dīcere, et maximē semper pārēre. Rōmānī enim exīstimābant oboedientiam esse summam virtūtem.

5 Māter quidem erat cōnstāns comes puellārum. At puerī quam prīmum patrī commendātī sunt, ā quō discēbant equitāre et nāre et in armīs exercērī. Sīc validī fortēsque factī sunt.

Puer, ubi erat circiter septem annōs nātus, cum paedagōgō in lūdum litterārium ībat. Lūdus in apertā pergulā docēbātur, ubi
10 discipulī māne — hieme quidem ante lūcem — convenīre cōnsuērunt. Magister erat sevērissimus atque ferulā puerōs saepe verberābat. Horātius dīxit suum magistrum Orbilium esse *plāgōsum*.

___

8. paedagōgō: A slave who accompanied the boy to and from school, and had general charge of him during the day. He was not however a tutor as the English derivative *pedagogue* would imply.

10. ante lūcem: For an hour or two at this season the children studied by the dim light of smoky lamps, which they brought with them to the school.

In lūdīs litterāriīs discipulī legere et scrībere et vel digitīs vel abacō ratiōnēs computāre discēbant. Prīmum stilō in cērātā tabulā, deinde calamō in papyrō scrībēbant. Multa praecepta ēdiscere cōn- 15 suērunt, et maximē *Lēgem Duodecim Tabulārum.*

Circiter merīdiem discipulī ā magistrō dīmissī sunt, sed post prandium in lūdum rediērunt. Nundinīs et festīs diēbus et aestāte fēriās agēbant.

Ex lūdō litterāriō puerī in grammaticī lūdum prōcēdēbant, ubi 20 litterīs Graecīs et Latīnīs studēbant. Hinc adulēscentēs, quōrum patrēs erant dīvitēs, in rhētōris scholam ībant. Dēnique paucī vel Athēnās vel Rhodum vel ad Asiam sē contulērunt, atque ibi clārissimīs magistrīs rhētoricīs operam dedērunt.

---

13. vel, conj., *or;* vel . . . vel, *either . . . or.* digitus, -ī, m., *finger.*

14. abacus, -ī, m., *the abacus,* a wooden frame containing wires strung with sliding balls. The lower part is for units, the upper part for tens. It is still used in China, and may be seen in any Chinese laundry in an American city. ratiō, -ōnis, f., *reckoning, account, sum.* stilus, -ī, m., *the style,* a pencil-shaped instrument made of iron, bronze, bone, or ivory. Its pointed end was used to trace letters in wax-covered tablets. The other end, which was blunt, round or flat, could be used to erase. cērātus, -a, -um, [cēra, *wax*], *waxed.*

15. calamus, -ī, m., *a reed pen* with split point. papyrus, -ī, m. and f., *papyrus,* paper made out of the pith of the papyrus reed, which grew along the Nile in Egypt. A thick ink (ātrāmentum), made of soot and gum, was used. praeceptum, -ī, n., [prae + cipiō, *instruct*], *maxims, wise sayings.* ēdiscō, -ere, -didicī, —, *learn by heart, commit to memory.*

16. Lēx Duodecim Tabulārum, *the Twelve Tables of the Law,* the first code of Roman law.

18. prandium, -ī, n., *lunch, midday meal.* nundinae, -ārum, f., [novem + diēs], (the ninth day), *the market day,* on which country people came into the city to buy and sell.

19. fēriae, -ārum, f., *holidays.*

20. grammaticus, -ī, m., *a grammarian,* a teacher of the Greek language and literature, especially Homer. With the development of Latin literature the works of such Roman poets as Virgil and Horace were also studied in these "grammar schools."

PUERI STUDEBANT ET LUDEBANT

VI

Vigilando, agendo, bene consulendo,
prospera omnia cedunt.

Vigilance, action, wise counsels, — these insure success.

SALLUST

Participles
Ablative Absolute
Gerund

Participles. A participle is a *verbal adjective;* as a *verb* it may be followed by an object; as an *adjective* it must agree with its noun in gender, number, and case.

PRESENT AND FUTURE PARTICIPLES OF THE ACTIVE VOICE

NAME	VERB-STEM	ENDING	MEANING
Present	Present	-ns, gen., -ntis	*-ing*
Future	Participial	-ūrus, -a, -um	*about to*

PERFECT PASSIVE PARTICIPLE

Perfect	Participial	-us, -a, -um	*having been*

FIRST CONJUGATION

Present amāns, amantis, *loving*
Future amātūrus, -a, -um, *about to love*
Perfect amātus, -a, -um, *having been loved*

	CONJ. II	CONJ. III	CONJ. IV
Present	monēns	dūcēns	audiēns
Future	monitūrus	ductūrus	audītūrus
Perfect	monitus	ductus	audītus

These three participles bear the same relation to the *time* of the principal verb as do the three tenses of the infinitive, the *present participle* being used to denote the *same* time as the principal verb, the *perfect*, time *before*, and the *future*, time *after*.

The Ablative Absolute. The different uses of the ablative absolute are illustrated by the following examples:

1. **Signō datō, militēs impetum fēcērunt.**

$\left\{ \begin{array}{l} \textit{The signal having been given,} \\ \textit{When the signal was given,} \\ \textit{At the signal,} \end{array} \right\}$ *the soldiers charged.*
(Time)

30

2. **Bellō cōnfectō, in Italiam contendit.**

$\left\{\begin{array}{l} \textit{The war having been finished,} \\ \textit{When the war was finished,} \\ \textit{Having finished the war,} \end{array}\right\}$ *he hastened into Italy.*
(Time)

3. **Ā castris, tē insciente, discessit.**

$\left\{\begin{array}{l} \textit{You not knowing,} \\ \textit{Without your knowledge,} \end{array}\right\}$ *he departed from camp.*
(Circumstances)

4. **Caesare duce, nihil timēmus.**

$\left\{\begin{array}{l} \textit{Caesar (being) our leader,} \\ \textit{With Caesar as leader,} \end{array}\right\}$ *we fear nothing.*
(Cause)

5. **Ventō secundō, classis redibit.**

$\left\{\begin{array}{l} \textit{The wind (being) favorable,} \\ \textit{If the wind is favorable,} \end{array}\right\}$ *the fleet will return.*
(Condition)

In the first two examples there is a noun (in the third, a pronoun) in the ablative, and a participle agreeing with it, and they define the *time* or *circumstances* of the action expressed in the main clause of the sentence. Notice also that they are *grammatically independent* of the rest of the sentence. Hence this construction is called the **ablative absolute.**

In the fourth example a *noun*, and in the fifth an *adjective*, is used instead of a participle. In both cases *being* is supplied in English. (The Latin **sum** has no present participle corresponding to *being*.)

Observe that the literal translation of the ablative absolute is apt to be awkward. A smoother translation is obtained by using the active participle with a direct object, or a clause introduced by a suitable conjunction, or two coordinate clauses.

Caution

In translating English into Latin, do not imagine that *all* participles will have the ablative absolute construction. For example, if a participle belongs to the subject of a verb in the indicative mood, it will of course be in the nominative case, as: *Caesar,* **influenced** *by their entreaties, undertook the war.* **Caesar, adductus eōrum precibus, bellum suscēpit.**

ANULUS  NUPTIALIS

31

Use of the Present Participle. In Latin the present participle can only be used when it denotes the *same time* as the principal verb, as:

Vidi eum ridentem. *I saw him laughing.*

Learn the declension of the present participle, page 356.

The Gerund. The gerund is a *verbal noun;* it is found only in the singular. It lacks the nominative case, which is supplied by the infinitive. It is formed by adding **-ndī, -ndō, -ndum, -ndō** to the present stem. (In the *fourth* conjugation **-e** is added to the stem.)

THE GERUND

	CONJ. I	CONJ. II	CONJ. III	CONJ. IV
Gen.	amandī, *of loving*	monendī	dūcendī	audiendī
Dat.	amandō, *for loving*	monendō	dūcendō	audiendō
Acc.	amandum, *loving*	monendum	dūcendum	audiendum
Abl.	amandō, *by loving*	monendō	dūcendō	audiendō

Uses of the Gerund. The gerund may take a direct object, but as a rule it does so only in the genitive, or the ablative without a preposition. Following are examples of its use:

Gen. **Pugnandī causā.** *For the sake of fighting.*
Dat. **Aqua ūtilis bibendō.** *Water useful for drinking.*
Acc. **Nāvēs parātae ad nāvigandum.** *Ships ready for sailing.*
Abl. **In metendō occupātī sunt.** *They were occupied in reaping.*

VOCABULARY

amīcitia	cursus	frāter	nōmen	signum
annus	custōs	frūmentum	nox	sōl
antīquus	dēfendō	genus	ōs	spectō
appellō	dēligō	ignis	ostendō	studeō
appropinquō	ēripiō	impetus	pānis	superō
augeō	exeō	incendō	passus	temptō
avis	explōrātor	inopia	perterreō	terra
calamitās	facultās	īnstruō	prīnceps	vadum
canis	fāma	inveniō	prōgredior	vehō
classis	ferrum	mēnsis	redeō	vertō
collis	fidēs	mora	referō	vīvō
colloquor	fluctus	mūrus	relinquō	volō (1)
cōnscrībō	fortūna	nauta	respondeō	vulnerō
cōnservō	fossa	nāvigō	senātus	

Drill

A. *Give the three participles, with English meaning of each, of* **augeō, īnstruō, referō, appellō,** and **inveniō.**

B. *Decline the present participle of* **vertō.**

C. *Give all the forms of the gerund of* **spectō, vehō, incendō,** and **cōnservō.**

D. *Translate:*

1. Relictūrus erat. 2. Fortiter pugnandō... 3. Hīs rēbus cognitīs... 4. Equitēs, secūtī hostēs fugientēs,... 5. Pedes vulnerātus reportātus est. 6. Senātus, cōnsulis ōrātiōne permōtus, ... 7. Custōdēs, nocte captī, ductī sunt... 8. Nāvem cōnscendit nāvigandī causā. 9. Eōs vīdimus iter facientēs per collēs. 10. Facultās studendī mihi nōn erat.

E. *Translate into Latin the italicized words:*

1. He saw the *fleeing boys*... 2. The *horsemen, about to set out*... 3. He won the victory *by delaying*... 4. The camp, *having been attacked* at dawn, was defended... 5. The soldiers were prepared *for fighting*... 6. *After giving the signal,* the lieutenant ran... 7. The army, *having crossed the two rivers,* marched... 8. The ship was *about to sail.* 9. *After following the defeated enemy* for many miles, *our soldiers* returned... 10. The horse fell, *while running* across the field...

Exercises

A. *Translate:*

1. Pāce factā, plūrimī mīlitēs domum missī sunt. 2. Servī perterritī, flūmine trānsitō, in dēnsissimās silvās fūgērunt. 3. Nūntius, cīvibus victōriam nūntiāns, in altō saxō stetit. 4. Peditēs dēfessī, flūmen trānsīre nōn ausī, ad castra rediērunt. 5. Meus frāter, servīs līberātīs, suōs fīliōs labōrāre coēgit. 6. Quis vīdit decimam legiōnem aciem īnstruentem in lātō agrō? 7. Fabius

33

SPONSA
DIE NUPTIARUM

Maximus ōlim Poenōs morandō superāvit; itaque "Cunctātor" appellātus est. 8. Caesare et Bibulō cōnsulibus, rēs pūblica ā Caesare sōlō administrāta est. 9. Ad Eurōpam nāvigātūrus sum; meī amīcī, autem, dīcunt sē mēcum nōn nāvigātūrōs esse. 10. Hōc proeliō nūntiātō, dux ad Caesarem sine morā nūntiōs mīsit.

B. *Translate into Latin:*

1. Having enrolled three new legions in Gaul, Caesar marched towards the territory of the enemy. 2. The wounded soldiers were carried back to camp, still holding their swords in their hands.

34

3. While approaching the forest, I saw a frightened animal running away from me. 4. After killing the guards in front of the gate, the soldiers did not dare to progress farther. 5. Alarmed by these rumors, the Gauls decided to ask for peace. 6. In the consulship of Veturius and Postumius, a war was waged against the Samnites. 7. By sailing behind the island at night, the fleet was able to escape. 8. He said that the chief had decided not to advance on account of a lack of grain. 9. Our men, having killed many of the enemy and having captured their leader, pitched camp on top of a hill. 10. After receiving those hostages, Caesar decided to lead the army to the sea and to sail to Britain.

Latin Derivation

Show how the following words are derived from the Latin: invulnerable, invention, moratorium, colloquial, ostensibly, solarium, progressive, fluctuating, ignition, derelict, mural, spectator, nocturne, fraternity, conservation, conscription, revive, incendiary, nominate, indefensible, auction.

READING LESSON

Nūptiae Rōmānae

Diē nūptiārum spōnsa *tunicā rēctā* et *flammeō* indūta est. Eius coma, cuspide hastae in sex crīnēs dīvīsa, vittīs nexa est.

---

2. **coma ... dīvīsa**: Perhaps going back to the ancient marriage by *capture*.

Ubi convīvae in spōnsae domum māne convēnērunt, optimīs auspiciīs nūntiātīs, caerimōniae peraguntur. Prīmum *prōnuba* spōnsam
5 ad spōnsum dūcit, atque, decem testibus praesentibus, eōrum dex-
trās iungit. Deinde spōnsa sollemnia verba, "*Quandō tū Gaius, ego
Gaia,*" dīcit. Dēnique Pontifex Iovī farreum lībum fert et Iūnōnī
aliīsque deīs precēs adhibet.

Quibus rītibus factīs, omnēs convīvae ad novōs marītōs "fēlīciter"
10 dīcendī causā congregant. Inde ūsque ad noctem epulīs accumbunt.

Ubi nox vēnit, nūpta speciē vīs dē mātris complexū āvulsa ad
marītī domum dēdūcitur. Tībīcinēs et servī facēs ferentēs agmen
praecēdunt. Post novōs marītōs veniunt convīvae, quibus mox
magna turba plēbis sē iungit. Omnēs carmina canunt et "Talassiō"
15 clāmitant. Nunc marītus puerīs nucēs spargit, quō significat sē nōn
iam puerum esse.

Ubi ad marītī domum vēnērunt, nūpta postēs oleō unguit vittīsque
ōrnat. Deinde nūpta malum ōmen avertendī causā trāns līmen
trānsfertur. In ātriō marītus suam uxōrem *aquā et igne* accipit, —
20 vidēlicet quod illae duae rēs ad vīvendum maximē necessāriae sunt.

Posterō diē erant *repōtia* apud marītum, quō tempore prīmum
nūpta *Laribus et Penātibus* marītī sacrificāvit.

---

3. **optimīs auspiciīs nūntiātīs:** The auspices were taken before sunrise on the
wedding day by haruspices, who consulted the entrails of a sheep they sacrificed.

4. **prōnuba, -ae, f.,** *matron of honor.* The *pronuba* in a Roman wedding was
always a married woman.

6. **"Quandō tū Gaius, ego Gaia":** lit., *"since you are Gaius, I am Gaia."* The
Romans used the names *Gaius* and *Gaia* to typify *husband* and *wife.* Hence the
recital of this ancient formula indicated that the bride consented to become the wife
of the bridegroom.

7. **Iūnōnī aliīsque deīs:** To Juno as the goddess of marriage, and to other deities
of the country and its fruits.

10. **epulīs,** dat. of ind. obj. with a verb compounded with **ad.**

11. **complexus, -ūs, m., [plectō,** *twine*], *embrace.* **āvellō, -ere, -vellī, -vulsus,** *tear
away.*

12. **tībīcen, -inis, m., [tībia,** *flute* + **canō],** *flute player.* **fax, facis, f.,** *torch.*

14. **turba, -ae, f.,** *crowd.* **Talassiō!** Wedding salutation, going back to the time
of Romulus; perhaps the name of a god of marriage.

15. **clāmitō, -āre, [clāmō],** *keep shouting.* **nux, nucis, f.,** *nut;* Roman boys played
games with nuts, just as we do with marbles. **spargō, -ere, sparsī, sparsus,** *scatter.*

18. **līmen, -inis, n.,** *threshold.*

19. **uxor, -ōris, f.,** *wife.*

20. **vidēlicet,** adv., **[vidēre licet,** *one may see*], *evidently.*

21. **repōtia, -ōrum, n., [pōtō,** *drink*], *return banquet.*

22. **Larēs, -um, m.,** *Lares,* deified spirits of ancestors, protecting the home. **Penātēs, -ium, m.,** *Penates,* guardian gods of the family.

36

VII

Gaudeamus igitur, iuvenes dum sumus.

Let us then be merry, while we are young.

<small>UNIVERSITY SONG OF THE MIDDLE AGES</small>

The Subjunctive

There are four tenses of the subjunctive in Latin. They are formed as follows:

Present:

FIRST	SECOND	THIRD	FOURTH	SUM
portem	moneam	dūcam	audiam	sim
portēs	moneās	dūcās	audiās	sīs
portet	moneat	dūcat	audiat	sit
portēmus	moneāmus	dūcāmus	audiāmus	sīmus
portētis	moneātis	dūcātis	audiātis	sītis
portent	moneant	dūcant	audiant	sint

Imperfect:

The *imperfect subjunctive* is formed by adding the personal endings to the present active infinitive, — **portārem, portārēs, . . .; essem, essēs, . . .; caperem, caperēs, . . .; audīrem, audīrēs, ...**

Note the long **ē** in the second person, singular and plural, and the first person plural.

Perfect:

The *perfect active subjunctive* is formed by adding **-erim, -erīs, -erit, -erīmus, -erītis, -erint,** to the perfect stem, — **portāverim, dederim, fuerim, ...**

Pluperfect:

The *pluperfect active subjunctive* is formed by adding the personal endings to the perfect active infinitive, — **portāvissem, monuissem, dīxissem, ...**

Passive voice:

The *present* and *imperfect passives* are formed by substituting the passive personal endings for the active; the *perfect* and *pluperfect*, by substituting the forms **sim, sīs, sit,** and **essem, essēs, esset,** for **sum, es, est,** and **eram, erās, erat,** in the passive of the indicative. Consult the Appendix, § 23 through § 35.

The **hortatory subjunctive,** also called the independent volitive subjunctive, represents an idea as willed. The negative is **nē.**

> **Fortēs simus.** *Let us be brave.*
> **Nē ignāvi sint.** *Let them not be cowards.*

(*a*) Observe that these are *independent* sentences. The subjunctive represents, not a fact, but *an idea,* — something that is *willed.*

VOCABULARY

adventus	equitātus	mīrus	sagitta
albus	fēlix	morior	salūs
agmen	frangō	nāscor	senātor
aliquis	gaudium	neuter	surgō
ambulō	hīberna	nisi	tegō
āmittō	hortus	noceō	tollō
animal	idōneus	opus	tribuō
ascendō	impediō	orior	turpis
auctor	imperō	parcō	ubi
bibō	itaque	patior	uter
caedēs	iūdicō	paucī	uterque
carmen	iūs	portus	uxor
cāsus	iuvō	praeter	vel
cēterī	latus (*noun*)	quīdam	vereor
cibus	laus	quisque	vērō
coepī	lectus	rēmus	voluntās
doleō	medius	reperiō	vōx

Drill

A. *Give the following forms:*

1. The third singular, present subjunctive active of **iuvō, doleō, impediō, sum.**

2. The first plural, imperfect subjunctive passive of **tollō, iūdicō, reperiō.**

OSTIA, URBS MARITIMA

3. The second plural, perfect subjunctive active of **surgō, sum, ambulō.**

4. The first singular, perfect subjunctive passive of **dēligō, referō, appellō.**

5. The third plural, pluperfect subjunctive active of **vehō, augeō, āmittō.**

6. The third singular, pluperfect subjunctive passive of **cōgō, faciō, vastō.**

B. *Translate:*

1. Sōlem spectēmus. 2. Nē vulnerentur. 3. Animālibus parcāmus. 4. Senātōrēs surgant. 5. Nē moriātur. 6. Celerius ambulēmus. 7. Nē rēmōs frangant. 8. Cēterī iuvent. 9. Aliquis oriātur. 10. Prīnceps dēligātur.

C. *Translate:*

1. Let them not judge. 2. Let it break. 3. Let us hinder. 4. Let me not hear. 5. Let him set out. 6. Let the senator judge. 7. May we not be hindered. 8. Let them not harm the animal. 9. Let someone climb. 10. May each one help.

39

Exercises

A. *Translate:*

1. Cibus ad nautās quī in nāvibus in portū sunt ferātur. 2. Nē prīnceps, quī ad mortem damnātus est, morī vereātur. 3. Explōrātōrēs animal vulnerātum quod in collibus āmissum est inveniant. 4. Uterque cōnsul rem pūblicam iuvāre cupiat. 5. Quīdam auctor multōs librōs dē sōle et lūnā scrīpsit. 6. Nostrīs līberīs dīcāmus nōs cāsum alīus bellī patī nōlle. 7. Collem ascendāmus, ubi est locus idōneus hībernīs. 8. Fluctūs in portū maximōs esse et cōnsulem nāvigāre nōlle nūntiābat. 9. Lēgātus repperit latera hībernōrum plūrimīs saxīs maximīs mūnīta esse. 10. Exspectēmus adventum senātōris quī cum auctōre nōtō ambulat.

B. *Translate into Latin:*

1. Let them not think that we have been frightened by that disaster. 2. Let each man be brave; let him not be afraid to die in battle. 3. We know that our soldiers will remain for many months in their winter quarters. 4. A certain king said that he preferred to die (rather) than to live basely. 5. Let him drive all the animals out of the road into that field. 6. The scouts were accustomed to set out from the camp after sunset. 7. The lieutenant reported to the chief that those fields were not suitable for a winter camp. 8. Let us carry our wounded soldiers into the middle of that town. 9. Let the cavalry follow the defeated enemy retreating toward the forest. 10. Let him not think that we do not want to listen to the speech of that senator.

Latin Derivation

Show how the following words are derived from the Latin: ambulatory, imperative, patient, lateral, advent, bireme, trireme, parsimonious, renascent, frangible, opera, resurgence, laudatory, turpitude, innocent, port, et cetera, orient, voluntary, Sagittarius, hibernation, tribute, uxorious.

VIA SACRA HODIE

READING LESSON

Triumphus Rōmānus

Gaius. Heus! Heus! Ubi es, Mārce?

Mārcus. Hīc adsum. Quid est?

G. Nōnne scīs Caesarem, quī modo ab Galliā Rōmam redierit, hodiē triumphāre? Iam multitūdō per viās sē congregat, templa patent, ārae fūmant. Nōnne vīs pompam spectāre? 5

M. Certē. At quid nōs parvulī in tantā multitūdine vidēre possumus?

G. Immō vērō, stantēs in summō gradū templī Castoris omnēs rēs vidēre possumus. Venī mēcum. Nē tardī sīmus. Sī percurrēmus, mox ad templum perveniēmus. 10

G. (*in summō templī gradū*). Ecce! Pompa iam Viā Sacrā appropinquat.

---

4. triumphō, -āre, -āvī, -ātus, [triumphus], *celebrate a triumph.*

5. vīs, 2nd sing. pres. indic. of the irregular verb **volō,** *wish.*

8. templī Castoris: On the south side of the Forum a temple was erected to the twin gods, Castor and Pollux, for leading the Romans to victory in the battle of Lake Regillus, 484 B.C. It was rebuilt by the Emperor Augustus. Three beautiful Corinthian columns — still standing — mark the site. They appear in the color photograph of the Forum as it is today, page 42.

11. Viā Sacrā: This was the principal street in Rome. It can be clearly traced even now. Passing through the Arch of Titus it runs alongside the temple of Castor and the Basilica Julia to the Capitol.

M. Quī prīmī incēdunt?

G. Illī sunt magistrātūs et senātōrēs. Deinde veniunt cornicinēs.
15 Post illōs multī captīvī dūcuntur.

M. Quis est ille superbus vir?

G. Ille est Vercingetorīx, summus dux Gallōrum. Trīstis est sors
nōbilissimōrum captīvōrum! Nūper rēgēs, rēgīnae, prīncipēs, nunc
sunt servī catēnīs vinctī! Quōrum aliquī, dum imperātor Capi-
20 tōlium ascendit, dēductī in carcerem immolābuntur.

M. Cōnspicisne nōnnūllōs mīlitēs ferentēs titulōs?

G. Cōnspiciō. In ūnō titulō īnscrībuntur ea tria verba, **Vēnī,
vīdī, vīcī.**

M. Audīsne clāmōrēs multitūdinis? Clāmitant, "Caesar adest!
25 Caesar adest!"

---

17. Vercingetorīx was a Gallic chieftain of great ability and of rare personal
magnetism, who succeeded in uniting the whole of Gaul against Caesar in the dangerous rebellion of 52 B.C. Decisively defeated and compelled to surrender at Alesia,
he was kept a prisoner until Caesar celebrated this triumph.

22. cōnspiciō: To answer "Yes" the Romans most often repeated the verb or the
most emphatic word of the preceding question. **Vēnī, vīdī, vīcī:** This was the brief
dispatch that Caesar sent to Rome to announce his victory — after a five days'
campaign — over Pharnaces, king of Pontus, in 47 B.C.

PONS FABRICIUS ROMAE

POPULUS IN FORO
TRIUMPHUM SPECTANS

G. Imperātor ipse adest, quod lictōrēs vidēre possum. Nunc
dēmum eum cōnspiciō. Aureō currū vehitur, alterā manū lauream,
alterā scēptrum tenēns. Est indūtus togā pīctā et tunicā palmātā.
Servus stāns in currū post eum auream corōnam suprā eius caput
tenet.   30
M. Nunc Caesaris lēgātī et tribūnī et equitēs ōrnātissimī praetervehuntur.

---

26. lictor, -ōris, m., *lictor,* an attendant who carried the **fascēs** before a Roman
magistrate as a symbol of honor and authority. The number of lictors to which a
magistrate was entitled depended on his rank. The praetor urbanus had two; the
consul, twelve; the dictator, twenty-four. As Caesar had been dictator *twice,* he was
accorded *forty-eight* lictors in this triumph!

27. dēmum, adv., *at last.* **aureus, -a, -um,** [aurum], *golden.* **currus, -ūs,** m., [currō],
chariot. **vehō, -ere, vexī, vectus,** *carry;* pass., *ride.* **laurea, -ae,** f., *laurel wreath.*

28. pīctus, -a, -um, [pingō, *paint*], *colored;* **toga pīcta,** a purple toga adorned
with golden stars. **palmātus, -a, -um,** [palma, *palm*], embroidered with palm branches
as a symbol of victory; **tunica palmāta,** a purple tunic embroidered with golden
palms.

31. ōrnātus, -a, -um, [ōrnō], *splendidly equipped.* **praetervehuntur,** [praeter, prep.
with acc., *by, past*], see **vehō** above.

43

G. Ecce! Peditēs ferentēs praedam, — aurum, argentum, signa, armaque. Clāmitant, "Iō triumphe! Iō triumphe!" Ille est fīnis 35 triumphī. Nōnne erat spectāculum splendidum?

M. Sānē. Quid autem imperātor in Capitōliō faciet?

G. Ille, captīvīs immolātīs, in templō Iovis sacra faciet. Deinde in Forum dēscendet atque suīs fīdīs commīlitōnibus ampla praemia distribuet. Dēnique, epulīs in templō cōnfectīs, ā plūrimīs cīvibus 40 comitātus domum redībit.

M. Quam celeriter tempus fūgit! Eāmus domum statim. Equidem putō nostrōs patrēs nōs animadversūrōs esse, quod iniussū abiimus.

G. Minimē! Ipsī quondam erant puerī! Valē.

---

33. argentum, -ī, n., *silver.*
34. Iō! interj. *hurrah!* **triumphe!** is also a part of the exclamation.
36. sānē, adv., [**sānus**], *surely:* Yes, indeed!
38. fīdus, -a, -um, [**fīdō**], *faithful.* **commīlitō, -ōnis,** m., [**mīles**], *fellow-soldier;* in addressing his soldiers Caesar always used the word **commīlitōnēs.**
40. comitātus, -a, -um, [**comitō** from **comes**], *accompanied.*

VIII

Oportet esse ut vivas, non vivere ut edas.
You should eat to live, not live to eat.
CORNIFICIUS

Purpose Clauses

The Subjunctive in Dependent Clauses. In the preceding lesson we studied the volitive subjunctive in an independent sentence.

In *dependent clauses* there are many different uses of the subjunctive and they occur very frequently. We shall proceed, therefore, to take up the study of some of the more common uses of the dependent subjunctive in this and the following lessons.

Clauses of Purpose. Purpose clauses introduced by **ut** (negative **nē**) take the subjunctive.

1. **Veniunt ut pācem faciant.**

    They are coming { *that they may make peace.* / *in order to make peace.* / *to make peace.* }

2. **Abiit, nē id accideret.**

    He went away { *that this might not happen.* / *lest this should happen.* / *in order that this might not happen.* }

(*a*) Observe that the dependent clauses introduced by **ut** and **nē** express *purpose*, and that the verb is in the subjunctive mood.

(*b*) Observe that the tense of the subjunctive in both Latin and English depends upon the tense of the main verb. If the main verb expresses *present* or *future* time, the verb in the purpose clause will be *present* subjunctive; if the main verb expresses *past* time, the verb in the purpose clause will be *imperfect* subjunctive.

Substantive Clauses of Purpose. The so-called "substantive clauses of purpose" are used principally as objects of certain verbs to denote something "willed" or "desired." In these clauses also, the verb is expressed in Latin by the subjunctive. The clause is

45

introduced by **ut** if the verb of the "purpose" clause is affirmative, and by **nē** if the verb is negative.

We order him to come.   **Ei imperāmus ut veniat.**
We order him not to come.   **Ei imperāmus nē veniat.**

"Substantive clauses of purpose" are used as objects with most verbs signifying *to request, command, urge, persuade,* or *induce.*

The commonest of these are: **imperō, mandō, persuādeō,** which take the *dative* case for the person; **hortor, moneō, rogō,** which take the *accusative;* and **ōrō, petō, postulō,** and **quaerō,** which take the *ablative* with **ā** or **ab.**

If the main clause contains a definite antecedent, the purpose clause is regularly introduced by the relative pronoun instead of **ut.**

We sent scouts to find out ...   **Mīsimus explōrātōrēs** *qui cognōscerent* ···

VOCABULARY

absum	bene	discēdō	hospes	labor
accipiō	caelum	dominus	iam	legiō
adsum	clāmō	dormiō	īnfāns	lēx
aedes	convocō	excēdō	inimīcus	liber
animus	convocō	expellō	iniūria	*(noun)*
auctōritās	cūr	ferē	interim	littera
audācia	dēlectō	hūc	iter	lūdus

46

magister	nunc	populus	reddō	socius
māter	officium	posteā	redūcō	soror
mors	pars	praemium	reliquus	tum
multitūdō	patria	praesidium	rogō	verbum
nārrō	pecūnia	proelium	sacer	victōria
nātūra	persuādeō	prōvincia	saepe	virtūs
numerus	poena	quaerō	semper	vīta

Drill

A. *Translate:*

1. Suō fīliō persuāsit nē discēderet. 2. Veniet ut nōs videat.
3. Explōrātōrēs mīsimus quī invenīrent . . . 4. Ab eā quaeram
ut mēcum eat. 5. Nūntiō imperāvit nē morārētur. 6. Lēgātōs
hortātus est nē parcerent . . . 7. Ā sorōre petīvit nē nocēret . . .
8. Captīvum remīsērunt quī loquerētur. 9. Pugnant ācerrimē ut
hostēs superent. 10. Patrem suum rogābant nē proficīscerētur.

B. *Translate into Latin:*

1. He came to see. 2. He came to speak. 3. We shall go to
learn. 4. He asked the soldiers to be brave. 5. They asked me
not to tell. 6. I warn you not to do that. 7. He sent a messenger
to find out. 8. They will persuade the citizens to go out. 9. We
urged them not to set out. 10. Let him come here to look at.

Exercises

A. *Translate:*

1. Multī ad forum conveniēbant ut cōnsulem dē rē pūblicā loquentem audīrent.   2. Imperātor sorōrī persuāsit ut sēcum ad Āfricam proficīscerētur.   3. Nocte ē vīllā discessit ut lūnam et stellās spectāret.   4. Iter longissimum fēcit ut in Italiam aestāte pervenīret.   5. Puerōs rogābō nē librōs iaciant.   6. Per fīnēs hostium explōrātōrem mīsit quī cum prīncipe loquerētur.   7. Legiōnī octāvae imperāvit ut impetum in cornū dextrum hostium faceret.   8. Ad castra reductus est ut lēgātīs cōnsilia turpia servōrum nūntiāret.   9. Multa mīlia passuum iter fēcit ut sē cum suīs amīcīs iungeret.   10. Tibi mandō ut trēs legiōnēs novās in prōvinciā cōnscrībās.

B. *Translate into Latin:*

1. The general urged the soldiers not to remain in the forest at night.   2. The small boys were running very fast to see the fire in the town.   3. We shall always try to persuade our children to be strong and bold.   4. A scout was sent out from the camp to find out the number of the enemy's horsemen.   5. The Romans decided to send one legion into Germany to terrify the Germans.   6. The consuls asked the citizens not to listen to the words of that unfriendly chief.   7. He came to look at my books, but he did not want to read them.   8. My sisters asked my mother to send the money to their friends in Rome.   9. Let us all run to the town to see the general returning from the war.   10. The lieutenant ordered the prisoners to march through the middle of the city to a camp outside the walls.

Latin Derivation
Show how the following words are derived from the Latin: reduce, library, mortal, itinerary, convocation, benediction, interrogative, vitality, inimical, popularity, expulsion, associate, impecunious, premium, maternal, postlude, prelude, animated, sorority, partial, narrative, convention.

READING LESSON

CĒNA RŌMĀNA

Antīquissimīs temporibus Rōmānōrum cibus ūniversus erat puls; deinde ad cēnam olera addita sunt, mox exigua carō. Sed posteā terrā marīque omnia exquīrēbantur, ut Rōmānī edendī causā piscēs,

---

Title: Like ourselves, the Romans had three meals. In the country the breakfast (*ientaculum*), consisting usually of bread and wine, was eaten immediately after rising, the dinner (*cena*) about midday, and a supper (*vesperna*) at the close of the day's work. In the city, however, it became the fashion to have luncheon (*prandium*) about eleven o'clock, and postpone the *cena* until about three in the afternoon. The *prandium* was a light meal, consisting of cold meats, salads, bread, cheese, fruits, nuts, and olives.

3. terrā marīque omnia exquīrēbantur: They obtained peacock from Samos, tunny fish from Chalcedon, oysters from Tarentum, nuts from Thasos, dates from Egypt, for example.

carnem, avēs habērent. Nōs autem, sūmptuōsīs convīviīs praeter-
5 missīs, ad cēnam moderātam animum advertāmus.

Nōna ferē hōra est atque ad Cornēlī domum octō convīvae pro-
perant, nē sērius perveniant. Ubi omnēs in ātrium convēnērunt,
Cornēlius eōs in trīclīnium dūcit. Ibi, ut est cōnsuētūdō, sunt trēs
lectī et pulchra mēnsa. In eā mēnsā est salīnum argenteum.

10   Prīmum, silentiō factō, deī rīte invocantur. Deinde omnēs in
lectīs accumbunt, — Cornēlius hospes in lectō īmō. Tum soleae
removentur, atque aqua et mappae circumferuntur ut manūs lavent.

Prīmum servī asparagum, ostreās, et ōva īnferunt. (Rōmānī
prīncipiō cēnae tālia edēbant, ut appetītum excītārent. Itaque ea
15 pars cēnae *gustus* appellāta est.)

Mox, aquā et mappīs iterum circumlātīs, incipit cēna ipsa, in quā
tria fercula dīversīs generibus carnis et olerum appōnuntur. Nunc

---

6. Nōna ferē hōra: The time between the rising and the setting of the sun was
divided into twelve hours, each hour of course being longer in summer than in winter.

8. ut: Note carefully the different meanings of **ut**; when followed by the *indicative* it means *as* or *when*, but with the *subjunctive* it means *that* (in *purpose* clauses,
in order that).

9. salīnum argenteum: Even the poor prided themselves on having a silver saltcellar. It was held sacred, because the offering to the Lares in the course of the dinner
was salted.

13. ōvum, -ī, n., *egg*.

14. prīncipium, -ī, n., [**prīmus + capiō**], *beginning*.

15. gustus, -ūs, m., *appetizer*. Another name for it was **prōmulsis,** [**prō,** *before* + **mulsum**, a drink made of four measures of wine to one of honey]. The Romans
had no sugar, honey being used instead. (And instead of butter they used olive oil.)

17. ferculum, -ī, n., [**ferō +** suffix **-culum =** *means*] *dish, course.* **appōnō, -ere,
-posuī, -positus,** [**ad**], *set before, serve.*

50

RES ARGENTEAE ET FICTILES

etiam pōcula Falernī dīlūtī īnferuntur. Deinde est brevis intermissiō, dum molā salsā et vīnō Laribus supplicātur. Dēnique *secunda mēnsa,* vidēlicet dulcia et māla, appōnitur. Ita tōta cēna — "ab ōvō ūsque 20 ad māla" — complētur.

Tum, cēnā perfectā comissātiō incipit. In mediā mēnsā pōnitur ingēns crātēra, in quā iussū *rēgis bibendī* vīnum aquā dīluitur. Dum vīnum bibitur, scurrae et saltātrīcēs indūcuntur ut convīvās dēlectent. Postrēmō servī iussī soleās īnferunt atque omnēs Cornēlium 25 "Vale" iubent et domum discēdunt.

18. pōculum, -ī, n., *cup, goblet.* **Falernum,** (sc. **vīnum**), **-ī,** n., *Falernian wine,* a famous wine of the Falernian district in the north of Campania. **dīlūtus, -a, -um,** [**luō,** *wash*], *diluted, weakened;* wine was always drunk mixed with water, and generally with more water than the wine. To drink unmixed wine was considered barbarous.

19. mola salsa, -ae, f., *salted meal.* (Cf. *unleavened bread.*) **supplicō, -āre,** [**sub** + **plicō,** *fold*], (bend down), *pray humbly;* used impersonally. **secunda mēnsa,** *dessert.*

20. dulcis, -e, *sweet;* **dulcia,** *"sweets," sweet cakes.* **mālum, -ī,** n., *apple, fruit.* **"ab ōvō ūsque ad māla,"** a proverbial expression meaning, *"from beginning to end,"* or, as we sometimes say, *"from soup to nuts."*

22. comissātiō, -ōnis, f., [**edō**], *drinking;* at this time the head of each guest was anointed with perfume, and crowned with a wreath of roses.

23. crātēra, -ae, f., [also **crātēr, -is**], *mixing bowl.* **iussus, -ūs,** m., [**iubeō**], (used only in abl. sing.), *according to the direction.* The **rēx bibendī** was selected by throwing dice, and he directed the proportions of wine and water that were to be mixed in the **crātēra.** Up to this time in the dinner each guest had been at liberty to mix his wine to suit his own taste.

24. scurra, -ae, m., *buffoon, jester.* **saltātrix, -īcis,** f., [**saltō,** *dance* + fem. suffix **-trix** = *agent*], *dancing girls.* **dēlectō, -āre,** *amuse.*

25. postrēmō, adv., [abl. of **postrēmus**], *at last, finally.*

IX

Mens sana in corpore sano.
A sound mind in a sound body.
JUVENAL

Clauses of Result

Clauses of Result. Clauses of result introduced by **ut** (negative **ut . . . nōn**) take the subjunctive.

> **Tanta erat caedēs ut perpaucī effugerent.**
> *So great was the slaughter that very few escaped.*

> **Erat tam tardus ut nōn effugeret.**
> *He was so slow that he did not escape.*

(*a*) Observe that the dependent clauses introduced by **ut** express *result*, and that their verbs are in the subjunctive mood.

(*b*) Notice that the negative in result clauses is **nōn.**

(*c*) The main clause often contains a word such as **tantus, tam, ita,** etc.

(*d*) The tense of the verb in the result clause depends on the tense of the main verb, as it does in purpose clauses. If the main verb is present or future, the verb in the result clause is usually in the *present* subjunctive; if, however, the main verb expresses past time, the *imperfect* subjunctive is used in the result clause.

Substantive Clauses of Result. Substantive result clauses (introduced by **ut** or **ut . . . nōn**) with the subjunctive are used as the objects of verbs meaning to *happen* or to *cause* or to *effect*.

Accidit ut lūna esset plēna. *It happened that the moon was full.*

VOCABULARY

accidō	armō	cōnficiō	cupidus
aggredior	barbarus	cōnsequor	cūra
amīcus	causa	cōnsuētūdō	deinde
arbor	compleō	cotīdiē	dēmōnstrō

52

dexter	intermittō	ōrātiō	silva
dīligentia	īra	orbis	sinister
errō	iūdex	paene	statim
extrēmus	iūstus	perveniō	stella
fidēlis	lingua	probō	studium
glōria	magnitūdō	propinquus	sustineō
ibi	magnopere	regiō	tandem
impedīmentum	memoria	retineō	tempestās
imperium	mēns	rūs	tergum
incitō	nēmō	satis	timor
inīquus	numquam	senex	valeō
initium	obtineō	sententia	validus
			vestis

Drill

A. *Translate the italicized words in the following sentences:*

1. Tanta impedīmenta habēmus *ut flūmen trānsīre nōn possīmus.*
2. Tam validus est *ut tenēre possit* ... 3. Sīc perterritī erāmus
ut nōn audērēmus ... 4. Tanta est glōria prīncipis *ut omnēs eum
ament.* 5. Accidit *ut id facere nōlim.* 6. Tantā cum cūrā labōrat
ut semper cōnficiat. 7. Ōrātiō erat tam longa *ut exspectāre nōn
possem.* 8. Sunt tot stellae in caelō *ut eās nōn numerāre possim.*
9. Tam dēfessus erat *ut intermitteret* ... 10. Arbor erat tam
alta *ut animal nōn audēret* ...

B. *Translate into Latin the italicized words:*

1. They fought *so bravely that they were able to defeat* ...
2. That man is *so powerful that everyone fears* him ... 3. They ran
so fast that I could not catch ... 4. He has *so much money that he
does not know* ... 5. She was *so terrified that she did not dare* ...
6. The stars shone *so clearly that we could see* ... 7. There were
so many guards that Marcus could not escape ... 8. He is *so
faithful that he follows* ... 9. It happens *that we are not able to
overtake* ... 10. He speaks *in such a way that I cannot understand.*

Exercises

A. *Translate:*

1. Tanta tempestās in marī oriēbātur ut nāvēs cursum tenēre nōn
possent. 2. Accidit ut nūllī amīcī iūdicis eum dēfendere vellent.

THERMAE CARACALLAE
Left: RECONSTRUCTION
Right: RUINS

3. Lingua Graecōrum tam difficilis erat ut intellegere nōn posset. 4. Bellum tam ācriter gestum est ut plūrimī peditēs utrīusque exercitūs caederentur. 5. Tam alta erat aqua ut cīvēs flūmen sine nāvibus trānsīre nōn possent. 6. Puellīs erat tantus timor ut in silvam ingredī nōn audērent. 7. Per agrōs celerrimē currēbat ut domum ante noctem pervenīret. 8. Dominō respondit sē omnēs deōs amāre sed maximē Iovem. 9. Tot mīlia passuum iter ūnō diē fēcērunt ut omnēs ad castra dēfessī advenīrent. 10. Puerī post vāllum celeriter currēbant nē ā mīlitibus vidērentur.

B. *Translate into Latin:*

1. The danger was so great that the citizens abandoned the town. 2. This river is so wide that we cannot cross it. 3. We have such a large supply of arms that the enemy does not dare to fight with us. 4. The Romans hurled their weapons in such a way that thousands of the enemy were killed. 5. The war was waged for so long a time that neither army was victorious. 6. His speech was so long that we did not remain to hear the end. 7. The boys are running very

fast in order not to be caught by the soldier. 8. He said that he had come to confer with the chiefs. 9. Let us not hesitate to interrupt the game if the queen comes. 10. The ship sailed so quickly that it reached Germany within five days.

Latin Derivation

Show how the following words are derived from the Latin: linguistic, sinister, aggressive, validity, err, errant, intermittent, completed, mental, silvan, dexterity, impediment, judicial, arboretum, fidelity, ire, oratorical, probe, consecutive, demonstration, tergal, magnitude, incite.

READING LESSON

THERMAE

In Ītaliā sōl est tam calidus ut plūrimī post prandium paulisper dormiant. Item ōlim omnibus in locīs Ītaliae post merīdiem tabernae duās ferē hōrās claudēbantur atque plērīque recēdēbant ut conquiēscerent.

Post meridiātiōnem iuvenēs in Campō Mārtiō vel in palaestrīs 5

---

5. The **Campus Mārtius** was a grassy plain (**Campus**) in Rome, dedicated to Mars (**Mārtius**), which lay between the Tiber and the Capitoline and Quirinal hills. Here young Romans ran, jumped, rode, wrestled, boxed, threw the discus, and played ball. The **palaestrae** were training schools for the regular instruction of youth in gymnastics. Such **palaestrae** were always to be found in the larger **thermae** as well as in some of the smaller bathing establishments called **balneae**.

membra exercēbant, senēs et puerī folle lūdēbant. Octāvā hōrā sonat aes thermārum sescentārum, quae erant tantae ut omnibus patērent. Balneāticum autem erat omnīnō quadrāns ūnus. Nēmō igitur erat tam pauper ut tantulum pendere nōn posset.

10 Prīmum is quī lavat, quadrante pēnsō, in *apodytērium* init. Hīc servī exspectant, ut lavantium vestīmenta accipiant et cūrent. Deinde in *tepidārium* trānsit, ubi paulisper sedet. Āer ibi est tam calidus, ut mox sūdāre incipiat.

Inde in *caldārium* pergit, ubi in extrēmā parte est *alveus* aquā

---

6. follis, -is, m., a large leather *ball* inflated with air, which was struck with the hand or arm. Besides this the Romans chiefly used a small hard ball stuffed with feathers, called the **pila.** From our knowledge of basketball and baseball we can imagine the various kinds of games that were played.

7. sescentī, *six hundred,* was used by the Romans, much as we use *hundreds* or *thousands,* to denote a very large number. In 33 B.C. there were at least 170 public baths in Rome. When Constantine was emperor (A.D. 320–337), the number had increased to 856! The **thermae** constructed by the later emperors were of enormous size. The still existing ruins of the largest, the Baths of Diocletian (Emperor, A.D. 284–305), cover an area of fifty acres, and could accommodate 3200 bathers at one time! Besides the baths, they contained a **palaestra,** a library, a museum, colonnades, and **exedrae** (semicircular recesses, where philosophers lectured and poets recited their poems).

10. is quī lavat = *the bather.* **apodytērium, -ī,** n., *undressing room.* **init,** indic. pres. 3rd sing. of the irreg. verb **ineō,** *go in, enter.*

12. tepidārium, -ī, n., [**tepidus,** *warm* + suff. **-ārium** denoting *place*], *warm bathing room.*

13. sūdō, -āre, *perspire.*

14. caldārium, -ī, n., [**calidus**], *hot bathing room.* Under the *caldarium* was the furnace, which supplied the hot water that was needed. The hot air also from the furnace, circulating under the floor and through the walls of the *caldarium* and *tepidarium,* kept them warm. **pergō, -ere, -rēxī, -rēctus,** [**regō**], *go on, proceed.* **alveus, -ī,** m., *bathing tank.*

Left: THERMAE DIOCLETIANI Above: TEPIDARIUM

calidā plēnus. Hic est tantus ut nōn nūllī eōdem tempore lavāre 15
possint. Iūxtā caldārium est *frīgidārium*, ubi vel in piscīnam sē
mergit vel iubet servum super corpus aquam frīgidam fundere.
Dēnique in *ūnctōrium* init, ubi servus strigile corpus dēstringit et
mantēlibus tergit, atque, nē dominus perfrīgēscat, oleō vel unguentō
eum unguit.   20
    Tum dēmum vestītus in lectō conquiēscit vel in bibliothēcā legit
vel cum amīcīs per porticūs spatiātur dum sit tempus ad cēnam
domum discēdere.

---

16. iūxtā, prep. with acc., *close to.* frīgidārium, -ī, n., [frīgidus], *cold room,*
piscīna, -ae, f., [piscis, *fish*], *pool.*
    17. mergō, -ere, mersī, mersus, *dip, sink, plunge.* fundō, -ere, fūdī, fūsus, *pour.*
    18. ūnctōrium, -ī, n., [unguō, *anoint*], *anointing room.* strigilis, -is, f., [stringō,
graze], *strigil,* an instrument made of bone, bronze, iron, or silver, to scrape the flesh.
dēstringō, -ere, -strīnxī, -strictus, *scrape.*
    19. mantēle, -is, n., [manus + tēla, *cloth*], *towel.* tergō, -ere, tersī, tersus, *rub.*
perfrīgēscō, -ere, -frīxī, —, [incep. of frīgeō, *be cold*], *catch cold.*
    20. unguō, -ere, ūnxī, ūnctus, *anoint.*
    21. vestiō, -īre, -īvī or -iī, -ītus, [vestis], *clothe.* In order to dress, the bather would
return to the *apodyterium.* The bathers, of course, did not invariably take their
bath in the order that has been given, but followed their own tastes in the matter.

X

Nil sine numine.
Nothing without divine guidance.
MOTTO OF COLORADO

Indirect Questions

Indirect Questions. In Latin the verb in an indirect question is in the *subjunctive*.

DIRECT QUESTION	INDIRECT QUESTION
Ubi est?	**Sciō ubi sit.**
Where is he?	*I know where he is.*
Quid agunt?	**Sēnsit quid agerent.**
What are they doing?	*He realized what they were doing.*

Indirect questions for the most part depend on verbs of asking, knowing, etc. They are introduced by an interrogative word, such as **quis, quid,** or **cūr.**

Sequence of Tenses. All four tenses of the subjunctive are used in indirect questions. The complete rule for the sequence of tenses is as follows:

Primary Tenses. If the verb in the main clause is in the present or future tense, the verb in the subjunctive is in —
1. the present tense, if the time is the same as that in the main clause, or time after that of the main clause;
2. the perfect tense, if the time is before that of the main verb.

Venus   Mars   Diana

Iuppiter   Iuno

Secondary Tenses. If the verb in the main clause is imperfect, perfect, or pluperfect, the verb in the subjunctive is in —
1. the imperfect tense, if the time is the same or after that of the main verb;
2. the pluperfect tense, if the time is before that of the main verb.

PRIMARY TENSES

Present	**Videō**	} quid {	*faciat.*
Future	**Vidēbō**		*fēcerit.*
	I see	} what {	*he is doing.*
	I shall see		*he has done.*

SECONDARY TENSES

Imperfect	**Vidēbam**	}	
Perfect	**Vīdī**	} quid {	*faceret.*
Pluperfect	**Vīderam**		*fēcisset.*
	I saw	}	
	I saw	} what {	*he was doing.*
	I had seen		*he had done.*

Apollo   Pales   Vesta

VOCABULARY

adeō	dēsum	iūdicium	proximus
adferō	difficultās	līberī	recipiō
aequus	dolor	mandō	reficiō
altitūdō	efficiō	mercātor	rīpa
amplus	ēgredior	mulier	rūmor
ancora	exerceō	nōndum	rūrsus
apertus	explōrō	nōtus	sanguis
auris	flōs	obses	subitō
calidus	frīgidus	occīdō	subsidium
certus	herba	opprimō	superior
clāmor	hiemō	oppugnō	suscipiō
claudō	iaceō	paulum	taceō
condiciō	īdem	perficiō	tribūnus
cōnferō	īnferior	pertineō	umquam
cōnsistō	īnferō	placeō	ūsus
cōnspiciō	īnsidiae	potestās	vallēs
crēscō	integer	prīmum	vāllum
dēsistō	intereā	prope	

Drill

A. *Translate:*

1. Cognōvit quid factum esset. 2. Rogābitne quis occīsus sit? 3. Sciō quem laudent. 4. Scīsne quī in rīpā sedeant? 5. Cognōscunt cūr līberī secūtī sint. 6. Iūdex ā captīvō quaesīvit ā quibus captus esset. 7. Vīsne comperīre ubi obsidēs sint? 8. Nōn sciēbant cūr stellās spectārēmus. 9. Rogā servum quid portet. 10. Tribūnus vīdit quō mercātor nāvigāret.

B. *Translate into Latin the italicized words:*

1. We know *who is coming* . . . 2. We know *who came* . . . 3. I knew *what he was doing* . . . 4. I knew *what he had done* . . . 5. He asked *whom I had seen* . . . 6. Do you know *what he said* . . . ?

LAR

PENATES

7. We found out *why you were being sent* . . . 8. Caesar asked *the lieutenant to come* . . . 9. We knew that *they would not fight* . . . 10. He learned *what she had written* . . .

Exercises

A. *Translate:*

1. Poterāsne cognōscere quibus lēgātus tam diū loquerētur? 2. Multī cīvēs scīre volēbant quī essent novī cōnsulēs. 3. Puer parvus suum patrem rogāvit quō exercitus iter faceret. 4. Lūcius ā sorōre petīvit quōcum ad lūdum īsset. 5. Sciō quid fēcerit, sed quid factūrus sit nōn invenīre possum. 6. Caesar ā mercātōribus quaesīvit ubi essent optimī portūs in Britanniā. 7. Nōn cognōscere tamen poterat quō modo Britannī pugnāre cōnsuēscerent. 8. Rogāvimus quō diē et quā hōrā ad urbem pervēnisset. 9. Tam fidēlis suīs amīcīs erat ut eōs in mediō perīculō relinquere nōllet. 10. Omnēs vestrōs amīcōs rogāte quantam pecūniam miserō servō dare velint.

B. *Translate into Latin:*

1. The tribunes were unable to learn what the consuls had decided to do. 2. The farmer did not know whose horses had come into his fields. 3. We shall ask the women and the children what they saw in the city. 4. The merchants found out how many ships were ready to sail. 5. Do you know to whom the teacher gave the letters? 6. Let us inquire where they live and how they came to Rome. 7. The legions were led out of the city so that the citizens might not be terrified. 8. The consul replied that the enemy had not been conquered. 9. The woman asked the children where they had placed their books. 10. The well-known judge asked the citizens to assemble as quickly as possible.

Latin Derivation

Show how the following words are derived from the Latin: receptive, subsidy, integrity, prime, noted, confer, desist, conditional, ample, mandatory, exploratory, efficient, oppression, sanguinary, pertinent, equality, dolorous, approximation, vale, tribunal, inferiority.

LARARIUM DOMUS ROMANAE

READING LESSON

RELIGIŌ RŌMĀNA

Dē Graecōrum deīs Homērus multās rēs exposuit, — quālēs essent, ubi habitārent, quō modo mortālibus appārērent. Ille dīxit eōs esse mortālibus similēs, sed maiōrēs et pulchriōrēs et sapientiōrēs.

Longē aliī erant deī antīquōrum Ītalōrum. Hī enim nātūrae
5 nūmina colēbant, quōrum tūtēlae cotīdiē sē suōsque agrōs et gregēs commendābant. Iuppiter erat pater deōrum hominumque, quī ē caelō fulmina ēmittēbat ut impiōs perterrēret. Iūnō erat rēgīna caelī. Vesta erat dea focī, Mārs deus bellī, Cerēs dea frūgum, Pales dea pāstōrum. Praetereā erant innumerābilia nūmina īn-
10 feriōra, quae assiduē hominēs cūrābant. Hīs Rōmānī, urbe conditā, multōs Sabīnōs et Etruscōs deōs addidērunt.

---

4. antīquōrum Ītalōrum: The Italic peoples were the early inhabitants of Central Italy. Among them were the Latins, ancestors of the Romans, from whom the Romans naturally inherited their religious system. **nātūrae nūmina:** In sharp contrast with the *definite* ideas of the Greeks about their deities, the early Italians had only the *vaguest* conception of their gods as abstract powers of nature. They were shadowy spirits, which protected men and exercised an influence upon every action.

Rōmānī autem semper quaerēbant, nōn quae esset nātūra deōrum, sed quae officia eīs ab hominibus dēbērentur, atque quō modo eōrum benevolentia obtinērētur. Oportēbat hominem, quī deum invocābat, rīte precēs adhibēre et sacra facere. Quibus scrupulōsē 15 cōnfectīs, ille crēdēbat deum respōnsūrum esse.

Paulātim Rōmānī deōrum simulācra in speciēs hominum effingere coepērunt. In domuum focīs imāginēs Larum et Penātium impōnēbant. Mox templa aedificābant, in quibus magna simulācra vidēbantur. Posteā, adductī auctōritāte Graecōrum sacerdōtum, plūri- 20 mōs deōs Graecōs assūmpsērunt. Tum dēmum omnibus in locīs erant templa magnifica et innumerābilia simulācra.

Aspice quō rītū Rōmānī deīs sacrificāre cōnsuērint. Māne in flūmine lavantur. Deinde albīs togīs indūtī et corōnātī ante āram cōnsistunt. Silentiō factō, tībīcen tībiīs canit. Dum cēterī capite 25

---

17. speciēs, -ēī, f., [**speciō,** *look*], *shape, form.* **effingō, -ere, -fīnxī, -fīctus,** [ex], *fashion, form.*

18. In domuum focīs ... impōnēbant: This was done more especially by the poor. In the houses of the rich a special place, called the *lararium,* was reserved for the worship of these household gods. The *Lares* were the deified spirits of ancestors, which, so the Romans believed, hovered about the home to protect it.

23. aspiciō, -ere, -spēxī, -spectus, [ad + speciō, *look*], *look, behold, see.* **cōnsuērint = cōnsuēverint. in flūmine,** i.e., in running water, an act of purification.

24. corōnō, -āre, [corōna], *to wreathe, to garland.*

25. Silentiō factō: A solemn stillness was a marked feature of the ceremony. **tībia, -ae,** f., *pipe;* the piper usually played on two pipes at the same time.

TEMPLUM ROMANUM

vēlātō stant, sacrificāns precēs dictātās, verbum prō verbō reddit. Nunc ad āram dūcitur victima īnfulīs vittīsque ōrnāta, cuius capitī mola salsa et vīnum īnsperguntur. Deinde popa malleō victimam discutit et cultrō iugulat. Sanguis in āram īnfunditur. Exta
30 flammīs combūruntur. Postrēmō vesperī viscera tosta omnibus praesentibus appōnuntur, atque sacrificium epulīs in deī honōrem fīnītur.

---

26. sacrificāns, (participle used as a noun), *the person offering the sacrifice.* **reddō, -ere, -didī, -ditus,** (give back), *recite.* The prayer was read by a priest, after whom the worshiper recited it **verbum prō verbō.** If a single mistake was made, the entire prayer had to be repeated.

27. victima, -ae, f., *animal for sacrifice, victim,* e.g. a heifer, a goat, or a lamb. **īnfula, -ae,** f., (woolen) *band,* a lock of wool dyed red and white, and tied with *ribbons,* **vittae.**

28. capitī: Notice the *dative* with **īnsperguntur,** a verb compounded with **in. īnspergō, -ere, -spersī, -spersus,** [**spargō**], *sprinkle upon.* **popa, -ae,** m., *the priest's assistant.* **malleus, -ī,** m., *mallet.*

29. discutiō, -ere, -cussī, -cussus, [**quatiō,** *beat*], *strike down.* **culter, -trī,** m., *knife.* **iugulō, -āre,** *cut the throat.* **īnfundō, -ere, -fūdī, -fūsus,** *pour on.* **exta, -ōrum,** n., *entrails,* i.e., the liver, gall, lungs, and heart. These were carefully inspected by the **harūspicēs** (see following lesson), to see if they were normal. Any defect or misplacement of them was a bad omen.

30. combūrō, -ere, -bussī, -būstus, [**burō,** *burn*], *burn up.* **vesperī,** adv., [**vesper**], *in the evening.* **viscus, -eris,** n., (often pl., **viscera**), *the flesh.* **torreō, -ēre, -uī, tostus,** *roast.*

XI

**Fere libenter homines id quod
volunt credunt.**

As a rule men readily believe what they wish to.

Julius Caesar

Subjunctive with Cum

Clauses introduced by *Cum* may denote *cause, concession, circumstance,* or *time.*

Cum **Causal.** **Cum,** meaning *since*, regularly takes the subjunctive, in any tense.

Since we are fighting bravely, we shall not be conquered.	**Cum fortiter pugnēmus, nōn vincēmur.**
Since they were retreating, we attacked the town.	**Cum sē reciperent, oppidum oppugnāvimus.**

Cum **Concessive.** **Cum,** meaning *although*, takes the subjunctive, in any tense.

Although we had set fire to the town, they did not surrender.	**Cum oppidum incendissēmus, nōn sē dēdidērunt.**

Cum **Circumstantial.** **Cum,** meaning *when*, takes the subjunctive to denote the circumstances under which an action took place. This use is found regularly in the imperfect and pluperfect tenses.

When this had been announced to Caesar, he set out from the city.	**Caesar, cum hoc ei nūntiātum esset, ab urbe profectus est.**

When the **cum** clause merely fixes the time of the action or state described by the principal clause, the verb is put in the indicative, perfect tense. This is sometimes called **cum** *temporal*.

When Caesar came into Gaul, the Aedui were the leaders.	**Cum Caesar in Galliam vēnit, principēs erant Aedui.**

The tense of the verb in the **cum** clause depends upon the tense of the verb in the main clause, as it does in indirect questions.

65

VOCABULARY

accēdō	dēscendō	mīror	prīvātus
adulēscēns	ferus	mūnītiō	prōvideō
aeger	fīō	negōtium	prūdēns
aetās	frūstrā	omnīnō	quiēs
aurum	grātia	opīniō	quisquam
commūnis	immortālis	ōrdō	quoque
comparō	impedītus	ōrō	quō
complūrēs	incolō	perīculum	ratiō
cōnfīdō	inde	perturbō	reiciō
congredior	īnstituō	pīlum	repellō
coniungō	item	plēbs	sūmō
cōnscendō	lātitūdō	postulō	suprā
contineō	lītus	praeficiō	tālis
cupiditās	magistrātus	praesum	ultimus
dēferō	mereor	praetereā	unde
dēfessus	mīlitāris	prior	undique
			vix

Drill

Translate into Latin the italicized words:

1. *Since you are in charge of the legion,* you ought to order . . .
2. *Since they have been defeated* in war, they will send . . .   3. *Although they are very brave,* they do not want . . .   4. *When they had received the envoys,* they sent . . .   5. *Although the boy was very sick,* I did not think . . .   6. *Since you do not trust him,* you should tell . . .
7. *When he had descended from the mountain,* he pitched camp . . .
8. *Although we marveled at the fortification,* we were unwilling . . .
9. *When this had been announced to Caesar,* he hastened . . .
10. *When Caesar asked the captive* why he did not want to fight . . .

Exercises

A. *Translate:*

1. Cum Crassus id animadvertisset, tertiam aciem nostrīs subsidiō mīsit. 2. Cum Caesar esset in citeriōre Galliā, crēbrī rūmōrēs ad eum ferēbantur. 3. Hoc cum magnā vōce dīxisset, sē ex nāve prōiēcit. 4. Cum mūnītiō esset altissima, nostrī autem cōnscendere vāllum poterant. 5. Cum peditibus praesīs, dēbēs eīs dēmōnstrāre quō iter factūrī sint. 6. Cum ab eīs quaereret quae cīvitātēs in armīs

essent, tōtam Galliam cōnsentīre reperiēbat. 7. Cum Caesarem legiōnibus in Galliā praefēcerint, putant sē Gallōs superātūrōs esse. 8. Cum vulnus grave in pede accēperit, pedes tamen magnā cum audāciā pugnat. 9. Cum prīmum[1] mīlitēs proelium commīsērunt, prīma aciēs maximā cum celeritāte trāns palūdem cucurrit. 10. Cum in silvam ingredī nōn audērent, domum quam celerrimē rediērunt.

B. *Translate into Latin:*

1. When the soldiers were fighting in Gaul, they were attacked by very large forces of barbarians. 2. Since you do not know what has happened, I shall tell you. 3. Although they came to see this city, they did not remain long. 4. Since he had been very brave in the battle, he was placed in command of the legion. 5. The consul will tell the citizens what the messengers have reported. 6. Caesar learned that the enemy were coming to make an attack. 7. Since the men had worked from dawn until sunset, they were exhausted. 8. Although the danger of war is very great, the Roman people are not afraid. 9. When he had said these things, the lieutenant departed from the camp. 10. When the Britons saw the large number of ships approaching, they fled from the shore.

---

[1] **cum prīmum,** *as soon as,* with the perfect indicative.

Latin Derivation

Show how the following words are derived from the Latin: provident, frustrated, prefect, conjunction, priority, ultimate, postulate, adolescent, immortality, perturbation, rational, repellent, impeded, plebeian, institution, comparative, littoral, quiescent, rejection, continent.

PONTIFEX MAXIMUS
Opposite page: IMPERATOR SACRIFICANS

READING LESSON

SACERDŌTĒS RŌMĀNĪ

Apud Rōmānōs erant sacerdōtum duo genera, quōrum ūnum
praeerat caerimōniīs et sacrīs, alterum singulīs deīs sacra faciēbat.
Ex illō genere erant *pontificēs* et *augurēs.* Pontificēs erant numerō
quīndecim, quōrum prīnceps erat Pontifex Maximus. Augurēs vel
5 ex caelō vel ex avibus auspicābantur. Omnēs magistrātūs Rōmānī

---

3. pontificēs: The fifteen pontifices constituted the highest "college" of priests.
They were invested with complete control of matters pertaining to religion.

4. Pontifex Maximus: An illuminating example of the type of man that the
Romans selected for high priest was Julius Caesar, who held this office while he was
conquering the Gauls. **Pontifex Maximus** was adopted as a title of the highest
priestly office by the early Christian church, and it is still retained by the Pope. **Augurēs:** Next in importance to the pontifices were the augurs. They wore a purple
striped mantle called the *trabea,* and carried the *lituus,* a knotless staff curved at the
top. Their special duty was to take the *auspices.* This had to be done before any
official act in peace or war could be undertaken. It was also indispensable to most
private ceremonies. Thus the influence of the augurs became very great.

5. auspicābantur: In "taking the auspices" the procedure was as follows: The
augur seated himself facing south in some consecrated spot, and with his *lituus*
marked out the quarter of the heavens which he was to observe. There he watched
for some sign from heaven (e.g. lightning or thunder), or noted the number or flight
or call of certain birds, such as eagles, vultures, ravens, or owls, which were regarded
as messengers from Jove. Signs on the left were favorable; on the right, unfavorable.

68

auspicia habēbant, sed tempore bellī *auspicia bellica* ab imperātore
sōlō cōnsulēbantur. Quondam Bellō Punicō Prīmō, cum pullī nōn
pāscerentur, imperātor eōs in aquam mergī iussit, ut biberent! Cum
autem nāvāle proelium commissum esset, classis Rōmāna scīlicet
dēvicta est.   10

Haruspicēs erant nōn Rōmānī sed Etruscī, quī victimārum exta
īnspiciēbant, ut nūntiārent num auspicia essent optima.

Singulīs deīs sacerdōtēs appellātī sunt *flāminēs.* T. Līvius sīc
scrīpsit. "Nūma flāminem Iovī assiduum sacerdōtem creāvit. Huic
duōs flāminēs adiēcit, Mārtī ūnum, alterum Quirīnō." Praeter eōs 15
erant duodecim flāminēs aliīs deīs.

6. **auspicia bellica:** For convenience *sacred chickens* were carried along with the
army or, when the army was at sea, on the general's ship. When the auspices were
to be taken, the cage in which the chickens were kept was opened and some food
was scattered in front of it. If the chickens would not come out or if they beat their
wings or fluttered away, it was regarded as an unfavorable sign.

11. **exta:** The most important of the vital organs was considered to be the liver.
The Etruscans actually mapped it out in the most intricate manner, and declared
that they could reveal the future by its markings.

13. **flāminēs:** The *flamen* wore a *toga praetexta* and a cone-shaped white hat.
Unlike other Roman priests he was not permitted to hold any state office. It was his
duty to perform daily sacrifices to his special god. It was a burdensome office with
many restrictions. **Titus Līvius:** Livy, a Roman historian of the first century A.D.

Virginēs Vestālēs; Ōrācula

Virginēs Vestālēs erant Vestae sacerdōtēs, quae candidās vestēs
gerēbant et in Ātriō Vestae habitābant.   Eārum officia erant in
Aede Vestae ignem semper servāre, deae sacrificāre, dē sacrō fonte
20 aquam recentem portāre, et ter in annō molam salsam facere.   Sī

17. Virginēs Vestālēs: The six Roman Vestals formed a unique sisterhood.   They
were appointed before they were ten years old, and served for thirty years, — ten in
learning, ten in performing, and ten in teaching the duties.   At the end of that time
they were permitted to retire, but they rarely availed themselves of this privilege.
candidus, -a, -um, [candeō, *shine*], *white.*
18. Ātrium Vestae: the home of the Vestals, in the S. E. corner of the Forum
which was quite close to the small round temple of the goddess, **Aedēs Vestae** (picture shows so-called Temple of Vesta).   Nearby was the **Rēgia,** the official residence
of the Pontifex Maximus, who appointed the Vestals and exercised authority over
them.
19. ignem semper servāre: To get the true significance of this duty of the Vestals
we must go back to the most ancient times, when in every settlement is was *necessary
to keep one fire always burning*, from which a flame might be procured to start any
hearth fire that had been carelessly allowed to go out.   No fire, no dinner!   The
realization of this naturally gave rise to a veneration for fire, and that in turn to the
conception of the goddess of the hearth.   When finally the small settlement grew
into a tribe, the *hearth-fire* became the symbol of *the life and welfare of the state*,
and therefore must be kept burning forever.
20. aquam recentem portāre: Water, as well as fire, is a necessity of life, and
the sight of a Vestal carrying water was suggestive of the time when water did not
run into the houses through pipes, but had to be fetched from a spring.   **ter,** adv.,
three times, *i.e.* for three annual festivals, one of which was called the *Vestalia.*   **Sī
quae,** *if any.*   After **sī, nisi, nē** and **num, quis** means *any.*

70

quae virgō ignem sacrum exstinguī sīvit, ea ab ipsō Pontifice Maximō virgīs verberāta est. Sī quae fuit impudīca, ea vīva in Campō Scelerātō dēfossa est. Virginēs Vestālēs autem semper praecipuō honōre habēbantur.

Multa erant loca in quibus deī hominis ōre suam voluntātem 25 ēnūntiāvērunt. Eōrum ōrāculōrum celeberrimum erat Delphicum, quod Apollinī sacrum erat.

Cum Croesus, opulentissimus rēx Asiae, dē bellō cum Persīs ōrāculum cōnsuleret, Pȳthia respondit *eum imperium magnum ēversūrum esse.* Itaque ille putāvit sē Cȳrum, rēgem Persārum, victūrum 30 esse. Cum autem in hostium fīnēs cōpiās duxisset, ipse ā Cȳrō victus est. Sīc vērō Pȳthiae respōnsō imperium ēvertit, sed ēheu ! ēvertit suum!

---

21. sinō, -ere, sīvī, sītus, *allow, permit.*
22. impudīcus, -a, -um, [pudet, *it shames*], *unchaste.*
23. scelerātus, -a, -um, [scelus, *crime*], *desecrated;* **Campus Scelerātus** was a place near one of the gates in the city wall. **dēfodiō, -ere, -fōdī, -fossus, [dē,** *down* + **fodiō,** *dig*], *bury.* **praecipuus, -a, -um, [capiō],** *particular, special.* In public the Vestals were attended by a lictor, and the highest magistrates lowered their *fasces* before them; they were given a seat of honor at the public games; their persons were sacred; lastly, they were given the distinction of a burial in the Forum.
25. ōs, ōris, n., *mouth.* Note that **homō** means *human being,* and may refer to either man or woman.
26. celeber, -bris, -bre, (sup., celeberrimus), *famous.*
28. **Croesus** was king of Lydia, a province of Asia Minor, in the sixth century B.C.

VIRGO
VESTALIS

71

XII

Palma non sine pulvere.
No palm of victory without dust.

Gerundives

The gerundive (future passive participle) is a *verbal adjective.* It consists of the present stem + **nd** (or **end**) + endings of **magnus: portandus, -a, -um.**

Gerund and Gerundive Uses. The gerund *may* take a direct object. But usually when it would naturally have an object, the gerundive is used instead, the object taking the case of the gerund and the gerundive agreeing as an adjective with the object.

Desirous of seeking peace ...
> **Cupidus pācem *petendī* ...**
> (gerund — unusual)
> **Cupidus pācis *petendae* ...**
> (gerundive — the usual form)

Hope of conquering the enemy is great.
> **Magna est spēs *vincendī* hostēs.**
> (gerund — unusual)
> **Magna est spēs *vincendōrum* hostium**
> (gerundive — the usual form)

The gerundive used with forms of *sum* denotes necessity or that which ought to be done. The gerundive agrees with the subject in gender, number, and case.

The soldiers must be (are to be) sent. **Mīlitēs mittendī sunt.**
The signal must be (is to be) given. **Signum dandum est.**

Caution

In the first example above, note that **mittendī** (*to be sent*) is used with **sunt** (*are*), exactly as would be expected from the English usage. Remember, however, that here "*to be sent*" is the future passive participle, *not* the present passive infinitive. This construction is usually called the *passive periphrastic.*

Dative of Agent. The dative is used with the passive periphrastic to denote the *agent*.

Everything had to be done by Caesar. **Caesari omnia erant agenda.**

VOCABULARY

addūcō	dēficiō	legō	prōdūcō
aureus	dīmittō	lūdō	prōpōnō
bis	discō	maritimus	pūblicus
captīvus	dūrus	modus	quidem
carrus	ēgregius	mōs	quot
centuriō	emō	necessārius	recēns
circiter	ēnūntiō	necesse	reiciō
circumveniō	ergō	nihil	remittō
cohors	expōnō	ōlim	removeō
committō	forum	oportet	renūntiō
commoveō	herī	pāreō	repente
cōnfīrmō	hodiē	pellō	resistō
coniciō	incipiō	permittō	revertor
coniungō	ineō	permoveō	simul
cōnsīdō	inquit	poēta	spatium
cōnsulō	lacrima	praeda	suscipiō
crās	lapis	procul	tot
dēdūcō			vērus

Drill

A. *Translate:*

1. Nihil hodiē faciendum est. 2. Liber poētae crās legendus erit.
3. Cohors tertia herī dē colle dūcenda erat. 4. Dīcit līberōs remittendōs esse. 5. Obsidēs mihi in castra redūcendī sunt.
6. Hībernōrum circumveniendōrum causā. 7. Centuriō nōn interficiendus est. 8. Cōnsilia hostium nōbīs cognōscenda erunt.
9. Ad pācem petendam . . . 10. Epistula mulierī legenda erat.

B. *Translate into Latin the italicized words:*

1. *Their camp must be attacked.* 2. *Many things must be done.*
3. Our generals are *desirous of making war.* 4. They ran forward *for the sake of capturing the hill.* 5. *Water will have to be carried* to the soldiers. 6. He says that *the letters must be sent* today.
7. *By fighting very bravely,* they were able to . . . 8. *Scouts had to be sent out by Caesar.* 9. *We shall have to fight.* 10. *They must go.*

Exercises

A. *Translate:*

1. Multa Caesarī unō tempore agenda erant. 2. Signum tubā dandum erat cum mīlitēs circumvenīrentur. 3. Aciēs in mediō monte legiōnibus Rōmānīs īnstruenda est. 4. Caesar classem sibi exspectandam esse cōnstituit. 5. Mīlitēs maximā cum celeritāte ad flūmen trānseundum currēbant. 6. Cum nostrōs prōgredī pugnandī causā vīdissent, in castrīs manēbant. 7. Plūrimī peditēs castrōrum hostium oppugnandōrum causā ab imperātōre missī sunt. 8. Aliī ad oppidum dēfendendum in castrīs multōs diēs manēbant. 9. Puerī parvī ignium videndōrum causā dē colle celerrimē currēbant. 10. Iter longissimum nostrīs peditibus per fīnēs Germānōrum faciendum erat.

B. *Translate into Latin:*

1. The camp must be surrounded with very high walls. 2. The books of that poet will have to be returned tomorrow. 3. There were so many captives in the town that the citizens did not dare to go out of their homes. 4. Although nothing has been done today, we shall try to finish the work tomorrow. 5. It happened that the tribunes were unwilling to approve of those plans. 6. He tried in vain to persuade his son not to go to Africa. 7. When the general

asked the name of the prisoner, no one wanted to reply. 8. Many soldiers must be sent across the sea, if we wish to preserve the peace. 9. The woman reported that she had seen seven ships approaching the harbor. 10. So many soldiers were killed in the battle that the rest wanted to return to camp.

Latin Derivation

Show how the following words are derived from the Latin: deficient, legible, procrastinate, quotient, incipient, circumvent, expose, commission, lapis lazuli, revert, ergo, durable, egregious, mores, spatial, simultaneous, mode, lachrymal, deluded, maritime, captive, confirmation, recent.

READING LESSON

Lūdī Circēnsēs

Circus Maximus in urbe Rōmā erat tria stadia longus et ūnum stadium lātus. Undique erant sedīlia, quōrum in prīmīs Senātōrēs

---

Title: **circēnsis, -e,** adj., *of the circus.*
1. Circus Maximus: an oval circus between the Palatine and Aventine hills, with seats for 150,000 spectators. **stadium, -ī,** n., *stade,* a distance of 625 Roman feet or about 607 English feet. **2. sedīle, -is,** n., [**sedeō**], *seat.*

AURIGA VICTOR

76

et Equitēs et Virginēs Vestālēs sedēbant; cētera sedīlia cīvibus Rōmānīs grātuīta erant.

5   In alterā extrēmā parte erant *carcerēs,* ex quibus quadrīgae ēmittē-
bantur.   In mediō cursū erat mūrus humilis duodecim pedēs lātus,
spīna nōmine, quī statuīs et columnīs ōrnātus est.   Utrimque in extrēmā parte spīnae erat *mēta,* quam septiēs circumīre necesse erat.

   Diē cōnstitūtā, prīmā lūce multitūdō plēbis ad Circum properābat
10 ut sedīlia occupārent.   Multō ante tempus spectāculī omne sedīle
tenēbātur.   Tandem sonus tubārum exaudītur et mox magnifica
pompa, cōnsule dūcente, arēnam intrat.

---

   4. grātuītus, -a, -um, [grātia], (without pay), *free.*

   5. carcer, -is, m., *prison, barrier,* here is a series of vaulted chambers, within which
the chariots waited until the moment when the signal was given, then doors were
flung open. **quadrīgae, -ārum,** f., [quattuor + iugum, *team*], *four-horse chariot.*

   6. cursus, -ūs, m., [currō], *course.* **humilis, -e,** [humus, *ground*], *low.*

   7. Utrimque, adv., *on both ends.*

   8. mēta, -ae, f., *goal.* **septiēs,** adv., [septem], *seven times.*

   9. Diē cōnstitūtā: Note that **diēs** is feminine; this is its usual gender, in the
singular, when it denotes *an appointed time.*

   11. sonus, -ī, m., *sound.*

Dēnique, omnibus rēbus parātīs, dator lūdōrum *mappam* dēmittit
et statim ex carceribus quattuor quadrīgae ēmittuntur. Aurīgae
stantēs currū vehuntur et colōre vestis facile discernuntur. Iterum 15
atque iterum fervidīs rotīs mētam stringunt. Iam ultimum spatium
ad carcerēs dēcurrunt. Aurīgae prōnī vōce verbereque equōs con-
citant. Plausū fremitūque secundō trāns albam līneam volant et
victor amplum praemium accipit.

---

13. mappa, -ae, f., *white cloth, handkerchief.*

14. aurīga, -ae, m., *charioteer;* usually he was either a slave or a freedman.
He wore leather protectors on his head and legs, much as do our football players.
He wound the reins around his body, and in his belt he carried a knife, with which
to cut the reins or the traces in case of accident. He was encouraged to upset a rival
chariot, if possible, in order to furnish added excitement for the spectators.

15. colōre vestis: The charioteers wore red, white, blue, or green tunics. **dis-
cernō, -ere, -crēvī, -crētus,** *distinguish* (lit., *see apart*).

16. fervidus, -a, -um, *glowing.* **rota, -ae,** f., *wheel.* **stringō, -ere, strīnxī, strictus,**
graze.

17. prōnus, -a, -um, *bending forward.* **verber, -is,** n., *lash, whip.* **concitō, -āre,**
urge on.

18. fremitus, -ūs, m., *shouting.* **secundus, -a, -um,** *favoring.* **alba līnea:** a *white
line* drawn across the arena near the *carceres,* marking the end of the race course.

WORD LIST

The following words are in addition to those listed in the review lessons I to XII. They meet the requirements of the New York State Board of Regents and other state boards, for Second Year Latin.

1. abdō	30. circumsistō	59. crēber	88. ēiciō
2. abeō	31. citerior	60. cum . . . tum	89. eōdem
3. addō	32. cohortor	61. cūrō	90. equester
4. aditus	33. colligō	62. currus	91. ēruptiō
5. administrō	34. collocō	63. dēclīvis	92. etsī
6. admīror	35. commeātus	64. dēditiō	93. ēventus
7. admittō	36. commemorō	65. dēdō	94. excipiō
8. adorior	37. commodus	66. dēfēnsor	95. exercitātiō
9. adulēscentia	38. commoror	67. dēiciō	96. expediō
10. adversus	39. commūnicō	68. dēns	97. expedītus
11. advertō	40. compellō	69. dēpōnō	98. experior
12. aedificō	41. comperiō	70. dēspērō	99. expugnō
13. aegrē	42. comportō	71. dēspiciō	100. exstruō
14. aestus	43. comprehendō	72. dētrīmentum	101. extrā
15. agger	44. concēdō	73. differō	102. factum
16. alacer	45. concīdō	74. digitus	103. famēs
17. aliēnus	46. concilium	75. dignitās	104. familia
18. aliter	47. cōnfertus	76. dīmicō	105. familiāris
19. amor	48. cōnflīgō	77. disciplīna	106. fīniō
20. angustiae	49. coniūrō	78. dispergō	107. fīrmus
21. animadvertō	50. conquīrō	79. distribuō	108. fōrma
22. anteā	51. cōnsentiō	80. dīversus	109. fortitūdō
23. antecēdō	52. cōnspectus	81. dīvidō	110. frōns
24. aquila	53. cōnspicor	82. domicilium	111. frūmentārius
25. arcessō	54. cōnsūmō	83. domina	112. funditor
26. ātrium	55. continuus	84. dōnō	113. gladiātor
27. attingō	56. contrōversia	85. dum	114. hīc
28. bīduum	57. convertō	86. ēdūcō	115. honor
29. circumdō	58. cotīdiānus	87. effugiō	116. hūmānitās

117. humilis	161. nōn numquam	205. praesertim	248. sōlum
118. iam prīdem	162. nūdō	206. praestō	249. somnus
119. ignōrō	163. obsideō	207. praetor	250. sponte suā
120. ignōtus	164. obsidiō	208. pretium	251. statiō
121. impellō	165. occāsiō	209. prīdiē	252. statuō
122. imperātum	166. occultus	210. prīncipātus	253. stīpendium
123. impetrō	167. occurrō	211. prīstinus	254. subdūcō
124. impōnō	168. ōceanus	212. priusquam	255. submittō
125. incertus	169. offerō	213. prōcēdō	256. subsequor
126. incidō	170. onerārius	214. prōcurrō	257. summa
127. incola	171. opera	215. profectiō	258. supersum
128. incolumis	172. oppidānī	216. profiteor	259. superus
129. indūcō	173. opportūnus	217. properō	260. supplicium
130. inermis	174. oppugnātiō	218. proptereā	261. supportō
131. īnfēlīx	175. pābulor	219. prōsequor	262. suspīciō
132. īnsequor	176. pābulum	220. pulvis	263. suspicor
133. īnstitūtum	177. pācō	221. quā	264. tardō
134. īnstō	178. pāgus	222. quaestor	265. tardus
135. intercēdō	179. partim	223. queror	266. tegō
136. interclūdō	180. pateō	224. quīcumque	267. templum
137. interrogō	181. paulātim	225. quiētus	268. terror
138. intervāllum	182. pecus	226. recūsō	269. testūdō
139. intrā	183. pedester	227. redigō	270. tormentum
140. invītus	184. pendō	228. reditus	271. totidem
141. iugum	185. perdūcō	229. redūcō	272. trānsportō
142. iūrō	186. pereō	230. remaneō	273. trīduum
143. iūs iūrandum	187. perferō	231. repentīnus	274. tueor
144. lēgātiō	188. perfidia	232. rēs frūmentāria	275. tumulus
145. locō	189. perfugiō	233. rēs mīlitāris	276. tunc
146. maleficium	190. perītus	234. respōnsum	277. ultrō
147. mandātum	191. permaneō	235. restituō	278. ūnā
148. māteria	192. perpetuus	236. revertō	279. ūniversus
149. mereō	193. persequor	237. sagittārius	280. ūsque
150. mētior	194. perspiciō	238. salvus	281. vacuus
151. metus	195. plānitiēs	239. satisfaciō	282. vagor
152. minuō	196. plērīque	240. scientia	283. vesper
153. modo	197. populor	241. servitūs	284. vīcīnus
154. nancīscor	198. poscō	242. sīcut	285. victor
155. nātiō	199. possideō	243. significō	286. vīcus
156. nēsciō	200. postrīdiē	244. silentium	287. vigilō
157. nōbilitās	201. potius	245. singulāris	288. vinculum
158. noctū	202. praecipiō	246. singulī	289. vītō
159. nocturnus	203. praefectus	247. sī quis	290. vīvus
160. nōn nūllus	204. praemittō		

POSEIDON

CIRCIUS

THULE

BRITANNIA

HIBERNIA

GERMANIA

GALLIA
BELGICA

THRACIA

RHODOPE

SALM

AQUITANIA

MACEDONIA

BOE

THES

GALLIA NARBONENSIS

ALPES

ERIDANUS

HISPANIA

SINUS HADRIATICUS

ATHE

DELF

TIBER

ITALIA

APULIA

ROMA

CORSICA

ALBANUS

LATIUM

COT

MARE

SARDINIA

NOSTRUM

SCYLLA

MAURETANIA

AETNA

SICILIA

OCEANUS

NUMIDIA

CARTHAGO

AFRICA

L

ATHLANTICUS

AFRICUS

APOLLO

ORBIS

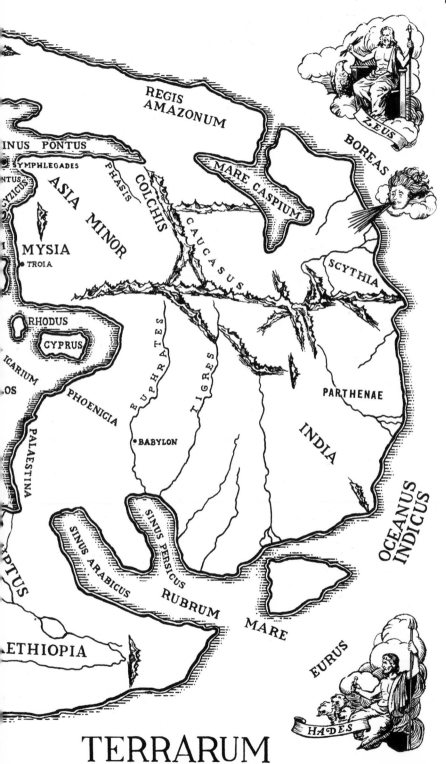

REGIS
AMAZONUM

BOREAS

ZEUS

INUS PONTUS

SYMPHLEGADES

MARE CASPIUM

NTUS

YZICUS

ASIA

PHASIS

COLCHIS

SCYTHIA

MINOR

CAUCASUS

MYSIA

TROIA

RHODUS

CYPRUS

EUPHRATES

TIGRES

PARTHENAE

ICARIUM

OS

PHOENICIA

INDIA

PALAESTINA

BABYLON

OCEANUS
INDICUS

SINUS PERSICUS

SINUS ARABICUS

RUBRUM

PTUS

ETHIOPIA

MARE

EURUS

HADES

TERRARUM

The Argonauts

Once upon a time there lived in Thessaly a king named Aeson. His brother, Pelias, expelled him from his kingdom and even attempted to take the life of his son, Jason. But Jason escaped, and grew to manhood in another country. Then he returned to Thessaly where Pelias, who feared that he might attempt to recover the kingdom, tried to get rid of him by sending him to fetch the Golden Fleece from Colchis. This was supposed to be an impossible feat.

Jason, with a band of heroes, started in the ship Argo (named for Argus, its builder), and after many adventures reached Colchis. Here Aeetes, the king, not wishing to give up the Fleece, set Jason to perform what seemed an impossible task, namely, to plough a field with certain fire-breathing oxen, and then to sow it with dragon's teeth.

Medea, the daughter of the king, however, assisted Jason by her skill in magic, first to perform the task appointed, and then to procure the Fleece. When Jason left, Medea fled with him after sacrificing her brother Absyrtus in order to delay her father's pursuit. When they reached Thessaly, Medea caused the death of Pelias, but later she and Jason were driven out. They removed to Corinth, and here Medea, becoming jealous of Glauce, daughter of Creon, caused her death by means of a poisoned robe. After this Medea was carried off, and Jason was accidentally killed. "The Argonauts" was adapted by John C. Kirtland from Ritchie's "Fabulae Faciles."

82

The Wicked Uncle

1. Erant ōlim in Thessaliā duo frātrēs, quōrum alter Aesōn, alter Peliās appellātus est. Aesōn prīmum rēgnum obtinuerat; at post paucōs annōs Peliās, rēgnī cupiditāte adductus, nōn modo frātrem suum expulit, sed etiam in animō habēbat Iāsonem, Aesonis fīlium, interficere. Quīdam tamen ex amīcīs Aesonis, ubi sententiam Peliae 5 intellēxērunt, puerum ē tantō perīculō ēripere cōnstituērunt. Noctū igitur Iāsonem ex urbe abstulērunt et, cum posterō diē ad rēgem rediissent, eī renūntiāvērunt puerum mortuum esse. Peliās cum haec

¶1. **1. Thessalia:** *Thessaly*, a country in northeastern Greece. **alter ... alter:** *one ... the other.* **2. prīmum:** adv., *at first.* **4. in animō habēbat:** *planned.*

IASON ET PELIAS

audīvisset, etsī rē vērā magnum gaudium percipiēbat, speciem tamen
10 dolōris praebuit, et quae causa esset mortis quaesīvit. Illī tamen,
cum bene intellegerent dolōrem eius falsum esse, nēsciō quam fābulam dē morte puerī fīnxērunt.

A Careless Shoestring

2. Post breve tempus Peliās, veritus nē rēgnum suum tantā vī
et dolō occupātum āmitteret, amīcum quendam Delphōs mīsit, quī
ōrāculum cōnsuleret. Ille igitur quam celerrimē Delphōs sē contulit,
et, quam ob causam vēnisset, dēmōnstrāvit. Respondit ōrāculum
5 nūllum esse in praesentiā perīculum; monuit tamen Peliam ut, sī
quis venīret calceum ūnum gerēns, eum cavēret. Post paucōs annōs
accidit ut Peliās magnum sacrificium factūrus esset; nūntiōs in
omnēs partēs dīmīserat, et certam diem conveniendī dīxerat. Diē
cōnstitūtā, magnus numerus hominum undique ex agrīs convēnit;
10 inter aliōs autem vēnit etiam Iāsōn, quī ā puerō apud centaurum
quendam vīxerat. Dum tamen iter facit, calceum alterum in
trānseundō nēsciō quō flūmine āmīsit.

The Golden Fleece

3. Iāsōn, igitur, cum calceum āmissum nūllō modō recipere
posset, ūnō pede nūdō in rēgiam pervēnit. Quem cum Peliās

9. **rē vērā:** *in truth, really.*   11. **cum,** meaning *since,* always takes the subjunctive.
nēsciō quam fābulam: *some story or other* (lit., *I know not what story*).   12. **fingō,**
-ere, fīnxī, fictus, *invent.*

¶2. 1. **veritus nē:** *fearing that* (108).   2. **dolus, -ī,** m., *deceit, treachery.*   10. **cen-**
taurus, -ī, m., *centaur,* a mythical creature, half man, half horse. The centaurs were a
rough warlike tribe, but this one — Chiron by name — was versed in the art of music
and skilled in surgery. He dwelt in a cave on the summit of Mt. Pelion.   11. **vīvō,**
-ere, vīxī, vīctus, *live.* **in trānseundō . . . flūmine:** a gerundive phrase. Jason had come
to the River Anaurus, which was swollen with recent rains. Here a woman, old and
ill-clad, bade him carry her across the river. At first he refused, but afterwards
pitying her, he put her on his shoulders and entered the stream. As he struggled along
in the midst of the turbulent waters, he lost one shoe, but at last he reached the bank
almost exhausted and laid his burden down. Then to his astonishment he saw that
the ugly old woman was transformed into a beautiful goddess, who told him that she
was Juno, and that in return for his kind act she would help him in every undertaking.

¶3. 1. **cum . . . posset:** cum causal (114).   2. **ūnō pede nūdō** (89). **rēgia, -ae,** f.,
[**rēgius**], *royal palace.*

vīdisset, subitō timōre affectus est; intellēxit enim hunc esse hominem, quem ōrāculum dēmōnstrāvisset. Hoc igitur iniit cōnsilium.
Rēx erat quīdam nōmine Aeētēs, quī rēgnum Colchidis illō tempore 5
obtinēbat. Huic commissum erat vellus illud aureum, quod Phrixus
ōlim ibi relīquerat. Cōnstituit igitur Peliās Iāsonī negōtium dare,
ut hōc vellere potīrētur; cum enim rēs esset magnī perīculī, spērābat
eum in itinere peritūrum esse. Iāsonem igitur ad sē arcessīvit, et
quid fierī vellet dēmōnstrāvit. Iāsōn autem, etsī bene intellegēbat 10
rem esse difficillimam, negōtium libenter suscēpit.

The Building of the Good Ship Argo

4. Cum tamen Colchis multōrum diērum iter ab eō locō abesset,
nōluit Iāsōn sōlus proficīscī; dīmīsit igitur nūntiōs in omnēs partēs,
quī causam itineris docērent et diem certam conveniendī dīcerent.
Intereā, postquam omnia, quae sunt ūsuī ad armandās nāvēs, comportārī iussit, negōtium dedit Argō cuidam, quī summam scientiam 5
rērum nauticārum habēbat, ut nāvem aedificāret. In hīs rēbus

---

4. dēmōnstrāvisset (118). 5. Colchis, -idis, (acc., Colchida), f., *Colchis*, a province
of Asia, east of the Black Sea. 6. vellus, -eris, n., *fleece*. *Phrixus* and *Helle* were
the children of Athamas, king of Boeotia in Greece. Their stepmother planned to
kill them, but through the aid of a god they escaped, riding through the air on a ram
with golden fleece. Near the shore of Asia Helle fell off and was drowned in the
straits that still bear her name (*Hellespont*), but Phrixus reached Colchis in safety.
Here he sacrificed the ram to Zeus and gave its fleece to Aeetes, who hung it up in
the grove of Ares.

¶4. 1. iter (72). 3. docērent (105).

circiter decem diēs cōnsūmptī sunt; Argus enim, quī operī praeerat,
tantam dīligentiam praebēbat, ut nē nocturnum quidem tempus ad
labōrem intermitteret. Ad multitūdinem hominum trānsportandam
10 nāvis paulō erat lātior quam quibus in nostrō marī ūtī cōnsuēvimus,
et ad vim tempestātum perferendam tōta ē rōbore facta est.

The Anchor Is Weighed

5. Intereā ea diēs appetēbat, quam Iāsōn per nūntiōs ēdīxerat,
et ex omnibus regiōnibus Graeciae multī, quōs aut reī novitās aut
spēs glōriae movēbat, undique conveniēbant. Trādunt autem in
hōc numerō fuisse Herculem, Orpheum, citharoedum clārissimum,
5 Thēseum, Castorem et multōs aliōs, quōrum nōmina omnēs sciunt.
Ex hīs Iāsōn, quōs arbitrātus est ad omnia subeunda perīcula parātis-
simōs esse, eōs ad numerum quīnquāgintā dēlēgit, et sociōs sibi
adiūnxit; tum, paucōs diēs commorātus, ut ad omnēs cāsūs subsidia
comparāret, nāvem dēdūxit et, tempestātem ad nāvigandum idō-
10 neam nactus, magnō cum favōre omnium solvit.

---

7. operī (62). **10. quam** (eae nāvēs). **quibus** (80). **nostrō marī:** the Mediterranean. **11. tōta** (with nāvis): *wholly, throughout*. **rōbur, -oris,** n., *hard wood, oak.*

¶**5. 1. appetō, -ere, -īvī, -ītus,** [ad], *draw near.* **4. Herculēs, -is,** m., *Hercules,* a
hero famous for his strength. **Orpheus,** a Thracian bard who is said to have tamed
wild beasts and even moved trees and rocks with the music of his golden lyre. **citharoedus, -ī,** m., [**cithara,** *lyre*], *harpist, minstrel.* **5. Thēseus:** The Athenian hero of
many exploits and adventures, of which his victorious battle with the Minotaur
is the most interesting. **Castor** and Pollux, the former famed for his skill in taming
horses, the latter for boxing, were twin brothers who were deified by the Romans.
In gratitude for their assistance in battle a temple was erected to their honor in the
Roman Forum. **6. quōs** (the antecedent is **eōs** in the next line): *he selected those
who he thought, . . .* **9. nāvem:** called the *Argo* after the name of its builder. **tempestātem:** (here) *weather.* **10. (nāvem) solvit,** (lit., *he loosed ship*): *set sail.*

THESEUS   HERCULES

A Fatal Mistake

6. Haud multō post Argonautae (ita enim appellātī sunt quī in istā nāve vehēbantur) īnsulam quandam nōmine Cȳzicum attigērunt, et ē nāve ēgressī, ā rēge illīus regiōnis hospitiō exceptī sunt. Paucās hōrās ibi commorātī, ad sōlis occāsum rūrsus solvērunt; at, post- quam pauca mīlia passuum prōgressī sunt, tanta tempestās subitō 5 coorta est, ut cursum tenēre nōn possent, et in eandem partem īn- sulae, unde nūper profectī erant, magnō cum perīculō dēicerentur. Incolae tamen, cum nox esset obscūra, Argonautās nōn agnōscēbant, et nāvem inimīcam vēnisse arbitrātī, arma rapuērunt, et eōs ēgredī prohibēbant. Ācriter in lītore pugnātum est, et rēx ipse, quī cum 10

¶6. 2. **Cȳzicus** was on the southern shore of the Propontis (Sea of Marmora). The city on the island bore the same name.

aliīs dēcucurrerat, ab Argonautīs occīsus est. Mox tamen, cum iam lūx orīrētur, sēnsērunt incolae sē errāre et arma abiēcērunt; Argonautae autem, cum vidērent rēgem occīsum esse, magnum dolōrem percēpērunt.

The Loss of Hylas

7. Postrīdiē eius diēī Iāsōn, tempestātem satis idōneam esse arbitrātus (summa enim tranquillitās iam cōnsecūta erat), ancorās sustulit, et pauca mīlia passuum prōgressus, ante noctem Mȳsiam attigit. Ibi paucās hōrās in ancorīs exspectāvit; ā nautīs enim
5 cognōverat aquae cōpiam, quam sēcum habērent, iam dēficere; quam ob causam quīdam ex Argonautīs, in terram ēgressī, aquam quaerēbant. Hōrum in numerō erat Hylās quīdam, puer fōrmā praestantissimā; quī dum aquam quaerit, ā comitibus paulum sēcesserat. Nymphae autem, quae rīvum colēbant, cum iuvenem vīdissent, eī
10 persuādēre cōnātae sunt ut sēcum manēret; et cum ille negāret sē hoc factūrum esse, puerum vī abstulērunt.

Comitēs eius postquam Hylam āmissum esse sēnsērunt, magnō dolōre affectī, diū frūstrā quaerēbant. Herculēs autem et Polyphēmus, quī vēstīgia puerī longius secūtī erant, ubi tandem ad lītus
15 rediērunt, Iāsonem solvisse cognōvērunt.

Dining Made Difficult

8. Post haec Argonautae ad Thrāciam cursum tenuērunt, et postquam ad oppidum Salmydessum nāvem appulērunt, in terram ēgressī sunt. Ibi cum ab incolīs quaesissent, quis rēgnum eius regiōnis obtinēret, certiōrēs factī sunt Phīneum quendam tum rēgem
5 esse. Cognōvērunt etiam hunc caecum esse et dīrō quōdam suppliciō afficī, quod ōlim sē crūdēlissimum in fīliōs suōs praebuisset. Cuius supplicī hoc erat genus. Missa erant ā Iove mōnstra quaedam speciē

¶7. 1. Postrīdiē, adv., [posterus + diēs]: *On the following day.* Postrīdiē eius diēī, (lit., *On that day's following day*) = posterō diē. 3. Mȳsia, a country in northeastern Asia Minor. 4. in ancorīs: *at anchor.* 5. habērent (118). 10. cum ille negāret: *when he said . . . not.* 13. Polyphēmus, one of the Argonauts.

¶8. 1. Thrācia: *Thrace,* a country northeast of Greece, extending as far as the Black Sea. 2. appellō, -ere, -pulī, -pulsus, [ad], *bring to, land.* 5. caecus, -a, -um, *blind.* dīrus, -a, -um, *dreadful.*

88

horribilī, quae capita virginum, corpora volucrum habēbant. Hae volucrēs, quae Harpȳiae appellābantur, Phīneō summam molestiam afferēbant; quotiēs enim ille accubuerat, veniēbant et cibum ap- 10 positum statim auferēbant. Quae cum ita essent, haud multum āfuit quīn Phīneus famē morerētur.

The Harpies Beaten

9. Rēs igitur in hōc locō erant, cum Argonautae nāvem ap- pulērunt. Phīneus autem, simul atque audīvit eōs in suōs fīnēs ēgressōs esse, magnopere gāvīsus est. Sciēbat enim quantam opīniō- nem virtūtis Argonautae habērent, nec dubitābat quīn sibi auxilium ferrent. Nūntium igitur ad nāvem mīsit, quī Iāsonem sociōsque ad 5 rēgiam vocāret. Eō cum vēnissent, Phīneus dēmōnstrāvit quantō in perīculō suae rēs essent, et prōmīsit sē magna praemia datūrum esse, sī illī eī reī auxilium repperissent. Argonautae negōtium libenter suscēpērunt, et ubi hōra vēnit, cum rēge accubuērunt; at simul ac cēna apposita est, Harpȳiae domum intrāvērunt, et cibum auferre 10 cōnābantur. Argonautae prīmum gladiīs volucrēs petiērunt; cum tamen vidērent hoc nihil prōdesse, Zētēs et Calais, qui ālīs īnstrūctī sunt, in āera sē sublevāvērunt, ut dēsuper impetum facerent. Quod cum sēnsissent Harpȳiae, reī novitāte perterritae statim aufūgērunt, neque posteā umquam rediērunt. 15

---

8. volucris, -is, f., [**volō,** *fly*], *bird.* **9. Harpȳia, -ae,** f., *Harpy.* **molestia, -ae,** f., *trouble, annoyance.* **10. quotiēs,** adv., [**quot**], *as often as.* **11. haud . . . morerētur,** (lit., *not much was wanting but that Phineus should die from hunger*): *Phineus was nearly dying of hunger.*

¶**9. 1. locō:** *condition.* **2. simul atque (ac):** *as soon as.* **3. gaudeō, -ēre, gāvīsus:** *rejoice.* **5. ferrent (111, Note).** **8. repperissent (118).** **12.** *Zetes* and *Calais* were winged youths, sons of the North Wind, Boreas. **13. āera:** Greek acc. ending. **sublevō, -āre,** *raise, lift.* **dēsuper,** adv., *down from above.*

89

10. Hōc factō, Phīneus, ut prō tantō beneficiō meritam grātiam referret, Iāsonī dēmōnstrāvit, quā ratiōne Symplēgadēs vītāre posset. Symplēgadēs autem duae erant rūpēs ingentī magnitūdine, quae ā Iove in marī positae erant eō cōnsiliō, nē quis ad Colchida pervenīret. 5 Hae parvō intervāllō natābant et, sī quid in medium spatium vēnerat, incrēdibilī celeritāte concurrēbant. Postquam igitur ā Phīneō doctus est quid faciendum esset, Iāsōn, sublātīs ancorīs, nāvem solvit, et lēnī ventō prōvectus, mox ad Symplēgadēs appropinquāvit. Tum in prōrā stāns, columbam, quam in manū tenēbat, 10 ēmīsit. Illa rēctā viā per medium spatium volāvit et, priusquam rūpēs cōnflīxērunt, incolumis ēvāsit, caudā tantum āmissā. Tum rūpēs utrimque discessērunt; antequam tamen rūrsus concurrerent, Argonautae, bene intellegentēs omnem spem salūtis in celeritāte positam esse, summā vī rēmīs contendērunt, et nāvem incolumem 15 perdūxērunt. Hōc factō, dīs grātiās libenter ēgērunt, quōrum auxiliō ē tantō perīculō ēreptī essent; bene enim sciēbant nōn sine auxiliō deōrum rem ita fēlīciter ēvēnisse.

A Difficult Task

11. Brevī intermissō spatiō, Argonautae ad flūmen Phāsim vēnērunt, quod in fīnibus Colchōrum erat. Ibi cum nāvem appulissent

¶**10. 1. grātiam referret:** *show gratitude, make return.* **3. rūpēs, -is,** f., *rock.* **5. parvō intervāllō:** *a short distance apart.* **natō, -āre,** *swim, float.* **8. lēnis, -e,** *gentle, light.* **9. prōra, -ae,** f., *prow, bow.* **columba, -ae,** f., *dove.* **10. rēctā viā:** *straight.* **11. cauda, -ae,** f., *tail.* **tantum,** adv., *only.* **12. concurrerent:** Subjunctive with **antequam** to denote *anticipation* (116): *they could rush together.* **13. in . . . positam esse,** *depended upon.* **15. grātiās agere:** *to give thanks.* Note the distinction between this phrase and the following: **grātiam habēre,** *to feel gratitude;* **grātiam** or **grātiās referre,** *to return a favor, show gratitude, requite.*

¶**11. 1. Phāsis, -idos,** (acc., **Phāsim**), m., *Phasis,* a river emptying into the east end of the Black Sea.

COLUMBAE

90

MEDEA

et in terram ēgressī essent, statim ad rēgem Aeētem sē contulērunt, et ab eō postulāvērunt ut vellus aureum sibi trāderētur. Ille cum audīvisset quam ob causam Argonautae vēnissent, īrā commōtus 5 est et diū negābat sē vellus trāditūrum esse. Tandem tamen, quod sciēbat Iāsonem nōn sine auxiliō deōrum hoc negōtium suscēpisse, mūtātā sententiā, prōmīsit sē vellus trāditūrum, sī Iāsōn labōrēs duōs difficillimōs prius perfēcisset; et cum Iāsōn dīxisset sē ad omnia perīcula subeunda parātum esse, quid fierī vellet ostendit. Prīmum 10 iungendī erant duo taurī speciē horribilī, quī flammās ex ōre ēdēbant; tum, hīs iūnctīs, ager quīdam arandus erat, et dentēs dracōnis serendī. Hīs rēbus audītīs, Iāsōn, etsī rem esse summī perīculī intellegēbat, tamen, nē hanc occāsiōnem reī bene gerendae āmitteret, negōtium suscēpit. 15

The Magic Ointment

12. At Mēdēa, rēgis fīlia, Iāsonem adamāvit, et ubi audīvit eum tantum perīculum subitūrum esse, rem aegrē ferēbat. Intellegēbat

---

4. **trāderētur** (107). 9. **perfēcisset** (118). 11. **iungendī erant** (130, 1). 12. **serō, -ere, sēvī, satus,** *sow, plant.* 14. **reī bene gerendae:** *of accomplishing his purpose.*

¶**12.** 1. **adamō, -āre,** *fall in love with.* 2. **rem aegrē ferēbat:** *was greatly troubled.*

enim patrem suum hunc labōrem prōposuisse eō ipsō cōnsiliō, ut Iāsōn morerētur. Quae cum ita essent, Mēdēa (quae summam scien-
5 tiam medicīnae habēbat) hoc cōnsilium iniit. Mediā nocte, īn-
sciente patre, ex urbe ēvāsit, et postquam in montēs fīnitimōs vēnit, herbās quāsdam lēgit; tum, sūcō expressō, unguentum parāvit, quod vī suā corpus aleret nervōsque cōnfīrmāret. Hōc factō, Iāsonī unguentum dedit; praecēpit autem, ut eō diē, quō istī labōrēs cōn-
10 ficiendī essent, corpus suum et arma māne oblineret. Iāsōn, etsī paene omnēs magnitūdine et vīribus corporis antecēdebat (vīta enim omnis in vēnātiōnibus atque in studiīs reī mīlitāris cōnstiterat), tamen hoc cōnsilium nōn neglegendum esse cēnsēbat.

Sowing the Dragon's Teeth

13. Ubi is diēs vēnit, quem rēx ad arandum agrum ēdīxerat, Iāsōn, ortā lūce, cum sociīs ad locum cōnstitūtum sē contulit. Ibi stabulum ingēns repperit, in quō taurī inclūsī erant; tum, portīs apertīs, taurōs in lūcem trāxit, et cum summā difficultāte iugum
5 imposuit. At Aeētēs, cum vidēret taurōs nihil contrā Iāsonem valēre, magnopere mīrātus est; nēsciēbat enim fīliam suam auxilium ei dedisse. Tum Iāsōn, omnibus aspicientibus, agrum arāre coepit; quā in rē tantam dīligentiam praebuit, ut ante merīdiem tōtum opus cōnficeret. Hōc factō, ad locum, ubi rēx sedēbat, adiit, et dentēs
10 dracōnis postulāvit; quōs ubi accēpit, in agrum quem arāverat, magnā cum dīligentiā sparsit. Hōrum autem dentium nātūra erat tālis, ut in eō locō, ubi sparsī essent, virī armātī mīrō quōdam modō gignerentur.

A Strange Crop

14. Nōndum tamen Iāsōn tōtum opus cōnfēcerat; imperāverat enim eī Aeētēs, ut armātōs virōs, quī ē dentibus gignerentur, sōlus

---

5. īnsciente patre (89): *without her father's knowledge.* 7. sūcus, -ī, m., *juice.* exprimō, -ere, -pressī, -pressus, [premō], *press out.* quod . . . aleret . . . cōnfīrmāret (105). 8. alō, -ere, -uī, altus, *nourish, sustain.* nervus, -ī, m., *sinew, muscle.* 10. ob-linō, -ere, -lēvī, -litus, *anoint.* 12. cōnstiterat, (lit., *had consisted*): *had been spent.* 13. cēnseō, -ēre, -uī, cēnsus, *think, judge.*

¶13. 11. spargō, -ere, sparsī, sparsus, *scatter, sprinkle.* 13. gignō, -ere, genuī, genitus, *bring forth, produce.*

interficeret. Postquam igitur omnēs dentēs in agrum sparsit, Iāsōn, lassitūdine exanimātus, quiētī sē trādidit, dum virī istī gignerentur. Paucās hōrās dormiēbat; sub vesperum tamen ē somnō subitō ex- 5 citātus, rem ita ēvēnisse ut praedictum erat, cognōvit; nam in omnibus agrī partibus virī ingentī magnitūdine corporis, gladiīs galeīsque armātī, mīrum in modum ē terrā oriēbantur. Hōc cognitō, Iāsōn cōnsilium, quod Mēdēa dedisset, nōn omittendum esse putā- bat; saxum igitur ingēns (ita enim Mēdēa praecēperat) in mediōs 10 virōs coniēcit. Illī undique ad locum concurrērunt, et, cum quisque sibi id saxum (nēsciō cūr) habēre vellet, magna contrōversia orta est. Mox, strictīs gladiīs, inter sē pugnāre coepērunt, et cum hōc modō plūrimī occīsī essent, reliquī, vulneribus cōnfectī, ā Iāsone nūllō negōtiō interfectī sunt.   15

The Flight of Medea

15. At rēx Aeētēs, ubi cognōvit Iāsonem labōrem prōpositum cōn- fēcisse, īrā graviter commōtus est; intellegēbat enim id per dolum factum esse, nec dubitābat quīn Mēdēa auxilium eī tulisset. Mēdēa autem, cum intellegeret sē in magnō fore perīculō, sī in rēgiā mān- sisset, fugā salūtem petere cōnstituit. Omnibus igitur rēbus ad 5 fugam parātīs, mediā nocte, īnsciente patre, cum frātre Absyrtō ēvāsit, et quam celerrimē ad locum, ubi Argō subducta erat, sē contulit. Eō cum vēnisset, ad pedēs Iāsonis sē prōiēcit, et multīs cum lacrimīs obsecrāvit eum, nē in tantō perīculō mulierem dē- sereret, quae eī tantum prōfuisset. Ille, quod memoriā tenēbat sē 10 per eius auxilium ē magnō perīculō ēvāsisse, libenter eam excēpit, et postquam causam veniendī audīvit, hortātus est nē patrem timēret. Prōmīsit autem sē quam prīmum eam in nāve suā ablātūrum esse.

Seizure of the Fleece

16. Postrīdiē eius diēī Iāsōn cum sociīs ortā lūce nāvem dē- dūxērunt, et tempestātem idōneam nactī, ad eum locum rēmīs con-

---

¶14. 4. lassitūdō, -inis, f., [lassus, *weary*], *weariness.* exanimo, -āre, [anima, *breath*], (put out of breath), *exhaust.* 5. vesper, -ī, m., *evening.* 8. galea, -ae, f., *helmet.* mīrum in modum = mīrō modō.

¶15. 9. lacrima, -ae, f., *tear.* obsecrō, -āre, [sacer], *beseech.*

tendērunt, quō in locō Mēdēa vellus cēlātum esse dēmōnstrāvit.
Eō cum vēnissent, Iāsōn in terram ēgressus est, et sociīs ad mare
5 relictīs, quī praesidiō nāvī essent, ipse cum Mēdēā in silvās contendit. Pauca mīlia passuum per silvam prōgressus, vellus, quod
quaerēbat, in arbore quādam vīdit. Id tamen auferre rēs erat summae difficultātis; nōn modo enim locus ipse ēgregiē et nātūrā et
arte mūnītus erat, sed etiam dracō quīdam speciē terribilī arborem
10 custōdiēbat. Tum Mēdēa, quae, ut suprā dēmōnstrāvimus, medicīnae summam scientiam habuit, rāmum, quem ex arbore proximā
dēripuerat, venēnō īnfēcit. Hōc factō, ad locum appropinquāvit, et
dracōnem, quī faucibus apertīs eius adventum exspectābat, venēnō
sparsit; deinde, cum dracō somnō oppressus esset, Iāsōn vellus
15 aureum ex arbore dēripuit, et cum Mēdēā quam celerrimē pedem
rettulit.

Back to the Argo

17. Dum autem ea geruntur, Argonautae, quī ad mare relictī
erant, animō ānxiō reditum Iāsonis exspectābant; bene enim intel-
legēbant id negōtium summī esse perīculī. Postquam igitur ad occāsum sōlis frūstrā exspectāvērunt, dē eius salūte dēspērāre coepē-

---

¶16. 3. cēlō, -āre, *hide, conceal.* 12. īnficiō, -ere, -fēcī, -fectus, [faciō], *stain.*

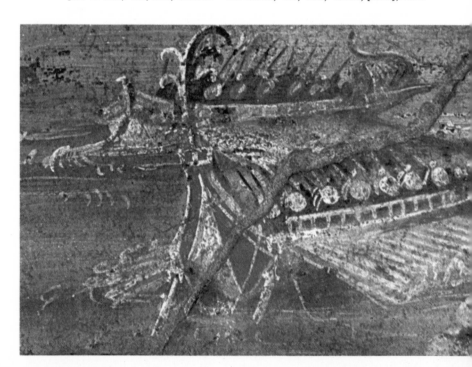

runt, nec dubitābant quīn aliquī cāsus accidisset. Quae cum ita 5
essent, mātūrandum sibi cēnsuērunt, ut auxilium ducī ferrent; sed,
dum proficīscī parant, lūmen quoddam subitō cōnspiciunt mīrum in
modum inter silvās refulgēns, et magnopere mīrātī, quae causa esset
eius reī, ad locum concurrunt. Quō cum vēnissent, Iāsonī et Mēdēae
advenientibus occurrērunt, et vellus aureum lūminis eius causam 10
esse cognōvērunt. Omnī timōre sublātō, magnō cum gaudiō ducem
suum excēpērunt, et dīs grātiās summās ēgērunt, quod rēs ita fēlīciter
ēvēnisset.

Pursued by the Angry Father

18. Hīs rēbus gestīs, omnēs sine morā nāvem rūrsus cōnscendē-
runt, et, sublātīs ancorīs, prīmā vigiliā solvērunt; neque enim satis
tūtum esse arbitrātī sunt in eō locō manēre. At rēx Aeētēs, quī iam
ante inimīcō in eōs fuerat animō, ubi cognōvit fīliam suam nōn modo
ad Argonautās sē recēpisse, sed etiam ad vellus auferendum auxilium 5
tulisse, hōc dolōre gravius exārsit. Nāvem longam quam celerrimē

¶17. **6. mātūrandum (esse),** impers., *that they ought to hasten.*   **7. lūmen, -inis,** n.,
[**lūceō,** *shine*], *light.*   **8. refulgeō, -ēre, -fulsī,** —, *flash back, shine.*

dēdūcī iussit, et, mīlitibus impositīs, fugientēs īnsecūtus est. Argonautae, quī bene sciēbant rem in discrīmine esse, summīs vīribus
rēmīs contendēbant; cum tamen nāvis, quā vehēbantur, ingentī
10 esset magnitūdine, nōn eādem celeritāte, quā Colchī, prōgredī poterant. Quae cum ita essent, minimum āfuit quīn ā Colchīs sequenti-
bus caperentur; neque enim longius intererat quam quō tēlum adicī
posset. At Mēdēa cum vīdisset, quō in locō rēs essent, paene omnī
spē dēpositā, īnfandum hoc cōnsilium cēpit.

A Fearful Expedient

19. Erat in nāve Argonautārum fīlius quīdam rēgis Aeētae, nōmine
Absyrtus, quem, ut suprā dēmōnstrāvimus, Mēdēa, ex urbe fugiēns,
sēcum abdūxerat. Hunc puerum Mēdēa cōnstituit interficere, eō
cōnsiliō, ut membrīs eius in mare· coniectīs, cursum Colchōrum im-
5 pedīret; sciēbat enim Aeētem, cum membra fīlī vīdisset, nōn longius
prōsecūtūrum esse. Neque opīniō eam fefellit; omnia enim ita
ēvēnērunt, ut Mēdēa spērāverat. Aeētēs ubi prīmum membra vīdit,
ad ea colligenda nāvem tenērī iussit. Dum tamen ea feruntur,
Argonautae, nōn intermissō rēmigandī labōre, mox ē cōnspectū
10 hostium auferēbantur, neque prius fugere dēstitērunt quam ad flūmen Ēridanum pervēnērunt. At Aeētēs, nihil sibi prōfutūrum esse
arbitrātus, sī longius prōgressus esset, animō dēmissō domum re-
vertit, ut fīlī corpus ad sepultūram daret.

The Bargain with Pelias

20. Tandem post multa perīcula Iāsōn in eundem locum pervēnit,
unde ōlim profectus erat. Tum ē nāve ēgressus, ad rēgem Peliam
(quī rēgnum adhūc obtinēbat), statim sē contulit, et vellere aureō
mōnstrātō, ab eō postulāvit ut rēgnum sibi trāderētur; Peliās enim

---

¶18. 7. **fugientēs:** *the fugitives.*   8. **discrīmen, -inis,** n., [**cernō**], *crisis.*   10. **quā,**
(*with which*), *as.*   12. **quō . . . posset:** *a spear's throw.*   14. **īnfandus, -a, -um,**
[for, **fārī,** *speak*], *unspeakable, monstrous.*

¶19. 6. **fallō, -ere, fefellī, falsus,** *deceive.*   **Neque . . . fefellit:** *And she was not*
mistaken.   7. **ubi prīmum:** *as soon as.*   9. **rēmigō, -āre,** [**rēmus** + **agō**], *row.*
10. **prius . . . quam,** *until.*   11. **Ēridanus, -ī,** m., mythical name of the **Padus,** the
river *Po.*   12. **dēmissus, -a, -um,** [part. of **dēmittō**], *downcast, dejected.*   13. **sepultūra,**
-ae, f., [**sepeliō,** *bury*], *burial.*

pollicitus erat, sī Iāsōn vellus rettulisset, sē rēgnum eī trāditūrum. 5
Postquam Iāsōn quid fierī vellet ostendit, Peliās prīmum nihil respondit, sed diū in eādem trīstitiā tacitus permānsit; tandem ita
locūtus est: "Vidēs mē aetāte iam esse cōnfectum, neque dubium
est quīn diēs suprēmus mihi adsit. Liceat igitur mihi, dum vīvam,
hoc rēgnum obtinēre; cum autem ego ē vītā discesserō, tū in meum 10
locum veniēs." Hāc ōrātiōne adductus, Iāsōn respondit sē id factūrum quod ille rogāsset.

Medea's Magic Arts

21. Hīs rēbus cognitīs, Mēdēa rem aegrē tulit, et rēgnī cupiditāte
adducta, mortem rēgī per dolum īnferre cōnstituit. Hōc cōnstitūtō,
ad fīliās rēgis vēnit atque ita locūta est: "Vidētis patrem vestrum
aetāte iam esse cōnfectum, neque ad labōrem rēgnandī perferendum
satis valēre. Vultisne eum rūrsus iuvenem fierī?" Tum fīliae rēgis 5
ita respondērunt: "Num hoc fierī potest? Quis enim umquam ē
sene iuvenis factus est?" At Mēdēa respondit: "Mē medicīnae
summam habēre scientiam scītis. Nunc igitur vōbīs dēmōnstrābō,
quō modo haec rēs fierī possit." Hīs dictīs, cum arietem aetāte iam
cōnfectum interfēcisset, membra eius in vās aēneum coniēcit, et igne 10
suppositō, aquae herbās quāsdam īnfūdit. Tum, dum aqua effervēs-
ceret, carmen magicum cantābat. Post breve tempus ariēs ē vāse
dēsiluit et, vīribus refectīs, per agrōs currēbat.

A Dangerous Experiment

22. Dum fīliae rēgis hoc mīrāculum stupentēs intuentur, Mēdēa
ita locūta est: "Vidētis quantum valeat medicīna. Vōs igitur, sī
vultis patrem vestrum in adulēscentiam redūcere, id quod fēcī, ipsae
faciētis. Vōs patris membra in vās conicite; ego herbās magicās
praebēbō." Hīs verbīs audītīs, fīliae rēgis cōnsilium, quod dedisset 5
Mēdēa, nōn omittendum putāvērunt. Patrem igitur Peliam necā-

¶20. 9. **Liceat ... mihi:** *Permit me* (103).

¶21. 1. **rem aegrē tulit:** *was vexed.* 5. **Vultis:** 2nd pl. indic. pres. of **volō,**
wish (35). 10. **vās, vāsis,** n., pl., **vāsa, -ōrum,** *vessel.* 11. **īnfundō, -ere, -fūdī,**
-fūsus, *pour in* or *upon.* **effervēscō, -ere, -ferbuī, —, [ex],** *boil.* 12. **cantō, -āre,**
chant, sing.

¶22. 1. **stupeō, -ēre, -uī, —,** *be amazed.* **intueor, -ērī, -itus,** *look on, behold.*

vērunt, et membra eius in vās aēneum coniēcērunt; nihil enim
dubitābant quīn hoc maximē eī prōfutūrum esset. At rēs omnīnō
aliter ēvēnit ac spērāverant; Mēdēa enim nōn eāsdem herbās dedit,
10 quibus ipsa ūsa erat. Itaque postquam diū frūstrā exspectāvērunt,
patrem suum rē vērā mortuum esse intellēxērunt. Hīs rēbus gestīs,
Mēdēa spērābat sē cum coniuge suō rēgnum acceptūram esse. At
cīvēs, cum intellegerent quō modo Peliās periisset, tantum scelus
aegrē tulērunt; itaque, Iāsone et Mēdēā rēgnō expulsīs, Acastum
15 rēgem creāvērunt.

A Fatal Gift

23. Post haec Iāsōn et Mēdēa, ē Thessaliā expulsī, ad urbem
Corinthum vēnērunt, cuius urbis Creōn quīdam rēgnum tum obtinēbat. Erat autem Creontī fīlia ūna, nōmine Glaucē; quam
cum vīdisset, Iāsōn cōnstituit Mēdēam uxōrem suam repudiāre, eō
5 cōnsiliō, ut Glaucēn in mātrimōnium dūceret. At Mēdēa, ubi intellēxit quae ille in animō habēret, īrā graviter commōta, iūre iūrandō
cōnfīrmāvit sē tantam iniūriam ultūram. Hoc igitur cōnsilium
cēpit. Vestem parāvit summā arte contextam et variīs colōribus
tīnctam; hanc quōdam īnfēcit venēnō, cuius vīs tālis erat ut, sī
10 quis eam vestem induisset, corpus eius quasi igne ūrerētur. Hōc
factō, vestem ad Glaucēn mīsit; illa autem, nihil malī suspicāns,
dōnum libenter accēpit, et vestem novam (mōre fēminārum) statim
induit.

Flight of Medea and Death of Jason

24. Vix vestem induerat Glaucē, cum dolōrem gravem per omnia
membra sēnsit, et paulō post crūdēlī cruciātū affecta, ē vītā excessit.
Hīs rēbus gestīs, Mēdēa furōre atque āmentiā impulsa, fīliōs suōs
necāvit; tum magnum sibi fore perīculum arbitrāta, sī in Thessaliā
5 manēret, ex eā regiōne fugere cōnstituit. Hōc cōnstitūtō, Sōlem

9. aliter, adv., [alius], *otherwise;* aliter ac, *otherwise than.* 10. quibus (80). 14. Acastus was the son of Pelias.

¶23. 7. ulcīscor, -ī, ultus, *avenge.* 8. contexō, -ere, -uī, -textus, *weave.* 9. tingō,
-ere, tīnxī, tīnctus, *dye.* 10. ūrō, -ere, ussī, ūstus, *burn.*

¶24. 2. cruciātus, -ūs, m., [crux, *cross*], *torture.* 3. āmentia, -ae, f., [mēns],
madness.

98

ōrāvit ut in tantō perīculō auxilium sibi praebēret. Sōl autem, hīs
precibus commōtus, currum mīsit, cui dracōnēs ālīs īnstrūctī iūnctī
erant. Mēdēa nōn omittendam tantam occāsiōnem arbitrāta, currum cōnscendit, itaque per āera vecta, incolumis ad urbem Athēnās
pervēnit. Iāsōn autem post breve tempus mīrō modō occīsus est. 10
Ille enim (sīve cāsū sīve cōnsiliō deōrum) iūxtā nāvem suam, quae
in lītus subducta erat, quiētī sē trādiderat. At nāvis, quae adhūc
ērēcta steterat, in eam partem, ubi Iāsōn iacēbat, subitō dēlapsa
virum īnfēlīcem oppressit.

13. dēlabor, -ī, -lapsus, *slip down.*

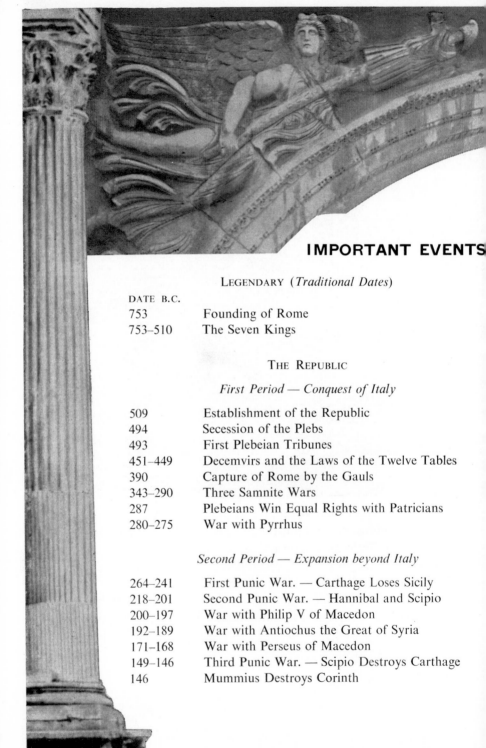

IMPORTANT EVENTS

LEGENDARY (*Traditional Dates*)

DATE B.C.

753	Founding of Rome
753–510	The Seven Kings

THE REPUBLIC

First Period — Conquest of Italy

509	Establishment of the Republic
494	Secession of the Plebs
493	First Plebeian Tribunes
451–449	Decemvirs and the Laws of the Twelve Tables
390	Capture of Rome by the Gauls
343–290	Three Samnite Wars
287	Plebeians Win Equal Rights with Patricians
280–275	War with Pyrrhus

Second Period — Expansion beyond Italy

264–241	First Punic War. — Carthage Loses Sicily
218–201	Second Punic War. — Hannibal and Scipio
200–197	War with Philip V of Macedon
192–189	War with Antiochus the Great of Syria
171–168	War with Perseus of Macedon
149–146	Third Punic War. — Scipio Destroys Carthage
146	Mummius Destroys Corinth

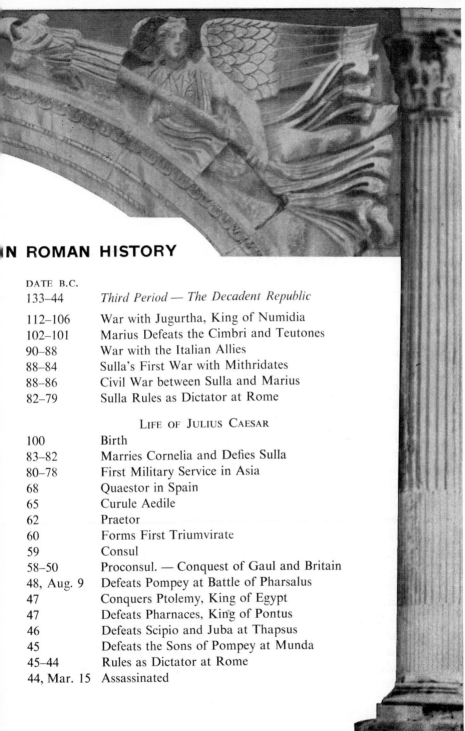

N ROMAN HISTORY

PATER TIBERINUS

The Story of Rome

This story of Rome from the legendary founding of the city (753 B.C.) to the time of Julius Caesar, is adapted from the Latin of Livy and Eutropius, Roman historians respectively of the first and fourth centuries A.D.

Though authentic Roman history begins about 350 B.C. these legends of the kings and of the early republic are well worth reading, for they give us a fairly accurate picture of the early Romans.

For the most part they were sturdy farmers, industrious and thrifty. They put faith in their gods and obeyed their elders. A stern sense of duty made them law-abiding citizens. They were honest, — men of their word. They formed a united people, trained to suppress individual freedom in the interest of the entire state.

Under the strictest discipline in war they proved themselves brave and daring soldiers, fighting with fierce energy and indomitable spirit. They treated their conquered enemies fairly and ruled them by kindness rather than by fear.

It was these sterling qualities that brought them out at last victorious over all their foes and enabled them to weld the nations dwelling around the Mediterranean into a great and harmonious Empire.

The history of Rome is worthy of study, not only because that nation has furnished us with the basis of our own laws and government, language and literature, but because it abounds in practical lessons, which we should do well to heed at this period of our own national development.

THE SEVEN KINGS

Trojan Aeneas Settles in Latium

Antīquissimīs temporibus Sāturnus in Ītaliam vēnisse dīcitur. Ibi haud procul ā Iāniculō arcem condidit, eamque Sāturniam appellāvit. Hic prīmus Ītalōs agrī cultūram docuit.

Posteā Latīnus in illīs regiōnibus imperāvit. Eō tempore Trōia in Asiā ā Graecīs ēversa est. Hinc Aenēās, Anchīsae fīlius, cum 5

---

1. Sāturnus, -ī, m., [**serō**, *plant*], *Saturn*, a mythical king identified by the Romans with Saturn, the father of Jupiter. According to the legend he was expelled from Olympus by Jupiter. He came to Latium in the time of King Janus, by whom he was kindly received and was permitted to form a settlement on the Capitoline hill. At the foot of the hill in the Forum a temple was erected to his honor, of which eight columns are still standing.

5. Anchīsēs, -ae, m., *Anchises*, the aged father of Aeneas, a cripple at the time of the fall of Troy. Aeneas lifted his father upon his shoulders, and taking little Ascanius by the hand, bade his wife Creusa follow on behind. Guided by the goddess Venus, the mother of Aeneas, they passed through the streets of the burning city and, eluding their enemies, reached a place of safety, — all but Creusa. Aeneas went back into the city and searched long for his wife, but in vain. Anchises accompanied Aeneas on the voyage to Italy, but died on the way in Sicily.

AENEAS CUM PATRE FILIOQUE

multīs Trōiānīs, quī ex eō bellō superfuērunt, aufūgit, et in Ītaliam pervēnit. Ibi Latīnus rēx eum benignē recēpit atque eī fīliam Lāvīniam in mātrimōnium dedit. Aenēās urbem condidit, quam in coniugis honōrem Lāvīnium appellāvit.

Translate:

1. The Greeks came to Troy with a large fleet. 2. When Troy had been overthrown, many Trojans fled and came to Italy. 3. Latinus was king in that district. 4. The Trojans will be received kindly by King Latinus. 5. Lavinium was founded by Aeneas in honor of his wife, Lavinia.

The Alban Kings

Post Aenēae mortem Ascanius, Aenēae fīlius, rēgnum accēpit. Hic sēdem rēgnī in alium locum trānstulit, urbemque condidit in monte Albānō, eamque Albam Longam appellāvit. Ascaniō suc-

---

6. **supersum, -esse, -fuī, —,** *be over, remain, survive.*

---

2. **sēdēs, -is,** f., [sedeō], *seat.*

MONS ALBANUS ET VIA APPIA

cessit Silvius, quī post Aenēae mortem ā Lāvīniā genitus erat. Ēius
posterī omnēs in urbe Albā rēgnāvērunt, dum Rōma condita est.   5

Unus hōrum rēgum, Rōmulus Silvius, sē maiōrem esse quam
Iovem dīcēbat, et, cum tonāret, mīlitēs hastīs clipeōs percutere ius-
sit, dīcēbatque hunc sonum multō clāriōrem esse quam tonitrum.
Fulmine ictus in Albānum lacum praecipitātus est.

Silvius Proca, rēx Albānōrum, duōs fīliōs relīquit, Numitōrem et 10
Amūlium. Numitōrī, quī erat maior nātū, rēgnum lēgāvit. Tamen
Amūlius, frātre per vim expulsō, rēgnum obtinuit.

Translate:

1. When Ascanius had received the kingdom, he founded Alba
Longa. 2. The soldier will strike his shield with his spear. 3. The
messenger said that the king had been hurled into the Alban Lake.
4. Numitor and Amulius were the sons of Silvius Proca. 5. Amulius expelled his brother, in order that he might obtain the throne.

---

4. gignō, -ere, genuī, genitus, *bring forth;* pass., *be born.*

5. dum, conj., *until.*

7. tonō, -āre, -uī, —, *thunder.* **hasta, -ae,** f., *spear.* **clipeus, -ī,** m., (round, metal)
shield. **percutiō, -ere, -cussī, -cussus,** [quatiō, *shake*], *strike.*

8. sonus, -ī, m., *sound.* **tonitrus, -ūs,** m., [tonō], *thunder.*

9. fulmen, -inis, n., *lightning, thunderbolt.* **icō, -ere, īcī, ictus,** *strike.*

11. nātū, *by birth;* **maior nātū,** *elder.* **lēgō, -āre,** [lēx], *leave by will, bequeath.*

12. frātre ... expulsō: Although Amulius deprived Numitor of the throne, he
let him keep the property his father left him.

Romulus and Remus; Founding of Rome

Amūlius, ut rēgnum fīrmissimē possidēret, Numitōris fīlium per īnsidiās interēmit, et fīliam frātris, Rheam Silviam, Vestālem virginem fēcit. Nam hīs Vestae sacerdōtibus nōn licet nūbere. Sed haec ā Mārte geminōs fīliōs Rōmulum et Remum peperit. Hoc cum Amū-
5 lius comperisset, mātrem in vincula coniēcit, puerōs autem in Tiberim abicī iussit.

Forte Tiberis aqua ultrā rīpam sē effūderat, et cum puerī in vadō essent positī, aqua refluēns eōs in siccō relīquit. Ad eōrum vāgītum lupa accurrit, eōsque nūtrīvit. Quod vidēns Faustulus quīdam,

1. possideō, -ēre, -sēdī, -sessus, [prō + sedeō], *hold, possess.*
2. interimō, -ere, -ēmī, -ēmptus [emō], (*take away from among*), *kill.*
3. nūbō, -ere, nūpsī, nūptus, *marry.*
4. geminus, -a, -um, *twin.* pariō, -ere, peperī, partus, *bear, bring forth.*
7. forte, adv., [abl. of fors, *chance*], *by chance.* ultrā, prep. with acc., *beyond.* effundō, -ere, -fūdī, -fūsus, [ex], *pour out, spread.*
8. refluō, -ere, —, —, *flow back, recede.* siccum, -ī, n., *dry ground.* vāgītus, -ūs, m., [vāgiō, *cry*], *crying.*
9. lupa, -ae, f., *she-wolf.* accurrō, -ere, -cucurrī or -currī, -cursus, [ad], *run to.* nūtriō, -īre, -īvī, -ītus, *nourish, feed.*

106

pāstor illīus regiōnis, puerōs abstulit, et uxōrī Accae Lārentiae eōs 10
dedit.

Sīc Rōmulus et Remus pueritiam inter pāstōrēs trānsēgērunt.
Cum adolēvissent, et forte comperissent, quis ipsōrum avus, quae
māter fuisset, Amūlium interfēcērunt, et Numitōrī avō rēgnum resti-
tuērunt. Tum urbem condidērunt in monte Palātīnō, quam Rōmu- 15
lus ā suō nōmine Rōmam vocāvit. Dum urbs moenibus circumdatur,
Remus frātrem inrīdēns moenia trānsiluit. Inde Rōmulus īrātus
Remum occīdit.

Translate:

1. Amulius found out who was the mother of the boys. 2. The
messenger said that he had cast the boys into the Tiber. 3. Romulus and Remus will be left on dry land. 4. Amulius had been
killed in order that the kingdom might be restored to Numitor.
5. Rome was founded on the Palatine hill.

---

10. **pāstor, -ōris,** m., [pāscō, *feed*], *herdsman, shepherd.* **auferō, -ferre, abs-tulī,**
ab-lātus, [ab], *bear away, carry off.*

12. **trānsigō, -ere, -ēgī, -āctus, [agō],** *drive through, pass, spend.*

17. **inrīdeō, -ēre, -rīsī, -rīsus,** *laugh at, ridicule.* **trānsiliō, -īre, -uī, —, [trāns + saliō,**
leap], leap across or *over.*

MONS PALATINUS HODIE

PUGNA INTER ROMANOS ET SABINOS

War with the Sabines

Rōmulus, ut cīvium numerum augēret, asȳlum patefēcit, ad quod multī ex cīvitātibus suīs pulsī accurrērunt. Sed novae urbis cīvibus coniugēs deerant. Itaque fēstum Neptūnī et lūdōs īnstituit. Ad hōs multī ex fīnitimīs populīs cum mulieribus et līberīs vēnērunt.
5 Cum spectāculī tempus vēnisset et omnēs lūdōs spectārent, subitō iuvenēs Rōmānī discurrērunt et virginēs rapuērunt.

Populī illī, quōrum virginēs raptae erant, bellum adversus raptōrēs suscēpērunt. Cum ad urbem appropinquārent, forte in Tarpeiam virginem incidērunt, quae in arce sacra prōcūrābat. Hanc
10 rogābant, ut viam in arcem mōnstrāret, eīque permīsērunt, ut mūnus sibi posceret. Illa postulāvit ōrnāmenta, quae in sinistrīs manibus

---

1. asȳlum, -ī, n., *place of refuge.* **patefaciō, -ere, -fēcī, -factus,** [pateō, *lie open*], *open.*

3. coniugēs deerant: In order to obtain wives for his citizens, Romulus first tried to establish the *right of marriage* with the neighboring states. But since his citizens were for the most part criminals or "undesirables," he failed to secure that right, and had to resort to the ruse, which is described in what follows.

6. discurrō, -ere, -cucurrī, -cursūrus, *run in different directions.*

9. in arce sacra prōcūrābat: Tarpeia was the daughter of the commander of the citadel. As a Vestal Virgin she attended to the sacrifices. It was while she was on her way to draw water for a sacrifice from a spring at the foot of the hill that the Sabines happened upon her.

10. mōnstrō, -āre, *show, point out.* **mūnus, -eris,** n., *gift.*

108

gerēbant, ānulōs aureōs et armillās significāns. At hostēs in arcem ab eā perductī scūtīs Tarpeiam obruērunt; nam et haec in sinistrīs manibus gerēbant.

Tum Rōmulus cum hoste, quī montem Tarpeium tenēbat, pug- 15 nam cōnseruit in eō locō, ubi nunc Forum Rōmānum est. In mediā caede mulierēs raptae prōcessērunt, et hinc patrēs, hinc coniugēs et socerōs complectēbantur et ōrābant, ut caedis fīnem facerent. Utrīque hīs precibus commōtī sunt. Rōmulus foedus īcit, et Sabīnōs in urbem recēpit. 20

Translate:

1. Many citizens are being driven out of the neighboring states.
2. The Sabines will ask why the maidens have been carried off.
3. Many children were coming to Rome to see the games. 4. The gift was so great that Tarpeia led the enemy into the citadel.
5. When the women advanced in the midst of the slaughter, both sides made an end of the battle.

---

12. ānulus, -ī, m., *ring.* **armilla, -ae,** f., [**armus,** *shoulder*], *bracelet.*

13. obruō, -ere, -ruī, -rutus, *overwhelm.* **et,** *also.*

15. montem Tarpeium: the southwestern peak of the Capitoline hill. From this cliff, 80 feet high, traitors were hurled to death. (See the photograph above.)

16. cōnserō, -ere, -seruī, -sertus, *join.*

17. hinc . . . hinc, *on this side . . . on that.*

18. socer, -ī, m., *father-in-law.* **complector, -ī, -plexus,** [**plectō,** *braid*], *embrace, clasp.*

19. foedus icere, *to strike a treaty.*

109

Division of Citizens; Death of Romulus

Posteā cīvitātem dēscrīpsit. Centum senātōrēs lēgit, eōsque cum ob aetātem tum ob reverentiam eīs dēbitam "patrēs" appellāvit. Plēbem in trīgintā cūriās distribuit, eāsque mulierum raptārum nōminibus appellāvit.

5 Annō rēgnī trīcēsimō septimō, cum exercitum lūstrāret, repente inter violentissimam tempestātem oculīs hominum subductus est. Hinc aliī eum ā senātōribus interfectum esse, aliī ad deōs sublātum esse exīstimāvērunt.

Post Rōmulī mortem ūnīus annī interrēgnum fuit. Deinde Numa

---

1. dēscrībō, -ere, -scrīpsī, -scrīptus, *write down, divide, distribute.*

2. patrēs: This is an explanation of the origin of the term used by speakers in addressing the senate, viz., **patrēs** or **patrēs cōnscrīptī.** Throughout the monarchy the senate acted merely as an advisory council to the king. The noble families from which senators, magistrates and priests could be appointed were called *patrician,* i.e., they had the rank of the **patrēs.**

3. cūria, -ae, f., *curia.* Each curia was made up of several families, bound together by common religious rites and serving as a unit in war. They were given the names of the Sabine women out of gratitude for their heroic interposition in the battle, which resulted in the union of the two peoples.

5. trīcēsimus, -a, -um, [trīgintā], *thirtieth.* **lūstrō, -āre,** *review.*

6. oculīs, not abl., but *dative of separation,* used with verbs of *taking away,* especially compounds of **ab, dē, ex, ad,** and **sub.**

9. interrēgnum: Upon the death of a king there was an *interregnum,* during which the senate exercised regal authority, each senator in turn ruling for five days until the election of a new king.

Pompilius, quī in urbe Curibus habitābat, rēx creātus est. Hic vir 10
bellum quidem nūllum gessit; nec minus tamen cīvitātī prōfuit.
Nam et lēgēs dedit, et sacra plūrima īnstituit, ut populī barbarī et
bellicōsī mōrēs mollīret. Omnia autem, quae faciēbat, sē nymphae
Ēgeriae, coniugis suae, iussū facere dīcēbat. Morbō dēcessit quadrā-
gēsimō tertiō imperī annō.   15

Translate:

1. Respect is due to the senators on account of their age. 2. Romulus was killed by Roman senators. 3. Some said he was carried
away by a god. 4. A senator asked why Numa, a Sabine, was
elected king by the Romans. 5. Numa said that he had been
ordered to do these things by the nymph Egeria.

Tullus Hostilius; the Horatii and the Curiatii

Numae successit Tullus Hostīlius, cuius avus sē in bellō adversus
Sabīnōs fortem et strēnuum virum praestiterat. Rēx creātus Albānīs
bellum indīxit. Tum forte in utrōque exercitū erant trigeminī frātrēs, et aetāte et vīribus parēs. Trēs Horātiī erant Rōmānī; trēs
Cūriātiī, Albānī. Inter duōs populōs foedus ictum est eīs lēgibus, ut 5
Horātiī cum Cūriātiīs ferrō dīmicārent atque id certāmen bellum
fīnīret.

Duo exercitūs utrimque prō castrīs cōnsīdunt. Inde trigeminī
arma capiunt et in medium inter duās aciēs prōcēdunt. Signum

---

10. Curēs, -ium, f., *Cures,* a Sabine town twenty-five miles northeast of Rome.
Numa was so renowned for his justice and piety that he was elected king in spite of
being a Sabine, living at some distance from Rome.

11. prōsum, prōdesse, prōfuī, —, *benefit.*

13. molliō, -īre, *soften, civilize.*

14. Ēgeria, -ae, f., *Egeria,* a fountain nymph with the gift of prophecy, from whom
Numa obtained advice on matters of state. **morbus, -ī,** m., *disease.* **quādrāgēsimus,
-a, -um,** [quadrāgintā], *fortieth.*

---

2. praestō, -āre, -stitī, -stitus, *show.*

3. indīcō, -ere, -dīxī, -dictus, *declare.* **trigeminus, -a, -um,** [trēs], *three* (born at
one birth).

6. certāmen, -inis, n., [certō, *strive*], *struggle, contest.* **id certāmen bellum fīnīret,**
i.e., the two sets of brothers were to fight as *representatives* of the two peoples, and
the result of their battle would determine which people should be declared victors in
the war. Other instances of such fighting between the champions of two armies occur
in the early history of many nations, but it is usually in the form of a duel (between
two men). Cf. David and Goliath.

111

10 datur et ternī iuvenēs micantibus gladiīs concurrunt. Prīmō concursū duo Horātiī exspīrantēs cadunt, quam ob rem Albānī magnō
gaudiō conclāmant. Forte tertius Horātius erat integer, sed trēs
Cūriātiī vulneribus erant tardī. Itaque Horātius, ut trēs hostēs dis-
traheret, fugam capit. Iam aliquantum spatī aufūgerat ubi respici-
15 ēns videt ūnum haud procul ab sēsē abesse. In eum magnō impetū
redit et eum facile superat. Tum alterum hostem caedit priusquam
eī frāter auxilium ferre potest. Superest tertius; sed ille, cursū et
vulnere dēfessus, facile ab Horātiō interficitur. Tum Rōmānī ovan-
tēs Horātium accipiunt et domum dēdūcunt.
20   Tullus Hostīlius propter Mettī Fūfetī perfidiam Albam dīruit.
Cum trīgintā duōs annōs rēgnāvisset, fulmine ictus cum domō suā
ārsit.

---

10. ternī, -ae, -a, *three each.* **micāns, -antis, [micō],** *flashing.*

18. ovō, -āre, *rejoice.*

20. Mettius Fufetius was dictator of Alba. After the combat between the Horatii
and the Curiatii the Alban army returned home. Presently Tullus became involved in
another war and summoned the Alban army to his aid. It came; but in the battle
that ensued Mettius Fufetius withheld his army until the Romans came off victorious,
and then calmly congratulated Tullus on his well-earned success. For this treacherous
act Tullus ordered his body to be torn asunder by four chariots in the presence of
both armies. **dīruō, -ere, -ruī, -rutus,** *overthrow, destroy.*

21. fulmine ictus: Toward the last Tullus fell sick, and in great alarm proclaimed
sacrifices to the gods. But they were not performed with proper ceremony, and
Jupiter in anger slew him with a thunderbolt.

22. ārdeō, -ēre, ārsī, ārsūrus, *burn, be destroyed by fire.*

IUS IURANDUM HORATIORUM

Translate:

1. The third king was a brave and energetic man. 2. Taking their arms, the young men advanced between the two armies. 3. When the signal had been given, the brothers charged with flashing swords. 4. The third Curiatius, who was slow because of his wound, was easily overcome. 5. This battle between the Horatii and the Curiatii ended the struggle.

Ancus Marcius

Post hunc Ancus Mārcius, Numae ex fīliā nepōs, suscēpit imperium. Hic vir aequitāte et religiōne avō similis, Latīnōs bellō domuit, urbem ampliāvit, et eī nova moenia circumdedit. Carcerem prīmus aedificāvit. Ad Tiberis ōstia urbem condidit, Ōstiamque vocāvit. Vīcēsimō quārtō annō imperī morbō obiit.   5

Deinde rēgnum Lūcius Tarquinius Prīscus accēpit, fīlius Dēmarātī, quī tyrannōs patriae Corinthī fugiēns in Etrūriam vēnerat. Ipse Tarquinius, quī nōmen ab urbe Tarquiniīs accēpit, aliquandō Rōmam profectus erat. Dum ad urbem appropinquat, aquila eī pilleum abstulit, et postquam altē ēvolāvit, capitī aptē reposuit. 10 Hinc Tanaquil coniux, mulier auguriōrum perīta, rēgnum eī portendī intellēxit.

---

1. nepōs, -ōtis, m., *grandson.*

2. aequitās, -ātis, f., [**aequus**], *justice.*

3. domō, -āre, -uī, -itus, *subdue, conquer.* **ampliō, -āre,** [**amplus**], *enlarge.* **carcer, -is,** m., *prison;* the famous *Mamertine prison* on the north side of the Forum. The church now standing above it is called *San Pietro in Carcere,* because St. Peter was confined in the prison by the emperor Nero.

7. tyrannus, -ī, m., *"tyrant."* At this time many cities in Greece were under the absolute rule of a man who had seized the government by force. Such rulers, whether they ruled mildly or despotically, were called **tyrannī.** Because power tends to corrupt, *tyrant* has come to mean a despot.

8. Tarquiniī, -ōrum, m., *Tarquinii,* a city forty-five miles northwest of Rome. Tarquinius, whose name originally was Lucumo, inherited great wealth from his father and married Tanaquil, an Etruscan lady of high rank. Nevertheless he was despised as a foreigner, and finally by the advice of his wife he moved to Rome. **aliquandō,** adv., [**alius**], *at one time, once.*

9. aquila, -ae, f., *eagle.* **eī,** *dative of separation* with **auferō.**

10. pilleus, -ī, m., (a cone-shaped felt) *cap.* **ēvolō, -āre,** *fly away* or *up.* **aptē,** adv., [**aptus**], *neatly.*

11. augurium, -ī, n., *divination, augury.* **perītus, -a, -um,** *skilled.* **portendō, -ere, -tendī, -tentus,** [**prō**], *point out, foretell.*

Cum in urbe commorārētur, Ancī rēgis familiāritātem cōnsecūtus est, quī eum fīliōrum suōrum tūtōrem relīquit. Sed is pūpillīs rēg-
15 num intercēpit. Senātōribus, quōs Rōmulus creāverat, centum aliōs addidit, quī "patrēs minōrum gentium" sunt appellātī. Plūra bella fēlīciter gessit, ac multōs agrōs, hostibus adēmptōs, urbis territōriō adiūnxit. Prīmus triumphāns urbem intrāvit. Cloācās fēcit; Capitōlium incohāvit. Trīcēsimō octāvō imperī annō per Ancī fīliōs,
20 quibus rēgnum ēripuerat, occīsus est.

Translate:

1. Two kings, Numa and Ancus, were men of great fairness. 2. Tullus inquired how Tarquin received his name. 3. Tarquin and Tanaquil will set out for the city. 4. Tanaquil knows that Tarquin will be the king of Rome. 5. Tarquin had acquired great glory by these victories.

Servius Tullius; the Census; Murder of the King

Post hunc Servius Tullius suscēpit imperium, genitus ex nōbilī fēminā, captīvā tamen et famulā. Cum in domō Tarquinī Prīscī ēducārētur, flamma in eius capite vīsa est. Hōc prōdigiō Tanaquil eī summam dignitātem portendī intellēxit, et coniugī persuāsit, ut
5 eum sīcutī līberōs suōs ēducāret. Cum adolēvisset, rēx eī fīliam in mātrimōnium dedit.

Cum Prīscus Tarquinius occīsus esset, Tanaquil dē superiōre parte domūs populum allocūta est, dīcēns rēgem grave quidem sed nōn lētāle vulnus accēpisse; eum petere, ut populus, dum convaluis-
10 set, Serviō Tulliō oboedīret. Sīc Servius rēgnāre coepit, sed bene

---

13. **commoror, -ārī, -ātus,** *delay.* **familiāritās, -ātis,** f., [familia], *intimacy.*

15. **intercipiō, -ere, -cēpī, -ceptus,** *seize.*

17. **adimō, -ere, -ēmī, -ēmptus,** [emō], *take* (to oneself), *take away.*

18. **cloācās fēcit:** the sewers that drained the lower parts of the city, of which the largest, the *Cloāca Maxima,* emptying into the Tiber, is still in use. **Capitōlium:** the temple on the Capitoline hill.

19. **incohō, -āre,** *begin.*

---

2. **famula, -ae,** f., *female servant.*

8. **alloquor, -ī, -locūtus,** [ad], *speak to.*

9. **lētālis, -e,** [lētum, *death*], *fatal.* **dum,** conj., *until;* with the subjunctive to denote *anticipation.* **convalēscō, -ere, -valuī, —,** [valeō], *recover.*

10. **oboediō, -īre,** [audiō], *give ear, obey.* Another verb that governs the *dative.*

114

imperium administrāvit. Montēs trēs urbī adiūnxit. Prīmus omnium cēnsum ōrdināvit. Sub eō Rōma habuit capitum octōgintā
tria mīlia cīvium Rōmānōrum cum hīs, quī in agrīs erant.

Hic rēx interfectus est scelere fīliae Tulliae et Tarquinī Superbī,
fīlī eius rēgis, cui Servius successerat. Nam ab ipsō Tarquiniō dē 15
gradibus cūriae dēiectus, cum domum fugeret, interfectus est. Tullia
in Forum properāvit, et prīma coniugem rēgem salūtāvit. Cum
domum redīret, aurīgam super patris corpus in viā iacēns carpentum
agere iussit.

Translate:

1. Tanaquil will persuade her husband to educate the boy with
her own children. 2. She asked the people to obey Servius until
her husband recovered. 3. When Servius was king, there were
eighty-three thousand citizens at Rome. 4. Tullia hurried to the
forum to greet her husband as king. 5. The king's body was
lying in the street when they were returning home.

---

11. Montēs trēs: the Caelian, Esquiline, and Viminal hills. These with the
Palatine, Capitoline, Aventine, and Quirinal, which had been previously occupied,
made up the famous "seven hills" of Rome. The wall, which Servius Tullius is said
to have built around these hills, inclosed an area of about two square miles. By the
time of Julius Caesar the city had spread far beyond the Servian wall. Finally in
A.D. 271 the Emperor Aurelian built a wall that inclosed five square miles. A large
part of this Aurelian wall is still standing — see the picture below.

12. cēnsus, -ūs, m., *census,* a registration of the citizens and their property by the
censors. **ōrdinō, -āre, [ōrdō],** *arrange, appoint, establish.*

18. iaceō, -ēre, -uī, —, *lie.* **carpentum, -ī,** n., (two-wheeled, covered) *carriage.*

Tarquinius Superbus, the Seventh and Last King

Tarquinius Superbus cognōmen mōribus meruit. Bellō tamen strēnuus plūrēs fīnitimōrum populōrum vīcit. Templum Iovis in Capitōliō aedificāvit.

Posteā, dum Ardeam, urbem Latī, oppugnat, imperium perdidit. 5 Nam cum eius fīlius Lucrētiae, nōbilissimae fēminae, coniugī Tar-

1. **superbus, -a, -um,** [**super,** *over*], *overbearing.*

2. **plūrēs fīnitimōrum populōrum vīcit:** Through these conquests Rome became the head of the thirty cities that formed the Latin League. **Templum Iovis . . . aedificāvit,** i.e., he finished the temple which his father began to build.

4. **Ardea, -ae,** f., *Ardea,* a town twenty miles south of Rome. **perdō, -ere, -didī, -ditus,** *lose.*

5. **eius fīlius:** Sextus Tarquinius, who previously had helped the king to capture Gabii. **Tarquinius Collātīnus:** Sextus' cousin. His father, after the conquest of *Collatia* by Tarquinius Priscus, had been made governor of the town. Hence the family surname *Collatinus.*

LUCRETIA
SE OCCIDIT

TARQUINIUS ROMAM PERVENIT

quinī Collātīnī, vim fēcisset, haec ipsa sē occīdit in cōnspectū marītī, patris, et amīcōrum, postquam eōs obtestāta est, ut hanc iniūriam ulcīscerentur.

Hanc ob causam L. Brūtus, Collātīnus, aliīque nōnnūllī in exitium rēgis coniūrāvērunt, populōque persuāsērunt, ut eī portās urbis 10 clauderet. Exercitus quoque, quī cīvitātem Ardeam cum rēge oppugnābat, eum relīquit. Fūgit igitur cum uxōre et līberīs suīs. Ita in urbe Rōmā rēgnātum est per septem rēgēs annōs ducentōs quadrāgintā trēs.

Translate:

1. The neighboring peoples had fought fiercely that they might not be conquered by Tarquin. 2. When he was besieging the city, he was abandoned by the army. 3. The father and friends of Lucretia will avenge that wrong. 4. The citizens said that they had not conspired against the king. 5. The king's wife and children are fleeing from the city.

---

7. **obtestor, -ārī, -ātus,** [testis], *call as witness, implore.*
8. **ulcīscor, -ī, ultus,** *avenge.*
9. **exitium, -ī,** n., [eō], *destruction, death.*
10. **coniūrō, -āre,** [iūs], *swear together, conspire.*

THE EARLY REPUBLIC
Rome Becomes a Republic

Tarquiniō expulsō, duo cōnsulēs prō ūnō rēge creārī coeptī sunt ut, sī ūnus malus esset, alter eum coercēret. Eīs annuum imperium tribūtum est, nē per diūturnitātem potestātis īnsolentiōrēs redderentur. Fuērunt igitur annō prīmō, expulsīs rēgibus, cōnsulēs
5 L. Iūnius Brūtus, ācerrimus lībertātis vindex, et Tarquinius Collātīnus, marītus Lucrētiae. Sed Collātīnō paulō post dignitās sublāta est. Placuerat enim, nē quis ex Tarquiniōrum familiā Rōmae manēret. Ergō cum omnī patrimōniō suō ex urbe migrāvit, et in eius locum Valerius Pūblicola cōnsul factus est.

---

1. duo cōnsulēs: At first the consuls exercised the authority of a king. In the city they ruled alternately for a month; in the army for a day. Each had the right to veto the act of the other. In the course of time much of their power was taken from them by the creation of new magistracies. **creārī coeptī sunt:** with a passive infinitive the passive form of **coepī** is preferred.

2. coerceō, -ēre, -uī, -itus, [**arceō,** *keep off*], *check, restrain.*

3. diūturnitās, -ātis, f., [**diū**], *long duration.*

5. L. Iūnius Brūtus, a nephew of the king. He had seen his father and brother slain by order of Tarquin, and in order to avert a similar fate had feigned to be stupid. (Hence his surname **Brūtus,** *dull, stupid.*) But from the time of Lucretia's death he showed himself in his true colors and was the leader in the rebellion against the tyrant. **vindex, -icis,** m., *defender.*

6. Collātīnō: (63). paulō post: A conspiracy to restore Tarquin the Proud to the throne had been formed at Rome, but it was discovered and all who took part in it were put to death. Among the conspirators were the two sons of Brutus, but the father's stern sense of justice would not allow him to make any effort to save them. This plot caused so much alarm that every member of the Tarquin family was forthwith banished from Rome.

7. placeō, -ēre, -uī, -itus, *please;* often used, as here, impersonally, **placet,** *it is resolved.* **nē quis,** *that no one.*

8. migrāvit: he settled in Lavinium.

Commōvit bellum urbī rēx Tarquinius. In prīmā pugnā Brūtus 10
cōnsul et Arrūns, Tarquinī fīlius, sēsē invicem occīdērunt. Rōmānī
tamen ex eā pugnā victōrēs discessērunt. Brūtum, quasi commūnem
patrem, Rōmānae mātrōnae per annum lūxērunt. Valerius Pūblicola
Sp. Lucrētium, Lucrētiae patrem, collēgam sibi fēcit; quī cum
morbō exstīnctus esset, Horātium Pulvīllum sibi collēgam sūmpsit. 15
Ita prīmus annus quīnque cōnsulēs habuit.

Translate:

1. When Tarquin had been expelled, two consuls were elected
instead of one king. 2. The one consul is being restrained by
the other. 3. The king will remain in the city, in order that his
dignity may not be taken away. 4. The messenger says that
Brutus has slain the son of Tarquin. 5. There were five consuls
in the first year of the republic.

---

11. invicem, adv., *in turn;* **sēsē invicem,** *each other.* After the death of his sons
Brutus longed to die himself. The opportunity to die nobly defending his country
presented itself in this battle. So fierce was the onset of the two warriors that both
fell instantly, each pierced to the heart by the other's weapon.

12. victor discēdō, *come off victorious.*

13. lugeō, -ēre, lūxī, lūctus, *mourn.*

IUNIUS BRUTUS ET FILII

119

REX PORSENA
ET SCAEVOLA

War with Porsena, King of the Etruscans

Secundō quoque annō iterum Tarquinius Rōmānīs bellum intulit,
Porsenā, rēge Etrūscōrum, auxilium eī ferente. In illō bellō Horātius
Cocles sōlus pontem ligneum dēfendit et hostēs cohibuit, dōnec pōns
ā tergō ruptus esset. Tum sē cum armīs in Tiberim coniēcit et ad
5 suōs trānāvit.

2. **Lars Porsena** was the king of Etruria, a large and populous country northwest
of Rome. The Etruscans were a highly civilized people. Admirable examples of
their gold jewelry and painted vases are exhibited in all large museums. Remains
of the magnificent mausoleum of Lars Porsena are still to be seen in Chiusi, formerly
Clusium, the ancient capital of Etruria. Notice the tomb painting below.

3. **cohibeō, -ēre, -uī, -itus, [habeō]**, *hold, keep back.* **dōnec,** conj., *until;* like
dum, when it means *until,* it takes the *subjunctive,* if the action is *anticipated.*

5. **trānō, -āre, [trāns]**, *swim across.*

Dum Porsena urbem obsidet, C. Mūcius Scaevola, iuvenis fortis animī, in hostis castra sē contulit eō cōnsiliō, ut rēgem occīderet. At ibi scrībam rēgis prō ipsō rēge interfēcit. Tum ā rēgiīs satellitibus comprehēnsus et ad rēgem dēductus, cum Porsena eum ignibus allā- tīs terrēret, dextram ārae accēnsae imposuit, dōnec flammīs cōn- 10 sūmpta esset. Hoc facinus rēx mīrātus iuvenem dīmīsit incolumem. Tum hic quasi beneficium referēns ait, trecentōs aliōs iuvenēs in eum coniūrāvisse. Hāc rē territus Porsena pācem cum Rōmānīs fēcit. Tarquinius autem Tusculum sē contulit, ibique prīvātus cum uxōre cōnsenuit. 15

Translate:

1. Porsena, king of the Etruscans, will bring aid to Tarquin. 2. The wooden bridge is being defended by Horatius Cocles alone. 3. When Mucius had been seized, Porsena ordered the attendants to lead him to the altar. 4. The king wondered why the youth had slain the secretary. 5. The king replied that he would make peace with the Romans.

---

8. scrība, -ae, m., [**scrībō**], *clerk, official scribe, secretary.* **satelles, -itis,** c., *attendant, courtier.*

10. accendō, -ere, -cendī, -cēnsus, [**ad**], *kindle, set on fire, light.*

11. facinus, -oris, n., [**faciō**], *deed.*

12. quasi, [**quā + sī**], *as if.* **aiō, ais, ait, aiunt; aiēbam,** defective verb, *say.*

14. Tarquinius . . . cōnsenuit: Tarquin made a *third* attempt to recover his throne, this time with the aid of his son-in-law, Octavius Mamilius. **Tusculum, -ī,** n., *Tusculum,* a mountain town about fifteen miles southeast of Rome. By reason of its lofty situation and the beauty of its scenery it eventually became a favorite summer resort for wealthy Romans.

15. cōnsenēscō, -ere, -senuī, —, [**senex**, *old*], *grow old.*

"PARCE PATRIAE"
DIXIT

The First Secession of the Plebs

Sextō decimō annō post rēgēs exāctōs, populus Rōmae sēditiōnem fēcit, quod tribūtīs et mīlitiā ā senātū exhauriēbātur. Magna pars plēbis urbem relīquit, et in montem trāns Aniēnem amnem sēcessit. Tum patrēs turbātī Menēnium Agrippam mīsērunt ad plēbem, quī

---

1. exigō, -ere, -ēgī, -āctus, [agō], *drive out, expel.* **sēditiō, -ōnis,** f., [**sēd-,** *apart* + **eō**], *rebellion.*

2. tribūtum, -ī, n., *stated payment,* e.g., for rent or taxes.

3. in montem: the **Mōns Sacer,** four miles northeast of Rome. **Aniō, -ēnis,** m., *the Anio,* a tributary of the Tiber. **amnis, -is,** m., *river.*

4. quī . . . conciliāret. Observe that a *relative pronoun* may introduce a purpose clause with the subjunctive.

122

eam senātuī conciliāret. Hic eīs inter alia fābulam nārrāvit dē 5
ventre et membrīs humānī corporis; quā populus sīc commōtus est,
ut in urbem redīret. Tum prīmum tribūnī plēbis creātī sunt, quī
plēbem adversum nōbilitātis superbiam dēfenderent.

   Octāvō decimō annō post exāctōs rēgēs, C. Mārcius, dictus *Corio-*
lānus ab urbe Volscōrum *Coriolīs*, quam bellō cēperat, plēbī invīsus 10
factus est. Quā rē urbe expulsus ad Volscōs, ācerrimōs Rōmānōrum
hostēs, contendit, et ab eīs dux exercitūs factus Rōmānōs saepe vīcit.
Iam ūsque ad quīntum mīliārium urbis accesserat, nec ūllīs cīvium
suōrum lēgātiōnibus flectī poterat, ut patriae parceret. Dēnique
Veturia māter et Volumnia uxor ex urbe ad eum vēnērunt; quārum 15
flētū et precibus commōtus est, ut exercitum removēret. Quō factō,
ā Volscīs ut prōditor occīsus esse dīcitur.

Translate:

   1. The kings had been driven out of the city by the citizens.
2. The messenger says that the army will rebel (make rebellion)
against its commander. 3. The senator did not understand why
the plebeians were leaving the city. 4. Tell us stories about the
kings of Rome. 5. Coriolanus was so hateful to the people that
he was driven out of the city.

   5. fābulam: The story in brief was: "Once upon a time the members of the body
became dissatisfied because, as it seemed to them, they did all the work, while the
belly did none. Finally they ceased to work. But they soon found out that this
only served to weaken them."
   6. venter, -tris, m., *belly.*
   10. Coriolī, -ōrum, m., *Coriolī,* a Volscian town southeast of Rome. **invīsus, -a,**
-um, [in + videō, *look askance at*], *hated, hateful.*
   13. mīliārium, -ī, n., **[mīlle],** *milestone.* In later times all the military roads were
marked with milestones. In the Forum the emperor Augustus set up a gilded milestone
(**mīliārium aureum**), which was regarded as the center of the Roman Empire.
   15. Veturia and **Volumnia** marched to the camp at the head of a procession of
noble Roman matrons.
   flētus, -ūs, m., **[fleō,** *weep*], *weeping.* **commōtus est:** In yielding, Coriolanus
exclaimed, "Oh, Mother, thou hast saved Rome, but thou hast ruined thy son!"
   17. ut, *as.* **prōditor, -ōris,** m., **[prōdō],** *traitor.*

MONS SACER

Cincinnatus Is Summoned from His Farm

Annō quīnquāgēsimō secundō post rēgēs exāctōs, cum exercitus Rōmānus in Algidō monte ab Aequīs obsidērētur, senātuī placuit ut L. Quīnctius Cincinnātus dictātor dīcerētur. Is tum trāns Tiberim agrum quattuor iūgerum manibus suīs colēbat. Ibi, cum arāret, ab 5 lēgātīs inventus est, quī rogāvērunt ut senātūs mandāta audīret. Maximē admirātus, uxōrem ē tuguriō togam prōferre iubet. Deinde, pulvere ac sūdōre abstersō, togātus ad lēgātōs prōcēdit, quī eum dictātōrem cōnsalūtant.

---

2. **Algidus, -ī**, m., [**algeō**, *be cold*], *Algidus,* a snow-capped mountain seventeen miles southeast of Rome. It formed a part of the Alban Mt. On its forest-covered side the Roman army, led by an incompetent consul, was now held surrounded by the Aequians.

3. **Cincinnātus, -ī**, m., [**cincinnus,** *curly hair*], *Cincinnatus,* a patrician, who had been consul two years before. **dictātor, -ōris**, m., *dictator,* a chief magistrate with unlimited power, appointed in a great emergency to rule for not more than six months.

4. **iūgerum, -ī**, (gen. pl., **iūgerum**), n., $\frac{5}{8}$ of an acre. **colō, -ere, -uī, cultus**, *till, cultivate.*

6. **tugurium, -ī**, n., [**tegō**], *cottage.*

7. **pulvis, -eris**, m., *dust.* **sūdor, -ōris**, m., *sweat.* **abstergeō, -ēre, -tersī, -tersus**, *wipe off.*

8. **cōnsalūtō, -āre**, *hail.*

124

Proximā nocte Cincinnātus ad Algidum montem exercitum dūcit atque ipse hostem obsidet. Paulisper Aequī ancipitī proeliō pugnant, 10 sed brevī tempore, omnī spē dēpositā, pācem petunt. Eōs Cincinnātus sub iugum mīsit. Sextō decimō diē postquam *togam praetextam* accēpit, dictātūrā sē abdicāvit atque ad agrum suum rediit.

Annō trecentēsimō et alterō ab urbe conditā decemvirī creātī sunt, quī cīvitātī lēgēs scrīberent. Hī prīmō annō bene ēgērunt; 15 secundō autem dominātiōnem exercēre coepērunt. Sed cum ūnus eōrum Appius Claudius virginem ingenuam, Verginiam, Verginī centuriōnis fīliam, corrumpere cōnārētur pater eam occīdit. Tum ad mīlitēs profūgit, eōsque ad sēditiōnem commōvit. Sublāta est decemvirīs potestās ipsīque omnēs aut morte aut exsiliō pūnītī sunt. 20

Translate:

1. The soldiers reported that the Aequi were besieging a Roman city. 2. The senate's envoys found Cincinnatus plowing in the fields. 3. When the enemy had been conquered, Cincinnatus returned to Rome. 4. The citizens will elect ten men to write the laws for the state. 5. The soldiers asked why Verginius had not slain the decemvir.

---

10. anceps, -itis, [an = ambo, *both* + caput], *two-headed;* **anceps proelium,** *battle on two fronts.*

12. iugum, -ī, n., [iungō], *yoke;* in sending a conquered army under the "yoke," two upright spears were fixed in the ground and a third was laid across them so low that each soldier would have to stoop in order to pass under it. **praetextus, -a, -um,** [prae-texō, *weave in front*], *bordered;* **toga praetexta,** *a purple-bordered toga,* worn only by the higher magistrates and the dictator.

13. abdicō, -āre, *deny, refuse.* **sē abdicāre,** *resign.*

14. ab urbe conditā, *from the founding of the city,* often abbreviated to A.U.C. **decemvirī,** a board of *ten men* with consular power, elected to write the hitherto unwritten laws.

15. prīmō annō: In the first year the decemvirs drew up ten laws; in the second they added two more. These twelve Tables of the Law were engraved and set up in the Forum. The decemvirs were then expected to resign. But they refused to do so, and acted as though they intended to keep the government in their own hands permanently.

17. ingenuus, -a, -um, [gignō], *free-born.* **Verginiam, Verginī:** The daughter often took the feminine form of the father's name.

18. corrumpō, -ere, -rūpī, -ruptus, *ruin; bribe.* **pater eam occīdit:** As the case was brought before Appius Claudius himself as judge, Verginius in despair seized a knife from a butcher and plunged it into his daughter's breast.

19. ad sēditiōnem: The plebeians again seceded to the Mons Sacer, and not until the decemvirs resigned and the tribunes were restored, did they return.

125

Camillus, Pater Patriae

In bellō contrā Veientānōs M. Fūrius Camillus urbem Falēriōs obsidēbat. In quā obsidiōne cum lūdī litterāriī magister prīncipum fīliōs ex urbe in castra hostium dūxisset, Camillus hoc dōnum nōn accēpit, sed scelestum hominem, manibus post tergum vinctīs, puerīs
5 Falēriōs redūcendum trādidit; virgāsque eīs dedit, quibus prōditō-rem in urbem agerent. Hāc tantā animī nōbilitāte commōtī Faliscī urbem Rōmānīs trādidērunt. Ita Rōmam rediit Camillus īnsignis multō meliōre laude quam cum albī equī eum triumphantem per urbem vexerant. Nam hostēs iūstitiā fidēque vīcerat.
10   Camillō autem Rōmānī crīmen intulērunt, quod albīs equīs tri-

---

4. scelestus, -a, -um, [scelus], *infamous.*
5. redūcendum, gerundive of redūcō, agreeing with hominem, *to be led back.*
6. Faliscī, -ōrum, m., *inhabitants of Falerii, Faliscans.*
7. īnsignis, -e, [signum], *distinguished.*
8. cum . . . vexerant: at the time of his triumph after the capture of Veii.
10. Camillō, dative. Besides Veii and Falerii, Camillus at this time conquered all of Southern Etruria as far as the Ciminian Forest. crīmen, -inis, n., *accusation.* quod . . . dīvīsisset: causal clause with the subj., because a verb of saying is implied in

umphāvisset, et praedam inīquē dīvīsisset. Ob eam causam damnātus et cīvitāte expulsus est.

Paulō post Gallī Senonēs ad urbem vēnērunt, apud flūmen Alliam
Rōmānōs vīcērunt, et urbem etiam occupāvērunt. Iam nihil praeter
Capitōlium dēfendī potuit. Et iam praesidium famē labōrābant, et 15
in eō erant, ut pācem ā Gallīs aurō emerent, cum Camillus cum
manū mīlitum superveniēns hostēs magnō proeliō superāret.

---

crīmen, *accusation.* **albīs equīs:** by using *white* horses he made himself equal to
Jupiter and Apollo.

    11. praedam inīquē dīvīsisset. This probably was the *chief reason* for his unpopu-
larity. **damnō, -āre,** *con-*DEMN.

    13. Gallī Senonēs: A powerful people of Central Gaul dwelling south of the Marne.
Their capital city **Agēdincum** is now called *Sens,* a name derived from *Senones.* **Allia,
-ae,** f., *the Allia,* a small river flowing into the Tiber about twelve miles north of Rome.
In this battle, 390 B.C., the Romans for the first time met barbarians, who rushed upon
them with terrific yells and slashed right and left with enormous broadswords. It was
a most disastrous defeat for the Romans.

    15. Capitōlium: The Gauls climbed the hill at night and would have captured the
citadel, had it not been for the cackling of the sacred geese in the temple of Juno,
which awakened the garrison just in time. **praesidium,** *garrison,* is a collective noun
and therefore, as here, may take a plural verb.

    16. in eō erant, ut . . . emerent, *were on the point of buying.*

128

Translate:

1. The sons of the leading citizens will be led by the teacher to Camillus. 2. Camillus ordered the boys to drive the traitor into the city. 3. It is better to conquer the enemy by justice than to celebrate a triumph with white horses. 4. The citizens said that Camillus had divided the booty unfairly. 5. The Romans were conquered by the Gauls in a great battle at the river Allia.

The Samnite Wars; Battle of the Caudine Forks

Posteā Rōmānī cum Samnītibus bellum gessērunt, ad quod L. Papīrius Cursor cum honōre dictātōris profectus est. Quī cum negōtī cuiusdam causā Rōmam īvisset, praecēpit Q. Fabiō Rulliānō, magistrō equitum, quem apud exercitum relīquit, nē pugnam cum
5 hoste committeret. Sed ille occāsiōnem nactus fēlīcissimē dīmicāvit et Samnītēs dēlēvit. Ob hanc rem ā dictātōre capitis damnātus est. At ille in urbem cōnfūgit, et ingentī favōre mīlitum et populī līberātus est; in Papīrium autem tanta sēditiō exorta est, ut paene ipse interficerētur.

---

1. Samnītēs, -ium, m., *the Samnites,* a brave and warlike people, inhabiting the mountainous country to the east and south of Latium. (See the tomb painting below.)

3. praecipiō, -ere, -cēpī, -ceptus, [capiō], with dat., *direct, order.* **Q. Fabius Rulliānus,** a member of the famous Fabian *gens,* who was chosen consul five times and dictator twice.

4. magister equitum, *master of the horse,* second in command to the dictator. In battle he led the cavalry, while the dictator commanded the infantry.

6. dēleō, -ēre, (erase), *annihilate.* **capitis damnāre,** *to condemn to death.*

Duōbus annīs post, T. Veturius et Spurius Postumius cōnsulēs 10
bellum adversum Samnītēs gerēbant. Hī ā Pontiō, duce hostium,
in īnsidiās inductī sunt. Nam ad Furculās Caudīnās Rōmānōs pel-
lexit in angustiās, unde sēsē expedīre nōn poterant. Ibi Pontius
patrem suum Hērennium rogāvit, quid faciendum esse putāret. Ille
respondit, aut omnēs occīdendōs esse, ut Rōmānōrum vīrēs frange- 15
rentur, aut omnēs dīmittendōs esse, ut beneficiō obligārentur. Pontius utrumque cōnsilium improbāvit, omnēsque sub iugum mīsit.
Samnītēs dēnique post bellum ūndēquīnquāgintā annōrum superātī
sunt.

Translate:

1. The army is setting out from the camp for the purpose of
fighting with the Gauls. 2. Fabius had fought so successfully
that the Samnites were almost annihilated. 3. Papirius asked
why the lieutenant had engaged in battle with the enemy. 4. Pontius said that he would send the whole army under the yoke.
5. The Roman general was not able to extricate his army from
the ambush.

---

10. **Duōbus annīs post,** 321 B.C.

12. **furcula, -ae,** f., [**furca,** *fork*], *a little fork;* **Furculae Caudīnae,** *the Caudine
Forks,* a narrow mountain pass near *Caudium* in the heart of Samnium. **pelliciō, -ere,
-lexī, -lectus,** *entice.*

16. **obligō, -āre,** *bind, lay under obligation.*

17. **improbō, -āre,** [**in- + probō,** *approve*], *disapprove of.* **omnēsque sub iugum
mīsit,** i.e., instead of doing one thing or the other, as his father advised, Pontius
sent the army under the yoke, exacting a promise under oath from the commanders
that the Romans would give back the conquered territory and make peace. The
Senate, however, refused to ratify the agreement and sent the commanders as prisoners
to the Samnites.

THE WAR WITH PYRRHUS

Rome, as we have seen, starting with a small settlement on the Palatine hill, grew to be a city of considerable size during the 250 years of the regal period. Yet her prestige — even under the Tarquins — was merely *local*, and her entire territory did not embrace more than *a few square miles*. During the century after the expulsion of Tarquin the Proud she was torn by internal dissensions, and had to fight desperately to hold her own against the neighboring tribes. Then came the period when with greater harmony at home she began to gain territory rapidly. The first invasion of the Gauls, though it brought disaster enough to Rome, weakened her old enemies, the Aequians and Volscians, still more, and thus enabled her to triumph over them. A little later under the vigorous leadership of Camillus she conquered the Etruscans. In the last fifty years of which we have been reading she subdued the Latins and the Samnites. Thus by 290 B.C. she had become mistress of the Italian peninsula from Etruria to Campania.

Meanwhile Southern Italy had been occupied for many centuries by *Greek* colonists, who had established many flourishing cities, especially along the coast. So completely was this country under Greek control that it was called *Magna Graecia*. It was to this district of Italy that Rome now turned her attention.

130

Battle of Heraclea

Dēvictīs Samnītibus, Tarentīnis bellum indictum est, quia lēgātīs
Rōmānōrum iniūriam fēcissent. Hī Pyrrhum, Ēpīrī rēgem, contrā
Rōmānōs auxilium poposcērunt. Is mox in Ītaliam vēnit, tumque
prīmum Rōmānī cum trānsmarīnō hoste pugnāvērunt. Missus est
contrā eum cōnsul P. Valerius Laevīnus. Hic, cum explōrātōrēs 5
Pyrrhī cēpisset, iussit eōs per castra dūcī, tumque dimittī, ut re-
nūntiārent Pyrrhō, quaecumque ā Rōmānīs agerentur.

Pugnā commissā, Pyrrhus auxiliō elephantōrum vīcit. Nox proeliō

---

1. Tarentīnī, -ōrum, m., *Tarentines, inhabitants of Tarentum,* the principal Greek city
in southern Italy, situated at the head of the Gulf of Tarentum. It had prospered
greatly through its far-reaching commerce and boasted of a large army and navy.
quia, conj., *because.*

2. fēcissent, subjunctive, because the reason for declaring war is given by some
one *other than the writer.* **quia . . . fēcissent:** Rome and Tarentum had made a treaty,
which among other things prohibited Roman ships from entering the Gulf of Tarentum.
When therefore ten Roman vessels sailed one day into their harbor, the Tarentines,
greatly excited, attacked them and sank several of the ships. The Roman ambassadors,
who were sent to demand restitution, were mocked and ridiculed as they spoke. The
climax came when someone bespattered the toga of Postumius, the Roman leader,
with mud. Pointing to his soiled garment, Postumius haughtily declared that such an
outrage could be wiped out only with blood and withdrew from the assembly. **Pyrrhus,
-ī,** m., *Pyrrhus,* king of Epirus, a country northwest of Greece on the eastern shore
of the Adriatic Sea. The "heel" of Italy is only about 50 miles distant from Epirus.
Pyrrhus, a brilliant general, was ambitious to found an empire like that of Alexander
the Great and welcomed this opportunity to invade Italy. He brought over an army
of 20,000 infantry and 3000 cavalry, besides archers and slingers, and 20 elephants.

7. quīcumque, quaecumque, quodcumque, *whoever, whatever.*

8. Pugnā commissā: This battle was fought near Heraclea, 280 B.C.

PYRRHUS

fīnem dedit.   Laevīnus tamen per noctem fūgit.   Pyrrhus Rōmānōs
10 mīlle octingentōs cēpit, eōsque summō honōre trāctāvit.   Cum eōs,
quī in proeliō interfectī erant, omnēs adversīs vulneribus et trucī
vultū etiam mortuōs iacēre vidēret, tulisse ad caelum manūs dīcitur cum hāc vōce, "Ego cum tālibus virīs brevī orbem terrārum
subigerem."

Translate:

1. A great wrong had been done to a Roman ambassador.
2. When the king had come into Italy, he fought a great battle
with the consul, Laevinus.   3. The captured scouts were not
dismissed, for fear that they might report what the Romans
were doing.   4. The captives will be treated by the king with
the greatest respect.   5. When the scout saw that all had fled,
he returned to Rome to report it to the citizens.

---

10. octingentī, -ae, -a, [octō + centum], *eight hundred.* **trāctō, -āre,** [frequentative
from **trahō**], *treat.*

11. adversīs vulneribus, *with wounds in front.* **trux, trucis,** *fierce.*

12. vultus, -ūs, m., *expression, look.* **mortuus, -a, -um,** [morior], *dead.*

13. brevī, adv., [brevis], *in a short time, soon.* **orbis terrārum,** *the whole world.*

14. subigō, -ere, -ēgī, -āctus, [agō], *conquer.* The subjunctive here has the force
of the English *could.*

MUNITIO PROPE HERACLEUM

Posteā Pyrrhus Rōmam perrēxit; omnia ferrō igneque vāstāvit; Campāniam dēpopulātus est, atque ad Praeneste vēnit mīliāriō ab urbe octāvō decimō. Mox terrōre exercitūs, quī cum cōnsule sequē- bātur, in Campāniam sē recēpit. Lēgātī ad Pyrrhum dē captīvīs redimendīs missī honōrificē ab eō receptī sunt; captīvōs sine pretiō 5 reddidit. Ūnum ex lēgātīs, Fabricium, sīc admīrātus est, ut eī quārtam partem rēgnī suī prōmitteret, sī ad sē trānsīret; sed ā Fabriciō contemptus est.

Cum iam Pyrrhus ingentī Rōmānōrum admīrātiōne tenērētur, lēgātum mīsit Cīneam, praestantissimum virum, quī pācem peteret 10 eā condiciōne, ut Pyrrhus eam partem Italiae, quam armīs occupā- verat, retinēret. Rōmānī respondērunt, eum cum Rōmānīs pācem habēre nōn posse, nisi ex Italiā recessisset. Cīneās cum rediisset, Pyrrhō eum interrogantī, quālis urbs ipsī Rōma vīsa esset, respondit sē rēgum patriam vīdisse. 15

Translate:

1. After Campania has been ravaged, Pyrrhus will lead his army toward Rome. 2. The consul sent envoys to Pyrrhus, in order to redeem the captives. 3. The king told Fabricius that he would give him a fourth part of the kingdom. 4. Cineas was a most distinguished man, who was sent as an ambassador to the Romans. 5. The consul replies: "You cannot have peace with us, unless you withdraw (fut. perf.) from Italy."

---

1. **pergō, -ere, -rēxī, -rēctus, [regō],** *proceed.*

2. **Campānia, -ae,** f., **[campus,** *plain*], *Campania,* a rich and fertile district between Latium and Lucania. **dēpopulor, -ārī, -ātus, [populus],** *lay waste, devastate.* **Praeneste, -is,** n., *Praeneste,* a strongly fortified town east of Rome.

5. **redimō, -ere, -ēmī, -ēmptus, [emō],** (buy back), *ransom.*

8. Having tried persuasion and bribery to no purpose, Pyrrhus attempted to frighten Fabricius. As he sat in audience before the king, a curtain was suddenly drawn, and an elephant which had been behind it thrust his trunk out and trumpeted loudly. But Fabricius could not be intimidated any more than he could be bribed.

10. **Cīneās, -ae,** m., *Cineas,* a counselor of Pyrrhus, whose eloquence almost persuaded the Senate to accept the terms that were offered. **praestāns, -stantis, [stō],** *excellent, distinguished.*

14. **Pyrrhō,** dat. with **respondit. quālis . . . esset,** ind. ques., depending on **inter- rogantī. ipsī,** dative.

15. **rēgum patriam,** i.e., the citizens of Rome had impressed Cineas as *kingly* in their bearing and conduct.

Pyrrhus Withdraws from Italy

Posterō annō cōnsulēs Pūblius Sulpicius et Decius Mūs contrā
Pyrrhum missī sunt. Proeliō commissō, rēx vulnerātus est et vīgintī
mīlia hostium caesa sunt. Hīc iterum Pyrrhus elephantōrum auxiliō
vīcit, sed brevī tempore Tarentum sē recipere coāctus est.

5   Annō interiectō, Fabricius contrā eum missus est. Tum, cum ipse
et rēx vīcīna castra habērent, medicus Pyrrhī ad eum nocte vēnit,
prōmittēns sē Pyrrhum venēnō occīsūrum esse, sī mūnus sibi darētur. Sed Fabricius hunc vinctum ad dominum redūcī iussit. Tunc

---

1. Posterō annō, 279 B.C. **Decius Mūs, Mūris,** m., [**mūs,** *mouse*], *Decius Mus.*
Both his grandfather and father, who bore the same name, had sacrificed their lives
for their country by riding into the thick of the enemy and thus rallying their wavering
troops. It is said that this Decius Mus did likewise in the Battle of Asculum, to which
reference is made in the following lines.

3. Pyrrhus . . . vīcit: After the battle Pyrrhus said: "One more such victory,
and we shall be utterly ruined!" Hence a victory won at too great cost is sometimes
called a *Pyrrhic victory.*

6. vīcīnus, -a, -um, [**vīcus,** *village*], *neighboring.* **medicus, -ī,** m., [**medeor,** *heal*],
doctor.

7. venēnum, -ī, n., *poison.*

rēx, admīrātus illum, dīxisse fertur: "Ille est Fabricius, quī difficilius ab honestāte āvertī potest quam sōl ā suō cursū!"   10

Inde rēx in Siciliam profectus est, ut ibi Graecīs contrā hostēs auxilium daret. Duōbus annīs post in Ītaliam rediit. Dēnique Pyrrhus, tertiō proeliō fūsus, ā Tarentō recessit, atque, cum in Graeciam rediisset, apud Argos, Peloponnēsī urbem, interfectus est.

Translate:

1. So fierce was the battle that thirty thousand soldiers were slain. 2. The doctor said: "I will kill Pyrrhus with poison, if a large present is (shall be) given to me." 3. The doctor will be bound and led back to the king. 4. It was harder to turn Fabricius from honor than the sun from its course. 5. When Pyrrhus had been routed in the third battle, he withdrew from Italy.

---

9. fertur, [ferō], *is said.*

13. fundō, -ere, fūdī, fūsus, *rout, defeat with great loss.* The third battle was fought at Beneventum in 275 B.C. The consul Dentatus, who commanded the Romans, took several captured elephants to Rome and exhibited them in his triumphal procession. The photograph shows an ancient bridge, still in use, near Beneventum.

14. apud Argos . . . interfectus est: In 272 B.C. Pyrrhus went to Argos to aid one faction in the city against another. Failing in this effort, he was fighting his way out of the city, when from a housetop a woman dropped a heavy tile, by which he was struck and killed. Such was the untimely end of this gallant soldier and nobleminded king.

CARTHAGO ANTIQUA

THE FIRST PUNIC WAR

Phoenicia was a small Asiatic country bordering on the eastern Mediterranean, north of Palestine. Its chief cities, Tyre and Sidon, were famous for their manufacture of glass, amber, tin, and dyes. Aside from this, the Phoenicians were mainly a seafaring people. Their daring sailors not only navigated the Mediterranean, but they passed through the "Pillars of Hercules" (Straits of Gibraltar) and ventured out on the Atlantic Ocean, going as far north as Britain in quest of tin.

The Mediterranean was dotted with Phoenician colonies. Of these the most notable was Carthage, established on the north coast of Africa (near modern Tunis) about a century before the founding of Rome. Her central situation and excellent harbors gave Carthage command of the entire commerce of the Mediterranean, and this she maintained by her splendid navy.

Between Carthage and Italy lay the large and fertile island of Sicily, which had been colonized by the Greeks. Naturally Carthage

136

desired to add Sicily to her possessions. And so, beginning about 400 B.C., she made strenuous efforts to conquer it, but without achieving any permanent success. Now when Rome defeated Pyrrhus and conquered Magna Graecia, she had only to cross the narrow Strait of Messina — a distance of two miles — to reach Sicily, and she was just as eager to seize the island as was Carthage. It was perfectly evident, therefore, that these two ambitious nations would soon "lock horns" in war, in order to settle which of them should be supreme.

Let us briefly compare their resources. Carthage was much richer than Rome. She had a fine navy; Rome had practically none. On the other hand, the Carthaginian army was made up of mercenaries who fought for pay, while the Roman army consisted of Roman citizens fighting for their country. Lastly, the allies of Carthage hated her because she treated them tyrannically. Rome treated her allies justly and thus secured their faithful allegiance.

As in the case of the Samnites it took three fierce wars to settle which was the stronger nation. The First Punic War (264–241 B.C.) began when the Romans went to aid some Campanian mercenaries who had seized the Sicilian town of Messina, just across the Strait from the toe of Italy.

Rome Builds a Powerful Navy

Annō quadringentēsimō nōnāgēsimō post urbem conditam Rōmānōrum exercitūs prīmum in Siciliam trāiēcērunt, atque superāvērunt Hierōnem, rēgem Syrācūsārum, et Poenōs, quī multās cīvitātēs in eā īnsulā occupāverant. Quīntō annō huius bellī, quod contrā Poenōs gerēbātur, prīmum Rōmānī, C. Duīliō et Cn. Cornēliō Asinā 5 cōnsulibus, in marī dīmicāvērunt. Duīlius Carthāginiēnsēs vīcit,

---

2. **trāiciō, -ere, -iēcī, -iectus,** [**trāns** + **iaciō**], *cross, pass over.*

3. **Syrācūsae, -ārum,** f., *Syracuse,* largest and richest city in Sicily, situated on the east coast. Its king Hiero submitted to the Romans early in the war and remained faithful to them. Under his wise rule Syracuse was very prosperous. **Poenī, -ōrum,** m., *the Carthaginians.* A picture of Syracuse appears on pages 140–141.

4. **Quīntō annō,** 260 B.C.

5. **Duīliō et Cornēliō ... cōnsulibus,** abl. abs., supply *being;* freely, *during the consulship of Duilius and Cornelius.* The Romans determined the date of any year by the names of the consuls for that year.

6. **in marī dīmicāvērunt:** At the beginning of the war the Romans had only a few *triremes* (vessels with *three* banks of oars), while the Carthaginian navy was well supplied with *quinqueremes* (much larger ships with *five* banks of oars). The Romans soon found that they would have to build a powerful fleet to cope with their

trīgintā nāvēs occupāvit, quattuordecim mersit, septem mīlia hostium cēpit, tria mīlia occīdit. Nūlla victōria Rōmānīs grātior fuit. Duīliō concessum est, ut, cum ā cēnā redīret, puerī fūnālia gestantēs
10 et tībīcen eum comitārentur.

Quattuor annīs interiectīs, bellum in Āfricam trānslātum est. Carthāginiēnsēs pugnā nāvālī contrā Ecnomum superātī sunt atque sexāgintā quattuor nāvibus perditīs sē recēpērunt; Rōmānī vīgintī duās āmīsērunt. Cum in Āfricam vēnissent, Poenōs in plūribus

enemies. They knew very little about ship-building. They had neither oarsmen nor sailors who were experienced in naval battles. But where there is a will, there is a way. Finding a quinquereme stranded on the shore, they used it as a model and built a fleet. They placed benches on the beach and trained men to row. More than that, they invented a *boarding-bridge*, which, as soon as a ship came within grappling distance of an enemy's vessel, could be lowered, thereby enabling the Roman soldiers to cross over to the enemy's decks. Thus equipped, they started out to meet the Carthaginian fleet. **Duīlius Carthāginiēnsēs vīcit:** This battle was fought off *Mylae*, near the northeastern point of Sicily. The Roman boarding-bridges worked admirably to the complete surprise and discomfiture of the Carthaginians.

9. fūnāle, -is, n., [**fūnis,** *rope*], *torch*, made of plant fiber, twisted like a rope (**fūnis**) and smeared with pitch and wax. **gestō, -āre,** [frequentative of **gerō**], *bear.*

10. comitor, -ārī, -ātus, [**comes**], *accompany.*

12. contrā, *off.* **Ecnomus, -ī,** m., *Ecnomus,* on the south coast of Sicily.

138

proeliīs vīcērunt, multitūdinem hominum cēpērunt, septuāgintā 15
quattuor cīvitātēs in fidem accēpērunt. Tum victī Carthāginiēnsēs
pācem ā Rōmānīs petiērunt. Quam cum M. Atīlius Rēgulus, Rōmānōrum dux, dare nōllet nisi dūrissimīs condiciōnibus, Carthāginiēnsēs auxilium petiērunt ā Lacedaemoniīs. Hī Xanthippum
mīsērunt, quī Rōmānum exercitum magnō proeliō vīcit. Rēgulus 20
ipse captus et in vincula coniectus est.

Translate:

1. Having conquered the king, the consul seized the greater part of the island. 2. The senators declared that these victories were most pleasing to the citizens. 3. The lieutenant will attack the enemy's marching column outside the camp. 4. In order not to be conquered by the Romans, the Carthaginians will seek aid from the Greeks. 5. The general had sent six legions to attack the enemy.

The Self-sacrifice of Regulus

Nōn tamen ubīque fortūna Carthāginiēnsibus fāvit. Cum aliquot proeliīs victī essent, Rēgulum rogāvērunt, ut Rōmam proficīscerētur, et pācem captīvōrumque permūtātiōnem ā Rōmānīs obtinēret. Ille cum Rōmam vēnisset, inductus in senātum dīxit, sē dēsiisse Rōmā-num esse ex illā diē, quā in potestātem Poenōrum vēnisset. Tum 5 Rōmānīs suāsit, nē pācem cum Carthāginiēnsibus facerent: illōs enim tot cāsibus frāctōs spem nūllam nisi in pāce habēre; tantī nōn esse, ut tot mīlia captīvōrum propter sē ūnum et paucōs, quī ex

---

16. in fidem accipere, *receive under one's protection.*

19. Lacedaemonii, -ōrum, m., *Lacedaemonians,* inhabitants of Lacedaemon or Sparta, the chief city of the Peloponnesus. **Xanthippus** found that the Carthaginian army was superior in cavalry and elephants. Accordingly he offered battle on level ground. The Romans could not withstand the enemy's fierce charges and were utterly routed, leaving 30,000 men dead on the field. This battle was fought in 255 B.C.

---

1. faveō, -ēre, fāvī, fautūrus, *favor,* (with dative). **aliquot,** indecl., *several.*

3. permūtātiō, -ōnis, f., [mūtō], *exchange.*

4. dēsinō, -ere, -siī, -siturus, *cease.*

6. suādeō, -ēre, suāsī, suāsus, *advise, urge,* (with dative). **illōs,** i.e., the Carthaginians.

7. tantī (pretī) nōn esse, *that it was not worth while.*

Rōmānīs captī essent, redderentur. Haec sententia obtinuit. Re-
10 gressus igitur in Āfricam crūdēlissimīs suppliciīs exstīnctus est.

Tandem, C. Lutātiō Catulō, A. Postumiō cōnsulibus, annō bellī
Pūnicī vīcēsimō tertiō magnum proelium nāvāle commissum est
contrā Lilybaeum, prōmunturium Siciliae. In eō proeliō septuāgintā
trēs Carthāginiēnsium nāvēs captae, centum vīgintī quīnque mersae,
15 trīgintā duo mīlia hostium capta, tredecim mīlia occīsa sunt. Statim
Carthāginiēnsēs pācem petiērunt, eīsque pāx tribūta est. Captīvī
Rōmānōrum, quī tenēbantur ā Carthāginiēnsibus, redditī sunt.
Poenī Siciliā, Sardiniā, et cēterīs īnsulīs, quae inter Ītaliam Āfricam-

11. Tandem, *at length:* Nine years had elapsed since the return of Regulus, during
which the Romans, undaunted by the loss of two fleets, gradually conquered most of
Sicily. During the last six years (247–242 B.C.), a new Carthaginian general, **Hamilcar**
(surnamed **Barca,** "Lightning"), skillfully maintained himself in mountain strongholds
near the sea, while his fleet ravaged the coasts of Italy and Sicily. At last in 232 B.C.
the Romans built another fleet, the *fifth* since the beginning of the war!

13. Lilybaeum, -ī, n., *Lilybaeum,* on the west coast of Sicily.

que iacent, dēcessērunt, omnemque Hispāniam, quae citrā Ibērum est, Rōmānīs permīsērunt.

20

Translate:

1. The senate asked why Regulus, a Roman general, had been sent to Rome by the Carthaginians. 2. Regulus said: "I ceased to be a Roman on the day on which I came into the power of the Carthaginians." 3. The enemy have been disheartened by so many disasters that they have no hope except in peace. 4. When the senate had decided not to return the captives, Regulus returned to Carthage. 5. Sicily and Sardinia had been held by the Carthaginians for many years.

---

19. dēcēdō, -ere, -cessī, -cessūrus, *withdraw.* citrā, prep. with acc., *on this side of.* Ibērus, -ī, m., *the Iberus,* now *the Ebro.*

SYRACUSAE

THE SECOND PUNIC WAR

At the close of the First Punic War the Carthaginian mercenaries, infuriated at not being paid for their service, made war upon Carthage. After a most sanguinary struggle of four years they were exterminated by Hamilcar. Then he began to plan for revenge upon the hated Romans. Now Spain was rich in silver mines, and her coast cities were already held by Carthage. Hamilcar determined to secure the resources of Spain for his country, and spent nine years in conquering and organizing it into a province. Before completing this task he died, but the work went on under Hasdrubal, his son-in-law. Presently the Romans sensed the danger that threatened them from that quarter and forced Carthage to make a treaty, restricting her to the part of Spain that lay south of the Iberus.

Meanwhile Hamilcar's sons, Hasdrubal and Hannibal, who were imbued with the same hatred of the Romans as their father, had joined the army in Spain. Hannibal was the younger of the two brothers, but he soon showed that he possessed all the qualities of a good soldier and a great commander. When, therefore, Hasdrubal, Hamilcar's son-in-law, died in 221 B.C., Hannibal was enthusiastically chosen commander-in-chief of the army.

Hannibal Defeats the Romans

Paulō post Pūnicum bellum renovātum est per Hannibalem, Carthāginiēnsium ducem, quem novem annōs nātum pater Hamilcar āris admōverat, ut odium perenne in Rōmānōs iūrāret. Hic agēns annum vīcēsimum septimum aetātis Saguntum, Hispāniae cīvitātem, Rōmānīs amīcam, oppugnāre aggressus est. Huic Rō- 5 mānī per lēgātōs dēnūntiāvērunt, ut bellō abstinēret. Quī cum lēgātōs admittere nōllet, Rōmānī Carthāginem mīsērunt, ut mandārētur Hannibalī, nē bellum contrā sociōs populī Rōmānī gereret. Dūra respōnsa ā Carthāginiēnsibus reddita sunt. Saguntīnīs intereā famē victīs, Rōmānī Carthāginiēnsibus bellum indīxērunt. 10

Hannibal, frātre Hasdrubale in Hispāniā relictō, Pyrēnaeōs et Alpēs trānsiit. Trāditur in Ītaliam octōgintā mīlia peditum, et

---

1. Paulō post, i.e., 218 B.C. **re-novō, -āre,** [novus], *renew.*

2. nātus, with words denoting time, *old.*

3. admoveō, *bring to.* **perennis, -e,** [annus], *lasting, undying.*

4. agō, with words denoting time, *pass, spend;* **agēns annum,** *in the . . . year.* **Saguntum, -ī,** n., *Saguntum,* a town on the east central coast of Spain.

6. dēnūntiō, -āre, (officially) *announce, order.*

7. mandārētur, used *impersonally.*

9. Saguntīnīs . . . victīs, after a siege of eight months.

11. Hasdrubale in Hispāniā relictō: The plan was that in due time Hasdrubal should lead another army into Italy to reinforce Hannibal. **Pyrēnaeī (montēs),** *the Pyrenees Mts.,* between Spain and France. Hannibal started in the spring of 218 B.C. Beyond the Pyrenees he had to cross the Rhone, a very broad and swift river. The elephants were taken across on huge rafts.

12. Alpēs trānsiit: This was a stupendous undertaking. The Mont Cenis pass, over which Hannibal probably went, is 6893 feet above sea level. He did not reach the pass until October. On the way up the army was harassed by constant attacks from the mountain tribes. The descent was even more difficult. A fall of snow added to the danger of descending the slippery ice-covered steeps. Thousands of men, horses,

HANNIBAL

vīgintī mīlia equitum, septem et trīgintā elephantōs addūxisse. Intereā multī Ligurēs et Gallī Hannibalī sē coniūnxērunt. Prīmus eī

---

and pack-animals were lost on this pass. **Trāditur,** *he is said,* i.e., to have started out with these forces. The historian Polybius says that Hannibal reached Italy with only 20,000 infantry and 6000 cavalry.

14. Ligurēs, -um, m., *Ligurians,* a people of northwestern Italy south of the Po. Their chief city was **Genua** (modern *Genoa*). Here we see the real reason why Hannibal chose to enter Italy by way of the Alps. He had counted on securing these Gallic tribes as his allies.

occurrit P. Cornēlius Scīpiō, quī, proeliō ad Tīcīnum commissō, 15
superātus est, et, vulnere acceptō, in castra rediit. Tum Semprōnius
Longus cōnflīxit ad Trebiam amnem. Is quoque vincitur. Multī
populī sē Hannibalī dēdidērunt. Inde in Etrūriam prōgressus Flāmi-
nium cōnsulem ad Trasumēnum lacum superat. Ipse Flāminius interēmptus est; Rōmānōrum vīgintī quīnque mīlia caesa sunt. 20

Translate:

1. In order to renew the war, Hannibal will attack a town in
Spain. 2. Ambassadors have come to inquire why a town friendly
to the Romans is being besieged. 3. After taking Saguntum,
Hannibal advanced into Italy. 4. Scipio rescued his father, who
had been wounded while fighting. 5. Hannibal conquered in so
many battles that many states surrendered (themselves) to him.

---

15. Tīcīnus, -ī, m., *the Ticinus,* a river rising in the Alps and flowing south into the
Po. This battle was merely a cavalry skirmish, but the ease with which the Romans
were routed showed how superior the Carthaginian horsemen were.

17. Trebia, -ae, m., *the Trebia,* a river flowing northwest into the Po. In the
absence of Scipio, who was wounded, Sempronius Longus, the other consul, took
command. One wintry December morning Hannibal lured the Romans, before they
had breakfasted, across the icy river and ambushed them. Cold and hungry as they
were, the Romans fought long and bravely, but were overwhelmingly defeated.

18. dēdō, -ere, -didī, -ditus, *surrender.* **Inde,** i.e., in the spring of 217 B.C. **Flāminius**
was going north, intending to join forces with his colleague. Hannibal posted his men
on the heights above Lake Trasumenus. Early in the morning the Romans were
marching along the lake shore through a thick mist. Suddenly their vanguard was
attacked and driven back, while at the same time the marching column was assailed
on the flank by Hannibal's cavalry and Gauls rushing down from the hills. The
slaughter that ensued was frightful.

19. Flāminius interēmptus est: He died trying bravely to rally his men.

TRASUMENUS LACUS

Disastrous Battle of Cannae; Hasdrubal Defeated in Spain

Quīngentēsimō et duodēquadrāgēsimō annō post urbem conditam
L. Aemilius Paulus et P. Terentius Varrō contrā Hannibalem mittuntur. Quamquam Quīntus Fabius Maximus ambō cōnsulēs monu-
erat Hannibalem nōn aliter vincī posse quam morā, Varrō tamen
5 morae impatiēns apud vīcum, quī Cannae appellātur, in Apuliā
pugnāvit; ambō cōnsulēs victī sunt, atque Paulus interēmptus est.
In eā pugnā virī cōnsulārēs aut praetōriī vīgintī, senātōrēs trīgintā
captī aut occīsī sunt; mīlitum quadrāgintā mīlia, equitum tria mīlia
et quīngentī periērunt. In hīs tantīs malīs nēmō tamen pācis
10 mentiōnem facere dignātus est. Servī, quod numquam ante factum
erat, manūmissī et mīlitēs factī sunt.

Post eam pugnam multae Italiae cīvitātēs, quae Rōmānīs pāru-
erant, sē ad Hannibalem trānstulērunt. Hannibal Rōmānīs obtulit,
ut captīvōs redimerent; sed respōnsum est ā senātū, eōs cīvēs nōn
15 esse necessāriōs, quī armātī capī potuissent. Hōs omnēs captīvōs
ille posteā variīs suppliciīs interfēcit, et trēs modiōs aureōrum ānulō-

---

1. Quīngentēsimō . . . conditam, 216 B.C.

2. Paulus, of the senatorial party, an experienced soldier. **Varrō,** an energetic
and successful plebeian with no military experience.

3. Quamquam, conj., *although.* **Quīntus Fabius Maximus** after the battle of Lake
Trasumenus had been made dictator. Realizing that neither he nor any other Roman
general of the time could defeat such a military genius as Hannibal in a pitched battle,
he instituted *a policy of delay,* i.e., of watching and harassing the enemy without
engaging him in battle. This brought him into great disfavor with the people, who
called him **Cunctātor,** "the Delayer." But later they acknowledged that this policy
saved Rome. **ambō, -ae, -ō,** *both.*

4. nōn aliter . . . quam, *not otherwise than.*

5. impatiēns, -entis, [**patior,** *suffer*], *impatient.* **Apulia, -ae,** f., *Apulia,* a district
extending along the east coast of Lower Italy where the San Marco peninsula and
the modern cities of Foggia and Bari are located.

6. pugnāvit: The Roman army numbered 80,000 foot soldiers and 6000 horse.
Hannibal had only 40,000 infantry and 10,000 cavalry, but he drew up a much wider
battle line than that of the Romans. When the battle began, Hannibal's center fell
back, drawing in the Roman center after it. Then the two wings advanced and
attacked the Romans on both flanks. The cavalry, having routed the Roman horsemen, wheeled and assailed the Roman army in the rear. Thus the Romans were
surrounded and mercilessly slaughtered.

7. virī cōnsulārēs aut praetōriī, i.e., ex-consuls or ex-praetors.

10. dignor, -ārī, -ātus, [**dignus**], *deign.* **quod,** *a thing which.*

11. manūmittō, -ere, -mīsī, -missus, (send out of one's hands), *set free.*

12. multae Italiae cīvitātēs, i.e., of *southern* Italy.

16. modius, -ī, m., *measure* (of grain), *peck.*

rum Carthāginem mīsit, quōs manibus equitum Rōmānōrum, senātōrum, et mīlitum dētrāxerat. Intereā in Hispāniā frāter Hannibalis, Hasdrubal, quī ibi remānserat cum magnō exercitū, ā duōbus Scīpiōnibus vincitur, perditque in pugnā trīgintā quīnque mīlia 20 hominum.

Translate:

1. The one consul was an experienced commander, the other was inexperienced.   2. Varro was not killed, but Paulus perished in the battle.   3. Although the Romans were defeated in many battles, they made no mention of peace.   4. The Roman general replied that he would not redeem the captives.   5. All these captives were afterwards slain with the most cruel tortures.

Sicily Is Recovered

Annō quārtō postquam Hannibal in Ītaliam vēnerat, M. Claudius Mārcellus cōnsul apud Nōlam, cīvitātem Campāniae, contrā Hannibalem bene pugnāvit. Illō tempore Philippus, Dēmētrī fīlius, rēx

---

17. equitēs, -um, m., *equites*, members of the *Equestrian Order*.

19. ā duōbus Scīpiōnibus: *P. Cornelius Scipio*, who was wounded in the battle of Ticinus, and his brother, *Cn. Cornelius Scipio*. This defeat prevented Hasdrubal from reinforcing Hannibal.

---

2. Mārcellus, who defeated the Gauls in 222 B.C. **contrā Hannibalem bene pugnāvit:** This was Hannibal's first defeat in Italy.

MARCELLUS VICTOR
SYRACUSARUM

Macedoniae, ad Hannibalem lēgātōs mittit, eīque auxilia contrā
5 Rōmānōs pollicētur. Quī lēgātī cum ā Rōmānīs captī essent, M.
Valerius Laevīnus cum nāvibus missus rēgem cōpiās in Italiam
trāicere prohibuit. Īdem in Macedoniam penetrāvit et rēgem
Philippum vīcit.

In Siciliā quoque rēs prōsperē gesta est. Mārcellus magnam
10 huius īnsulae partem cēpit, quam Poenī occupāverant; Syrācūsās,
nōbilissimam urbem, expugnāvit, et inde ingentem praedam Rōmam
mīsit. Laevīnus in Macedoniā cum multīs Graeciae populīs amīcitiam fēcit; et in Siciliam profectus Hannōnem, Poenōrum ducem,
apud Agrigentum cēpit; quadrāgintā cīvitātēs in dēditiōnem ac-
15 cēpit, vīgintī sex expugnāvit. Ita omnī Siciliā receptā, cum ingentī
glōriā Rōmam regressus est.

Translate:

1. Ambassadors are being sent by Philip to promise auxiliaries
to Hannibal. 2. Roman ships prevented the king's forces from
setting out (to set out) for Italy. 3. Marcellus waged war so
successfully that a large part of Sicily was captured. 4. When
Syracuse had been taken, immense booty was sent to Rome.
5. The messenger reported that the whole island had been received by Marcellus in surrender.

The Youthful Scipio's First Campaign

Intereā in Hispāniam, ubi duo Scīpiōnēs ab Hasdrubale interfectī
erant, missus est P. Cornēlius Scīpiō, vir Rōmānōrum omnium et

---

4. Macedonia, -ae, f., *Macedonia,* the country north of Greece.

9. In Siciliā: Hiero, Rome's stanch ally, died shortly after the battle of Cannae, and within two years all Sicily joined Hannibal.

10. Syrācūsās ... expugnāvit: The city was besieged for two years by Marcellus, whose operations were repeatedly blocked by the remarkable inventions of Archimedes, the famous mathematician.

14. Agrigentum, -ī, n., *Agrigentum,* a large city on the south coast of Sicily.

---

1. Intereā: The two Scipios, who defeated Hasdrubal in 216 B.C., pushed the war vigorously in Spain. But in 212 B.C. they made the mistake of dividing their forces, and were defeated and slain in separate battles by the Carthaginians. Two years later, when no one else ventured to take command against Hasdrubal, P. Cornelius Scipio, a mere youth, offered to do so, and was sent to Spain to avenge the death of his father and uncle.

suā aetāte et posteriōre tempore ferē prīmus. Hic, puer duodēvīgintī
annōrum, in pugnā ad Tīcīnum, patrem singulārī virtūte servāvit.
Deinde post clādem Cannēnsem, cum multī nōbilissimōrum iuvenum 5
Ītaliam dēserere cuperent, eōs auctōritāte suā ab hōc cōnsiliō dēter-
ruit. Vīgintī quattuor annōrum iuvenis in Hispāniam missus, Carthāginem Novam cēpit, in quā omne aurum et argentum et bellī
apparātum Poenī habēbant, nōbilissimōs quoque obsidēs, quōs ab
Hispānīs accēperant. Hōs obsidēs parentibus reddidit. Quā rē 10
omnēs ferē Hispāniae cīvitātēs ad eum ūnō animō trānsiērunt.

3. posterior, -ius, [comp. of posterus], *later*.
5. Cannēnsis, -e, [Cannae], *of Cannae*.
7. Carthāgō Nova, *New Carthage*, a large town on the southeastern coast of Spain.
9. apparātus, -ūs, m., [ad], *equipment*.

AQUAEDUCTUS ROMANUS IN HISPANIA

149

Ab eō tempore rēs Rōmānōrum in diēs laetiōrēs factae sunt. Hasdrubal ā frātre ex Hispāniā in Ītaliam ēvocātus, ad Metaurum in īnsidiās incidit, et strēnuē pugnāns occīsus est. Plūrimae autem
15 cīvitātēs, quae in Bruttiīs ab Hannibale tenēbantur, Rōmānīs sē trādidērunt.

Translate:

1. The writer believes that Scipio was the foremost of all Roman generals.   2. Scipio fought most fiercely in battle to save his father's life.   3. Many young men were prevented (**prohibeō**) by Scipio from deserting (to desert) the fatherland.   4. Very many hostages are being held in that city.   5. When Hasdrubal was slain in battle, Hannibal knew that he could not conquer the Romans.

Scipio Invades Africa; Final Battle of Zama

Annō decimō tertiō postquam in Ītaliam Hannibal vēnerat, Scīpiō cōnsul creātus est, et posterō annō in Āfricam missus est. Ibi contrā Hannōnem, ducem Carthāginiēnsium, prōsperē pugnat, tōtumque eius exercitum dēlet. Secundō proeliō ūndecim mīlia hominum oc-
5 cīdit, et castra cēpit cum quattuor mīlibus et quīngentis mīlitibus.

---

12. in diēs, *day by day.* **laetus, -a, -um,** *joyful, glad, happy.*

13. Hasdrubal with a large army eluded Scipio and crossed the Pyrenees. In the spring of 207 B.C., following the same route that Hannibal took eleven years before, he crossed the Alps and arrived in Italy. It was a most critical time for the Romans. If Hasdrubal succeeded in joining forces with Hannibal in southern Italy, Rome was doomed. The nation's fate turned on the merest chance. One Roman army was in the north under the command of Livius Salinator, while the other under Claudius Nero was in the south watching Hannibal. A message from Hasdrubal to his brother was intercepted and brought to Nero. Leaving camp at once with a picked force, Nero marched north with incredible swiftness and secrecy and joined his colleague. Together they surprised and overwhelmingly defeated Hasdrubal. **Metaurus, -ī, m.,** *the Metaurus,* a small river in Umbria, flowing into the Adriatic Sea.

14. occīsus est: The first news of this disaster reached Hannibal when his brother's head, which had been thrown into the camp, was brought to him. It was a sad, a bitter end to his long-cherished hope of reinforcement. Yet he had no thought of withdrawing from Italy. For four more years without any aid from Carthage he held his own in the enemy's country, like a hunted lion whom no one dared to approach.

15. Bruttiī, -ōrum, m., *the Bruttii,* inhabitants of Bruttium, a mountainous district in the extreme south of Italy.

---

1. Annō decimō tertiō . . . vēnerat, 205 B.C.

150

SCIPIO AFRICANUS
MAIOR

Syphācem, Numidiae rēgem, quī sē cum Poenīs coniūnxerat, cēpit, eumque cum nōbilissimīs Numidīs et īnfīnītīs spoliīs Rōmam mīsit.

6. **Syphāx, -ācis**, m., *Syphax*. **Numidia, -ae**, f., *Numidia*, a country west of the Carthaginian territory. The capture of Syphax was exceedingly important, because the Numidian cavalry, which had so often brought disaster to the Romans, from now on fought on their side.

Quā rē audītā, omnis ferē Ītalia Hannibalem dēserit. Ipse ā Carthāginiēnsibus in Āfricam redīre iubētur. Ita annō decimō septimō
10 Ītalia ab Hannibale līberāta est.

Post plūrēs pugnās, cum pāx plūs quam semel frūstrā temptata
esset, pugna ad Zamam committitur, in quā eī perītissimī ducēs
cōpiās suās ad bellum ēdūcēbant. Scīpiō victor discēdit; Hannibal
cum paucīs equitibus ēvāsit. Post hoc proelium pāx cum Carthā-
15 giniēnsibus facta est. Scīpiō, cum Rōmam rediisset, ingentī glōriā
triumphāvit, atque *Āfricānus* appellātus est. Sīc secundum Pūnicum bellum fīnem accēpit annō ūndēvīcēsimō postquam coeperat.

Translate:

1. Scipio fought so successfully that the whole of Hanno's
army was destroyed.   2. The army of the king of Numidia will
unite with the enemy's forces.   3. On hearing these facts, the
Carthaginians ordered Hannibal to leave Italy.   4. Hannibal had
been in Italy seventeen years.   5. When Hannibal had been defeated by Scipio at Zama, Carthage made peace with Rome.

---

11. cum pāx . . . temptāta esset: Twice, after peace terms had been arranged,
hostile outbreaks on the part of the Carthaginians caused a renewal of the war.
semel, adv., *once.*

13. victor discēdit, *comes off victorious.*

14. ēvādō, -ere, -vāsī, -vāsus, *go forth, escape.*   **pāx cum Carthāginiēnsibus facta
est:** 201 B.C. The terms of peace were: that Carthage should surrender Spain and
her Mediterranean islands; give up all her fleet (except ten triremes) and her elephants;
pay 200 talents (about $227,000) annually for fifty years; transfer the kingdom of
Numidia to Masinissa, a Roman ally; and *agree to wage no war without the consent
of Rome.*

PHILIPPUS REX
MACEDONIAE

War with Philip V and with Antiochus the Great

Fīnītō Pūnicō bellō, secūtum est bellum Macedonicum contrā Philippum rēgem. Superātus est rēx ā T. Quīnctiō Flāminīnō apud Cynoscephalās, pāxque eī data est hīs lēgibus: nē Graeciae cīvitātibus, quās Rōmānī contrā eum dēfenderant, bellum īnferret; ut captīvōs et trānsfugās redderet; quīnquāgintā sōlum nāvēs habēret; 5 reliquās Rōmānīs daret; mīlle talenta praestāret, et obsidem daret fīlium Dēmētrium. T. Quīnctius etiam Lacedaemoniīs intulit bellum, et ducem eōrum Nābidem vīcit.

Fīnītō bellō Macedonicō, secūtum est bellum Syriacum contrā

---

1. Fīnītō Pūnicō bellō: After a war lasting *seventeen years* one would think that the Romans would wish to enjoy peace for a short time. But not so. Having crushed Carthage and acquired Sicily, Sardinia, Corsica, and Spain, they turned their eyes toward the East. Philip V of Macedonia had been a source of annoyance to them in the late war. He now attacked Athens, and was evidently bent on adding Greece to his dominion. In response to the request of the Greeks for aid, Rome declared war upon Philip in 200 B.C. Nothing was accomplished for two years. Then **Flāminīnus** was appointed to take command.

3. Cynoscephalae, -ārum, f., [Greek for *"Dog's-heads"*], *Cynoscephalae*, two hills in east central Thessaly, where the battle took place in 197 B.C. In the following year at the Isthmian Games Flamininus evoked great enthusiasm among the Greeks by proclaiming their freedom from the Macedonian yoke.

5. trānsfuga, -ae, m., *deserter.* **sōlum,** adv., [**sōlus**], *only.*

6. praestō, -stāre, -stitī, -stitus, *furnish.*

153

10 Antiochum rēgem, cum quō Hannibal sē iūnxerat. Missus est contrā
eum L. Cornēlius Scīpiō cōnsul, cui frāter eius Scīpiō Āfricānus
lēgātus est additus. Hannibal nāvālī proeliō victus est. Antiochus
autem ad Magnēsiam, Asiae cīvitātem, ā Cornēliō Scīpiōne cōnsule
ingentī proeliō fūsus est. Tum rēx Antiochus pācem petiit. Data
15 est eī hāc lēge, ut ex Eurōpā et Asiā recēderet, atque intrā Taurum
sē continēret, decem mīlia talentōrum et vīgintī obsidēs praebēret,
Hannibalem, concitōrem bellī, dēderet. Scīpiō Rōmam rediit, et
ingentī glōriā triumphāvit. Ipse ad imitātiōnem frātris nōmen
Asiāticī accēpit.

Translate:

1. The Romans sent a large army into Macedonia to fight
against king Philip. 2. Many Greek states were unable to defend themselves against the king. 3. The general asked why
the captives had not been returned at once. 4. The ambassadors
said that king Antiochus was begging for peace from the Romans. 5. Hannibal did not give himself up to the Romans, but
perished bravely by his own hand.

---

10. Antiochus, -ī, m., *Antiochus the Great.* His dominion, which formerly belonged
to Alexander the Great's empire, included not only Syria, but a large part of Asia
Minor. He was ambitious to extend it over the rest of Asia Minor and Greece, and
his aggressiveness brought on the war with Rome in 192 B.C.

17. concitor, -ōris, m., [*cieō, stir up*], *instigator.* **Hannibalem . . . dēderet:** Hannibal, however, escaped and fled to Prusias, king of Bithynia, a country bordering on
the Black Sea. Again the Romans demanded the surrender of Hannibal, and Prusias
treacherously sent a detachment of soldiers to capture him. But when Hannibal saw
that his house was surrounded by them, he took a dose of poison, preferring to die
thus rather than suffer an ignominious death at the hands of his relentless enemies.

ANTIOCHUS
REX SYRIAE

"DELENDA EST CARTHAGO"

THE THIRD PUNIC WAR

Carthage Is Destroyed

Tertium deinde bellum contrā Carthāginem susceptum est sescentēsimō et alterō annō ab urbe conditā, annō quīnquāgēsimō prīmō
postquam secundum bellum Pūnicum trānsāctum erat. L. Mārcius
Cēnsōrīnus et M'. Mānīlius cōnsulēs in Āfricam trāiēcērunt, et op-

1. **Tertium deinde bellum contrā Carthāginem:** During the fifty years that had
elapsed after the Second Punic War, Carthage had recovered her commercial pros-
perity. The Romans no longer feared her in war, but they could not bear the thought
of her becoming a rival again even in trade. There was a growing conviction that
she must be destroyed. The statesman Cato particularly was alarmed by her rapid
recovery and ended every speech he made in the Senate with the words, "Dēlenda est
Carthāgō !"

A pretext for war was soon forthcoming. One of the conditions under which peace
had been granted to Carthage in 201 B.C. was that she should not wage war without
Rome's consent. Taking advantage of this clause in the treaty, Masinissa, king of
Numidia, Rome's former ally, had constantly encroached upon Carthaginian territory.

155

5 pugnāvērunt Carthāginem. Multa ibi praeclārē gesta sunt per Scīpiōnem, Scīpiōnis Āfricānī nepōtem, quī tribūnus in Āfricā mīlitābat. Apud omnēs ingēns erat metus et reverentia Scīpiōnis, neque quidquam magis Carthāginiēnsium ducēs vītābant, quam contrā eum proelium committere.

10 Cum iam magnum esset Scīpiōnis nōmen, tertiō annō postquam Rōmānī in Āfricam trāiēcerant, cōnsul est creātus, et contrā Carthāginem missus. Is hanc urbem ā cīvibus ācerrimē dēfēnsam cēpit ac dīruit. Ingēns ibi praeda facta est, plūrimaque inventa sunt, quae dē multārum cīvitātum excidiīs Carthāgō collēgerat. Haec 15 omnia Scīpiō cīvitātibus Ītaliae, Siciliae, Āfricae reddidit. Ita Carthāgō dēlēta est septingentēsimō annō postquam condita erat. Scīpiō *Āfricānus Minor* vocātus est.

Translate:

1. Another war will be undertaken by the Romans against the Carthaginians. 2. Scipio Africanus was the most famous of that noble family. 3. When he had been elected consul, he was sent to Africa. 4. In this city Scipio found much plunder, which had been collected from the states of Africa. 5. Carthage was taken and destroyed by Scipio in the third Punic war.

Protests from Carthage to Rome were of no avail. At last in 151 B.C., goaded on by a fresh seizure of lands, the Carthaginians went to war with Masinissa. Thereupon they were charged with breaking the treaty, and after long and fruitless negotiations in 149 B.C. the consuls sailed with an army to Carthage. On arriving, they demanded that all arms and military stores in the city should be surrendered. When this had been done, they announced that it was the will of the Roman Senate that Carthage should be destroyed, but that her citizens might, if they so desired, build another city *ten miles inland.* At this the fury of the people knew no bounds. Obtaining a respite of thirty days, they secretly manufactured arms and strengthened the battlements, working day and night, so that when the consuls returned they found the city prepared for a siege. Thus began the Third Punic War. **sescentēsimus, -a, -um, [sex + centum],** *six hundred.*

5. **praeclārē,** adv., **[clārus],** *gloriously.*

6. **Scīpiō Aemiliānus,** the son of Aemilius Paulus, conqueror of Perseus, was the *adopted son* of Cornelius Scipio, son of the great Scipio Africanus. **mīlitō, -āre, [mīles],** (be a soldier), *serve.*

12. **Is hanc urbem . . . cēpit ac dīruit:** It was a frightful siege, attended by indescribable scenes of fire and slaughter. The Carthaginians fought on in grim despair until they were almost exterminated. Then in accordance with the decree of the Senate this once proud and beautiful city was leveled to the ground, its site was plowed, and its soil was cursed that it might never again be rebuilt.

14. **excidium, -ī, n., [cadō],** *ruin.*

Three Great Triumphs Celebrated in 146 B.C.

Interim in Macedoniā quīdam Pseudophilippus arma mōvit, et
P. Iuventium, Rōmānōrum ducem, ad internecīōnem vīcit. Post
eum Q. Caecilius Metellus dux ā Rōmānīs contrā Pseudophilippum
missus est, et, vīgintī quīnque mīlibus ex mīlitibus eius occīsīs,
Macedoniam recēpit; ipsum etiam Pseudophilippum in potestātem 5
suam redēgit.

Corinthiīs quoque bellum indictum est, nōbilissimae Graeciae
cīvitātī, propter iniūriam Rōmānīs lēgātīs illātam. Hanc Mummius
cōnsul cēpit ac dīruit.

Trēs igitur Rōmae simul celeberrimī triumphī fuērunt: Scīpiōnis 10

---

1. **Pseudophilippus,** [pseudo (Greek word), *false*], *the False Philip, Pseudo-Philip,*
a pretender named Andriscus, who, playing upon his resemblance to Philip, son of
King Perseus, claimed the throne in Macedonia. **arma mōvit,** *stirred up war.*
2. **interneciō, -ōnis,** f., [**necō**], *annihilation.*
5. **Macedoniam recēpit:** Macedonia became a Roman province in 146 B.C.
7. **Corinthiī, -ōrum,** m., *the Corinthians,* inhabitants of Corinth. Constant
dissensions among the Greeks compelled the Romans to interfere.
8. **propter iniūriam Rōmānīs lēgātīs:** In arresting some Lacedaemonians who had
fled for refuge to the Romans, the houses of the Roman envoys were forcibly entered.
This was a violation of the rights of ambassadors. **Hanc Mummius . . . dīruit:** Corinth
like Carthage was utterly destroyed.
10. **celeber, -bris, -bre,** comp., **celebrior,** sup., **celeberrimus,** *renowned, famous.*

ex Āfricā, ante cuius currum ductus est Hasdrubal; Metellī ex Macedoniā, cuius currum praecessit Āndriscus, quī et Pseudophilippus dīcitur; Mummī ex Corinthō, ante quem signa aēnea et pīctae tabulae et alia urbis clārissimae ōrnāmenta praelāta sunt.

Translate:

1. Little by little the Greeks were being reduced into the power of the Romans. 2. The commander engaged in almost daily battles with the enemy. 3. The ambassadors asked why this great wrong had been done to a Roman citizen. 4. That town will be taken without any struggle. 5. In this triumph kings and princes were led before the chariot of the Roman general.

Rebellions in Spain

Annō sescentēsimō decimō post urbem conditam Viriāthus in Lūsītāniā bellum contrā Rōmānōs excitāvit. Pāstor prīmō fuit, mox latrōnum dux; postrēmō tantōs ad bellum populōs concitāvit, ut vindex lībertātis Hispāniae exīstimārētur. Dēnique ā suīs inter-
5 fectus est. Cum eius interfectōrēs praemium ā Caepiōne cōnsule peterent, respōnsum est, numquam Rōmānīs placuisse, imperātōrem ā mīlitibus suīs interficī.

Deinde bellum exortum est cum Numantīnīs, opulentissimā cīvitāte Hispāniae. Ab hīs superātus, Q. Pompeius pācem ignōbilem

---

11. Hasdrubal, the general in command during the siege of Carthage.

13. pingō, -ere, pīnxī, pīctus, *paint;* **pīctae tabulae,** *paintings.*

The celebration of these three triumphs in 146 B.C. marks the end of a most remarkable period of conquest in the history of Rome. In a little more than a century she had subdued Carthage, Macedonia, Greece, and Asia Minor. More than that she organized the conquered territory into provinces, which she governed with great firmness. This especially tended to give permanence to the great empire she built up.

---

2. Lūsītānia, -ae, f., *Lusitania,* a province on the west coast of Spain.

3. latrō, -ōnis, m., *robber.* **postrēmō,** adv., *finally.*

4. vindex lībertātis Hispāniae: From 144 to 140 B.C. Viriathus defeated the Roman forces again and again.

8. Deinde, 141 B.C. **Numantīnī, -ōrum,** m., [Numantia], *Numantines, inhabitants of Numantia,* a strongly fortified city in the north of Spain. Though the rest of this district had submitted to the Romans, Numantia still held out.

9. Pompeius and the **Numantines** had actually arranged the terms of a treaty, but when a new Roman general arrived, Pompeius basely denied ever entering into any negotiations for peace.

fēcit. Post eum C. Hostīlius Mancīnus cōnsul iterum cum eīs fēcit 10
īnfāmem pācem, quam populus et senātus iussit īnfringī, atque ipsum
Mancīnum hostibus trādī. Tum P. Scīpiō Āfricānus in Hispāniam
missus est. Is prīmum mīlitem ignāvum et corruptum corrēxit;
tum multās Hispāniae cīvitātēs partim bellō cēpit, partim in dēditiōnem accēpit. Postrēmō ipsam Numantiam famē ad dēditiōnem 15
coēgit, urbemque ēvertit; reliquam prōvinciam in fidem accēpit.

Translate:

1. The consul learned that Viriathus had been first a shepherd,
then the leader of robbers. 2. Many tribes were urged on to the
war, that Spain might be freed from the Romans. 3. The Roman general inquired why the soldiers had killed their own general. 4. The senate declared that the consul had made a dishonorable peace. 5. Numantia was forced to surrender, and the
city was destroyed.

---

11. īnfāmis, -e, [fāma], *dishonorable.* In order to avoid surrendering his army
Mancinus and his officers signed a treaty with the Numantines. **īnfringō, -ere, -frēgī,
-frāctus, [frangō],** *break off.*

12. Tum, 134 B.C. **Scīpiō,** the destroyer of Carthage. His entire name was
Publius Cornelius Scipio Aemilianus Africanus Minor!

13. mīlitem, here used collectively, *soldiery.*

15. Postrēmō, in 133 B.C.

16. urbemque ēvertit: The city was destroyed; the people were sold into slavery.

THE LATER REPUBLIC

In the early Republic, as we have seen, the Romans were a people of good morals, honest, industrious, and thrifty. But during the period of conquest their character had changed greatly. This is hardly to be wondered at. Within a century and a half this small country with no interest in neighboring lands had expanded into a large and powerful empire. Immense wealth was now flowing into it from the provinces. Commerce with other nations was flourishing. Business at home was prosperous. Poor indeed was the citizen who did not own one slave!

It was precisely this sudden acquisition of wealth that gradually undermined the character of the Romans. The peasant farms were swallowed up in vast estates that were worked by slaves. Industry declined. Contact with the Greeks and Orientals induced a taste for luxury and loose living. Far-sighted Romans like Cato and the Gracchi earnestly strove to repress these evils, but it was in vain. Widespread education and a pure religion might have checked the advancing tide, but there were no schools for the common people and they had lost the simple faith of their fathers. The city was filled with a rabble who cared for little more than to be amused by the games of the Circus and gladiatorial exhibitions. The nobles were actuated only by the desire to obtain the higher magistracies and acquire wealth by plundering the provinces. Even the Senate, which had governed so wisely in the past, had largely become corrupt, and was thus unfit to rule the state.

Such were the conditions in Rome at the beginning of this period of her history.

War with Jugurtha, King of Numidia

P. Scīpiōne Nāsīcā et L. Calpurniō Bēstiā cōnsulibus, Iugurthae, Numidārum rēgī, bellum illātum est, quod Adherbalem et Hiempsalem, Micipsae fīliōs, patruēlēs suōs interēmisset. Adversus eum cōnsul Calpurnius Bēstia missus est, sed corruptus rēgis pecūniā pācem cum eō flāgitiōsissimam fēcit, quae ā senātū improbāta 5 est.

Dēnique Q. Caecilius Metellus cōnsul Iugurtham variīs proeliīs vīcit, elephantōs eius occīdit vel cēpit, multās cīvitātēs ipsīus in dēditiōnem accēpit. Eī successit C. Marius, quī bellō terminum posuit, ipsumque Iugurtham cēpit. Ante currum triumphantis 10 Marī vinctus, Iugurtha cum duōbus fīliīs ductus est, et mox iussū cōnsulis in carcere strangulātus est.

Translate:

1. The senators will inquire why the king of Numidia has murdered his own cousins. 2. Jugurtha came to Rome and bribed very many senators. 3. The senate disavowed the disgraceful peace which the consul had made with the king. 4. Metellus fought so successfully that many cities of Numidia surrendered to him. 5. When Marius had captured Jugurtha, he brought him a captive to Rome.

---

1. P. Scīpiōne ... cōnsulibus, i.e., 111 B.C. **Iugurtha,** a grandson of Masinissa, was a brave and able prince, but utterly unscrupulous.

2. quod, *on the charge that,* hence the subj.

3. interēmisset. (119, *b.*) **Micipsa,** who succeeded Masinissa, was Jugurtha's uncle. At his death he left the throne to his two sons and Jugurtha in common, but Jugurtha put his cousins to death. **patruēlis, -is,** m., [**patruus,** *uncle*], *cousin.*

5. flāgitiōsus, -a, -um [**flāgitium,** *disgrace*], *disgraceful.* **improbō, -āre,** *disavow.*

7. Dēnique, 109 B.C.

9. C. Marius was born of poor parents at Arpinum, a small town in Latium. He entered the army and served with distinction under Scipio at the siege of Numantia. Metellus appointed him lieutenant in the war with Jugurtha. When Metellus, notwithstanding his victories, did not succeed in subduing Jugurtha, Marius became a candidate for the consulship, and, being elected, superseded his commander.

12. in carcere [Mamertīnō]: When Jugurtha was thrust into the dungeon, he exclaimed, "By Hercules, how cold your bath is!"

Dum bellum in Numidiā contrā Iugurtham geritur, Cimbrī et Teutonēs aliaeque Germānōrum et Gallōrum gentēs Ītaliae minābantur, plūrēsque Rōmānōrum exercitūs fūdērunt. Ingēns fuit Rōmae timor, nē iterum Gallī urbem occupārent. Ergō Marius
5 cōnsul est creātus bellumque eī contrā Cimbrōs et Teutonēs dēcrētum est; bellōque prōtractō, eī tertius et quārtus cōnsulātus dēlātus est. In proeliō cum Teutonibus ad Aquās Sextiās ducenta mīlia hostium cecīdit, octōgintā mīlia cēpit, eōrumque rēgem Teutobodum; propter quod meritum absēns quīntum cōnsul creātus est. Intereā
10 Cimbrī in Ītaliam trānsiērunt. Iterum ā C. Mariō et Q. Catulō contrā eōs dīmicātum est ad Vercellās. Centum et quadrāgintā mīlia aut in pugnā aut in fugā caesa sunt; sexāgintā mīlia capta sunt. Tria et trīgintā signa Cimbrīs sublāta sunt.

Translate:

1. When the German tribes invaded Italy, several Roman armies were routed. 2. So great was the fear of the Romans that they elected Marius consul a second time. 3. The senate had decided to elect him consul in his absence. 4. Meanwhile the Germans had crossed the Alps and come into Italy. 5. The messengers of the general will report that the enemy have been annihilated in a great battle.

---

1. Cimbrī et Teutonēs, *the Cimbri and Teutones,* powerful German tribes which migrated southward.

2. minor, -ārī, -ātus, *threaten;* takes the dative.

3. plūrēsque Rōmānōrum exercitūs fūdērunt: Between 113 and 105 B.C. six Roman armies were decisively defeated by the barbarians.

4. iterum, *a second time,* as they had done before in 390 B.C. **Marius cōnsul est creātus:** Marius had been consul in 107 B.C. According to the Roman constitution no magistrate was eligible for re-election until an interval of ten years had elapsed. This restriction was repeatedly set aside in the case of Marius.

6. bellō prōtractō: Fortunately for the Romans the barbarians went off into Spain and did not return to Gaul for two years. During that time Marius reorganized the Roman army and brought it up to a high standard of training and discipline.

7. In proeliō cum Teutonibus, 102 B.C. The two tribes had separated, the Cimbri marching round north of the Alps to invade Italy farther east. **Aquae Sextiae** (modern *Aix*) was in southern Gaul, not far from **Massilia** (*Marseilles*).

8. Teutobodus was a giant, said to be so strong that he could leap over six horses.

9. meritum, -ī, n., [mereō], *service.* **absēns,** (*although*) *absent.* Candidates for office were required to be in Rome. **quīntum,** adv., [quīntus], *for the fifth time.*

11. Vercellae, a town in northern Italy, west of **Mediolānum** (*Milan*).

162

MITHRIDATES
REX PONTI

War with Italian Allies; with Mithridates; Civil War

Sescentēsimō sexāgēsimō quārtō annō ab urbe conditā in Italiā gravissimum bellum exārsit. Nam Pīcentēs, Mārsī, Paelignīque, quī multōs annōs populō Rōmānō oboedierant, aequa cum illīs iūra sibi darī postulābant. Perniciōsum admodum hoc bellum fuit; P. Rutīlius cōnsul in eō occīsus est; plūrēs exercitūs sunt fūsī fugātīque.   5

Tandem L. Cornēlius Sulla nōn sōlum alia ēgregiē gessit, sed etiam Cluentium, hostium ducem, cum magnīs cōpiīs fūdit. Rōmānī tamen, bellō fīnītō, iūs cīvitātis, quod prius negāverant, sociīs tribuērunt.

Annō urbis conditae sescentēsimō sexāgēsimō sextō prīmum Rō- 10 mae bellum cīvīle exortum est; eōdem annō etiam bellum Mithridāticum. Causam bellō cīvīlī C. Marius dedit. Nam cum Sullae

---

1. Date: 90 B.C.

2. Pīcentēs, -ium, m., **[Pīcēnum],** *the Picenes, inhabitants of Picenum,* a district in central Italy, bordering on the Adriatic Sea. **Mārsī, -ōrum,** m., *the Marsi,* a people east of Latium. **Paelignī, -ōrum,** m., *the Paeligni,* inhabitants of a district northeast of the Marsi. These three peoples with five others, including the Samnites, Apulians, and Lucanians, had long been clamoring for Roman citizenship on the ground that since they fought side by side with the Romans, they were entitled to all the privileges of citizens.

4. perniciōsus, -a, -um, [necō], *destructive.* **admodum,** adv., *exceedingly.*

6. Tandem, in 89–88 B.C.

11. Mithridātēs, -is, m., *Mithridates,* king of Pontus, a country south of the Black Sea. Powerful in body and vigorous in mind (he is said to have mastered twenty-two languages!), this able and ambitious monarch gave Rome no end of trouble. Enlarging his dominion toward the south, he pushed westward and did not hesitate to invade the Roman province of Asia. After war had been declared, in 88 B.C., he issued an

bellum adversus Mithridātem, rēgem Pontī, dēcrētum esset, Marius
eī hunc honōrem ēripere cōnātus est. Sed Sulla quī adhūc cum
15 legiōnibus suīs in Ītaliā morābātur, cum exercitū Rōmam vēnit, et
adversāriōs cum interfēcit, tum fugāvit. Tum rēbus Rōmae ut-
cumque compositīs, in Asiam profectus est, plūribusque proeliīs
Mithridātem coēgit ut pācem ā Rōmānīs peteret, et, Asiā quam
invāserat relictā, rēgnī suī fīnibus contentus esset.

Translate:

1. The faithful allies of the Roman people ought to have equal
rights with the other citizens. 2. At the close of the war, the
senate decided to give the right of citizenship to the allies. 3. The
consul will be sent across the sea to fight with the king of Pontus.
4. Mithridates put eighty thousand Roman citizens to death on
one day. 5. The king was defeated by Sulla in so many battles
that he was compelled to sue for peace.

Civil War Between Marius and Sulla

Sed dum Sulla in Graeciā et Asiā Mithridātem vincit Marius, quī
fugātus erat, et L. Cornēlius Cinna, ūnus ex cōnsulibus, bellum in

---

order for the simultaneous massacre of all the Roman citizens in Asia Minor, in
consequence of which 80,000 persons perished on the same day.

13. Marius eī hunc honōrem ēripere cōnātus est: The appointment to command
the Roman expedition against Mithridates naturally fell to Sulla, as he had been
elected consul. Nevertheless, through the aid of a tribune, Marius succeeded in
forcing a resolution through the assembly that he should be given the appointment
instead of Sulla.

15. morābātur: Sulla was still occupied in subduing the Italian allies.

16. cum ... tum, *either ... or.* **utcumque,** adv., *in one way or another.*

17. in Asiam profectus est, in 87 B.C.

---

1. dum Sulla ... Mithridātem vincit, 87 B.C. **Marius, quī fugātus erat:** When
Sulla in 88 B.C. entered Rome in triumph at the head of his army, Marius escaped and
reached the coast of Latium. Here he wandered about for many days, hunted like a
wild beast. Captured in the marshes near Minturnae, he was cast into a prison and
a slave was sent to dispatch him. But when the slave entered the dark dungeon, saw
Marius's eyes glaring at him, and heard his terrible voice crying, "Man, durst thou
murder Gaius Marius?" he dropped his sword and fled. Then the magistrates put
Marius on board a boat that landed him near the ruins of Carthage. Once, when
he was a boy, an eagle's nest with seven little eagles had fallen into his lap: an omen
that he should be consul seven times. He had already held six consulships, and now
he was returning to Rome in the hope that the prophecy would be fulfilled.

MARIUS

SULLA

Ītaliā reparāvērunt, et ingressī Rōmam nōbilissimōs ex senātū et cōnsulārēs virōs interfēcērunt; multōs prōscrīpsērunt; ipsīus Sullae domō ēversā, fīliōs et uxōrem ad fugam compulērunt. Ūniversus 5 reliquus senātus ex urbe fugiēns ad Sullam in Graeciam vēnit, ōrāns ut patriae subvenīret.

Sulla in Ītaliam trāiēcit, hostium exercitūs vīcit, mox etiam urbem ingressus est, quam caede et sanguine cīvium replēvit. Quattuor mīlia inermium cīvium, quī sē dēdiderant, interficī iussit; duo mīlia 10 equitum et senātōrum prōscrīpsit. Tum dē Mithridāte triumphā- vit. Duo haec bella fūnestissima, bellum Ītalicum, quod et sociāle dictum est, et bellum cīvīle, cōnsūmpsērunt ultrā centum et quīn- quāgintā mīlia hominum, virōs cōnsulārēs vīgintī quattuor, prae- tōriōs septem. aedīliciōs sexāgintā, senātōrēs ferē ducentōs. 15

4. prōscrībō, -ere, -scrīpsī, -scrīptus, *post*, *publish*, *proscribe*. The property of a "proscribed" person was *posted up*, i.e., advertised for sale. What was worse, a reward was offered to anyone who would slay the "proscribed." This massacre of citizens lasted for five days. Then Marius and Cinna proclaimed themselves consuls for the following year (86). Marius, however, held his seventh consulship for a very brief time. Exhausted by his terrible sufferings, he was stricken with fever and died on the eighteenth day after he became consul.

5. ūniversus, -a, -um, [ūnus + vertō], *entire*, *all*.

7. subveniō, -īre, -vēnī, -ventūrus, *come to help*, with the dative.

9. repleō, -ēre, *fill again*.

10. inermis, -e, [arma], *unarmed*.

12. fūnestus, -a, -um, [fūnus], *destructive*. et, *also*.

13. ultrā, adv., *more than*

15. aedīlicius, -a, -um, [aedīlis], *of aedile rank*, *ex-aedile*.

165

The Gallic War

Julius Caesar

From time to time there has flashed across the horizon of history a character so far superior to the ordinary run of mortals, that he has been recognized ever since as a genius. Such was Socrates the philosopher, Phidias the sculptor, Raphael the painter, Shakespeare the writer, Napoleon the soldier. Such also was Julius Caesar.

Caesar was born on the 12th of July, 100 B.C., of a distinguished patrician family in Rome. Besides the usual schooling of a wealthy Roman boy, he received private instruction at home in oratory and rhetoric. In his very first cases as a lawyer he proved to be a brilliant and forceful speaker, but wishing to perfect himself in oratory, he went to Rhodes to study under a very celebrated teacher there.

Returning to Rome in 75, he plunged recklessly into the gay society of the capital, where his engaging personality and courteous manners made him a great favorite. Among men he bore himself with dignity, and never ate or drank to excess. He was affable and friendly, generous to a fault, and unswervingly loyal to his friends. Through these traits, coupled with marked tactfulness in handling men, he speedily became the acknowledged leader of the people's party.

At an early age he advanced through the regular political offices as quaestor, curule aedile, and praetor, and attained the consulship in 59. The following year, supported by Pompey and Crassus, he went as proconsul to Gaul and in seven years completed the conquest of that vast land.

He was now fifty years old. Up to this time he had achieved nothing extraordinary. He had been quaestor, aedile, praetor, and consul. Yet hundreds of Romans before him had been recipients of the same honors. He had acquired fame as a general and had added extensively to Roman territory. That too had been done repeatedly in the annals of the nation. If this was all he was to accomplish, he would have no more right to a niche in the Roman Hall of Fame than Pompey or Lucullus, — and far less right than Sulla, or Marius, or Fabius Maximus, or the Scipios. But Caesar had only made a beginning. The next six years were to tell a different story.

Pompey had now become so jealous of Caesar that he broke with him and joined the senatorial party. Caesar's long continued efforts to bring about a peaceable solution of the questions at issue were fruitless. Early in 49 the Senate took action that inevitably forced

Caesar to decide upon war to secure his rights. One after another he defeated the armies his enemies assembled against him, in the very last battle literally snatching victory out of the jaws of defeat.

Caesar developed into a great general quite late in life. He was 41 years old when he went to his province. Seven years of constant fighting against Gauls and Germans, who were brave soldiers, brought out his latent talents. It was still later, however, in the Civil Wars that he proved to be possessed of consummate military skill. For then he was pitted against *Roman generals* in command of *Roman legions*, as well trained as his own. During these four years, sustaining but one reverse, he defeated four powerful armies.

Much of his success was due to the loyalty he inspired in his men. A strict disciplinarian, he exacted from them the utmost exertion and sacrifice. They tramped behind him in forced marches — day and night if need be — as with superhuman energy he pressed forward to seize some strategic point in advance of the enemy. Again and again they suffered severely from lack of rations. All this they cheerfully endured in their devotion to their commander.

Caesar was a master in strategy. His policy was always to take the offensive and outmaneuver the enemy. Even when greatly outnumbered he seldom hesitated to offer battle. In dangerous situations he was cool and resourceful. These were the qualities which made him invincible. Military critics — modern as well as ancient — have ranked him as one of the great world captains.

Caesar was now master of the Roman world. The servile Senate conferred upon him numerous honors and titles. It made him Dictator for life, and gave him the title of Imperator, thus clothing him with supreme civil and military authority.

How was he going to use this power? Would he restore the Republic or would he rule as a monarch, furthering his own interests and ambition? The citizens recalled his consulship and pictured him as the same selfish politician. But fourteen years is a long time, and Caesar was a different man. Contact with widely separated portions of the empire had broadened him into a statesman, and had given him a new conception of Rome's future. For the past hundred years — amid city riots and civil wars — she had been the corrupt mistress of the provinces she regularly plundered. That could continue no longer. The only hope for her lay in the firm and wise government of *a single man looking to the welfare of the entire empire*. Of this Caesar was thoroughly convinced, and with his usual energy he began at once to lay the foundations of the new *Roman Empire*.

168

In less than a year Caesar instituted far-reaching reforms in government administration both at home and in the provinces, and formed many plans for the betterment of the empire. But he was not destined to see them accomplished. Ever since his fourfold triumph there had been persistent rumors that he intended eventually to rule Rome as a monarch. Sixty patriotic citizens, many of whom had been allowed to return to Rome simply because Caesar was magnanimous to his enemies and had pardoned them, formed a conspiracy against him. Under pretense of petitioning him to pardon one of the few remaining exiles, these "honorable men" crowded around him in the senate house and assassinated him. Thus perished Julius Caesar at the age of fifty-six on the Ides of March, 44 B.C.

Caesar excelled as an author. His writings cover a wide range of literature. He dabbled in *poetry* (quite unsuccessfully), composed a treatise on *grammar*, wrote a *criticism of Cato*, and published a book on *astronomy*, and a *collection of witticisms*. All these have been lost together with his *orations*, which Cicero himself characterized as remarkably clear, logical, and persuasive. The only writings of Caesar that have come down to us are his *Commentaries on the Gallic War* and *The Civil War*. These are exceedingly valuable on account of the information they furnish concerning a most important period of Roman history. They are written of course from Caesar's point of view, but they have been generally accepted as substantially accurate. In point of style they are terse, unadorned, straightforward, and vigorous, and as such have served as the highest model for all subsequent military histories.

Caesar had his faults. He was unscrupulous in politics, selfish in his ambition, at times excessively cruel in war. On the other hand he was generous, loyal to friends, and magnanimous to enemies. Possessed of an interesting personality, he was independent in thought, well balanced in his views, self-controlled in all things, — but especially in victory. His greatness, however, rests on the fact that he *achieved extraordinary success in three distinct lines*. He was a remarkable writer, a superb general, and a constructive statesman.

The question is frequently asked: *What enabled Caesar to become great?* It is difficult to make a selection from the various qualities of success which this many-sided man possessed. Nor can we hope that our selection will appeal to all our readers alike. But in our judgment there were three things that more than any others combined to make him great: (1) an exceptionally brilliant and versatile mind; (2) indomitable strength of will; (3) quickness in grasping opportunities.

PEDES   EQUES   SIGNIFER

Caesar's Army

1. **The Infantry,** *pedites.* This consisted exclusively of Roman citizens, who could be called out to service between the ages of seventeen and forty-six. Many, however, were volunteers, who enlisted for twenty years. In addition to their pay — about $45 a year — they shared in the booty that was taken, and often received special gifts. At the end of their term of enlistment they were retired with a lump sum of money or an allotment of land.

The Legion, *legiō.* The full strength of a legion was 6000 men, but losses in battle, sickness, and desertion reduced the number. In the Gallic war Caesar's legions contained an average of about 3600 men. The legion was divided as follows:

1 century (**centuria**) = 60 men.
2 centuries = 1 maniple (**manipulus**), 120 men.
3 maniples = 1 cohort (**cohors**), 360 men.
10 cohorts = 1 legion, 3600 men.

2. **The Cavalry,** *equitēs.* Caesar's cavalry was composed of foreigners — Gauls, Germans, and Spaniards, of whom the Germans were by far the best. The cavalry force, attached to each legion, was divided thus:

1 squad (**decuria**) = 10 men.
3 squads = 1 troop (**turma**), 30 men.
10 troops = 1 squadron (**āla**), commanded by *a cavalry prefect* (**praefectus equitum**).

CENTURIO LEGATUS ET DUX AQUILIFER

3. **The Auxiliaries,** *auxilia,* commanded by Roman officers, consisted of:

a. Light-armed foot soldiers (**levis armātūrae peditēs**), drawn from allied or subject states. In battle these were generally posted on the wings to make a show of force. At other times they were used chiefly for raiding and foraging.

b. Slingers, **funditōrēs,** from the Balearic Islands.

c. Bowmen, **sagittāriī,** from Crete and Numidia.

4. **The Noncombatants.**

a. Camp servants, **cālōnēs,** slaves who performed menial services about the camp or were the body servants of the officers.

b. Muleteers, **mūliōnēs,** who drove the pack animals and had charge of the heavy baggage.

c. Traders, **mercātōrēs,** who were permitted to accompany the army, but — except in time of danger — were not allowed to have quarters in the camp. They purchased booty from the soldiers, and in turn sold them food and clothing.

The Officers

1. *The Commander-in-chief,* **dux,** until he had won his first important victory, after which he received the title of **imperātor.**

2. *The Lieutenant generals,* **lēgātī,** who were appointed by the Roman senate from the senatorial class. They were the commander's staff

171

officers. They were not in charge of any special legion, but in battle were assigned by the commander to whatever legion he saw fit.

3. *The Quartermaster general*, **quaestor**, whose duty it was to pay the men and to purchase the supplies for the army. If he was a capable officer, he might be put in command of a legion in battle.

4. *The Military tribunes*, **tribūnī mīlitum**, six to each legion. They were usually young men of equestrian families, without any military experience, who served only a short time and then returned to Rome to take up a political career. Their duties were of minor importance, such as the command of small detachments, the providing of supplies, and the levying or discharge of soldiers.

5. *The Prefects*, **praefectī**, who commanded the auxiliaries and the cavalry squadrons.

6. *The Centurions*, **centuriōnēs**, noncommissioned officers of plebeian origin, who were promoted from the ranks for their bravery and efficient service. There were two centurions for each maniple, six for each cohort, and sixty for each legion. The ranking centurion was the first centurion of the first cohort (**prīmipīlus**).

7. *The Decurions*, **decuriōnēs**, who were cavalry leaders of the squads (**decuriae**).

8. *The Veteran volunteers*, **ēvocātī**, who had re-enlisted after serving for twenty years.

9. **Signiferī** and **Aquiliferī**, who were *standard-bearers*.

Clothing

The legionary soldier wore:

a. **tunica**, a short-sleeved *tunic*, reaching nearly to the knees.

b. **sagum**, a thick woolen *cloak*.

c. **caligae**, heavy leather *sandals*, fastened to the foot by many straps. Instead of the **sagum** the commander wore a distinctive scarlet cloak, **palūdāmentum**.

Armor

1. **Defensive arms:**

a. **galea**, *a helmet* of leather and bronze, adorned with a crest. While marching, the helmet was hung by a cord from the neck.

b. **lōrīca**, a leather *cuirass* or *coat-of-mail*, strengthened with metal strips.

c. **scūtum**, an oblong wooden *shield*, overlaid with linen or leather, with a metal rim. It was about 4 feet long and $2\frac{1}{2}$ feet wide. In the middle on the outside was a metal *boss*, **umbō**. The shield was variously ornamented — often with the winged thunderbolt. A leather covering, **tegimentum,** encased it, except in battle. It was worn on the left arm.

2. **Offensive weapons:**

a. **pīlum,** a heavy *pike* or *javelin*, weighing about ten pounds. It consisted of a wooden shaft 4 feet long, into which was fitted an iron shaft 2 feet long. The latter was made of soft iron, but its barbed point was hardened. The pike could be hurled about 75 feet.

b. **gladius,** a sword, about two feet long, straight, pointed, and two-edged, used rather for quick thrusting than for slashing. It was kept in a *scabbard*, **vāgīna,** which was suspended on the soldier's right side by a *strap*, **balteus,** passing over the left shoulder.

The Standards

a. **aquila,** the standard of the legion, a silver *eagle* on a wooden staff carried by the **aquilifer.**

b. **signa,** the *standards* of the maniples (borne by the **signiferī**), of various designs. For example one type had an open hand at the top followed by two metal disks, with an oblong metal plate below, on which were inscribed letters indicating the place of the maniple. The standard-bearers wore a wolf or bear skin over their head and shoulders.

c. **vexillum,** a small rectangular, bright-colored *banner*, the standard of the cavalry and the infantry auxiliaries. A large red **vexillum,** displayed over the commander's tent, was the signal to make ready for battle.

The Musical Instruments

a. **tuba,** a long straight *trumpet*, with deep tone.

b. **cornū,** a curved *horn*, with shriller note.

c. **būcina,** a *bugle*, used chiefly to sound orders within the camp.

In battle the *trumpeters*, **tubicinēs,** first sounded the general's orders, which the *horn-blowers*, **cornicinēs,** in turn sounded to the maniples to which they were attached.

The Artillery

The propelling power of Roman engines of war was secured by windlassing strong hair ropes, and then suddenly releasing them by means

173

TURRIS AMBULATORIA
ET PLUTEUS ET VINEA

of a trigger. They were called **tormenta**, from **torqueō**, *twist*, because the ropes were twisted.

    a. **catapulta,** *the catapult*, which shot large arrows or darts horizontally.

    b. **scorpiō,** *the scorpion*, a small catapult.

    c. **ballista,** *the ballista*, which hurled huge stones at an angle of about 45 degrees.

The Army on the March

The Roman army marched in three divisions:

    a. **prīmum agmen,** *the vanguard*, composed of cavalry and perhaps some light-armed troops.

    b. **agmen,** *the main column*, each legion being followed by its own baggage train. But if there was danger of sudden attack, the entire baggage was placed behind the legions that formed the **agmen.**

    c. **novissimum agmen,** *the rear guard*, as a rule consisting of the more recently enlisted legions (hence called "*the newest column*").

A regular day's march lasting six or seven hours began at sunrise, but in emergencies at an earlier hour, sometimes even at midnight. The average distance marched was 15 or 16 miles, but Caesar's army often covered 25 or 30 miles on a forced march, **iter magnum.** On the march each legionary carried a pack containing his blanket, rations, cooking utensils, etc. These packs, called **sarcinae,** were fastened on a forked pole and carried over the left shoulder.

174

CATAPULTA

The Camp (*Castra*)

At the close of each day's march the Roman army regularly constructed a fortified camp. A corps of engineers was sent ahead of the army to select a suitable site and to lay it out. Usually it was rectangular, its dimensions varying according to the size of the army. It had four gates.

The camp was fortified by:

a. **fossa,** *a trench* with sloping sides, 10–12 feet wide at the top and 7–9 feet deep.

b. **vāllum,** *a rampart,* constructed from the earth and stones that were dug out of the trench. It was 5–6 feet high and 6–8 feet wide on top. On the outer edge of the rampart was a breastwork of stakes, **vāllī,** affording protection to soldiers posted on top of the wall.

The interior of the camp was laid out in a systematic way. The main street, **via prīncipālis,** ran the full length of the camp, being crossed at

BALLISTA

right angles by the **via praetōria.** A number of passageways, **viae,** ran across the camp both lengthwise and widthwise. The general's tent, **praetōrium,** was near the middle, with the officers' tents close by. The soldiers' tents, each accommodating ten men, were nearer the front.

The Army in Battle

As a rule Caesar's legionaries were drawn up for battle in three lines, **aciēs triplex,** as follows:

The three cohorts in the second line were so placed that they could move up in the spaces between the cohorts of the first line, and relieve them if they became exhausted. The third line was held in reserve, to enter the battle in an emergency.

Operations Against Walled Towns

Towns might be captured by *storming* the walls, or by a regular *siege.*

a. In *storming,* **oppugnātiō,** the soldiers first filled the trench or moat with earth and *bundles of brush,* **crātēs,** and then pressed forward to break down the gates with a *battering ram,* **ariēs,** and mount the walls with *ladders,* **scālae.** Groups of soldiers advanced under cover of their shields overlapping above their heads. This formation was named **testūdō,** *tortoise,* because they were protected by it like a tortoise in its shell.

b. In a *siege,* **obsidiō,** the entire town, if possible, was invested with a line of works. Then at a distance of about 400 feet from the weakest point in the wall the soldiers began an **agger,** an inclined roadway — made of logs and earth — 40 or 50 feet wide, which was eventually to reach the wall at a level with the top. When it was extended nearer the enemy's wall, the soldiers at work upon it were shielded from missiles by *movable screens,* **pluteī,** or by *sheds,* **vīneae,** mounted on rollers.

Movable towers, **turrēs ambulātōriae,** were built at a safe distance from the wall, and at the proper time were pushed forward on rollers to take part in storming the walls.

176

The Gauls

Caesar's original territory. In the year 58 B.C. Caesar, as proconsul, was appointed to be governor of three Roman provinces, viz., Gallia Cisalpina, Illyricum, and Gallia Transalpina.

Gallia Cisalpina or *Citerior Provincia, the Hither Province,* comprised the basin of the Po, and extended eastward to the head of the Adriatic Sea, including the Roman colony of Aquileia. The Gauls in the territory lying between the river Rubicon and the Alps had been conquered as far back as 191 B.C., and by this time were completely Romanized. Though still a province, this country was geographically a part of Italy, and Caesar often calls it *Italia.* It was from this district that Caesar drew his soldiers, and here he spent most of his winters while in Gaul.

Illyricum lay along the east shore of the Adriatic, and was of little consequence in the war with the Gauls.

Gallia Transalpina or *Ulterior Provincia, the Farther Province,* extended from the Alps westward to the Garonne river. It had been more recently subjugated (121 B.C.), and its inhabitants for the most part still retained their Gallic customs.

Gaul proper. To the north and west of Caesar's *Farther Province* stretched a vast land, into which the Roman legions as yet had not penetrated. It included all of what is now France, Belgium, Holland, Germany west of the Rhine, and Switzerland. A fertile, well-watered country, it was adapted equally for farming or pasturage. In the northeast districts there were extensive forests and swamplands.

The Gauls. This territory was inhabited by perhaps ten or twelve million Gauls. In appearance they differed greatly from the Romans,

177

as they were tall and light-haired, with fair complexion and blue eyes. The men wore their hair long and had fierce mustaches. They understood the art of weaving and were fond of bright colors. Their clothing consisted of trousers, tunic, and cloak — all in gay colored stripes.

Their civilization. The Gauls were in no sense savages, although they were little more than half-civilized. The peasants, who were practically serfs, lived in small round huts with thatched roofs, while the rich nobles built large stone houses. They had their herds of cattle, pigs, and horses, and cultivated wheat and the coarser grains. They lived chiefly on bread, meat, and milk.

The Gauls of Caesar's time *spoke* a language which we call *Celtic*, but because they had no written language we know very little about it. It was related more or less closely to the Celtic languages still spoken in Wales, western Ireland, the Scottish Highlands, and Britanny (France).

The country contained quite a number of walled towns and cities, some of which were connected by roads. The rivers were spanned by rude bridges. In certain districts there were valuable mines, and along the coast there was considerable shipbuilding. The people produced some painted pottery and minted their own metal coins.

Their religion was a form of nature worship with numerous deities, such as the god of thunder and the sun god. The Druids, who were their priests, practiced human sacrifice and taught the doctrine of the transmigration of souls. They also acted as judges in all public and private disputes, and exercised extraordinary power over the people through punishment by excommunication.

The Gauls as warriors. The Gauls had been the source of much trouble to the Romans. It will be remembered that in 390 B.C. under Brennus they invaded Italy and ignominiously defeated the Romans at

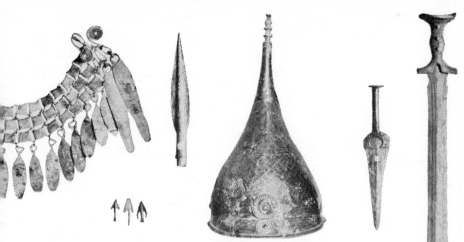

the Battle of the Allia. Again, when Hannibal crossed the Alps, he could not have hoped to achieve any success against the Romans, had he not secured reinforcements from the Gauls in northern Italy. It is true that since then Cisalpine Gaul had been conquered and Romanized, and that an entering wedge had been driven into Transalpine Gaul. But the Gauls farther north, though they had settled down to agricultural pursuits, were still keen for war and made it their chief concern. Their weapons were the javelin, spear or dart, and the long two-edged sword which was fastened with a metal chain. They had large oblong or oval shields of wood or metal, and wore metal helmets topped with horns and grotesque heads of wild beasts. The chiefs and rich nobles had chain armor, and gold rings, bracelets, and necklaces.

In battle they advanced rapidly to the attack with loud shouts and depended much upon the shock of their first onset against the enemy's line. They were strong and brave warriors, but lacked the steadiness and persistence of the Roman legionaries and were markedly inferior in their officers and commanders.

The outcome of the war. Such then were the Gauls, a hardy, impetuous, high-spirited people, quick to take up arms, elated by victory, easily disheartened by defeat. When Caesar became governor of the province, their situation was critical. The Germans across the Rhine were advancing aggressively and had already encroached upon their territory. The Romans were pressing them on the south. Thus it fell to Caesar to decide whether Gaul was to be Romanized or Germanized. It was fortunate not only for the Roman Empire but for the progress of the world that his conquest of Gaul settled the matter, and that in consequence of it the civilization that developed in that country was *Latin* rather than *Teutonic*.

179

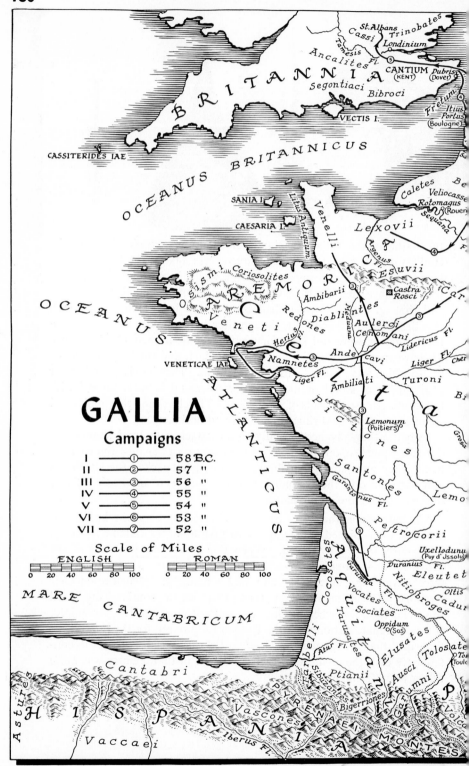

GALLIA

Campaigns

I	①	58 B.C.
II	②	57 "
III	③	56 "
IV	④	55 "
V	⑤	54 "
VI	⑥	53 "
VII	⑦	52 "

Scale of Miles

ENGLISH
0 20 40 60 80 100

ROMAN
0 20 40 60 80 100

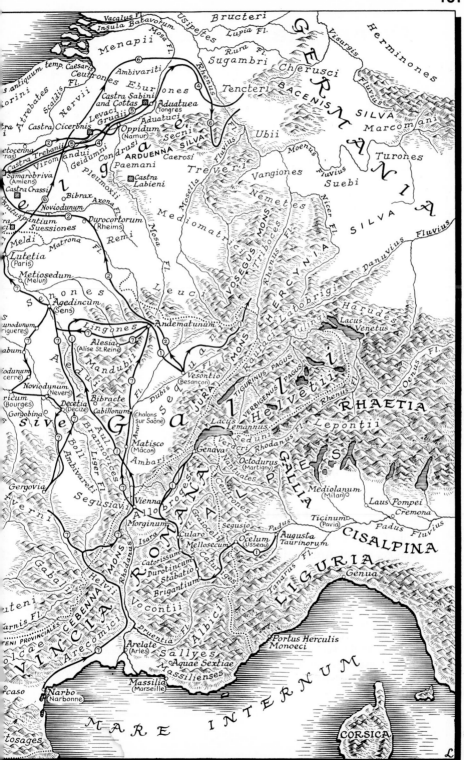

Commentāriī dē Bellō Gallicō

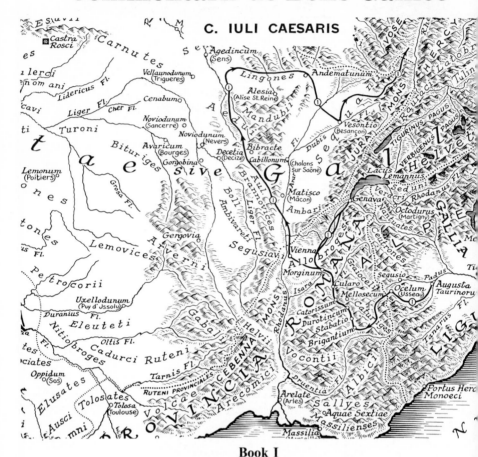

C. IULI CAESARIS

Book I

The Chief Divisions and Peoples of Gaul

1. Gallia est omnis dīvīsa in partēs trēs, quārum ūnam incolunt
Belgae, aliam Aquītānī, tertiam, quī ipsōrum linguā Celtae, nostrā

Gallī appellantur. Hī omnēs linguā, īnstitūtīs, lēgibus inter sē differunt. Gallōs ab Aquītānīs Garumna flūmen, ā Belgīs Matrona et
Sēquana dīvidit.

Hōrum omnium fortissimī sunt Belgae, proptereā quod ā cultū
atque hūmānitāte Prōvinciae longissimē absunt, minimēque saepe
mercātōrēs ad eōs commeant, atque ea, quae ad effēminandōs animōs pertinent, important; proximīque sunt Germānīs, quī trāns
Rhēnum incolunt, quibuscum continenter bellum gerunt. Quā dē 10
causā Helvētiī quoque reliquōs Gallōs virtūte praecēdunt, quod ferē
cotīdiānīs proeliīs cum Germānīs contendunt, cum aut suīs fīnibus
eōs prohibent, aut ipsī in eōrum fīnibus bellum gerunt.

The Helvetian Campaign — I, 2–29. (58 B.C.)

Orgetorix Persuades His Countrymen to Migrate

2. Apud Helvētiōs longē nōbilissimus fuit et dītissimus Orgetorīx. Is, M. Messālā et M. Pīsōne cōnsulibus, rēgnī cupiditāte inductus coniūrātiōnem nōbilitātis fēcit, et cīvitātī persuāsit, ut dē
fīnibus suīs cum omnibus cōpiīs exīrent.

Id facilius eīs persuāsit, quod undique locī nātūrā Helvētiī con- 5
tinentur: ūnā ex parte flūmine Rhēnō, lātissimō atque altissimō,
quī agrum Helvētium ā Germānīs dīvidit; alterā ex parte monte
Iūrā altissimō, quī est inter Sēquanōs et Helvētiōs; tertiā, lacū
Lemannō et flūmine Rhodanō, quī Prōvinciam nostram ab Helvētiīs
dīvidit. Hīs rēbus fīēbat, ut et minus lātē vagārentur et minus facile 10
fīnitimīs bellum īnferre possent; quā ex parte hominēs bellandī

---

3. **inter sē:** *from one another.* 7. **minimē . . . saepe:** *very seldom* (lit., *least often*).
8. **mercātōrēs:** *traders* from the Province, who followed the course of the rivers up into
Gaul, selling clothing, ornaments, and wine. 9. **Germānīs (68).** 10. **quibuscum (90,
Note 1).** **Quā (43).** 11. **virtūte (85).** 12. **proeliīs (79).** **suīs . . . eōs . . . ipsī . . .
eōrum:** Notice how clearly these Latin pronouns indicate the peoples to which they
refer, as compared with the corresponding English pronouns.

¶2. **2. M. Messālā . . . cōnsulibus (89):** This was 61 B.C., three years before Caesar
took command of the Province. **3. coniūrātiōnem nōbilitātis:** Not a conspiracy, but
a *league* or *alliance* of the nobles, who may have kept secret the plan to migrate, until
they were ready to lay it before the people. **cīvitātī (61).** **5. Id:** *This (plan),* viz., to
migrate. **7. monte Iūrā:** *the Jura range.* **10. Hīs rēbus fīēbat:** *The result was.*
ut . . . vagārentur . . . possent (111). The entire clause is the subject of **fīēbat.** **11. quā
ex parte** = *quā dē causā.* **bellandī** depends on **cupidī (59)** in the following line (11),
on page 184.

RUINAE ROMANAE IN HELVETIA

cupidī magnō dolōre afficiēbantur. Prō multitūdine autem hominum et prō glōriā bellī atque fortitūdinis angustōs sē fīnēs habēre arbitrābantur, quī in longitūdinem mīlia passuum CCXL, in lātitūdinem 15 CLXXX patēbant.

Orgetorix Forms a Conspiracy

3. Hīs rēbus adductī et auctōritāte Orgetorīgis permōtī cōnstituērunt comparāre ea quae ad proficīscendum pertinērent, iūmentōrum et carrōrum quam maximum numerum coemere, sēmentēs quam maximās facere, ut in itinere cōpia frūmentī suppeteret, cum 5 proximīs cīvitātibus pācem et amīcitiam cōnfīrmāre. Ad eās rēs cōnficiendās biennium sibi satis esse exīstimāvērunt; in tertium annum profectiōnem lēge cōnfīrmant.

12. **magnō dolōre afficiēbantur:** *they were greatly annoyed.* **Prō multitūdine hominum:** *Considering their population.* According to Chap. 29 they numbered only 263,000. That part of Switzerland, which the Helvetians occupied, now has a population of over 2,000,000! **14. mīlia (72). passuum (58). 15.** CLXXX: The actual distance is about 80 miles. This error may be due to a mistake on the part of a scribe in copying from a manuscript.

¶3. **2. pertinērent (112). 4. suppeteret (104). 6. in tertium annum:** *for the third year,* i.e., 59 B.C. **7. cōnfīrmant:** The *historical present*, which is very common in Latin, but rare in English.

Ad eās rēs cōnficiendās Orgetorīx dēligitur. Is sibi lēgātiōnem ad cīvitātēs suscēpit. In eō itinere persuādet Casticō, Catamantāloedis fīliō, Sēquanō, ut rēgnum in cīvitāte suā occupāret, quod pater ante 10 habuerat; itemque persuādet Dumnorīgī Aeduō, frātrī Dīviciācī, quī eō tempore prīncipātum in cīvitāte obtinēbat ac maximē plēbī acceptus erat, ut idem cōnārētur, eīque fīliam suam in mātrimō-nium dat.

Illīs cōnfirmat sē suae cīvitātis imperium obtentūrum, atque suīs 15 cōpiīs suōque exercitū illīs rēgna conciliātūrum. Hāc ōrātiōne ad-ductī, inter sē fidem et iūs iūrandum dant, et rēgnō occupātō per trēs potentissimōs ac fīrmissimōs populōs sēsē tōtīus Galliae im-perium obtinēre posse spērant.

The Conspiracy Is Disclosed

4. Ea rēs est Helvētiīs per indicium ēnūntiāta. Mōribus suīs Orgetorīgem ex vinculīs causam dīcere coēgērunt; oportēbat eum damnātum igne cremārī.

Diē cōnstitūtā Orgetorīx ad iūdicium omnem suam familiam, ad hominum mīlia decem, undique coēgit, et omnēs clientēs obaerā- 5 tōsque suōs, quōrum magnum numerum habēbat, eōdem condūxit; per eōs, nē causam dīceret, sē ēripuit. Cum cīvitās ob eam rem in-citāta armīs iūs suum exsequī cōnārētur, multitūdinemque hominum ex agrīs magistrātūs cōgerent, Orgetorīx mortuus est. Helvētiī autem arbitrantur, ipsum sē interfēcisse. 10

---

8. sibi (62). 12. prīncipātum: The Aeduan state was divided into two factions, the one pro-Roman led by Diviciacus, the other anti-Roman led by Dumnorix. As Rome had failed to help the Aedui in their struggle against the Sequani and Germans, the anti-Roman faction with Dumnorix as its head was the stronger at this time. **plēbī:** dative with the adj., **acceptus (68)**; freely, *popular with the masses.* **15. obtentūrum (esse): esse** is often omitted in the fut. act. and perf. pass. infin. So also **conciliātūrum (esse)** (line 16). **16. ōrātiōne:** *argument.* **17. inter sē fidem et iūs iūrandum dant:** *exchanged an oath-bound pledge.* **per trēs potentissimōs ac fīrmissimōs populōs:** *three most powerful and firmly established nations,* viz., the Helvetii, the Sequani, and the Aedui.

¶**4. 1. Ea rēs:** *This plot.* **Mōribus (82, Note). 2. ex vinculīs:** (standing) *in chains* (lit., *out of chains*). **dīcere (124). 3. damnātum:** (*if*) *convicted.* **4. Diē (88).** Why fem.? **familiam:** *slaves.* **ad,** adv., *about.* **6. eōdem,** adv. **7. nē causam dī-ceret, sē ēripuit:** *he escaped pleading his case.* The presence of so many slaves and followers of Orgetorix overawed the judges and compelled them to suspend the trial. **8. iūs suum:** *its right* to bring to trial a man who was charged with crime.

5. Post eius mortem nihilō minus Helvētiī id, quod cōnstituerant, facere cōnantur, ut ē fīnibus suīs exeant. Ubi iam sē ad eam rem parātōs esse arbitrātī sunt, oppida sua omnia, numerō ad duodecim, vīcōs ad quadringentōs, reliqua prīvāta aedificia incendunt. Frū-
5 mentum omne, praeter quod sēcum portātūrī erant, combūrunt, ut domum reditiōnis spē sublātā parātiōrēs ad omnia perīcula subeunda essent; trium mēnsium molita cibāria sibi quemque domō efferre iubent. Persuādent Rauracīs et Tulingīs et Latobrīgīs fīnitimīs, utī, oppidīs suīs vīcīsque exūstīs, ūnā cum eīs proficīscantur. Boiōs, quī
10 trāns Rhēnum incoluerant et in agrum Nōricum trānsierant Nō-reiamque oppugnārant, ad sē sociōs recipiunt.

They Choose to Go Through the Province

6. Erant omnīnō itinera duo, quibus itineribus domō exīre pos-sent: ūnum per Sēquanōs, angustum et difficile, inter montem Iūram et flūmen Rhodanum, quā vix singulī carrī dūcerentur; mōns autem altissimus impendēbat, ut facile perpaucī eōs prohibēre pos-
5 sent; alterum per Prōvinciam nostram, multō facilius atque expedī-tius, proptereā quod inter fīnēs Helvētiōrum et Allobrogum, quī nūper pācātī erant, Rhodanus fluit, isque nōn nūllīs locīs vadō trānsītur.

Extrēmum oppidum Allobrogum proximumque Helvētiōrum fīni-
10 bus est Genāva. Ex eō oppidō pōns ad Helvētiōs pertinet. Allo-

---

¶5. 2. exeant: Pres. subj. of exeō (111). The clause, ut . . . exeant, explains id. 5. praeter (id) quod. 7. trium mēnsium molita cibāria: *three months'* (*supply of*) *ground grain.* According to Chap. 29 the Helvetians and their allies numbered 368,000 souls. It has been estimated that their column on the journey would extend fifteen miles! 9. ūnā, adv. Boiōs: From this word is derived *Bohemia, "Home of the Boii."* 10. agrum Nōricum: *The territory of the Norici* was far to the east, in what is now a part of Austria south of the Danube. Noreia was their chief city.

¶6. 1. quibus itineribus: Caesar sometimes repeats the antecedent of the relative in the relative clause, as he does here. It is done for greater clearness. Another example of it occurs later in this chapter. possent (112). 2. ūnum per Sēquanōs: This pass about 17 miles from Geneva is now called the Pas de l'Ecluse. Here the Rhone breaks through the Jura range. 3. quā, adv., *where.* dūcerentur: *could be drawn* (112). 7. nūper: *recently.* The Allobroges were first conquered in 121 B.C., and thereafter were included in the Roman Province. In 61 B.C. they rebelled, but were quickly subdued. Naturally they would not now feel kindly disposed.

brogibus sēsē vel persuāsūrōs, exīstimābant, vel vī coāctūrōs, ut per suōs fīnēs eōs īre paterentur. Omnibus rēbus ad profectiōnem comparātīs diem dīcunt, quā diē ad rīpam Rhodanī omnēs conveniant. Is diēs erat a. d. v. Kal. Apr., L. Pīsōne, A. Gabīniō cōnsulibus. 15

Caesar Hastens to Geneva

7. Caesarī cum id nūntiātum esset, eōs per Prōvinciam nostram iter facere cōnārī, mātūrat ab urbe proficīscī et, quam maximīs potest itineribus, in Galliam ulteriōrem contendit et ad Genāvam pervenit. Prōvinciae tōtī quam maximum potest mīlitum numerum imperat (erat omnīnō in Galliā ulteriōre legiō ūna); pontem, quī 5 erat ad Genāvam, iubet rescindī.

---

11. persuāsūrōs . . . coāctūrōs: Observe that here are two more instances where esse is omitted with the fut. infin. **12. paterentur** (from **patior**), **(107).** **13. conveniant (105).** **14. a. d. v. Kal. Apr.:** ante diem quīntum Kalendās Aprīlēs, *the fifth day before the Calends of April,* i.e., March 28th. In periods of time the Romans counted both ends. **L. Pīsōne, A. Gabīniō cōnsulibus:** 58 B.C. Piso was the father of Calpurnia, Caesar's wife.

¶**7. 1. Caesarī:** About the middle of March 58 B.C. the startling news was brought to Caesar, who was still in Rome, that the Helvetians were planning to journey through the Province. They and their allies were to assemble on the bank of the Rhone on the 28th of that very month! If he was to prevent this huge host from forcing its way through Roman territory, he must act at once. He left Rome immediately. **id:** *it,* explained by the clause **eōs . . . cōnārī.** **2. quam maximīs potest itineribus:** Notice here the *full form* of a phrase consisting of **quam** with a *superlative.* **3. ad:** *to the vicinity of* **(74). ad Genāvam pervenit:** Plutarch says that Caesar reached the Rhone on the eighth day. He must have traveled about 90 miles a day. The picture shows Lake Geneva. **4. Prōvinciae . . . imperat:** *He levied upon the Province* **(61). 5. legiō ūna:** The famous Tenth, upon whose bravery and loyalty Caesar learned to depend more than upon any other legion in his army.

Ubi dē eius adventū Helvētiī certiōrēs factī sunt, lēgātōs ad eum mittunt nōbilissimōs cīvitātis, quī dīcerent, sibi esse in animō sine ūllō maleficiō iter per Prōvinciam facere, proptereā quod nūllum
10 aliud iter habērent; sē rogāre, ut sibi licēret eius voluntāte id facere. Caesar, quod memoriā tenēbat, L. Cassium cōnsulem occīsum exercitumque eius ab Helvētiīs pulsum et sub iugum missum, concēdendum nōn putābat; neque exīstimābat hominēs inimīcō animō, datā facultāte per Prōvinciam itineris faciendī, ab iniūriā et maleficiō
15 temperātūrōs. Tamen, ut spatium intercēdere posset, dum mīlitēs, quōs imperāverat, convenīrent, lēgātīs respondit, diem sē ad dēliberandum sūmptūrum; sī quid vellent, ad Īd. Aprīl. reverterentur.

---

8. sibi esse in animō, *that they had in mind,* or more freely, *that they intended.* **sibi** (67).
10. habērent: Subjunctive, because it is in a *dependent clause* in Ind. Disc. **(118).**
sē rogāre: (another *main clause* depending on **dīcerent**), *that they requested.* **11. occīsum:** Supply **esse**: likewise with **pulsum, missum, concēdendum, temperātūrōs,** and **sūmptūrum** in the following lines. **Esse** is so frequently omitted, that on meeting a fut., or a perf. passive participle, or a gerundive *in the acc. case*, one should **stop to consider** whether the construction of the sentence requires *a participle* or *an infinitive.* If *an infinitive* is required, **esse** is to be supplied. **12. sub iugum missum:** This humiliating defeat occurred in 107 B.C., when the Cimbri (who were aided by the Tigurini, a *Helvetian* tribe), repeatedly defeated the Roman armies. **concēdendum (esse):** Impersonal, referring to the Helvetians' request. **16. diem** (like the Eng. *a day or two*), *time.* **17. sī quid vellent, ad Īdūs Aprīlēs reverterentur:** *if they wished anything, they should return about the Ides of April,* i.e., Apr. 13th.

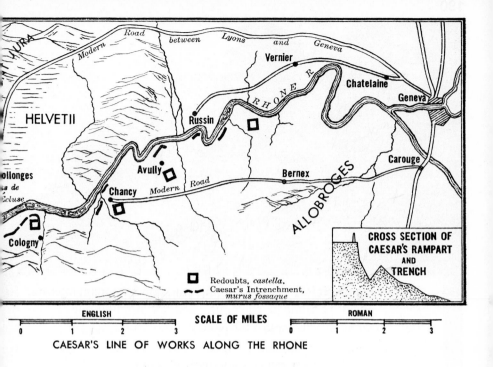

CROSS SECTION OF CAESAR'S RAMPART AND TRENCH

Redoubts, *castella*.
Caesar's Intrenchment, *murus fossaque*

ENGLISH   SCALE OF MILES   ROMAN

0   1   2   3   0   1   2   3

CAESAR'S LINE OF WORKS ALONG THE RHONE

Caesar Fortifies the Bank of the Rhone

8. Intereā eā legiōne, quam sēcum habēbat, mīlitibusque, quī ex
Prōvinciā convēnerant, ā lacū Lemannō, quī in flūmen Rhodanum
īnfluit, ad montem Iūram, quī fīnēs Sēquanōrum ab Helvētiīs dīvidit,
— mīlia passuum XVIII — mūrum in altitūdinem pedum sēdecim
fossamque perdūcit. Eō opere perfectō praesidia dispōnit, castella 5
commūnit, ut Helvētiōs trānsīre cōnantēs prohibēre possit.

Ubi ea diēs, quam cōnstituerat cum lēgātīs, vēnit, et lēgātī ad eum
revertērunt, negat sē mōre et exemplō populī Rōmānī posse iter
ūllī per Prōvinciam dare; et, sī vim facere cōnentur, sē eōs prohibi-
tūrum ostendit. Helvētiī, eā spē dēiectī, aliī, nāvibus iūnctīs rati- 10
busque complūribus factīs, flūmen trānsīre cōnantur; aliī vadīs

---

¶**8. 4. mūrum in altitūdinem pedum sēdecim fossamque:** The left bank of the
Rhone from Geneva to the Pas de l'Ecluse — about 17 Eng. miles — is so steep that
it would not need much fortifying except at the fords. Caesar probably cut the slopes
down quite sharply about sixteen feet, and banked up the earth on the side toward the
river, thus forming a rampart and a trench, which would be hard to scale in the face
of his soldiers at the top. **10. spē** (75). **aliī,** *some.* **nāvibus ... factīs:** i.e., in order
to transport their troops, they (1) lashed boats together, and (2) constructed rafts.

Rhodanī, quā minima altitūdō flūminis erat, nōn numquam interdiū, saepius noctū, perrumpere cōnantur. Sed operis mūnītiōne et mīlitum concursū et tēlīs repulsī hōc cōnātū dēstitērunt.

The Sequani Permit the Helvetians to Pass

9. Relinquēbātur ūna via per Sēquanōs, quā, Sēquanīs invītīs, propter angustiās īre nōn poterant. Hīs cum suā sponte persuādēre nōn possent, lēgātōs ad Dumnorīgem Aeduum mittunt, ut, eō dēprecātōre, ā Sēquanīs impetrārent. Dumnorīx grātiā et largītiōne 5 apud Sēquanōs plūrimum poterat, et Helvētiīs erat amīcus, quod ex eā cīvitāte Orgetorīgis fīliam in mātrimōnium dūxerat. Ille autem cupiditāte rēgnī adductus novīs rēbus studēbat, et quam plūrimās cīvitātēs suō beneficiō obstrictās habēre volēbat. Itaque rem suscipit, et ā Sēquanīs impetrat, ut per fīnēs suōs Helvētiōs īre patian- 10 tur, atque perficit ut obsidēs inter sēsē dent: Sēquanī, nē itinere Helvētiōs prohibeant; Helvētiī, ut sine maleficiō et iniūriā trānseant.

---

13. **operis mūnītiōne**: *by the strength of the fortifications.*

¶9. 1. **ūna via**: *only one way*, viz., along the right bank of the Rhone and through the Pas de l'Ecluse. Beyond the pass lay the territory of the Sequani. **Sēquanīs invītīs (89).** 3. **eō dēprecātōre (89).** 4. **impetrārent,** *not* **imperārent.** 7. **novīs rēbus**: *a revolution* (61). 8. **suō beneficiō obstrictās**: (lit., *bound by his kindness*) placed *under obligation to him.* 9. **patiantur (107).** 10. **perficit . . . dent,** *brought about an exchange of hostages.* **dent (111). Sēquanī . . . Helvētiī:** In apposition with the subject of **dent.**

I, 9

Caesar Crosses the Alps

10. Caesarī renūntiātur, Helvētiīs esse in animō per agrum Sēquanōrum et Aeduōrum iter in Santonum fīnēs facere, quī nōn longē ā
Tolōsātium fīnibus absunt, quae cīvitās est in Prōvinciā. Id sī
fieret, intellegēbat magnō cum perīculō Prōvinciae futūrum, ut
hominēs bellicōsōs, populī Rōmānī inimīcōs, locīs patentibus maxi- 5
mēque frūmentāriīs fīnitimōs habēret. Ob eās causās eī mūnītiōnī,

---

¶10. 1. **Caesarī renūntiātur:** *Word was brought back to Caesar*, probably by men
who had been sent out to get information of the movements of the Helvetians. **2. in
Santonum fīnēs:** This was the territory the Helvetians expected to seize and permanently occupy. **ā Tolōsātium fīnibus:** The Tolosates, whose capital was **Tolōsa**
(*Toulouse*), were about 120 miles southeast of the Santones. The intervening country,
as Caesar states in the next sentence, was open and fertile. **4. magnō cum perīculō
Prōvinciae, ut . . . fīnitimōs habēret:** freely, *that it would be very dangerous for the
Province to have as neighbors.* **5. locīs patentibus (68). 6. habēret (111). mūnītiōnī (62).**

quam fēcerat, T. Labiēnum lēgātum praefēcit; ipse in Ītaliam magnīs itineribus contendit duāsque ibi legiōnēs cōnscrībit, et trēs, quae
circum Aquileiam hiemābant, ex hībernīs ēdūcit et, quā proximum
10 iter in ulteriōrem Galliam per Alpēs erat, cum hīs quīnque legiōnibus
īre contendit. Ibi Ceutrōnēs et Graiocelī et Caturīgēs locīs superiōribus occupātīs itinere exercitum prohibēre cōnantur. Hīs pulsīs
complūribus proeliīs, ab Ocelō, quod est oppidum citeriōris Prōvinciae extrēmum, in fīnēs Vocontiōrum ulteriōris Prōvinciae diē sep-
15 timō pervenit; inde in Allobrogum fīnēs, ab Allobrogibus in Segūsi-
āvōs exercitum dūcit. Hī sunt extrā Prōvinciam trāns Rhodanum
prīmī.

The Aedui and Other States Ask for Protection

11. Helvētiī iam per angustiās et fīnēs Sēquanōrum suās cōpiās
trādūxerant, et in Aeduōrum fīnēs pervēnerant eōrumque agrōs
populābantur. Aeduī, cum sē suaque ab eīs dēfendere nōn possent,
lēgātōs ad Caesarem mittunt quī auxilium rogent: Ita sē omnī
5 tempore dē populō Rōmānō meritōs esse, ut, paene in cōnspectū
exercitūs nostrī, agrī eōrum vāstārī, līberī in servitūtem abdūcī, oppida expugnārī nōn dēbuerint. Eōdem tempore Ambarrī, necessāriī
et cōnsanguineī Aeduōrum, Caesarem certiōrem faciunt, sēsē, dē-
populātīs agrīs, nōn facile ab oppidīs vim hostium prohibēre. Item
10 Allobrogēs, quī trāns Rhodanum vīcōs possessiōnēsque habēbant,

---

7. **Labiēnus,** who proved to be Caesar's most capable lieutenant general. **Italiam:**
Cisalpine Gaul in northern Italy, embracing the great valley of the Po, was in Caesar's
Province. The district south of the Po was thoroughly Romanized. **8. duās legiōnēs:**
raw recruits, the xi th and xii th. **trēs:** veteran legions, the vii th, viii th, and ix th.
9. **Aquileia** was a strongly fortified town at the head of the Adriatic. **10. per Alpēs:**
He probably took the Mt. Genèvre pass (6102 ft.), a few miles south of the Mt.
Cenis pass (6893), by which Hannibal is supposed to have crossed the Alps. **12. exercitum:** Labienus had joined Caesar with the x th, so that his army consisted of six
legions, and the auxiliaries from the Province.

¶11. 1. **iam:** It took Caesar about 50 days to go to Cisalpine Gaul, obtain re-
enforcements, and overtake the Helvetians. Meanwhile the emigrants had crawled
slowly along a distance of 100 miles from the Pas de l'Ecluse. It was now about
June 7th. 4. **Ita sē omnī tempore dē populō Rōmānō meritōs esse:** *that they at all
times had deserved so well of the Roman people,* more freely, *that they had always served
the Roman people so well.* 5. **ut ... agrī eōrum ... nōn dēbuerint,** *that their fields
ought not to have been laid waste.* As the defective Eng. verb *ought* has no perfect
tense, the Latin pres. infinitives should be translated as *past* to make up for it.

fugā sē ad Caesarem recipiunt, et dēmōnstrant, sibi praeter agrī solum nihil esse reliquī. Quibus rēbus adductus Caesar sibi nōn exspectandum esse statuit, dum, omnibus fortūnīs sociōrum cōnsūmptīs, in Santonōs Helvētiī pervenīrent.

Caesar Annihilates One Division of the Helvetii

12. Flūmen est Arar, quod per fīnēs Aeduōrum et Sēquanōrum in Rhodanum īnfluit, incrēdibilī lēnitāte, ita ut oculīs iūdicārī nōn possit in utram partem fluat. Id Helvētiī ratibus ac lintribus iūnctīs trānsībant. Ubi per explōrātōrēs Caesar certior factus est, Helvētiōs iam trēs partēs cōpiārum id flūmen trādūxisse, et quārtam ferē 5 partem citrā flūmen Ararim reliquam esse, dē tertiā vigiliā cum legiōnibus tribus ē castrīs profectus, ad eam partem pervēnit, quae nōndum flūmen trānsierat. Eōs impedītōs et inopīnantēs aggressus, magnam partem eōrum concīdit; reliquī sēsē fugae mandārunt atque in proximās silvās abdidērunt. Is pāgus appellābātur Tigurīnus; 10 nam omnis cīvitās Helvētia in quattuor pāgōs dīvīsa est.

Hic pāgus ūnus, cum domō exīsset, patrum nostrōrum memoriā L. Cassium cōnsulem interfēcerat et eius exercitum sub iugum mīserat. Ita sīve cāsū sīve cōnsiliō deōrum immortālium, ea pars cīvitātis Helvētiae, quae īnsignem calamitātem populō Rōmānō in- 15 tulerat, prīnceps poenās persolvit. Quā in rē Caesar nōn sōlum pūblicās, sed etiam prīvātās iniūriās ultus est, quod Tigurīnī eōdem proeliō eius socerī L. Pīsōnis avum, L. Pīsōnem lēgātum, interfēcerant.

Chapters 13–20

Caesar crosses the Saône, and follows the Helvetians westward, keeping about five miles behind them.

---

11. **sibi ... nihil esse reliquī,** *that they had nothing left.* 12. **reliquī,** here used as a noun, is a partitive gen., depending on **nihil.**

¶12. 1. **Flūmen est Arar:** *There is a river (called) the Saône.* 2. **lēnitāte (84).** 4. **trānsībant:** In the following chapter we are told that the Helvetians were 20 days crossing the river. 6. **dē tertiā vigiliā,** *in the third watch,* i.e., sometime between midnight and 3 A.M. 7. **ē castrīs:** Probably on the heights of Sathonay, a short distance north of the junction of the Saône with the Rhone. The Helvetians were 11 miles north of him. 10. **in ... silvās:** acc., because of the idea of motion implied in **abdidērunt.** 16. **prīnceps poenās persolvit:** (Like **prior** and **prīmus, prīnceps** is sometimes used to denote *the first to* do something) *was the first to pay the penalty.*

Caesar Plans to Surprise the Helvetians

21. Eōdem diē ab explōrātōribus certior factus, hostēs sub monte cōnsēdisse mīlia passuum ab ipsīus castrīs octō, mīsit explōrātōrēs, quī cognōscerent quālis esset nātūra montis et quālis in circuitū ascēnsus. Renūntiātum est ascēnsum esse facilem. Dē tertiā vigiliā
5 Titum Labiēnum lēgātum cum duābus legiōnibus et eīs ducibus, quī iter cognōverant, summum iugum montis ascendere iubet; quid suī cōnsilī sit, ostendit. Ipse dē quārtā vigiliā eōdem itinere, quō hostēs ierant, ad eōs contendit equitātumque omnem ante sē mittit. P. Cōnsidius, quī reī mīlitāris perītissimus habēbātur et in exercitū
10 L. Sullae et posteā in M. Crassī fuerat, cum explōrātōribus prae-mittitur.

The Plan Fails

22. Prīmā lūce, cum summus mōns ā Labiēnō tenērētur, ipse ab hostium castrīs nōn longius mīlle et quīngentīs passibus abesset, neque (ut posteā ex captīvīs comperit) aut ipsīus adventus aut Labiēnī cognitus esset, Cōnsidius equō admissō ad eum accurrit,
5 dīcit montem, quem ā Labiēnō occupārī voluerit, ab hostibus tenērī; id sē ā Gallicīs armīs atque īnsignibus cognōvisse. Caesar suās cōpiās in proximum collem subdūcit, aciem īnstruit.

Labiēnus, ut eī erat praeceptum ā Caesare, nē proelium commit-teret, nisi ipsīus cōpiae prope hostium castra vīsae essent, ut undique

---

¶21. 1. **Eōdem diē:** "The same day" that he had summoned the Aeduan chieftains to a council with regard to the grain supply and had had interviews with Diviciacus and Dumnorix, as related in the preceding chapters — about June 27th. **sub monte,** *at the foot of a hill* near Bibracte in the valley of the *Loire* (Liger). **3. in circuitū** (lit., *in the going around*), *from the other side.* Caesar wished to find out whether it would be feasible to send a force secretly to ascend the hill behind the Helvetians, so that it might attack the enemy in the rear while he attacked in front. **5. eīs ducibus,** *with those as guides.* **6. quid suī cōnsilī sit,** *what his plan was.* **cōnsilī (58). 9. reī (59). in exercitū L. Sullae:** In the war with Mithridates, 88–84 B.C. **10. in M. Crassī** (**exercitū**): In the slave insurrection (71 B.C.), when Crassus defeated Spartacus.

¶22. 1. **Prīmā lūce:** At this season, about 4 A.M. **ipse = et Caesar ipse.** Notice the omission of *and* here as well as in lines 5 and 7. It serves to *quicken the action* in the sentence. **2. passibus:** Abl. of comparison, used with comparatives when **quam,** *than,* is omitted (86). **3. neque:** Translate the negative with **aut . . . aut,** *and . . . neither . . . nor.* **4. equō admissō:** See Vocab., under **admittō. 6. īnsigni-bus,** *decorations* on the standards, and the helmet-crests.

ūnō tempore in hostēs impetus fieret, monte occupātō nostrōs ex- 10
spectābat proeliōque abstinēbat. Multō dēnique diē per explōrātōrēs Caesar cognōvit, et montem ā suīs tenērī et Helvētiōs castra
mōvisse et Cōnsidium timōre perterritum, quod nōn vīdisset, prō
vīsō renūntiāsse. Eō diē, quō cōnsuērat intervāllō, hostēs sequitur
et mīlia passuum tria ab eōrum castrīs castra pōnit.   15

Caesar Turns to Bibracte for Supplies

23. Postrīdiē eius diēī, quod omnīnō bīduum supererat, cum exercituī frūmentum mētīrī oportēret, et quod ā Bibracte, oppidō Aeduōrum longē maximō et cōpiōsissimō, nōn amplius mīlibus passuum
xviii aberat, reī frūmentāriae prōspiciendum exīstimāvit; iter ab
Helvētiīs āvertit ac Bibracte īre contendit.   5

Ea rēs per fugitīvōs L. Aemilī, decuriōnis equitum Gallōrum,
hostibus nūntiātur. Helvētiī, seu quod timōre perterritōs Rōmānōs
discēdere ā sē exīstimārent, seu quod eōs rē frūmentāriā interclūdī
posse cōnfīderent, commūtātō cōnsiliō atque itinere conversō, nostrōs ā novissimō agmine īnsequī ac lacessere coepērunt.   10

Both Sides Prepare for Battle

24. Postquam id animum advertit, cōpiās suās Caesar in proximum collem subdūcit equitātumque, quī sustinēret hostium im-

---

11. Multō diē, *Late in the day.* **13. (id) quod:** *that which* = *what.* Supply **id** as
the object of **renūntiā(vi)sse. prō vīsō:** *as if seen* (lit., *for* [something] *having been
seen*). In curt military fashion Caesar merely states the facts, and wastes no words in
further criticism of the unfortunate blunder of Considius. **14. quō cōnsuērat intervāllō** = **eō intervāllō, ęuō hostēs sequī cōnsuēverat,** *at the usual distance.*

¶**23. 1. Postrīdiē eius diēī,** *On the next day* (lit., *On that day's following day*).
4. prōspiciendum (esse): used impersonally, *that he ought to provide for.* **7. quod ...
exīstimārent:** As another reason for this impression Caesar adds: "and all the more
so, because on the day before, after having seized a higher position, they had not
joined battle." The causal clauses, **quod ... exīstimārent** and (8) **quod ... cōnfīderent,**
take the *subjunctive,* because Caesar states these reasons *not as facts,* but as what
he *supposed* to be the reasons. Compare the *indicative* causal clauses in the first
paragraph, which Caesar states as *facts,* for which he himself can vouch.

¶**24. 1. id:** Object of **ad** in **advertit. 2. collem:** The hill above Armecy, 16 Eng.
miles southeast of a high plateau, now called *Mt. Beuvray,* which was the site of
ancient Bibracte.

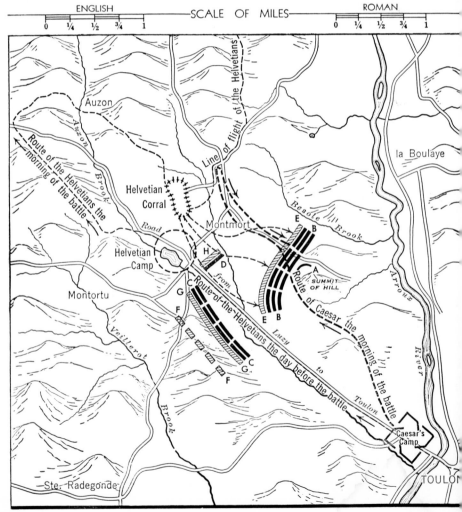

ENGLISH — SCALE OF MILES — ROMAN

0 ¼ ½ ¾ 1   0 ¼ ½ ¾ 1

Auzon

Route of the Helvetians the morning of the battle

Auzon Brook

Line of flight of the Helvetians

la Boulaye

Helvetian Corral

Resote Brook

Montmort

E B

Road

E B A SUMMIT OF HILL

Route of Caesar the morning of the battle

Helvetian Camp

H D

G C

Route of the Helvetians the day before the battle

Arroux River

Montortu

F

from

Luzy

E B

G C

F

Veillerot

to Toulon

Brook

Caesar's Camp

Ste. Radegonde

TOULON

petum, mīsit. Ipse interim in colle mediō triplicem aciem īnstrūxit legiōnum quattuor veterānārum. In summō iugō duās legiōnēs, quās in Galliā citeriōre proximē cōnscrīpserat, et omnia auxilia col- 5 locāvit. Intereā sarcinās in ūnum locum cōnferrī et eum locum ab hīs, quī in superiōre aciē cōnstiterant, mūnīrī iussit. Helvētiī cum omnibus suīs carrīs secūtī, impedīmenta in ūnum locum contulērunt; ipsī cōnfertissimā aciē, reiectō nostrō equitātū, phalange factā, sub prīmam nostram aciem successērunt.   10

---

3. **interim,** i.e., while his cavalry were retarding the advancing enemy. **triplicem aciem:** The four veteran legions were drawn up side by side in three lines, each line being eight men deep.   **6. eum locum . . . mūnīrī:** In the course of excavation on this hill several intrenchments were uncovered, containing bones, armor, and weapons.   **7. iussit:** All these preparations for the battle must have occupied the Romans about two hours.   **9. ipsī,** i.e., the fighting men.   **aciē (82). sub,** *up toward.* As the attacking force, the Helvetians were under the disadvantage of having to advance halfway *up the hill* where Caesar had posted his veteran legions.

I, 23

←

The Battle with the Helvetians

On the day before the battle the Helvetians probably crossed the Arroux at Toulon and encamped near Montmort; a part of the site of the camp is now covered by a pond. Caesar, following, encamped near the Arroux.

A. Semicircular trench hastily dug by the XIth and XIIth legions on the hill (Chap. 24).

B—B. The four veteran legions in battle order, three lines, first position.

C—C. First and second Roman lines, second position (Chap. 25).

D. Third Roman line, second position, facing the Boians and Tulingians.

E—E. First position of the Helvetians (Chap. 24).

F—F. Second position of the Helvetians, on a height (Chap. 25).

G—G. Third position of the Helvetians, resuming the attack (Chap. 25).

H. Boians and Tulingians (Chap. 25).

25. Caesar, prīmum suō equō deinde equīs omnium ex cōnspectū remōtīs, ut, aequātō omnium perīculō, spem fugae tolleret, — cohortātus suōs, proelium commīsit. Mīlitēs, ē locō superiōre pīlīs missīs, facile hostium phalangem perfrēgērunt. Eā disiectā, gladiīs dē-
5 strictīs, in eōs impetum fēcērunt.

Gallīs magnō ad pugnam erat impedīmentō, quod, plūribus eōrum scūtīs ūnō ictū pīlōrum trānsfīxīs et colligātīs, cum ferrum sē īnflexisset, neque pīla ēvellere neque, sinistrā impedītā, satis commodē pugnāre poterant. Itaque multī, diū iactātō bracchiō, scūtum manū
10 ēmīttere et nūdō corpore pugnāre praeoptābant. Tandem vulneribus dēfessī, pedem referre, et, quod mōns suberat circiter mīlle passuum spatiō, eō sē recipere coepērunt.

¶25. The approaching engagement was bound to prove eventful in Caesar's career. He had served as an officer in previous campaigns, he had led an army in Spain, but this was his first real test as commander-in-chief against a powerful veteran army. His reputation as a general, his influence in Gaul, his control of the Province — all were at stake! What of his army? He hardly knew his staff officers. The soldiers knew even less of him. The four veteran legions, upon which he must depend, numbered a scant 15,000 men. He had two legions (12,000 at the most) of raw recruits, and the Gallic auxiliaries (perhaps 30,000) — upon which he could *not* depend. Over against these, the enemy could muster 92,000 fighting men, well disciplined and hardened by constant battling with the Germans. The odds were certainly against Caesar! Why not rather march on to Bibracte, and play safe? But no! that is not Caesar's way. Come what may, he is determined to settle the matter then and there by a pitched battle. At one o'clock in the afternoon he is ready. The massive Helvetian phalanx is already advancing up the hill. The attack is imminent.

1. suō equō (remōtō). omnium: i.e., of all his mounted officers.   **2. cohortātus suōs:** In the Roman army the commanding general regularly addressed the soldiers just before they entered battle.   **3. pīlīs missīs:** These heavy pikes, weighing about ten pounds, were hurled 60–75 feet. Since in this battle they were hurled *downward*, they must have struck the Helvetian line with tremendous force.   **4. Eā disiectā:** As long as the front line of the phalanx remained unbroken, it was invincible. But the volley of **pīla,** wounding and killing many of the enemy, had opened the line in many spots, and the Romans were quick to rush in, plying their short swords with swift thrusts to the right and left.   In this hand-to-hand struggle the Helvetians, equipped with unwieldy shields and long swords, were at a distinct disadvantage.   **6. Gallīs (65). impedīmentō (64).   7. trānsfīxīs et colligātīs:** i.e., a single javelin would pierce and pin together two overlapping shields. **plūribus** agrees with **scūtīs,** but may be translated *in many instances.* **ferrum:** The iron shaft of the **pīlum** was about two feet long and was made of soft iron, which bent easily. The barbed point itself was hardened.   **8. sinistrā:** The shield was carried on the left arm.   **11. pedem referre (coepērunt). mōns:** A hill to the north of their first position.   **12. spatiō (87). eō,** adv.

Captō monte et succēdentibus nostrīs, Boiī et Tulingī, quī hominum mīlibus circiter xv agmen hostium claudēbant et novissimīs
praesidiō erant, ex itinere nostrōs ab latere apertō aggressī sunt. Id 15
cōnspicātī Helvētiī, quī in montem sēsē recēperant, rūrsus īnstāre et
proelium redintegrāre coepērunt. Rōmānī bipertītō signa intulērunt;
prīma et secunda aciēs, ut victīs ac summōtīs resisteret; tertia, ut
venientēs sustinēret.

The Helvetians Are Defeated

26. Ita ancipitī proeliō diū atque ācriter pugnātum est. Diūtius
cum sustinēre nostrōrum impetūs nōn possent, alterī sē, ut coeperant,
in montem recēpērunt, alterī ad impedīmenta et carrōs suōs sē contulērunt. Nam hōc tōtō proeliō, cum ab hōrā septimā ad vesperum
pugnātum esset, āversum hostem vidēre nēmō potuit. Ad multam 5
noctem etiam ad impedīmenta pugnātum est, proptereā quod prō
vāllō carrōs obiēcerant et ē locō superiōre in nostrōs venientēs tēla
coniciēbant, et nōn nūllī inter carrōs rotāsque matarās ac trāgulās
subiciēbant nostrōsque vulnerābant. Diū cum esset pugnātum, impedīmentīs castrīsque nostrī potītī sunt. Ibi Orgetorīgis fīlia atque 10
ūnus ē fīliīs captus est.

Ex eō proeliō circiter hominum mīlia cxxx superfuērunt, quī
nūllam partem noctis itinere intermissō, in fīnēs Lingonum diē

---

13. Captō, *reached.* **14. mīlibus (79). agmen hostium claudēbant:** As they
were the rear guard, they must have been several miles away when the battle began.
15. ex itinere: *on the march,* i.e., as soon as they came in sight of the two armies,
they took in the situation, and without halting for rest, advanced rapidly to attack
the Romans on the flank and rear. **18. victīs ac summōtīs:** Participles used as nouns,
in the dative with the verb **resisteret (61):** *those who had been beaten and forced back,*
viz., the Helvetians. **tertia:** *The third line* faced about and received the attack of the
oncoming (**venientēs**) Boii and Tulingi.

¶**26. 2. alterī,** *the one division,* the Helvetii, . . . **alterī:** *the other,* the Boii and
Tulingi. **5. āversum:** *turned in flight.* Caesar admired bravery even in the enemy.
ad multam noctem: *until late at night.* **7. ē locō superiōre:** From the top of the rampart of carts. **9. impedīmentīs castrīsque:** Abl. with **potior (80). 13. nūllam
partem noctis itinere intermissō:** They fled without stopping all through the remaining
hours of that night. "Before the sun went down, evil tidings must have reached the
noncombatants who were still wending their way towards the field. It is certain
that many of the wagons never came into the corral. What despair fell upon the
baffled emigrants; how the jaded cattle were headed round again towards the north,
and goaded through that night; how those who escaped the slaughter tramped after,

quārtō pervēnērunt. Nam nostrī et propter vulnera mīlitum et
15 propter sepultūram occīsōrum trīduum morātī, eōs sequī nōn potuērunt. Caesar ad Lingonēs litterās nūntiōsque mīsit, nē eōs frūmentō nēve aliā rē iuvārent. Ipse trīduō intermissō cum omnibus
cōpiīs eōs sequī coepit.

The Helvetians Beg for Peace

27. Helvētiī omnium rērum inopiā adductī lēgātōs dē dēditiōne
ad eum mīsērunt. Quī cum eum in itinere convēnissent sēque eius
ad pedēs prōiēcissent flentēsque pācem petīssent, eōs in eō locō, quō
tum erant, suum adventum exspectāre iussit. Eō postquam Caesar
5 pervēnit, obsidēs, arma, servōs, quī ad eōs perfūgerant, poposcit.

Dum ea conquīruntur et cōnferuntur, nocte intermissā, circiter
hominum mīlia vi eius pāgī, quī Verbigenus appellātur, sīve timōre
perterritī, sīve spē salūtis inductī, prīmā nocte ē castrīs Helvētiōrum
ēgressī ad Rhēnum fīnēsque Germānōrum contendērunt.

and told the tale of the calamity; the din, the confusion, the long weariness of the
retreat, — these things it is easy to imagine, but those only who have shared the rout
and ruin of a beaten army can adequately realize." — From *Caesar's Conquest of Gaul*
by T. Rice Holmes. **Lingonum:** Their frontier was about 70 miles north of the battlefield. **diē quārtō:** We would call it the *third* day. **16. nē . . . iuvārent:** (saying)
that they should not aid (**118**, 2).

¶**27. 1. lēgātōs . . . ad eum mīsērunt:** While he was on the way. **6. ea:** Referring
to **obsidēs, arma, servōs,** in the line above. **7. timōre perterritī:** Afraid that after
giving up their arms they might be punished. **8. spē salūtis inductī:** Thinking that
among so many thousands of surrendered men, their flight would go unnoticed.
prīmā nocte: *early in the night.*

The Helvetians Are Sent Back to Their Homes

28. Quod ubi Caesar resciit, imperāvit hīs, quōrum per fīnēs ierant, utī eōs conquīrerent et redūcerent; eōs reductōs in hostium numerō habuit; reliquōs omnēs, obsidibus, armīs, perfugīs trāditīs, in dē- ditiōnem accēpit. Helvētiōs, Tulingōs, Latobrīgōs in fīnēs suōs, unde erant profectī, revertī iussit; et, quod omnibus frūgibus āmissīs 5 domī nihil erat, quō famem tolerārent, Allobrogibus imperāvit, ut eīs frūmentī cōpiam facerent; ipsōs oppida vīcōsque, quōs incende- rant, restituere iussit.

Id eā maximē ratiōne fēcit, quod nōluit eum locum, unde Helvētiī discesserant, vacāre, nē propter bonitātem agrōrum Germānī, quī 10 trāns Rhēnum incolunt, ē suīs fīnibus in Helvētiōrum fīnēs trānsīrent et fīnitimī Galliae prōvinciae Allobrogibusque essent. Aeduīs per- mīsit, ut in fīnibus suīs Boiōs collocārent; quibus illī agrōs dedērunt, quōsque posteā in parem iūris lībertātisque condiciōnem recēpērunt.

The Number of the Helvetians and Their Allies

29. In castrīs Helvētiōrum tabulae, litterīs Graecīs cōnfectae, re- pertae sunt et ad Caesarem relātae, quibus in tabulīs nōminātim ratiō cōnfecta erat, quī numerus domō exīsset eōrum, quī arma ferre possent, et item sēparātim puerī, senēs mulierēsque. Quōrum om- nium summa erat Helvētiōrum mīlia CCLXIII, Tulingōrum mīlia 5 XXXVI, Latobrīgōrum XIV, Rauracōrum XXIII, Boiōrum XXXII; ex hīs, quī arma ferre possent, ad mīlia nōnāgintā duo.

Summa omnium fuit ad mīlia CCCLXVIII. Eōrum, quī domum rediērunt, cēnsū habitō, ut Cacsar imperāverat, repertus est nu- merus mīlium C et X.   10

¶**28. 1. Quod:** Object of **resciit.** It refers to the flight of the Verbigeni mentioned in the last sentence of Chap. 27, and thus connects the two sentences. **2. conquīrerent (107). in hostium numerō habuit:** *he treated as enemies,* i.e., he either put them to death or sold them into slavery. **6. tolerārent (112). 7. facerent:** *furnish.* **12. Aeduīs permīsit ut in suīs fīnibus Boiōs collocārent:** The Aedui were less pow- erful than their rivals, the Sequani, and asked Caesar to allow the Boii to settle in their territory. As Caesar wished to strengthen the Aedui, he granted their re- quest. **14. in parem iūris lībertātisque condiciōnem:** The Aedui granted the Boii full legal rights and liberty.

¶**29. 1. litterīs Graecīs cōnfectae:** *written in Greek characters.* As the Gauls had no alphabet of their own, they used the Greek letters to write the words of their language. **3. exīsset (117). 4. possent (112).**

The War with Ariovistus, King of the Germans (58 B. C.)

Chapters 30–48

A tribe of Germans, under their king Ariovistus, had recently crossed into Gaul and threatened to occupy a large part of the lands in the north. Negotiations were started between Caesar and Ariovistus, but they broke down when two Roman envoys, Procillus and Metius, were thrown into chains by the German king. The two armies made their camps near the modern town of Ostheim and prepared for a decisive battle. For five successive days Caesar led his legions out of camp and offered battle, but for reasons unknown to the Romans, the Germans stayed in their camp.

Caesar Builds a Second Camp Beyond Ariovistus

49. Ubi Ariovistum castrīs sē tenēre Caesar intellēxit, nē diūtius commeātū prohibērētur, ultrā eum locum, quō in locō Germānī cōnsēderant, circiter passūs sescentōs ab hīs, castrīs idōneum locum dēlēgit aciēque triplicī īnstrūctā ad eum locum vēnit. Prīmam et
5 secundam aciem in armīs esse, tertiam castra mūnīre iussit. Hic locus ab hoste circiter passūs sescentōs, utī dictum est, aberat. Eō

¶**49. 5. castra:** The second camp was about a half mile south of the German camp. This move, therefore, opened the road to Vesontio and restored Caesar's communication with his base of supplies.

circiter hominum sēdecim mīlia expedīta cum omnī equitātū Ariovistus mīsit, quae cōpiae nostrōs perterrērent et mūnītiōne prohibērent. Nihilō sētius Caesar, ut ante cōnstituerat, duās aciēs hostem prōpulsāre, tertiam opus perficere iussit. Mūnītīs castrīs, duās ibi 10 legiōnēs et partem auxiliōrum relīquit, quattuor reliquās in castra maiōra redūxit.

The Germans Attack the Small Camp

50. Proximō diē īnstitūtō suō Caesar ē castrīs utrīsque cōpiās suās ēdūxit paulumque ā maiōribus castrīs prōgressus aciem īnstrūxit, hostibus pugnandī potestātem fēcit. Ubi nē tum quidem eōs prōdīre intellēxit, circiter merīdiem exercitum in castra redūxit. Tum dēmum Ariovistus partem suārum cōpiārum, quae castra minōra op- 5 pugnāret, mīsit. Ācriter utrimque ūsque ad vesperum pugnātum est. Sōlis occāsū, multīs vulneribus et illātīs et acceptīs, Ariovistus suās cōpiās in castra redūxit.

Cum ex captīvīs quaereret Caesar, quam ob rem Ariovistus proeliō nōn dēcertāret, reperiēbat apud Germānōs esse cōnsuētūdinem, ut 10 mātrēs familiae sortibus et vāticinātiōnibus dēclārārent, utrum proelium ex ūsū esset necne; eās ita dīcere: Nōn esse fās Germānōs superāre, sī ante novam lūnam proeliō contendissent.

Caesar Forces a Decisive Battle

51. Postrīdie eius diēī Caesar praesidiō utrīsque castrīs relīquit quod satis esse vīsum est, et in cōnspectū hostium prō castrīs

---

7. **expedīta**: *light-armed.* Translate as if it agreed with **hominum.**

¶50. 3. **potestātem fēcit**: *gave an opportunity.* 7. **multīs vulneribus et illātīs et acceptīs**: *after an indecisive engagement.* 11. **sortibus et vāticinātiōnibus:** The *lots* consisted of bits of twigs from fruit trees, which were marked and scattered on a white cloth. Three of these would be chosen at random, and interpreted according to the marks on them. The *prophecies* were said to be *inspired* by the sound of rushing waters. **dēclārārent (111). 12. esset (117). eās (mātrēs familiae). 13. novam lūnam:** According to astronomers the "new moon" in September of the year 58 B.C. would fall on the 18th. This gives us the approximate date of the battle that followed. **contendissent (118).**

¶51. 2. **quod satis esse vīsum est:** *what seemed to be (a) sufficient (force).*

FLUMEN (*the Fecht*) ET VIA ANTIQUA PROPE CASTRA CAESARIS

minōribus omnēs ālāriōs cōnstituit, ut ad speciem eīs ūterētur; ipse, triplicī īnstrūctā aciē, ūsque ad castra hostium accessit. Tum dē-
5 mum necessāriō Germānī suās cōpiās castrīs ēdūxērunt generātimque cōnstituērunt paribus intervāllīs, Harūdēs, Marcomanōs, Tribocēs, Vangionēs, Nemetēs, Sedusiōs, Suēbos; et nē qua spēs in fugā re-linquerētur, omnem aciem suam raedīs et carrīs circumdedērunt. Eō mulierēs imposuērunt, quae, passīs manibus, mīlitēs in proelium
10 proficīscentēs implōrābant, nē sē in servitūtem Rōmānīs trāderent.

---

3. ad speciem: The light-armed auxiliaries (**ālāriī**), usually posted on the wings (**ālae**) of the army, were drawn up in front of the smaller camp, and would thus *appear* to the Germans to be *legionary* soldiers. This was done by Caesar, in order that the Germans might not know that his infantry forces were outnumbered by theirs. **eīs (80). 4. triplicī īnstrūctā aciē:** The arrangement of the legions in battle array is shown on the map, page 205. In the rear line only *two cohorts* to each legion are shown, as one cohort from each was probably withdrawn to serve as the guard for the camp. (See line 1.) The front line formed by the legions must have been at least a mile long. **5. necessāriō:** Seeing that they *must* fight, the Germans — as brave men and good soldiers — set aside their superstitious fear, and decided to fight it out in the open. **generātim:** *by tribes*, i.e., the forces of the different tribes formed separate divisions, fighting under their own officers and commander. **8. raedīs:** Unlike the two-wheeled carts (**carrī**), these were four-wheeled covered wagons, probably resembling those of the American pioneers. **circumdedērunt:** *enclosed*, not in front, but on the sides and rear. **9. Eō:** (adv.) *thereon*, i.e., upon the carts and wagons. **10. sē** refers to the women. Indir. reflex (**47**).

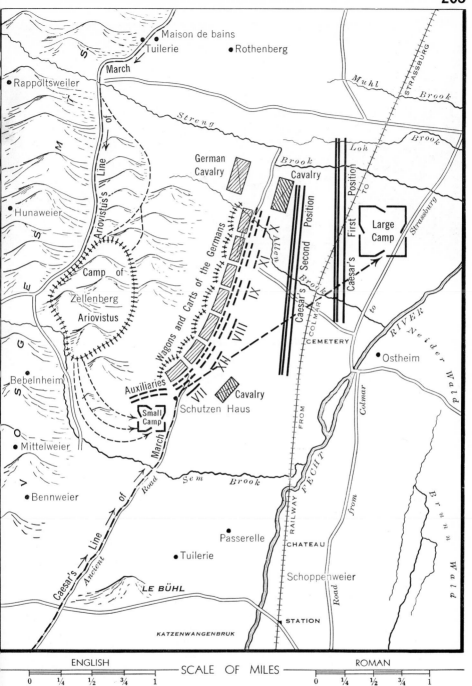

The Battle with Ariovistus

Caesar, marching from the south, encamped north of modern Ostheim. Ariovistus, marching from the north, encamped on Zellenberg.

Desperate Fighting

52. Caesar legiōnibus lēgātōs et quaestōrem praefēcit, utī eōs
testēs suae quisque virtūtis habēret; ipse ā dextrō cornū, quod
hostium aciem ā sinistrō cornū minimē fīrmam esse animadverterat,
proelium commīsit. Ita ācriter nostrī signō datō in hostēs impetum
5 fēcērunt, itaque repente celeriterque hostēs prōcurrērunt, ut spatium
coniciendī pīla in hostēs nōn darētur. Reiectīs pīlīs, comminus
gladiīs pugnātum est. At Germānī, celeriter ex cōnsuētūdine suā
phalange factā, impetūs gladiōrum excēpērunt. Repertī sunt complūrēs nostrī, quī in phalanga īnsilīrent et scūta manibus revellerent
10 et dēsuper vulnerārent. Cum hostium aciēs ā sinistrō cornū pulsa
atque in fugam conversa esset, ā dextrō cornū vehementer multitū-

---

¶52. **1. legiōnibus (62). lēgātōs et quaestōrem:** Caesar had five lieutenant generals,
each of whom he put in command of a single legion. A quaestor was put in charge
of the remaining legion. Each of these six officers was thus held responsible for a
particular legion. Moreover, as Caesar declares, every soldier and centurion would
be roused to do his best when fighting under the watchful eyes of these superior officers.
eōs testēs: *these as witnesses.* **2. quisque (mīles et centuriō). 5. ut spatium coniciendī pīla in hostēs nōn darētur:** Ordinarily, as in the battle with the Helvetians, the
pikes were hurled when the enemy were 60–75 feet away, allowing the Romans just
time enough to draw their swords before they closed with the enemy. But at the signal in this battle both sides dashed forward so swiftly that the Romans did not dare
to hurl the pīla. **9. manibus (79). 10. vulnerārent:** *dealt wounds.*

dine suōrum nostram aciem premēbant. Id cum animadvertisset Pūblius Crassus adulēscēns, quī equitātuī praeerat, quod expedītior erat quam eī, quī inter aciem versābantur, tertiam aciem labōrantibus nostrīs subsidiō mīsit.   15

The Germans Are Beaten

53. Ita proelium restitūtum est, atque omnēs hostēs terga vertērunt neque fugere dēstitērunt, prius quam ad flūmen Rhēnum, mīlia passuum ex eō locō circiter quīndecim, pervēnērunt. Ibi perpaucī aut, vīribus cōnfīsī, trānāre contendērunt aut, lintribus inventīs, sibi salūtem repperērunt. In hīs fuit Ariovistus, quī, nāviculam 5

---

13. Pūblius Crassus adulēscēns: the younger son of Crassus, the triumvir, who was called **adulēscēns** to distinguish him from his father, and also from his older brother, Marcus, who afterwards served with Caesar in Gaul. **equitātuī (62). expedītior:** *less engaged, freer to act.* **14. labōrantibus nostrīs:** *to our men who were hard pressed.*

¶**53. 1. Ita proelium restitūtum est:** *Thus the battle was renewed.* Taken in connection with **labōrantibus,** line 14, this brief statement makes it clear that the Romans were so *hard pressed,* that the soldiers had actually *ceased fighting* when the reserves came to their assistance! There can be no doubt therefore that their left wing narrowly escaped being routed. **3. quīndecim:** The manuscript reading is **quīnquāgintā.** But a flight of *fifty* miles is hardly possible, and as the Rhine is about 15 miles from the battlefield, it is probable that Caesar wrote **quīndecim. 4. vīribus:** (*not* **virīs**), Abl. with **cōnfīdō.**

dēligātam ad rīpam nactus, eā profūgit; reliquōs omnēs cōnsecūtī equitēs nostrī interfēcērunt.

C. Valerius Procillus, cum ā cūstōdibus in fugā, trīnīs catēnīs vinctus, traherētur, in ipsum Caesarem, hostēs equitātū īnsequen-
10 tem, incidit. Quae quidem rēs Caesarī nōn minōrem quam ipsa victōria voluptātem attulit, quod hominem honestissimum prōvinciae Galliae, suum familiārem et hospitem, ēreptum ē manibus hostium et sibi restitūtum vidēbat. Is, sē praesente, dē sē ter sortibus cōnsultum esse dīcēbat, utrum igne statim necārētur an in aliud
15 tempus reservārētur; sortium beneficiō sē esse incolumem. Item M. Metius repertus et ad eum reductus est.

The Campaign Is Finished

54. Caesar, ūnā aestāte duōbus maximīs bellīs cōnfectīs, mātūrius paulō quam tempus annī postulābat, in hīberna in Sēquanōs exercitum dēdūxit; hībernīs Labiēnum praeposuit; ipse in citeriōrem Galliam ad conventūs agendōs profectus est.

---

6. eā: Abl. of means, but translate *in it*. **profūgit:** Caesar mentions Ariovistus' death in Book V, but no one knows when or how he died. **cōnsecūtī . . . interfēcērunt:** *overtook and killed.* **8. C. Valerius Procillus** and **M. Metius,** line 16, were the two envoys who had been sent by Caesar to Ariovistus. **10. Caesarī (62). 13. Is:** Procillus. **sē praesente:** *in his own presence.* **sortibus cōnsultum esse:** (impersonal) *the lots were consulted.* **14. utrum:** (*to determine*) *whether.*

¶**54. 1. duōbus maximīs bellīs cōnfectīs:** *In this single clause* Caesar sums up what he had accomplished during the summer — "he had finished two important wars." No posing for his picture! No write up of his "splendid services to the Republic"! And yet he had every reason to be proud of his record. He had assembled an army; he had forced the Helvetians to return to their land; he had defeated the Germans and re-established the Rhine as a frontier. Through his success in these two campaigns he had scattered the war clouds that threatened Rome in the form of barbarian migrations. That he preferred to state the facts so tersely throws light upon both his mind and character. **2. in hīberna in Sēquanōs:** Undoubtedly at Vesontio, a prosperous and well-fortified town. The question arises: Why did not Caesar withdraw his army to the province, where it properly belonged? Not because — as has been suggested — he was now resolved to follow up his victories by the conquest of all Gaul. It is much more reasonable to conclude that he established his winter quarters near the Rhine in order to ensure his allies, the Sequani, against any further encroachments upon their territory by the Germans. **4. ad conventūs agendōs:** *to hold court.* It was Caesar's duty, as governor of the province, to preside over the courts in the principal cities. Another reason for his going to Cisalpine Gaul was that he would be nearer Rome, and thus be able to communicate more easily with his political friends in the city.

Book II

Campaign Against the Belgae (57 B.C.)

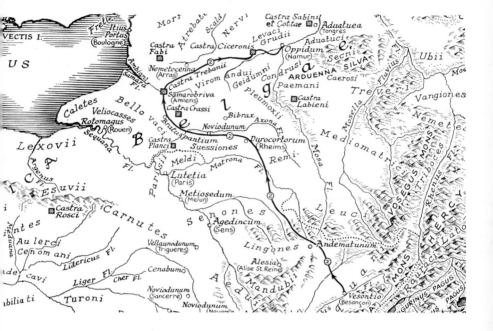

The Belgae Form a League Against the Romans

1. Cum esset Caesar in citeriōre Galliā, ita utī suprā dēmōnstrāvimus, crēbrī ad eum rūmōrēs afferēbantur, litterīsque item Labiēnī
certior fīēbat, omnēs Belgās (quam tertiam esse Galliae partem
dīxerāmus) contrā populum Rōmānum coniūrāre obsidēsque inter
sē dare.　　　　　　　　　　　　　　　　　　　　　　　　　　5

Coniūrandī hae erant causae: prīmum, quod verēbantur nē, omnī
pācātā Galliā, ad eōs exercitus noster addūcerētur; deinde, quod ab
nōn nūllīs Gallīs sollicitābantur. Ex hīs aliī, ut Germānōs diūtius in
Galliā versārī nōluerant, ita populī Rōmānī exercitum hiemāre atque
inveterāscere in Galliā molestē ferēbant; aliī mōbilitāte et levitāte 10
animī novīs imperiīs studēbant. Ab nōn nūllīs etiam sollicitābantur,

---

¶1. 1. **ita utī**: *just as.*　　**3. quam (44).**　　**8. sollicitō, -āre,** *incite, tamper with.*
ut . . . ita: *as . . . so.*　　**10. molestē,** adv., *with annoyance;* **molestē ferre,** *be annoyed*
or *displeased.* **levitās, -ātis,** f., [levis], *fickleness.*　　**11. imperiīs (61).**

quod in Galliā ā potentiōribus atque eīs, quī ad condūcendōs homines facultātēs habēbant, vulgō rēgna occupābantur, quī minus facile eam rem imperiō nostrō cōnsequī poterant.

Caesar Enlists Two New Legions

2. Hīs nūntiīs litterīsque commōtus, Caesar duās legiōnēs in citeriōre Galliā novās cōnscrīpsit, et, initā aestāte, Q. Pedium lēgātum mīsit, quī in ulteriōrem Galliam eās dēdūceret. Ipse, cum prīmum pābulī cōpia esse inciperet, ad exercitum vēnit. Dat negōtium 5 Senonibus reliquīsque Gallīs, quī fīnitimī Belgīs erant, utī ea, quae apud eōs gerantur, cognōscant sēque dē hīs rēbus certiōrem faciant.

Hī cōnstanter omnēs nūntiāvērunt manūs cōgī, exercitum in ūnum locum condūcī. Tum vērō exīstimāvit sē dēbēre ad eōs statim proficīscī. Rē frūmentāriā comparātā, castra movet diēbusque cir- 10 citer quīndecim ad fīnēs Belgārum pervenit.

The Remi Declare Their Loyalty to the Romans

3. Eō cum dē imprōvīsō celeriusque omnī opīniōne vēnisset, Rēmī, quī proximī Galliae ex Belgīs sunt, ad eum lēgātōs Iccium et Andecumborium, prīmōs cīvitātis, mīsērunt, quī dīcerent:

Sē in fidem atque in potestātem populī Rōmānī sē suaque omnia 5 permittere; neque sē cum Belgīs reliquīs cōnsēnsisse neque contrā populum Rōmānum coniūrāvisse, parātōsque esse et obsidēs dare et imperāta facere et eum in oppida recipere et frūmentō cēterīsque rēbus iuvāre.

Reliquōs omnēs Belgās in armīs esse, Germānōsque, quī cis Rhē- 10 num incolerent, sēsē cum hīs coniūnxisse. Tantum esse eōrum omnium furōrem, ut nē Suessiōnēs quidem, frātrēs cōnsanguineōsque suōs (quī eōdem iūre et īsdem lēgibus ūterentur, ūnum imperium ūnumque magistrātum cum ipsīs habērent), ab hāc coniūrātiōne dēterrēre possent.

---

12. condūcendōs: *hiring.*   **13. quī:** *and they.*

¶2. 1. duās legiōnēs: XIII and XIV.   **2. Pedius, -ī,** m., *Pedius,* son of Caesar's sister Julia.   **4. inciperet:** With **cum prīmum** the indicative is more common (**101**). The use of the subjunctive emphasizes the *circumstances.* **ad exercitum:** At Vesontio. **7. cōnstanter,** adv., *uniformly.*

¶3. 7. eum = Caesarem.

The Remi Give Caesar Important Information

4. Cum ab hīs quaereret, quae cīvitātēs quantaeque in armīs
essent et quid in bellō possent, sīc reperiēbat:

Plērōsque Belgās esse ortōs ā Germānīs, atque Rhēnum antīquitus
trāductōs, propter locī fertilitātem ibi cōnsēdisse, Gallōsque, quī ea
loca incolerent, expulisse. Eōs esse sōlōs quī patrum nostrōrum 5
memoriā, omnī Galliā vexātā, Teutonōs Cimbrōsque intrā suōs fīnēs
ingredī prohibērent; quā ex rē fierī, utī eārum rērum memoriā magnam
sibi auctōritātem magnōsque spīritūs in rē mīlitārī sūmerent.

Dē eōrum numerō sē omnia comperisse Rēmī dīcēbant, proptereā
quod, propinquitātibus affīnitātibusque coniūnctī, quantam quisque 10
multitūdinem in commūnī Belgārum conciliō ad id bellum pollicitus
esset, cognōscerent.

Bellovacōs et virtūte et auctōritāte et hominum numerō plūrimum
valēre; hōs posse cōnficere centum mīlia armātōrum, pollicitōs esse
ex eō numerō sexāgintā mīlia, tōtīusque bellī imperium sibi postulāre. 15

Suessiōnēs suōs esse fīnitimōs; eōs fīnēs lātissimōs ferācissimōsque
agrōs possidēre. Apud eōs fuisse rēgem nostrā etiam memoriā Dīviciācum, tōtīus Galliae potentissimum, quī cum magnae partis hārum
regiōnum, tum etiam Britanniae imperium obtinuisset; nunc esse
rēgem Galbam; ad hunc propter iūstitiam prūdentiamque summam 20
tōtīus bellī omnium voluntāte dēferrī; eōs oppida habēre numerō XII,

¶4. 2. **quid possent:** *what strength they had.* **3. ā Germānīs:** But modern
scholars are agreed that the Belgians were of *Celtic* stock. **Rhēnum:** Object of
trā(ns) in **trāductōs. 4. fertilitās, -ātis,** f., *fertility.* **6. vexō, -āre,** *ravage.* **7. quā
ex rē fierī:** *the result was.* **8. spīritus, -ūs,** m., *breath, air;* pl., *haughtiness, "airs."*
10. affīnitās, -ātis, f., [ad + fīnis], *relationship* (by marriage), *intermarriage.* **14. cōnficere:** *muster.* **16. suōs:** i.e., of the Remi. **ferāx, -ācis [ferō],** *fertile.* **17. Dīviciācus:** not Diviciacus, the Aeduan leader.

pollicērī quīnquāgintā mīlia armātōrum; totidem pollicērī Nerviōs, quī maximē ferī inter ipsōs habērentur longissimēque abessent; quīndecim mīlia pollicērī Atrebātēs, Ambiānōs decem mīlia, Mori-
25 nōs XXV mīlia, Menapiōs VII mīlia, Caletōs X mīlia, Veliocassēs et Viromanduōs totidem, Aduatucōs decem et novem mīlia; Condrū-sōs, Eburōnēs, Caerōsōs, Paemānōs (quī ūnō nōmine Germānī ap-pellantur), arbitrārī sē posse cōnficere ad XL mīlia.

Caesar Welcomes the Remi as Allies

5. Caesar, Rēmōs cohortātus, omnem senātum ad sē convenīre prīncipumque līberōs obsidēs ad sē addūcī iussit. Quae omnia ab hīs dīligenter ad diem facta sunt.

Ipse Dīviciācum Aeduum magnopere cohortātus docet, quantō
5 opere necesse sit manūs hostium distinērī, nē cum tantā multitūdine ūnō tempore cōnflīgendum sit. Id fierī posse, sī suās cōpiās Aeduī in fīnēs Bellovacōrum intrōdūxerint et eōrum agrōs populārī coeperint. Hīs mandātīs eum ab sē dīmittit.

Postquam omnēs Belgārum cōpiās in ūnum locum coāctās ad sē
10 venīre vīdit, atque ab eīs quōs mīserat explōrātōribus et ab Rēmīs cognōvit, eās iam nōn longē abesse, exercitum flūmen Axonam, quod est in extrēmīs Rēmōrum fīnibus, trādūcere mātūrāvit atque ibi castra posuit. Quae rēs et latus ūnum castrōrum rīpīs flūminis mūniēbat, et ea, quae post eum erant, tūta ab hostibus reddēbat,
15 et efficiēbat ut commeātūs ab Rēmīs reliquīsque cīvitātibus sine perīculō ad eum portārī possent.

In eō flūmine pōns erat. Ibi praesidium pōnit et in alterā parte flūminis Quīntum Titūrium Sabīnum lēgātum cum sex cohortibus relinquit; castra in altitūdinem pedum duodecim vāllō fossāque
0 duodēvīgintī pedum mūnīrī iubet.

---

23. ferus, -a, -um, *savage, fierce.* **longissimē abessent** (ā Rēmīs). **26. Condrūsī, -ōrum,** m., *the Condrusi,* neighbors of *the Caerosi* and *the Paemani* in the northeastern part of Belgium. **27. appellantur:** Indicative, a fact in a *parenthetical clause.*

¶**5. 5. manūs . . . distinērī:** Subject of necesse sit **(124).** **6. Id . . . posse, sī . . . intrōdūxerint . . . coeperint:** Indirect discourse depending on docet. **7. intrōdūcō, -ere, -dūxī, -ductus,** *lead into.* **11. exercitum flūmen (70, c.). Axona, -ae,** f., *the Axona river;* now *the Aisne.* **13. Quae rēs:** *This maneuver;* subject of **mūniēbat . . . reddēbat . . . efficiēbat. 14. tūta . . . reddēbat:** *rendered . . . safe.* **16. possent (111). 19. vāllō:** The *rampart* together with its breastwork of stakes was 12 feet high. **fossā:** The *trench* with sloping sides measured 18 feet across the top.

The Belgae Attack Bibrax

6. Ab hīs castrīs oppidum Rēmōrum, nōmine Bibrax, aberat
mīlia passuum octō. Id ex itinere magnō impetū Belgae oppugnāre
coepērunt. Aegrē eō diē sustentātum est.

Gallōrum eadem atque Belgārum oppugnātiō est haec: Ubi, circumiectā multitūdine hominum tōtīs moenibus, undique in mūrum 5
lapidēs iacī coeptī sunt, mūrusque dēfēnsōribus nūdātus est, testūdine factā portās succēdunt mūrumque subruunt. Quod tum facile
fīēbat. Nam cum tanta multitūdō lapidēs ac tēla conicerent, in
mūrō cōnsistendī potestās erat nūllī.

Cum fīnem oppugnandī nox fēcisset, Iccius Rēmus, summā nō- 10
bilitāte et grātiā inter suōs, quī tum oppidō praeerat, ūnus ex eīs,
quī lēgātī dē pāce ad Caesarem vēnerant, nūntium ad eum mittit:
nisi subsidium sibi summittātur, sēsē diūtius sustinēre nōn posse.

Caesar Relieves Bibrax

7. Eō dē mediā nocte Caesar, īsdem ducibus ūsus, quī nūntiī ab
Icciō vēnerant, Numidās et Crētas sagittāriōs et funditōrēs Baleārēs
subsidiō oppidānīs mittit; quōrum adventū et Rēmīs cum spē dē-
fēnsiōnis studium prōpugnandī accessit, et hostibus eādem dē causā
spēs potiendī oppidī discessit. 5

Itaque paulisper apud oppidum morātī agrōsque Rēmōrum dē-
populātī, omnibus vīcīs aedificiīsque, quō adīre potuerant, incēnsīs,
ad castra Caesaris omnibus cōpiīs contendērunt et ā mīlibus passuum minus duōbus castra posuērunt; quae castra, ut fūmō atque
ignibus significābātur, amplius mīlibus passuum octō in lātitūdinem 10
patēbant.

¶6. 3. **sustentātum est:** *the defense was maintained.* 4. **eadem atque Belgārum:**
the same as (*that*) *of the Belgians.* **oppugnātiō:** Compare the Roman method of
storming a town. **circumiciō, -ere, -iēcī, -iectus, [iaciō],** *throw around.* 5. **moenibus**
(62). Translate **circumiectā . . . moenibus** by a clause coordinate with the following
clause. 9. **nūllī:** dat. of poss. with **erat.**

¶7. 1. **dē:** *just after.* **īsdem ducibus:** *the same men as guides.* 2. **Crētēs, -um,**
(Acc., **Crētas**), m., *Cretans,* inhabitants of Crete. **Baleārēs, -ium,** m., *the Baleares,*
inhabitants of the Balearic Islands, off the east coast of Spain. 3. **subsidiō** (64).
Rēmīs: Dative with **accessit,** *was added.* **dēfēnsiō, -ōnis,** f., **[dēfendō],** *defense.* 4. **hos-
tibus:** Dative with **discessit** (63). 7. **quō = ad quae.** 8. **ā,** adv., *away.* **mīlibus:**
Abl. of degree of difference (87).

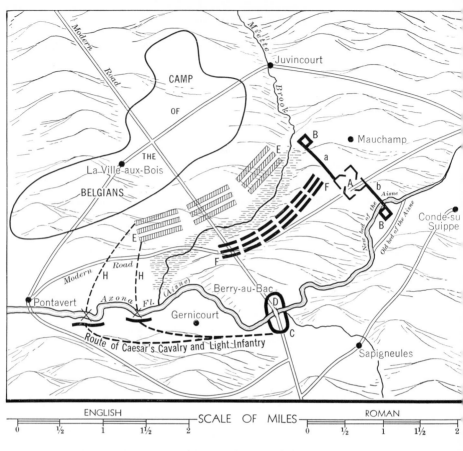

CAMP
OF
THE
BELGIANS
La-Ville-aux-Bois
Modern Road
Juvincourt
Mauchamp
Miette Brook
CAMP
E
F
A
B
a
b
Aisne
B
New bed of the Aisne
Old bed of the Aisne
Condé-su
Suippe
E
Modern Road
F
H
H
Axona Fl. (Aisne)
Berry-au-Bac
Pontavert
Gernicourt
D
C
Route of Caesar's Cavalry and Light Infantry
Sapigneules

ENGLISH ——————— SCALE OF MILES ——————— ROMAN

0   ½   1   1½   2   0   ½   1   1½   2

Caesar, marching from the south, encamped on the north or right bank of the Aisne, on a long hill. As the camp was well protected by the streams and the low ground on the west, in order to secure the east side he ran entrenchments from the corners to both the Aisne and the Miette. The widely extended Belgian camp was on the opposite side of the Miette (Chap. 7).

A. Caesar's camp (Chap. 5; Chap. 7; Chap. 8).

a, b. Trenches, fossae (Chap. 8).

B, B. Redoubts, *castella* (Chap. 8).

C. Redoubt at the south end of the bridge, *castellum*, held by Q. Titurius Sabinus (Chap. 5; Chap. 9).

D. Guard at the north end of the bridge, *praesidium* (Chap. 5).

E–E. The Belgians in battle order (Chap. 8).

F–F. The six legions in battle order (Chap. 8)

H–H. Probable routes taken by the Belgians to the fords at the Aisne, where they were met by Caesar's light-armed troops and cavalry (Chap. 9).

←───────────────────────────────

Caesar Strengthens His Fortifications

8. Caesar prīmō et propter multitūdinem hostium et propter eximiam opīniōnem virtūtis proeliō abstinēre statuit; cotīdiē tamen equestribus proeliīs, quid hostis virtūte posset et quid nostrī audērent, experiēbātur.

Ubi nostrōs nōn esse īnferiōrēs intellēxit, locō prō castrīs ad aciem 5

¶8. 5. **locō . . . idōneō:** Abl. absolute, denoting *cause.*

II, 8

instruendam nātūrā opportūnō atque idōneō, ab utrōque latere eius
collis, ubi castra posita erant, trānsversam fossam obdūxit circiter
passuum quadringentōrum, et ad extrēmās fossās castella cōnstituit,
ibique tormenta collocāvit. Eās mūnītiōnēs īnstituit nē, cum aciem
10 īnstrūxisset, hostēs propter multitūdinem ab lateribus pugnantēs
suōs circumvenīre possent.

Hōc factō, duābus legiōnibus quās proximē cōnscrīpserat in castrīs
relictīs, ut, sī opus esset, subsidiō dūcī possent, reliquās sex legiōnēs
prō castrīs in aciē cōnstituit. Hostēs item suās cōpiās ex castrīs
15 ēductās īnstrūxerant.

Cavalry Skirmishing

9. Palūs erat nōn magna inter nostrum atque hostium exercitum.
Hanc sī nostrī trānsīrent, hostēs exspectābant; nostrī autem, sī ab
illīs initium trānseundī fieret, ut impedītōs aggrederentur, parātī in
armīs erant. Interim proeliō equestrī inter duās aciēs contendēbātur.
5 Ubi neutrī trānseundī initium faciunt, secundiōre equitum proeliō
nostrīs, Caesar suōs in castra redūxit.

---

7. collis: The gently sloping hill, which was protected from flank attacks by its
steep sides, was just broad enough to allow the formation of a Roman triple line across
it. **obdūcō, -ere, -dūxī, -ductus,** *lead forward, extend.* **8. extrēmās:** *the ends of.*
13. esset (118, 1).

¶9. 1. **Palūs:** marshy ground along the Miette brook. **2. sī,** (*to see*) *whether.*
sī ... trānsīrent (117) depends on **exspectābant. 3. fieret (118, 1). ut ... aggrederentur** depends on the following clause. (**eōs**) **impedītōs** (**palūde**). **5. secundiōre ...
proeliō (89).**

Hostēs prōtinus ex eō locō ad flūmen Axonam contendērunt, quod
esse post nostra castra dēmōnstrātum est. Ibi, vadīs repertīs, partem
suārum cōpiārum trādūcere cōnātī sunt, eō cōnsiliō, ut, sī possent,
castellum, cui praeerat Quīntus Titūrius lēgātus, expugnārent pon- 10
temque interscinderent; sī minus potuissent, agrōs Rēmōrum populārentur, quī magnō nōbīs ūsuī ad bellum gerendum erant,
commeātūque nostrōs prohibērent.

Caesar Prevents the Belgae from Crossing

10. Caesar, certior factus ab Titūriō, omnem equitātum et levis
armātūrae Numidās, funditōrēs sagittāriōsque pontem trādūcit
atque ad eōs contendit. Ācriter in eō locō pugnātum est. Hostēs
impedītōs nostrī in flūmine aggressī magnum eōrum numerum occīdērunt; per eōrum corpora reliquōs audācissimē trānsīre cōnantēs 5
multitūdine tēlōrum reppulērunt; prīmōs, quī trānsierant, equitātū
circumventōs interfēcērunt.

Hostēs, ubi et dē expugnandō oppidō et dē flūmine trānseundō
spem sē fefellisse intellēxērunt, neque nostrōs in locum inīquiōrem
prōgredī pugnandī causā vīdērunt, atque ipsōs rēs frūmentāria dē- 10

9. eō cōnsiliō: *with this design*, explained by the **ut** clauses following. **sī possent**
and (line 11) **sī ... potuissent (118,** 1) represent respectively a *future* and a *future
perfect* in direct discourse.   **12. nōbīs ūsuī (65).**

¶**10. 5. cōnantēs** agrees with **reliquōs,** which is the direct object of **reppulērunt.**
8. ubi ... intellēxērunt ... vīdērunt ... coepit (101).   9. spem sē fefellisse: *that they
had been disappointed in their hope.*

ficere coepit, concilium convocāvērunt. In eō conciliō cōnstituērunt, optimum esse, domum suam quemque revertī, et, quōrum in fīnēs prīmum Rōmānī exercitum intrōdūxissent, ad eōs dēfendendōs undique convenīre, ut potius in suīs quam in aliēnīs fīnibus dēcertā-
15 rent et domesticīs cōpiīs reī frūmentāriae ūterentur. Ad eam sententiam cum reliquīs causīs haec quoque ratiō eōs dēdūxit, quod Dīviciācum atque Aeduōs fīnibus Bellovacōrum appropinquāre cognōverant. Hīs persuādērī, ut diūtius morārentur neque suīs auxilium ferrent, nōn poterat.

The Belgae Retreat in Disorder

11. Eā rē cōnstitūtā, secundā vigiliā magnō cum strepitū ac tumultū castrīs ēgressī, nūllō certō ōrdine neque imperiō, cum sibi quisque prīmum itineris locum peteret et domum pervenīre properāret, fēcērunt ut cōnsimilis fugae profectiō vidērētur. Hāc rē statim
5 Caesar per speculātōrēs cognitā, īnsidiās veritus, quod, quā dē causā discēderent, nōndum perspexerat, exercitum equitātumque castrīs continuit. Prīmā lūce cōnfīrmātā rē ab explōrātōribus, omnem equitātum, quī novissimum agmen morārētur, praemīsit.

Hīs Quīntum Pedium et Lūcium Aurunculeium Cottam lēgātōs
10 praefēcit; Titum Labiēnum lēgātum cum legiōnibus tribus subsequī iussit. Hī novissimōs adortī et multa mīlia passuum prōsecūtī, magnam multitūdinem eōrum fugientium concīdērunt. Nam cum eī ab extrēmō agmine cōnsisterent fortiterque impetum nostrōrum mīlitum sustinērent, priōrēs, exaudītō clāmōre, perturbātīs ōrdinibus,
15 omnēs in fugā sibi praesidium pōnēbant. Ita sine ūllō perīculō tantam eōrum multitūdinem nostrī interfēcērunt, quantum fuit diēī spatium; sub occāsum sōlis dēstitērunt sēque in castra, ut erat imperātum, recēpērunt.

---

12. **quemque revertī:** subject of **optimum esse** (124). **quōrum in fīnēs:** *into whose(ever) territory.* **eōs** in the following line is the antecedent of **quōrum.**
16. **haec . . . ratiō:** explained by the clause **quod** (*that*) . . . **cognōverant.**

¶11. 1. **tumultus, -ūs,** m., *uproar, commotion.* 4. **fēcērunt ut . . . profectiō vidērētur:** *they made their departure seem* (111). 5. **quā dē causā discēderent** (117) depends on **perspexerat.** 9. **Hīs** (62). 12. **cum,** *while.* **eī ab extrēmō agmine:** *those at the very rear of the column,* i.e., the last of the rear guard. 16. **quantum fuit diēī spatium:** *as the length of the day permitted.*

Noviodunum, Besieged by Caesar, Surrenders

12. Postrīdiē eius diēī Caesar, prius quam sē hostēs ex terrōre ac fugā reciperent, in fīnēs Suessiōnum, quī proximī Rēmīs erant, exercitum dūxit et magnō itinere ad oppidum Noviodūnum contendit. Id ex itinere oppugnāre cōnātus, quod vacuum ab dēfēnsōribus esse audiēbat, propter lātitūdinem fossae mūrīque altitūdinem, paucīs 5 dēfendentibus, expugnāre nōn potuit. Castrīs mūnītīs, vīneās agere, quaeque ad oppugnandum ūsuī erant, comparāre coepit.

Interim omnis ex fugā Suessiōnum multitūdō in oppidum proximā nocte convēnit. Celeriter vīneīs ad oppidum āctīs, aggere iactō turribusque cōnstitūtīs, magnitūdine operum, quae neque vīderant ante 10 Gallī neque audīverant, et celeritāte Rōmānōrum permōtī lēgātōs ad Caesarem dē dēditiōne mittunt et, petentibus Rēmīs ut cōnservārentur impetrant.

Caesar Marches Against the Bellovaci

13. Caesar, obsidibus acceptīs prīmīs cīvitātis atque ipsīus Galbae rēgis duōbus fīliīs, armīsque omnibus ex oppidō trāditīs, in dēditiōnem Suessiōnēs accēpit exercitumque in Bellovacōs dūcit. Quī cum sē suaque omnia in oppidum Brātuspantium contulissent, atque ab eō oppidō Caesar cum exercitū circiter mīlia passuum quīnque abes- 5 set, omnēs maiōrēs nātū, ex oppidō ēgressī, manūs ad Caesarem tendere et vōce significāre coepērunt, sēsē in eius fidem ac potestātem venīre neque contrā populum Rōmānum armīs contendere. Item, cum ad oppidum accessisset castraque ibi pōneret, puerī mulierēsque ex mūrō, passīs manibus, suō mōre pācem ab Rōmānīs petiērunt. 10

Diviciacus Pleads for the Bellovaci

14. Prō hīs Dīviciācus (nam post discessum Belgārum, dīmissīs Aeduōrum cōpiīs, ad eum reverterat) facit verba:

¶12. 2. **reciperent** (116). 3. **Noviodūnum, -ī,** n., *Noviodunum*, near the modern city of *Soissons*: about 28 miles from Caesar's camp on the Aisne. 6. **expugnāre:** Note the meaning as compared with **oppugnāre** (line 4). 7. **quaeque = et (ea), quae.** 9. **aggere iactō:** *when an agger had been thrown up* (i.e., constructed).

¶13. 1. **obsidibus:** *as hostages;* refers to **prīmīs** and **fīliīs.**

¶14. 1. **discessus, -ūs,** m., [dis-cēdō], *departure.* 2. **eum = Caesarem.**

AD EUM
VERBA FACIT

Bellovacōs omnī tempore in fidē atque amīcitiā cīvitātis Aeduae fuisse; impulsōs ab suīs prīncipibus, — quī dīcerent, Aeduōs, ā Cae-
5 sare in servitūtem redāctōs, omnēs indignitātēs contumēliāsque per-ferre, — et ab Aeduīs dēfēcisse et populō Rōmānō bellum intulisse. Quī eius cōnsilī prīncipēs fuissent, quod intellegerent quantam calamitātem cīvitātī intulissent, in Britanniam profūgisse.

Nōn sōlum Bellovācōs, sed etiam prō hīs Aeduōs petere, ut suā
10 clēmentiā ac mānsuētūdine in eōs ūtātur. Quod sī fēcerit, eum Ae-duōrum auctōritātem apud omnēs Belgās amplificātūrum quōrum auxiliīs atque opibus, sī qua bella inciderint, sustinēre cōnsuērint.

The Bellovaci and Ambiani Surrender

15. Caesar, honōris Diviciācī atque Aeduōrum causā, sēsē eōs in fidem receptūrum et cōnservātūrum dīxit; et quod erat cīvitās

4. **dīcerent:** *kept saying.*   5. **indignitās, -ātis,** f., [**in-dignus**], *indignity.* **contu-mēlia, -ae,** f., *insult, disgrace.*   7. **Quī:** Supply **eōs** as antecedent of **Quī** and subject of **profūgisse.**   9. **suā:** *his well-known.*   10. **clēmentia, -ae,** f., [**clēmēns**], *mildness, forbearance.*   11. **amplificō, -āre,** [**amplus** + **faciō**], *enlarge, increase, extend.*

EI SE
DEDIDERUNT

magnā inter Belgās auctōritāte atque hominum multitūdine praestābat, sescentōs obsidēs poposcit. Hīs trāditīs omnibusque armīs ex
oppidō collātīs, ab eō locō in fīnēs Ambiānōrum pervēnit; quī sē   5
suaque omnia sine morā dēdidērunt.

Eōrum fīnēs Nerviī attingēbant; quōrum dē nātūrā mōribusque
Caesar cum quaereret, sīc reperiēbat:

Nūllum aditum esse ad eōs mercātōribus; nihil patī vīnī reliquā-
rumque rērum ad lūxuriam pertinentium īnferrī, quod hīs rēbus re- 10
languēscere animōs eōrum et remittī virtūtem exīstimārent; esse
hominēs ferōs magnaeque virtūtis; increpitāre atque incūsāre reliquōs Belgās, quī sē populō Rōmānō dēdidissent patriamque virtūtem prōiēcissent; cōnfīrmāre, sēsē neque lēgātōs missūrōs neque
ūllam condiciōnem pācis acceptūrōs.   15

¶15. 9. nihil . . . vīnī (58).   Supply eōs as subject of patī, as well as of esse (11),
increpitāre (12), incūsāre (12), and cōnfīrmāre (14).   10. relanguēscō, -ere, -languī,
—, [languēō, *be faint*], *become weak* or *enfeebled*.   12. virtūtis (57). increpitō, -āre,
[in-crepō], *reproach, upbraid.* incūsō, -āre, [in + causa], *find fault with, accuse, chide.*
13. patriam: adjective.

16. Cum per Nerviōrum fīnēs trīduum iter fēcisset, inveniēbat ex captīvīs, Sabim flūmen ā castrīs suīs nōn amplius mīlibus passuum X abesse; trāns id flūmen omnēs Nerviōs cōnsēdisse, adventumque ibi Rōmānōrum exspectāre ūnā cum Atrebātibus et Viromanduīs, fīniti-
5 mīs suīs; ab hīs etiam Aduatucōrum cōpiās exspectārī atque esse in itinere; mulierēs, eōsque quī per aetātem ad pugnam inūtilēs vidē-rentur, in eum locum coniectōs esse, quō propter palūdēs exercituī aditus nōn esset.

The Nervii Plan a Surprise Attack

17. Hīs rēbus cognitīs, explōrātōrēs centuriōnēsque praemittit, quī locum idōneum castrīs dēligant. Eō tempore complūrēs ex dēditīciīs Belgīs reliquīsque Gallīs ūnā cum Caesare iter faciēbant. Quīdam ex hīs, ut posteā ex captīvīs cognitum est, cōnsuētūdine itineris nostrī
5 exercitūs perspectā, nocte ad Nerviōs pervēnērunt, atque hīs dēmōn-strārunt, inter singulās legiōnēs impedīmentōrum magnum numerum intercēdere; neque esse quidquam negōtī, cum prīma legiō in castra vēnisset reliquaeque legiōnēs magnum spatium abessent, hanc sub sarcinīs adorīrī; quā pulsā impedīmentīsque dīreptīs, futūrum esse
10 ut reliquae cōnsistere nōn audērent.

Adiuvābat etiam eōrum prōpositum quī rem dēferēbant, quod Nerviī antīquitus, cum equitātū nihil possent, quō facilius fīnitimō-rum equitātum impedīrent, sī praedandī causā ad eōs vēnissent, eius modī cōnsilium cēperant: Tenerīs arboribus incīsīs atque īnflexīs, et

---

¶16. 2. **mīlibus** (86). 7. **in eum locum,** *into a place.* **quō,** adv. = **ad quem.**

¶17. 2. **complūrēs . . . cum Caesare iter faciēbant:** These Belgians and Gauls were not being held by Caesar as captives, but were probably accompanying the army as noncombatants on the chance of trading with the soldiers or looting after a battle. 4. **cōnsuētūdine . . . perspectā:** *having observed the marching order of our army* for the past three days in the Nervian country. 7. **neque esse quidquam negōtī . . . adorīrī,** *and that there was no difficulty . . . in attacking.* **negōtī** (58). 9. **futūrum esse ut:** (the result would be), *it would follow that.* 11. **Adiuvābat:** The obj. of this verb is **prōpositum;** the subj. is the clause, **quod . . . cēperant.** In translating, change to the passive construction: *The proposal . . . was favored by the fact that.* 12. **cum equitātū nihil possent,** *having no strength in cavalry* (**nihil** used adverbially). 13. **vēnissent** (118, 1). 14. **Tenerīs arboribus:** The trees, while still young, were cut into on one side and bent over until the top part became horizontal. The wound would heal, and many new branches would then grow downward to the ground, interweaving with

rubīs sentibusque interiectīs, saepēs dēnsās fēcerant, quae fīrmissi- 15
mum mūnīmentum praebērent. Hīs rēbus cum iter agminis nostrī
impedīrētur, nōn omittendum sibi cōnsilium Nerviī exīstimāvērunt.

The Romans Make Camp

18. Locī nātūra quem nostrī castrīs dēlēgerant, erat haec. Collis,
ab summō aequāliter dēclīvis, ad flūmen Sabim, quod suprā nōminā-
vimus, vergēbat. Ab eō flūmine parī acclīvitāte collis nāscēbātur
adversus huic et contrārius, passūs circiter ducentōs īnfimus apertus,
ab superiōre parte silvestris, ut nōn facile intrōrsus perspicī posset. 5
Intrā eās silvās hostēs in occultō sēsē continēbant; in apertō locō
secundum flūmen paucae statiōnēs equitum vidēbantur. Flūminis
erat altitūdō pedum circiter trium.

Suddenly the Nervii Emerge from the Woods

19. Caesar, equitātū praemissō, subsequēbātur omnibus cōpiīs;
sed ratiō ōrdōque agminis aliter sē habēbat, ac Belgae ad Nerviōs
dētulerant. Nam quod hostibus appropinquābat, cōnsuētūdine suā
Caesar sex legiōnēs expedītās dūcēbat; post eās tōtīus exercitūs impedīmenta collocārat; inde duae legiōnēs, quae proximē cōnscrīptae 5
erant, tōtum agmen claudēbant praesidiōque impedīmentīs erant.

those that grew out laterally from the trunk. Brambles and brier bushes planted
thickly below pushed upward through the branches. Given time, such hedges would
indeed "provide a very strong defence." In certain localities there are hedges ten
feet high and three feet thick. It would be no child's play to hack an opening through
such a hedge even with an ax. **16. praebērent (112). cum ... impedīrētur (114).**

¶**18. 1. Collis:** *A hill,* on the north bank of the Sambre, on which the Romans
were laying out a camp. **3. parī acclīvitāte collis:** *a hill with like slope,* across the
river from the Romans. **4. adversus huic et contrārius:** *opposite to it* (the north
hill) *and facing it.* **īnfimus apertus:** *cleared at the base;* i.e., for about 1000 feet back
from the river the hill was free from woods; above that point it was thickly wooded.
7. secundum, prep., *along.* **8. pedum trium (57,** Note).

¶**19. 1. cōpiīs (83).** When may **cum** be omitted in this construction? **2. ratiō
ōrdōque:** The two words, *plan* and *arrangement,* express one idea, viz., *formation,* and
are therefore followed by a verb in the singular. **aliter sē habēbat ac,** (lit., *had itself
differently than*), *was different from what.* This change in the formation of his marching column, which Caesar describes in the following sentence, was of the utmost
importance. Had it not been made, Caesar would have been almost certainly defeated.
3. hostibus (62). cōnsuētūdine suā (82, Note).

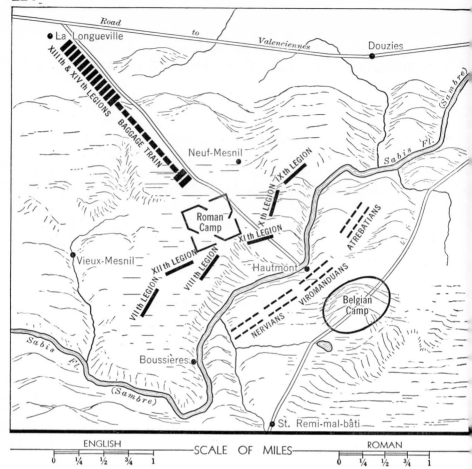

The Battle at the Sambre (Sabis): First Phase

Caesar's army, approaching the Sambre from the north, started to make camp on a hill overlooking the river. The Belgian forces, comprising Nervians, Viromanduans, and Atrebatians, were lying in wait on the south side.

Supposing that each legion would be followed by its baggage train, the Belgians had planned to attack the first legion and destroy it before the others could come to the rescue, and in like manner to destroy the others one by one. Caesar, however, had placed six legions in light marching order first, then all the baggage, and two legions last, the XIIIth and XIVth; he sent cavalry, bowmen, and slingers in advance of the main column.

When the baggage train came into view, the Belgians hurled back the cavalry, bowmen, and slingers, rushed across the river, and charged up the hill, in accordance with their plan.

SITUS CASTRORUM ROMANORUM

Equitēs nostrī cum funditōribus sagittāriīsque flūmen trānsgressī, cum hostium equitātū proelium commīsērunt. Illī identidem in silvās sē recipiēbant, ac rūrsus ex silvā in nostrōs impetum faciēbant. Nostrī autem longius quam ad silvās hostēs cēdentēs īnsequī nōn 10 audēbant. Interim legiōnēs sex, quae prīmae vēnerant, opere dīmēnsō castra mūnīre coepērunt.

Ubi prīma impedīmenta nostrī exercitūs ab eīs, quī in silvīs abditī latēbant, vīsa sunt, subitō omnibus cōpiīs prōvolāvērunt impetumque in nostrōs equitēs fēcērunt. Hīs facile pulsīs ac prōturbātīs, in- 15 crēdibilī celeritāte ad flūmen dēcucurrērunt, ut paene ūnō tempore et ad silvās et in flūmine et iam in manibus nostrīs hostēs vidērentur. Eādem autem celeritāte adversō colle ad nostra castra atque eōs, quī in opere occupātī erant, contendērunt.

---

13. Ubi prīma impedīmenta ... vīsa sunt: The Nervii had agreed beforehand that the moment the **impedīmenta ...** (which they thought would follow the first legion) came into sight over the hilltop, they would start their attack. **17. in manibus nostrīs:** *upon us.* **18. adversō colle:** *up the hill.* The distance from the woods to the Roman camp was about two-thirds of a mile.

20. Caesarī omnia ūnō tempore erant agenda: vēxillum prōpōnendum (quod erat īnsigne, cum ad arma concurrī oportēret); mīlitēs ab opere revocandī; eī, quī paulō longius aggeris petendī causā prōcesserant, arcessendī; aciēs īnstruenda; mīlitēs cohortandī; sig-
5 num tubā dandum. Quārum rērum magnam partem temporis brevitās et incursus hostium impediēbat.

His difficultātibus duae rēs erant subsidiō: scientia atque ūsus mīlitum, quī, superiōribus proeliīs exercitātī, sibi praescrībere poterant quid fierī oportēret; et quod Caesar ab opere singulīsque
10 legiōnibus singulōs lēgātōs discēdere, nisi mūnītīs castrīs, vetuerat. Hī propter propinquitātem et celeritātem hostium nihil iam Caesaris imperium exspectābant, sed per sē, quae vidēbantur, administrābant.

Caesar's Brief Speech

21. Caesar, necessāriīs rēbus imperātīs, ad cohortandōs mīlitēs dēcucurrit et forte ad legiōnem decimam dēvēnit. Mīlitēs nōn longiōre ōrātiōne cohortātus est quam utī suae prīstinae virtūtis memoriam retinērent, neu perturbārentur animō, hostiumque im-
5 petum fortiter sustinērent. Deinde, quod nōn longius hostēs aberant quam quō tēlum adigī posset, proelī committendī signum dedit. Atque in alteram partem item cohortandī causā profectus, pugnantibus occurrit. Temporis tanta fuit exiguitās hostiumque tam parātus ad dīmicandum animus, ut nōn modo ad īnsignia accommodanda,
10 sed etiam ad galeās induendās scūtīsque tegimenta dētrahenda tempus dēfuerit. Quam quisque ab opere in partem cāsū dēvēnit

---

¶20. 1. **Caesarī (66). prōpōnendum:** Supply **erat.** The omission of **erat** (or **erant**) with this and the following participles, and the absence of connectives in this sentence convey the impression of *haste.* 3. **paulō longius:** *some distance away* (lit., *a little farther*). **aggeris:** *material for the rampart.* 4. **signum:** *the signal* to begin fighting. 9. **singulīsque legiōnibus:** *and from their respective legions.* 10. **singulōs lēgātōs:** *the several lieutenant generals.* 11. **nihil** (= an emphatic **nōn**): *not at all.*

¶21. 4. **retinērent (107).** 6. **quō tēlum adigī posset:** *a spear's throw* (lit., *whither a weapon could be hurled*) (112). 7. **(suīs) pugnantibus occurrit:** *he came upon his men fighting* (62). 9. **īnsignia:** *decorations,* here referring probably to the helmet crests—black and red plumes — which were taken off the helmets during the march. 11. **dēfuerit (110). Quam ... in partem:** *To whatever place, wherever.*

AD COHORTANDOS
MILITES

et quae prīma signa cōnspexit, ad haec cōnstitit, nē in quaerendīs
suīs pugnandī tempus dīmitteret.

Difficulties of the Roman Position

22. Quibus ex rēbus īnstrūctus est exercitus magis ut locī nātūra
dēiectusque collis et necessitās temporis, quam ut reī mīlitāris ratiō
atque ōrdō postulābat. Dīversae legiōnēs, aliae aliā in parte, hostibus resistēbant, atque, saepibus dēnsissimīs interiectīs, prōspectus
impediēbātur. Neque certa subsidia collocārī, neque quid in quāque   5
parte opus esset prōvidērī, neque ab ūnō omnia imperia administrārī
poterant. Itaque in tantā rērum inīquitāte ēventūs variī sequēbantur.

---

12. **quae . . . signa:** *whatever standards.*

¶**22. 3. aliae aliā in parte:** *some in one place,* others *in another.* **hostibus (61).**
5. **certa subsidia:** *reserves at fixed points.* All the infinitives depend upon **poterant.**
quid . . . opus esset: *what was necessary* (**117**). **quāque:** from **quisque.**   7. **ēventūs
variī sequēbantur,** i.e., where conditions were so uneven, various results followed in
different parts of the field, as Caesar points out in the next chapter.

23. Legiōnis nōnae et decimae mīlitēs, ut in sinistrā parte aciēī cōnstiterant, Atrebātēs cursū exanimātōs ac lassitūdine oppressōs celeriter ex locō superiōre in flūmen compulērunt, et eōs trānsīre cōnantēs īnsecūtī, gladiīs magnam partem eōrum impedītam inter-
5 fēcērunt. Ipsī trānsīre flūmen nōn dubitāvērunt et, in locum inī-quum prōgressī, rūrsus resistentēs hostēs in fugam coniēcērunt.

Item aliā in parte dīversae duae legiōnēs, ūndecima et octāva, prōflīgātīs Viromanduīs ex locō superiōre, in ipsīs flūminis rīpīs proeliābantur.

10 At tōtīs ferē castrīs ā fronte et ā sinistrā parte nūdātīs, cum in dextrō cornū legiō duodecima et, nōn magnō ab eā intervāllō, septima cōnstitisset, omnēs Nerviī cōnfertissimō agmine duce Boduognātō, quī summam imperī tenēbat, ad eum locum contendērunt; quōrum pars ab apertō latere legiōnēs circumvenīre, pars summum castrōrum
15 locum petere coepit.

The Situation Seems Hopeless for the Romans

24. Eōdem tempore equitēs nostrī levisque armātūrae peditēs, quī cum eīs ūnā fuerant (quōs prīmō hostium impetū pulsōs dīxe-ram), cum sē in castra reciperent, adversīs hostibus occurrēbant ac rūrsus aliam in partem fugam petēbant. Itemque cālōnēs, quī ab
5 decumānā portā ac summō iugō collis nostrōs victōrēs flūmen trānsīsse cōnspexerant, praedandī causā ēgressī, cum respexissent et hostēs in nostrīs castrīs versārī vīdissent, praecipitēs fugae sēsē

¶23. 1. **in sinistrā parte:** *on the left.* **4. impedītam:** *hampered (in crossing the river).* **5. in locum inīquum:** As they advanced up the hill and into the wooded section. **7. dīversae:** *separately.* **10. nūdātīs:** The vIIIth and xIth legions in the center and the Ixth and xth on the left of the camp had gone down the hill in pursuit of the enemy. This left the camp *unprotected* except on the right, where the xIIth and vIIth were stationed. **12. cōnstitisset (114). duce Boduognātō:** *led by Boduognatus* (**89**). **14. summum castrōrum locum:** *the height on which the camp was placed.*

¶24. 1. **levis armātūrae peditēs:** the slingers and bowmen. **3. adversīs hostibus occurrēbant (62):** *met the enemy face to face.* **4. cālōnēs:** *camp servants.* These included officers' servants, drivers of pack animals, and slaves who performed the menial duties about the camp. **ab decumānā portā:** *from the rear gate of the camp,* farthest up the hill. **5. nostrōs victōrēs:** *our men as victors* — the soldiers of the Ixth and xth legions.

mandābant. Simul eōrum, quī cum impedīmentīs veniēbant, clāmor fremitusque oriēbātur, aliīque aliam in partem perterritī ferēbantur.

Quibus omnibus rēbus permōtī sunt equitēs Trēverī, quōrum inter 10 Gallōs virtūtis opīniō est singulāris, quī auxilī causā ā cīvitāte ad Caesarem missī vēnerant. Cum enim multitūdine hostium castra nostra complērī, legiōnēs premī et paene circumventās tenērī, cālō- nēs, equitēs, funditōrēs, Numidās dissipātōs in omnēs partēs fugere vīdissent, dēspērātīs nostrīs rēbus, domum contendērunt; Rōmānōs 15 pulsōs superātōsque, castrīs impedīmentīsque eōrum hostēs potītōs, cīvitātī renūntiāvērunt.

Caesar Rushes into the Fight

25. Caesar ab decimae legiōnis cohortātiōne ad dextrum cornū profectus est, ubi suōs urgērī atque, signīs in ūnum locum collātīs,

---

9. ferēbantur: *rushed.*   **10. Trēverī:** adj. with **equitēs.** Their name has come down to us in the name of the city *Trèves.*   **16. pulsōs superātōsque . . . potītōs:** With each of these supply **esse. castrīs (80).**

¶**25.** The description of the battle that follows is vigorous and vivid. In his account of the battles with the Helvetians and the Germans Caesar is terse and restrained. Here on the other hand he tells the story in detail and evinces his intense interest in what he is writing.

1. Caesar ab . . . cohortātiōne: Caesar now resumes the account of his personal part in the battle, going back to the time when he encouraged his legions. See Chapter 21.   **2. signīs . . . collātīs:** Each of the 30 maniples (about 140 men) of a legion had its own standard to follow in battle. When therefore all the standards drifted into one place, the confusion that ensued may be imagined!

duodecimae legiōnis cōnfertōs mīlitēs sibi ipsōs ad pugnam esse im-, pedīmentō vīdit. Quārtae cohortis omnēs centuriōnēs occīsī erant,,
5 signiferōque interfectō, signum āmissum erat; reliquārum cohortium omnēs ferē centuriōnēs aut vulnerātī aut occīsī erant, atque in hīs prīmipīlus P. Sextius Baculus, fortissimus vir, multīs gravibusque vulneribus erat cōnfectus, ut iam sē sustinēre nōn posset. Reliquī erant tardiōrēs et nōn nūllī ab novissimīs, dēsertō locō, proeliō ex-,
10 cēdēbant ac tēla vītābant. Hostēs neque ā fronte ex īnferiōre locō subeuntēs intermittēbant et ab utrōque latere īnstābant. Caesar ubi rem esse in angustō vīdit, neque ūllum esse subsidium, quod sum-mittī posset, — scūtō ab novissimīs ūnī mīlitī dētrāctō, quod ipse eō sine scūtō vēnerat, in prīmam aciem prōcessit et, centuriōnibus
15 nōminātim appellātīs, reliquōs cohortātus, mīlitēs signa īnferre et manipulōs laxāre iussit, quō facilius gladiīs ūtī possent. Cuius ad-ventū, spē illātā mīlitibus ac redintegrātō animō, cum prō sē quisque in cōnspectū imperātōris etiam in extrēmīs suīs rēbus operam nāvāre cuperet, paulum hostium impetus tardātus est.

A Double Battle Front

26. Caesar, cum septimam legiōnem, quae iūxtā cōnstiterat, item urgērī ab hoste vīdisset, tribūnōs mīlitum monuit, ut paulātim legiōnēs sēsē coniungerent et conversa signa in hostēs īnferrent. Quō factō, cum aliīs aliī subsidium ferrent, neque timērent, nē
5 āversī ab hoste circumvenīrentur, audācius resistere ac fortius pug-nāre coepērunt.

Interim mīlitēs legiōnum duārum, quae in novissimō agmine

---

7. **Baculus** recovered from his wounds and distinguished himself for his bravery in several later battles. **10. neque . . . subeuntēs intermittēbant:** *did not cease coming up.* **13. posset (112). mīlitī:** Dative of separation (63). **14. centuriōnibus nō-minātim appellātīs:** Caesar knew even his lower officers and could call them by name. This accounts in part for his popularity with his men. **16. gladiīs (80).** **17. mīlitibus (62).** **18. in extrēmīs suīs rēbus:** *in his extreme danger.*

¶26. 3. **conversa signa . . . īnferrent:** *face about and advance.* The two legions — hitherto fighting separately — were directed to move gradually toward each other until they united. The rear line of both legions was then to face about and thus afford protection from attacks in the rear. **4. aliīs aliī:** *to one another* (lit., *some to others*). **nē** (after a verb of *fearing*): *that* (108). **5. āversī:** *in the rear.* **7. legiōnum duārum:** The XIII th and XIV th.

praesidiō impedīmentīs fuerant, proeliō nūntiātō, cursū incitātō, in
summō colle ab hostibus cōnspiciēbantur: et Titus Labiēnus castrīs
hostium potītus et ex locō superiōre cōnspicātus, quae rēs in nostrīs 10
castrīs gererentur, decimam legiōnem subsidiō nostrīs mīsit. Quī
cum ex equitum et cālōnum fugā cognōvissent, quō in locō rēs esset,
quantōque in perīculō et castra et legiōnēs et imperātor versārētur,
nihil ad celeritātem sibi reliquī fēcērunt.

Fighting Bravely, the Nervii Are Wiped Out

27. Hōrum adventū tanta rērum commūtātiō est facta, ut nostrī,
etiam quī vulneribus cōnfectī prōcubuissent, scūtīs innīxī proelium
redintegrārent; cālōnēs, perterritōs hostēs cōnspicātī, etiam inermēs
armātīs occurrerent; equitēs vērō, ut turpitūdinem fugae virtūte
dēlērent, omnibus in locīs pugnandō sē legiōnāriīs mīlitibus prae- 5
ferrent.

At hostēs etiam in extrēmā spē salūtis tantam virtūtem praestitē-
runt, ut, cum prīmī eōrum cecidissent, proximī iacentibus īnsisterent
atque ex eōrum corporibus pugnārent. Hīs dēiectīs et coacervātīs
cadāveribus, quī supererant, ut ex tumulō, tēla in nostrōs coniciē- 10
bant et pīla intercepta remittēbant. Nōn nēquīquam tantae virtūtis hominēs ausī sunt trānsīre lātissimum flūmen, ascendere

---

9. Labiēnus: in command of the x th legion. **castrīs (80). 10. ex locō superiōre:** The top of the hill, where the Belgian camp was placed. **14. nihil ... reliquī fēcērunt:** *they left nothing undone in point of speed* or *they made all possible speed.* **reliquī (58).**

¶**27. 1. ut ... redintegrārent ... occurrerent ... praeferrent:** Result clauses following **tanta. 2. etiam (eī) quī. prōcubuissent (112). 4. armātīs:** *armed (men)* **(62). 5. mīlitibus (62). sē ... praeferrent:** *outdid.* **7. At hostēs:** The Nervii were now hemmed in between the xii th and vii th above them and the x th below. **8. iacentibus (62):** *the fallen.* **10. (eī) quī supererant. ut ex tumulō:** *as from a mound.* **11. intercepta remittēbant:** *picked up and threw back.* **Nōn nēquīquam ... :** i.e., the Nervii were so brave that it was not foolish of them to attempt this most difficult attack.

altissimās rīpās, subīre inīquissimum locum; quae facilia ex difficil-
limīs animī magnitūdō redēgerat.

The Remnant of Nervii Surrender

28. Hōc proeliō factō et prope ad interneciōnem gente ac nōmine
Nerviōrum redāctō, maiōrēs nātū, quōs ūnā cum puerīs mulieri-
busque in aestuāria ac palūdēs coniectōs dīxerāmus, hāc pugnā
nūntiātā, cum victōribus nihil esse impedītum, victīs nihil tūtum
5 arbitrārentur, omnium quī supererant cōnsēnsū lēgātōs ad Caesarem
mīsērunt sēque eī dēdidērunt. In commemorandā cīvitātis calamitāte ex sescentīs ad trēs senātōrēs, ex hominum mīlibus sexāgintā
vix ad quīngentōs, quī arma ferre possent, sēsē redāctōs esse dīxērunt. Quōs Caesar, ut in miserōs ac supplicēs ūsus misericordiā
10 vidērētur, dīligentissimē cōnservāvit, suīsque fīnibus atque oppidīs
ūtī iussit, et fīnitimīs imperāvit, ut ab iniūriā et maleficiō sē suōsque
prohibērent.

Chapters 29–35

The campaign of 57 B.C. ended with the complete conquest of the
Belgae. Many of the maritime states in northwestern Gaul now submitted to the Romans, and envoys came even from several German
tribes across the Rhine to offer their submission. Caesar's reports produced such an impression in Rome that a thanksgiving of *fifteen days*
was ordered!

---

13. quae ... redēgerat: *these things, most difficult in themselves* (lit., *from most
difficult things*) *their great courage had rendered easy.*

¶**28. 2. nātū (85). 4. nihil esse impedītum:** *nothing was in the way.* **5. omnium:**
with **cōnsēnsū. 8. possent (118). 9. ūsus (esse) misericordiā:** *to have shown mercy*
(80). 11. fīnitimīs (61).   **II, 28**

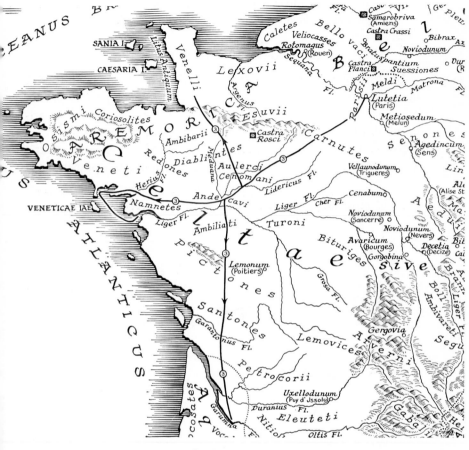

Chapters 1–13

During the winter a revolt broke out among the coast states which had recently submitted. The leaders of this rebellion were the Veneti, who possessed a large fleet of ships, which, while slow and clumsy, were so strongly built that the usual Roman method of ramming a vessel with a galley's bronze prow was of no avail against them. Moreover, they were so high at both bow and stern that the Romans from their low-lying galleys could neither board them nor reach their decks effectively with any weapons. However, Caesar arranged for building a fleet in the Loire, and for assembling many Gallic ships besides.

Early in the following spring he sent troops into various districts of Gaul to check any incipient revolts, and then led his army against the Veneti. He invested and captured several of their coast towns, but in the absence of a fleet was unable to prevent their garrisons from embarking and sailing away to some other stronghold.

Caesar's Fleet in Command of Brutus Arrives

14. Complūribus expugnātīs oppidīs, Caesar, ubi intellēxit frūstrā tantum labōrem sūmī, neque hostium fugam, captīs oppidīs, reprimī posse, statuit exspectandam esse classem. Quae ubi convēnit ac prīmum ab hostibus vīsa est, circiter CCXX nāvēs eōrum parātissimae 5 atque omnī genere armōrum ōrnātissimae, profectae ex portū nostrīs adversae cōnstitērunt. Neque satis Brūtō, quī classī praeerat, vel

---

¶**14. 1. oppidīs:** Coast towns of the Veneti.   **5. ex portū:** Probably near the mouth of the Auray. **nostrīs (68).**   **6. Neque satis Brūtō . . . cōnstābat:** *Nor was it quite clear to Brutus.* **classī (62).**

III, 14

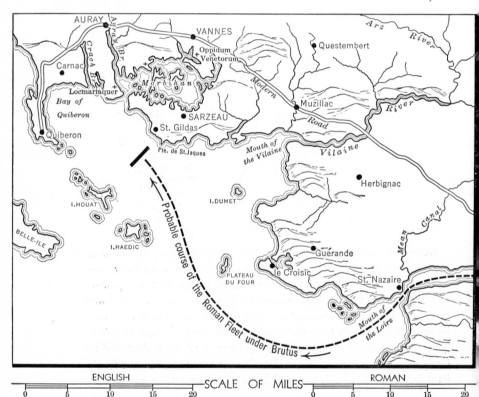

Sea Fight with the Veneti

Caesar's fleet was built on the Loire (Liger) and placed in command of Brutus. From the mouth of the Loire it followed a northerly course (Chap. 14).

tribūnīs mīlitum centuriōnibusque, quibus singulae nāvēs erant at-
tribūtae, cōnstābat quid agerent aut quam ratiōnem pugnae īnsisterent. Rōstrō enim nocērī nōn posse cognōverant; turribus autem
excitātīs, tamen hās altitūdō puppium ex barbarīs nāvibus superā- 10
bat, ut neque ex īnferiōre locō satis commodē tēla adigī possent et
missa ā Gallīs gravius acciderent.

Ūna rēs praeparāta ā nostrīs erat magnō ūsuī, — falcēs praeacūtae
īnsertae affīxaeque longuriīs, nōn absimilī fōrmā mūrālium falcium.
Hīs cum fūnēs, quī antemnās ad mālōs dēstinābant, comprehēnsī 15

---

7. tribūnīs mīlitum centuriōnibusque: On Roman galleys the *crews* were slaves, but
legionary soldiers commanded by regular officers did the fighting. **8. quid agerent:**
what they were about to do. **9. nocērī nōn posse:** impersonal — *no harm could be
done* (to the enemy's ships). **turribus . . . excitātīs:** *even though towers had been
erected* (on the decks). **10. ex:** *on.* **12. missa:** *those hurled.* **14. longuriīs (62).**
nōn absimilī fōrmā (84): *of a shape not unlike that of wall hooks.* These must have
been much like the long pruning knives we use for trimming trees. **15. Hīs (falcibus):** Abl. of means, with **comprehēnsī erant. cum:** *whenever.* **fūnēs:** *halyards,* the
ropes used in hoisting and lowering the sails.

adductīque erant, nāvigiō rēmīs incitātō, praerumpēbantur. Quibus abscīsīs, antemnae necessāriō concidēbant; ut, cum omnis Gallicīs nāvibus spēs in vēlīs armāmentīsque cōnsisteret, hīs ēreptīs, omnis ūsus nāvium ūnō tempore ēriperētur. Reliquum erat certāmen posi-
20 tum in virtūte, quā nostrī mīlitēs facile superābant, atque eō magis, quod in cōnspectū Caesaris atque omnis exercitūs rēs gerēbātur, ut nūllum paulō fortius factum latēre posset; omnēs enim collēs ac loca superiōra, unde erat propinquus dēspectus in mare, ab exercitū tenēbantur.

Ingenuity, Bravery, and Good Luck Bring Victory

15. Dēiectīs, ut dīximus, antemnīs, cum singulās bīnae ac ternae nāvēs circumsteterant, mīlitēs summā vī trānscendere in hostium nāvēs contendēbant. Quod postquam barbarī fierī animadvertē-runt, expugnātīs complūribus nāvibus, cum eī reī nūllum reperīrētur
5 auxilium, fugā salūtem petere contendērunt. Ac iam conversīs in eam partem nāvibus quō ventus ferēbat, tanta subitō malacia ac tranquillitās exstitit, ut sē ex locō movēre nōn possent. Quae quidem rēs ad negōtium cōnficiendum maximē fuit opportūna; nam singulās nostrī cōnsectātī expugnāvērunt, ut perpaucae ex omnī numerō
10 noctis interventū ad terram pervēnerint, cum ab hōrā ferē quārtā ūsque ad sōlis occāsum pugnārētur.

The Veneti Surrender and Are Sold into Slavery

16. Quō proeliō bellum Venetōrum tōtīusque ōrae maritimae cōn-fectum est. Nam cum omnis iuventūs, omnēs etiam graviōris aetātis,

---

16. adductī erant: *had been drawn taut.* **nāvigiō:** the Roman ship. **praerum-pēbantur:** *severed* (broken apart strand by strand). **18. nāvibus:** Dat. of reference (65). **vēlīs:** square *sails* made of leather. **armāmentīs:** they had no oars. **19. erat ... positum in:** *depended upon.* **22. paulō fortius factum:** *unusually brave deed* (lit., *a little braver* — than usual). **collēs ac loca superiōra:** the heights of St. Gildas over-looking the Bay of Quiberon.

¶**15. 1. bīnae ac ternae nāvēs:** *two or three (Roman) ships.* **6. quō,** adv., = **in quam (partem). ferēbat:** *was blowing,* i.e., the Venetan ships turned to sail before the wind. **malacia ac tranquillitās:** *a dead calm (calm and stillness).* **10. cum ... pugnārētur:** *as the battle lasted.* In such a protracted battle there was ample time for the galleys to capture nearly all the enemy's vessels.

¶**16. 2. cum ... tum:** *not only ... but also.* **graviōris:** *more advanced.*

in quibus aliquid cōnsilī aut dignitātis fuit, eō convēnerant, tum,
nāvium quod ubīque fuerat, in ūnum locum coēgerant; quibus
āmissīs, reliquī neque quō sē reciperent, neque quem ad modum op- 5
pida dēfenderent, habēbant. Itaque sē suaque omnia Caesarī dēdidērunt. In quōs eō gravius Caesar vindicandum statuit, quō
dīligentius in reliquum tempus ā barbarīs iūs lēgātōrum cōnservā-
rētur. Itaque, omnī senātū necātō, reliquōs sub corōnā vēndidit.

Chapters 17–29

Two of Caesar's generals, Sabinus and Crassus, were also successful
in defeating Gallic tribes in western Gaul. The former subdued the
Venelli, who were north of the Veneti (see map); and the latter annexed Aquitania in the south. Caesar himself also invaded the lands
of the Morini in the far north.

---

3. aliquid cōnsilī (58): *any judgment.* **4. nāvium quod ubīque fuerat:** *all the ships
they had had anywhere.* **5. quō,** adv., = **quem ad locum. reciperent ... dēfenderent
(117):** *they had no place to which to retreat, nor any means of defending their towns.* **7. eō
gravius:** *the more severely.* **vindicandum (esse):** impers., *punishment must be inflicted.*
quō: Notice the comparative that follows. **8. iūs lēgātōrum:** The Veneti had detained
and imprisoned the envoys that Caesar sent to them in the winter. **9. sub corōnā:**
into slavery (lit., *under the wreath* — a phrase recalling the ancient custom of placing
a wreath upon the head of a slave who was offered for sale at auction).

BRITANNIA
English Equivalents
of Roman Place Names

1	Isle of Man	11 Cirencester
2	Inchtuthill	12 Gloucester
3	York	13 Caerwent
4	Chester	14 Caerleon
5	Lincoln	15 Bath
6	Leicester	16 Canterbury
7	Wroxeter	17 Winchester
8	Colchester	18 Chichester
9	St. Albans	19 Dorchester
10	London	20 Exeter

0 10 20 30 40 50 60
Miles

o   Towns
■   Forts
ⵑ   Frontier Wall
×   Mines
+   Chalk cliffs-Caesar's first
     sighting of Britain
++   Plain where Caesar landed
—   Ford where Caesar
     crossed Thames

VOTADINI
DAMNONI
SELGOVAE
NOVANTAE
BRIGANTES
1 Mona
Eburacum 3
PARISI
Deva Leg. XX 4
ORDOVICES
CORNOVII
5 Lindum Colonia
Viroconium 7
6 Ratae
CORITANI
ICENI
SILURES
12 Glevum Colonia
Colonia Camulodunum
CATUVELLAUNI
Isca(4) 13 Venta
Leg.II
DOBUNNI
11 Corinium
Verulamium 9
ATREBATES TRINOBANTES 8
15
Aquae Sulis
Tamesis Fl.
Londinium 10
BELGAE
Venta 17
Durovernum 16
CANTIUM
REGNENSES
Noviomagus 18
DUMNONII
Isca
19 Durnovaria
20
MORINI
ATREBATES
Itius Portus
AMBIANI
Samarobriva
BELLOVACI
VENELLI
Sequana Fl.

Book IV

First Expedition to Britain (55 B.C.)

Chapters 1–19

In the spring of 55 B.C., Caesar made his spectacular invasion of Germany, after building his famous bridge over the Rhine. This amazing feat, described in some detail by Caesar, was accomplished in the unbelievably short time of ten days. After leaving a garrison at both ends of the bridge to guard it, he crossed into Germany with his army, devastated the lands to the east, and then marched back over the bridge and destroyed it.

Caesar Finds It Hard to Get Information About Britain

20. Exiguā parte aestātis reliquā, Caesar, etsī in hīs locīs (quod omnis Gallia ad septentriōnēs vergit) mātūrae sunt hiemēs, tamen in Britanniam proficīscī contendit, quod omnibus ferē Gallicīs bellīs hostibus nostrīs inde sumministrāta auxilia intellegēbat; et, sī tempus annī ad bellum gerendum dēficeret, tamen magnō sibi ūsuī fore 5

¶20. This expedition to Britain is especially interesting to English-speaking peoples, because it is the first authentic account of the island and its inhabitants that was ever written. That it was penned by a writer as keenly observant and alert as Caesar, makes it all the more valuable.

1. **Exiguā parte aestātis reliquā (89).** It was the end of July. **4. hostibus (62).**

arbitrābātur, sī modo īnsulam adīsset, genus hominum perspexisset, loca, portūs, aditūs cognōvisset; quae omnia ferē Gallīs erant incognita. Neque enim temerē, praeter mercātōrēs, illō adit quisquam, neque eīs ipsīs quidquam praeter ōram maritimam atque eās
10 regiōnēs, quae sunt contrā Galliās, nōtum est. Itaque vocātīs ad sē undique mercātōribus, neque quanta esset īnsulae magnitūdō, neque quae aut quantae nātiōnēs incolerent, neque quem ūsum bellī habērent aut quibus īnstitūtīs ūterentur, neque quī essent ad maiōrum nāvium multitūdinem idōneī portūs, reperīre poterat.

Caesar Sends Volusenus to Reconnoiter

21. Ad haec cognōscenda, prius quam perīculum faceret, idōneum esse arbitrātus Gaium Volusēnum cum nāve longā praemittit. Huic mandat, ut, explōrātīs omnibus rēbus, ad sē quam prīmum revertātur. Ipse cum omnibus cōpiīs in Morinōs proficīscitur, quod inde
5 erat brevissimus in Britanniam trāiectus. Hūc nāvēs undique ex fīnitimīs regiōnibus et, quam superiōre aestāte ad Veneticum bellum effēcerat classem, iubet convenīre.

Interim cōnsiliō eius cognitō et per mercātōrēs perlātō ad Britannōs, ā complūribus īnsulae cīvitātibus ad eum lēgātī veniunt, quī
10 polliceantur obsidēs dare atque imperiō populī Rōmānī obtemperāre. Quibus audītīs, līberāliter pollicitus hortātusque, ut in eā sententiā permanērent, eōs domum remittit; et cum eīs ūnā Commium, quem ipse, Atrebātibus superātīs, rēgem ibi cōnstituerat, cuius et virtūtem et cōnsilium probābat et quem sibi fidēlem esse arbitrābātur, cuius-
15 que auctōritās in hīs regiōnibus magnī habēbātur, mittit. Huic imperat, quās possit, adeat cīvitātēs hortēturque, ut populī Rōmānī fidem sequantur, sēque celeriter eō ventūrum nūntiet.

Volusēnus, perspectīs regiōnibus omnibus, quantum eī facultātis darī potuit, quī nāve ēgredī ac sē barbarīs committere nōn audēret,
20 quīntō diē ad Caesarem revertitur, quaeque ibi perspexisset, renūntiat.

---

6. adīsset = adiisset (37, 2).   8. illō, adv.   11. quanta esset: This and the following clauses depend on reperīre poterat (117).   13. īnstitūtīs (80).

¶21. 1. faceret (116).   2. Volusēnum: Subject of esse and object of praemittit. 5. Hūc: The harbor Caesar elsewhere calls Portus Itius. Probably it was Boulogne, which is about 30 miles from Britain.   10. polliceantur (105).   imperiō (61).   18. quantum ... potuit: *so far as opportunity could be afforded to one.*

22. Dum in hīs locīs Caesar nāvium parandārum causā morātur, ex magnā parte Morinōrum ad eum lēgātī vēnērunt, quī sē dē superiōris temporis cōnsiliō excūsārent, quod, hominēs barbarī et nostrae cōnsuētūdinis imperītī, bellum populō Rōmānō fēcissent, sēque ea, quae imperāsset, factūrōs pollicērentur. Hoc sibi Caesar satis op- 5 portūnē accidisse arbitrātus, quod neque post tergum hostem relinquere volēbat, neque bellī gerendī propter annī tempus facultātem habēbat, neque hās tantulārum rērum occupātiōnēs Britanniae antepōnendās iūdicābat, magnum eīs numerum obsidum imperat. Quibus adductīs, eōs in fidem recēpit.   10

Nāvibus circiter LXXX onerāriīs coāctīs contrāctīsque, quot satis esse ad duās trānsportandās legiōnēs exīstimābat, quod praetereā nāvium longārum habēbat, quaestōrī, lēgātīs praefectīsque distribuit. Hūc accēdēbant XVIII onerāriae nāvēs, quae ex eō locō ā mīlibus passuum VIII ventō tenēbantur, quō minus in eundem portum venīre 15 possent; hās equitibus distribuit. Reliquum exercitum Q. Titūriō Sabīnō et L. Aurunculeiō Cottae lēgātīs in Menapiōs atque in eōs pāgōs Morinōrum, ā quibus ad eum lēgātī nōn vēnerant, dūcendum dedit; P. Sulpicium Rūfum lēgātum cum eō praesidiō, quod satis esse arbitrābātur, portum tenēre iussit.   20

Caesar Sets Sail and Prepares to Land in Britain

23. Hīs cōnstitūtīs rēbus, nactus idōneam ad nāvigandum tempestātem, tertiā ferē vigiliā nāvēs solvit, equitēsque in ulteriōrem portum prōgredī et nāvēs cōnscendere et sē sequī iussit. Ā quibus

---

¶22. **1. morātur** (94, Note). **2. dē . . . cōnsiliō:** *for their previous conduct,* referring to their defiance of Caesar in the autumn of 56. **3. hominēs:** in apposition with the subject of **fēcissent.** Supply *being.* **4. cōnsuētūdinis:** Gen. with the adj. **imperītī** (59). **8. hās . . . occupātiōnēs:** *occupation with such trivial matters.* **Britanniae** (62). **11. quot:** *a number which.* **12. duās . . . legiōnēs:** the VII th and X th. **quod . . . nāvium longārum:** *the galleys which* (lit., *what of long ships*). **14. ex eō locō:** They were detained at Ambleteuse. **ā mīlibus passuum VIII:** *eight miles away.* **ā** is used as an adverb. **15. quō minus:** *so that . . . not* (109). **18. dūcendum:** with **exercitum.**

¶23. **3. Ā quibus . . . administrātum:** *While they carried out his orders a little too slowly* — and on this account could not sail for three days.

cum paulō tardius esset administrātum, ipse hōrā diēī circiter quārtā
5 cum prīmīs nāvibus Britanniam attigit atque ibi in omnibus collibus
expositās hostium cōpiās armātās cōnspexit. Cuius locī haec erat
nātūra, atque ita montibus angustīs mare continēbātur, utī ex locīs
superiōribus in lītus tēlum adigī posset. Hunc ad ēgrediendum
nēquāquam idōneum locum arbitrātus, dum reliquae nāvēs eō con-
10 venīrent, ad hōram nōnam in ancorīs exspectāvit.

Interim lēgātīs tribūnīsque mīlitum convocātīs, et quae ex Volu-
sēnō cognōvisset, et quae fierī vellet, ostendit, monuitque ut ad
nūtum et ad tempus omnēs rēs ab eīs administrārentur. Hīs dīmissīs,

4. hōrā diēī circiter quārtā: Aug. 26th, about 9 A.M. **5. Britanniam attigit:** near
Dover. **6. haec:** *such.* **7. montibus angustīs:** *steep cliffs.* The chalk cliffs of
Dover rise abruptly almost from the water's edge. **9. convenīrent (116). 11. et
quae ... cognōvisset, et quae ... vellet:** clauses dep. on **ostendit (117). 12. ad nūtum:** All orders should be carried out with the greatest promptness because of the
unsteady movement of the sea. **IV, 23**

et ventum et aestum ūnō tempore nactus secundum, datō signō et
sublātīs ancorīs, circiter mīlia passuum septem ab eō locō prōgressus, 15
apertō ac plānō lītore nāvēs cōnstituit.

The Britons Vigorously Resist His Landing

24. At barbarī, cōnsiliō Rōmānōrum cognitō, praemissō equitātū
et essedāriīs, quō plērumque genere in proeliīs ūtī cōnsuērunt, reliquīs
cōpiīs subsecūtī nostrōs nāvibus ēgredī prohibēbant. Erat ob hās
causās summa difficultās, quod nāvēs propter magnitūdinem nisi in
altō cōnstituī nōn poterant; mīlitibus autem, ignōtīs locīs, impe- 5
dītīs manibus, magnō et gravī onere armōrum oppressīs simul et dē
nāvibus dēsiliendum et in flūctibus cōnsistendum et cum hostibus
erat pugnandum! cum illī aut ex āridō aut paulum in aquam prōgressī, omnibus membrīs expedītīs, nōtissimīs locīs, audācter tēla
conicerent et equōs īnsuēfactōs incitārent. Quibus rēbus nostrī per- 10
territī, atque huius omnīnō generis pugnae imperītī, nōn eādem
alacritāte ac studiō, quō in pedestribus ūtī proeliīs cōnsuērant,
ūtēbantur.

---

16. **apertō ac plānō lītore:** Between Walmer and Deal, seven miles northeast of
Dover.

¶**24. 2. quō genere:** *a class* (of warriors), *which* (**80**).   **3. cōpiīs** (**83**).   **5, mīlitibus:**
Dat. of agent with **dēsiliendum ... cōnsistendum ... pugnandum erat** (impers.).
Translate the verbs as active and make **mīlitibus** the subject (**66**).   **ignōtīs locīs** (**91**).
6. oppressīs: agrees with **mīlitibus.   8. cum illī:** *while they*, i.e., the Britons.   **10. īnsuē-**
factōs: *trained* (to go into the water).   **11. generis:** with **imperītī** (**59**).   **12. alacritāte**
et studiō: with **ūtēbantur** (**80**).

The Eagle-Bearer of the Xth Legion Leads the Way

25. Quod ubi Caesar animadvertit, nāvēs longās, quārum speciēs erat barbarīs inūsitātior, paulum removērī ab onerāriīs nāvibus et rēmīs incitārī et ad latus apertum hostium cōnstituī, atque inde fundīs, sagittīs, tormentīs hostēs prōpellī ac summovērī iussit; quae
5 rēs magnō ūsuī nostrīs fuit. Nam et nāvium figūrā et rēmōrum mōtū et inūsitātō genere tormentōrum permōtī barbarī cōnstitērunt ac paulum modo pedem rettulērunt.

Atque nostrīs mīlitibus cunctantibus, maximē propter altitūdinem maris, quī decimae legiōnis aquilam ferēbat, obtestātus deōs, ut ea
10 rēs legiōnī fēlīciter ēvenīret, "Dēsilīte," inquit, "commīlitōnēs, nisi vultis aquilam hostibus prōdere; ego certē meum reī pūblicae atque imperātōrī officium praestiterō." Hoc cum vōce magnā dīxisset, sē ex nāve prōiēcit atque in hostēs aquilam ferre coepit. Tum nostrī cohortātī inter sē, nē tantum dēdecus admitterētur, ūniversī ex nāve
15 dēsiluērunt. Hōs item ex proximīs nāvibus cum cōnspexissent, subsecūtī hostibus appropinquārunt.

The Romans Land and Rout the Enemy

26. Pugnātum est ab utrīsque ācriter. Nostrī tamen, quod neque ōrdinēs servāre neque fīrmiter īnsistere neque signa subsequī pote-

¶25. 2. inūsitātior: *quite unfamiliar.* 9. (is) quī ... aquilam ferēbat = aquilifer.
15. ex proximīs nāvibus: *the men from the nearest ships.*

rant, atque alius aliā ex nāve, quibuscumque signīs occurrerat, sē aggregābat, magnopere perturbābantur; hostēs vērō, nōtīs omnibus vadīs, ubi ex lītore aliquōs singulārēs ex nāve ēgredientēs cōnspexe- 5 rant, incitātīs equīs, impedītōs adoriēbantur, plūrēs paucōs circumsistēbant, aliī ab latere apertō in ūniversōs tēla coniciēbant.

Quod cum animadvertisset Caesar, scaphās longārum nāvium, item speculātōria nāvigia mīlitibus complērī iussit et, quōs labōrantēs cōnspexerat, hīs subsidia summittēbat. Nostrī simul in āridō 10 cōnstitērunt, suīs omnibus cōnsecūtīs, in hostēs impetum fēcērunt atque eōs in fugam dedērunt; neque longius prōsequī potuērunt, quod equitēs cursum tenēre atque īnsulam capere nōn potuerant. Hoc ūnum ad prīstinam fortūnam Caesarī dēfuit.

The Britons Sue for Peace

27. Hostēs proeliō superātī, simul atque sē ex fugā recēpērunt, statim ad Caesarem lēgātōs dē pāce mīsērunt; obsidēs sēsē datūrōs, quaeque imperāsset, factūrōs pollicitī sunt. Ūnā cum hīs lēgātīs Commius Atrebās vēnit, quem suprā dēmōnstrāveram ā Caesare in Britanniam praemissum. Hunc illī ē nāve ēgressum, cum ad eōs ōrā- 5 tōris modō Caesaris mandāta dēferret, comprehenderant atque in vincula coniēcerant; tum proeliō factō remīsērunt. In petendā pāce, eius reī culpam in multitūdinem contulērunt et propter imprūdentiam ut ignōscerētur petīvērunt.

Caesar questus, quod, cum ultrō (in continentem lēgātīs missīs) 10 pācem ab sē petīssent, bellum sine causā intulissent, ignōscere sē imprūdentiae dīxit obsidēsque imperāvit; quōrum illī partem statim dedērunt, partem ex longinquiōribus locīs arcessītam paucīs diēbus sēsē datūrōs dīxērunt. Intereā suōs remigrāre in agrōs iussērunt, prīncipēsque undique convenīre et sē cīvitātēsque suās Caesarī com- 15 mendāre coepērunt.

¶26. 3. alius aliā ex nāve ... sē aggregābat: *one from one ship, another from another would join.* 6. plūrēs: *many.* 7. ūniversōs: *groups of soldiers,* as contrasted with singulārēs. 9. quōs ... cōnspexerat: here, as often, the relative clause — instead of following — precedes the antecedent, which is hīs. 10. simul: *as soon as.* 12. neque: *but ... not.*

¶27. 3. quaeque ... = et ea quae imperāvisset. 5. ōrātōris modō: *as an envoy.* 7. remīsērunt: Supply eum. 9. ignōscerētur: Impers. (107). 10. cum ... petīssent (115). 11. intulissent (119, *b*). 12. imprūdentiae (61).

28. Hīs rēbus pāce cōnfīrmātā, diē quārtō, postquam est in Britanniam ventum, nāvēs XVIII (dē quibus suprā dēmōnstrātum est), quae equitēs sustulerant, ex superiōre portū lēnī ventō solvērunt. Quae cum appropinquārent Britanniae et ex castrīs vidērentur, tanta 5 tempestās subitō coorta est, ut nūlla eārum cursum tenēre posset, sed aliae eōdem, unde erant profectae, referrentur, aliae ad īnferiōrem partem īnsulae, quae est propius sōlis occāsum, magnō cum perīculō dēicerentur; quae tamen, ancorīs iactīs, cum fluctibus complērentur, necessāriō adversā nocte in altum prōvectae continentem 10 petiērunt.

29. Eādem nocte accidit, ut esset lūna plēna, quī diēs maritimōs aestūs maximōs in Ōceanō efficere cōnsuēvit, nostrīsque id erat incognitum. Ita ūnō tempore et longās nāvēs, quibus Caesar exercitum trānsportandum cūrāverat, quāsque in āridum subdūxerat, 5 aestus complēverat, et onerāriās, quae ad ancorās erant dēligātae, tempestās afflīctābat, neque ūlla nostrīs facultās aut administrandī aut auxiliandī dabātur.

Complūribus nāvibus frāctīs, reliquae cum essent (fūnibus, ancorīs reliquīsque armāmentīs āmissīs) ad nāvigandum inūtilēs, 10 magna, id quod necesse erat accidere, tōtīus exercitūs perturbātiō facta est. Neque enim nāvēs erant aliae, quibus reportārī possent, et omnia deerant, quae ad reficiendās nāvēs erant ūsuī; et, quod

---

¶28. 1. postquam est . . . ventum: *after they reached.* 8. quae tamen . . . complērentur: *but when these cast anchor and on this account were being swamped by the waves;* i.e., so long as they ran before the wind, the waves did not break badly over the ships, but when — in order to escape being dashed upon the shore — they anchored, the waves swept over them and threatened to swamp them. 9. adversā nocte: *in the face of the night.* in altum prōvectae: *they put out to sea.*

¶29. 1. Eādem nocte: August 30th. quī diēs: *a time which.* 2. aestūs maximōs: The highest tide at Dover rises about 20 feet. nostrīs . . . incognitum: There is very little tide in the Mediterranean, but the Romans must have learned something about ocean tides through their experience on the Atlantic coast in the previous summer. What they did not know was that there was some connection between the highest tide and the full moon. 6. afflīctābat: The transports were damaged, some by breaking anchor and being dashed on the shore, others by colliding with adjoining vessels. 11. possent (112). 12. quod . . . oportēre: *and as it was clear to all that the winter would have to be spent in Gaul.*

omnibus cōnstābat, hiemārī in Galliā oportēre, frūmentum in hīs locīs in hiemem prōvīsum nōn erat.

The Britons Secretly Plan Revolt

30. Quibus rēbus cognitīs, prīncipēs Britanniae, quī post proelium ad Caesarem convēnerant, inter sē collocūtī, cum equitēs et nāvēs et frūmentum Rōmānīs deesse intellegerent, et paucitātem mīlitum ex castrōrum exiguitāte cognōscerent (quae hōc erant etiam angus- tiōra, quod sine impedīmentīs Caesar legiōnēs trānsportāverat), op- 5 timum esse dūxērunt, rebelliōne factā, frūmentō commeātūque nos- trōs prohibēre et rem in hiemem prōdūcere; quod, hīs superātīs aut reditū interclūsīs, nēminem posteā bellī īnferendī causā in Britan- niam trānsitūrum cōnfīdēbant. Itaque rūrsus, coniūrātiōne factā, paulātim ex castrīs discēdere ac suōs clam ex agrīs dēdūcere coe- 10 pērunt.

31. At Caesar, etsī nōndum eōrum cōnsilia cognōverat, tamen et ex ēventū nāvium suārum et ex eō, quod obsidēs dare intermīserant, fore id, quod accidit, suspicābātur. Itaque ad omnēs cāsūs subsidia comparābat. Nam et frūmentum ex agrīs cotīdiē in castra cōnferē- bat et, quae gravissimē afflīctae erant nāvēs, eārum māteriā atque 5 aere ad reliquās reficiendās ūtēbātur et, quae ad eās rēs erant ūsuī, ex continentī comportārī iubēbat. Itaque, cum summō studiō ā mīlitibus administrārētur, XII nāvibus āmissīs, reliquīs ut nāvigārī commodē posset, effēcit.

The Britons Attack the VIIth Legion

32. Dum ea geruntur, legiōne ex cōnsuētūdine ūnā frūmentātum missā, quae appellābātur septima, neque ūllā ad id tempus bellī suspīciōne interpositā, cum pars hominum in agrīs remanēret, pars

---

¶30. **1. prīncipēs:** subject of **dūxērunt** (line 6). **4. hōc:** *on this account;* ex- plained by the **quod** clause. **etiam angustiōra:** *even narrower* (than usual for two legions). **6. dūxērunt:** *thought.* **10. suōs ... dēdūcere:** i.e., the soldiers, who had been told to return to their farms, were now called to take up arms again.

¶31. **2. ex ēventū nāvium suārum:** *from what had happened to his ships.* **ex eō, quod:** *from the fact that.* **3. fore ... suspicābātur:** *he suspected the very thing that happened.* **5. quae ... nāvēs, eārum** = eārum nāvium, quae. **8. ut posset ... effēcit:** *he made it possible.*

¶32. **1. frūmentātum:** supine (**132,** *a*) — *to get grain.*

MURUS ROMANUS IN BRITANNIA (CAERWENT)

etiam in castra ventitāret, — eī, quī prō portīs castrōrum in statiōne
5 erant, Caesarī nūntiāvērunt, pulverem maiōrem quam cōnsuētūdō
ferret in eā parte vidērī, quam in partem legiō iter fēcisset. Caesar
id, quod erat, suspicātus, aliquid novī ā barbarīs initum cōnsilī, cohortēs, quae in statiōnibus erant, sēcum in eam partem proficīscī,
ex reliquīs duās in statiōnem cohortēs succēdere, reliquās armārī et
10 cōnfestim sēsē subsequī iussit.

Cum paulō longius ā castrīs prōcessisset, suōs ab hostibus premī
atque aegrē sustinēre et, cōnfertā legiōne, ex omnibus partibus tēla
conicī animadvertit. Nam quod, omnī ex reliquīs partibus dēmessō
frūmentō, pars ūna erat reliqua, suspicātī hostēs hūc nostrōs esse
15 ventūrōs, noctū in silvīs dēlituerant; tum dispersōs, dēpositīs armis,
in metendō occupātōs subitō adortī, paucīs interfectīs, reliquōs incertīs ōrdinibus perturbāverant, simul equitātū atque essedīs cir-
cumdederant.

---

4. in statiōne: *on duty.* **5. quam cōnsuētūdō ferret:** *than usual.* **7. id, quod erat:** *the truth.* **aliquid novī ā barbarīs initum (esse) cōnsilī** (a clause in apposition with **id**): *namely that some new plan had been formed by the barbarians.* **9. cohortēs:** probably four, one at each of the four gates of the camp. **armārī:** *to arm themselves.* **11. paulō longius:** *some little distance.* **14. ūna:** *only one.* **15. tum (eōs) dispersōs . . . occupātōs.**

The War Chariots of the Britons

33. Genus hoc est ex essedīs pugnae. Prīmō per omnēs partēs perequitant et tēla coniciunt, atque ipsō terrōre equōrum et strepitū rotārum ōrdinēs plērumque perturbant; et cum sē inter equitum turmās īnsinuāvērunt, ex essedīs dēsiliunt et pedibus proeliantur. Aurīgae interim paulātim ex proeliō excēdunt, atque ita currūs col- 5 locant, ut, sī illī ā multitūdine hostium premantur, expedītum ad suōs receptum habeant. Ita mōbilitātem equitum, stabilitātem peditum in proeliīs praestant, ac tantum ūsū cotīdiānō et exercitā-tiōne efficiunt, utī in dēclīvī ac praecipitī locō incitātōs equōs sus-tinēre et brevī moderārī ac flectere, et per tēmōnem percurrere et in 10 iugō īnsistere, et sē inde in currūs citissimē recipere cōnsuēscerent.

British Reinforcements Arrive

34. Quibus rēbus perturbātīs nostrīs tempore opportūnissimō Caesar auxilium tulit; namque eius adventū hostēs cōnstitērunt,

¶**33. 1. essedīs:** Several later Roman writers allude to British *scythe-bearing war chariots.* But the absence of scythes on the chariots depicted on Roman coins, the failure to find them in graves, and the fact that Caesar does not mention them at all, make it improbable that British war chariots were equipped with scythes. **2. equō-rum:** *caused by the horses.* **3. equitum:** *the enemy's cavalry.* **5. currūs:** About a century ago near York, Eng., a grave was discovered which, when opened, was found to contain the skeleton of a man, two chariot wheels, and the skeletons of two horses. The wheels were 2 ft. 11 in. in diameter, indicating that British chariots were too narrow to carry more than two men apiece. The skeletons of the horses showed that they were only 13 hands high. **6. illī:** *the warriors.* **9. incitātōs equōs sustinēre:** *control their horses at full speed.* **10. brevī (tempore):** *quickly.*

nostrī sē ex timōre recēpērunt. Quō factō, ad lacessendum hostem et ad committendum proelium aliēnum esse tempus arbitrātus, suō 5 sē locō continuit et, brevī tempore intermissō, in castra legiōnēs redūxit.

Dum haec geruntur, nostrīs omnibus occupātīs, quī erant in agrīs reliquī, discessērunt. Secūtae sunt continuōs complūrēs diēs tempestātēs, quae et nostrōs in castrīs continērent et hostem ā pugnā 10 prohibērent.

Interim barbarī nūntiōs in omnēs partēs dīmīsērunt paucitātemque nostrōrum mīlitum suīs praedicāvērunt et, quanta praedae faciendae atque in perpetuum suī līberandī facultās darētur, sī Rōmānōs castrīs expulissent, dēmōnstrāvērunt. Hīs rēbus celeriter magnā 15 multitūdine peditātūs equitātūsque coāctā, ad castra vēnērunt.

The Britons Are Defeated and Sue for Peace

35. Caesar, etsī idem, quod superiōribus diēbus acciderat, fore vidēbat, ut, sī essent hostēs pulsī, celeritāte perīculum effugerent, tamen nactus equitēs circiter xxx, quōs Commius Atrebās, dē quō ante dictum est, sēcum trānsportāverat, legiōnēs in aciē prō castrīs 5 cōnstituit. Commissō proeliō, diūtius nostrōrum mīlitum impetum hostēs ferre nōn potuērunt ac terga vertērunt. Quōs tantō spatiō secūtī, quantum cursū et vīribus efficere potuērunt, complūrēs ex eīs occīdērunt; deinde, omnibus longē lātēque aedificiīs incēnsīs, sē in castra recēpērunt.

36. Eōdem diē lēgātī ab hostibus missī ad Caesarem dē pāce vēnērunt. Hīs Caesar numerum obsidum, quem ante imperāverat, duplicāvit, eōsque in continentem addūcī iussit, quod, propinquā diē aequinoctī, īnfīrmīs navibus hiemī nāvigātiōnem subiciendam 5 nōn exīstimābat.

Ipse, idōneam tempestātem nactus, paulō post mediam noctem

¶34. 7. (eī) quī. 9. continērent (112). 13. suī (130, 2). 14. expulissent (118).

¶35. 1. idem (explained by quod clause) is the subject of fore. 2. sī essent ... pulsī: Compare sī ... expulissent, line 14, in preceding chapter. 6. tantō spatiō ... potuērunt: *as far as their speed and strength allowed.* 7. (nostrī) secūtī.

¶36. 2. Hīs: Dat. with duplicāvit (65). 3. quod ... aequinoctī: *because the season of the equinox was at hand, and ...* 4. hiemī: *stormy weather* (62).

nāvēs solvit; quae omnēs incolumēs ad continentem pervēnērunt; sed ex eīs onerāriae duae eōsdem portūs, quōs reliquae, capere nōn potuērunt, et paulō īnfrā dēlātae sunt.

Legionaries from Two Transports Are Attacked

37. Quibus ex nāvibus cum essent expositī mīlitēs circiter trecentī atque in castra contenderent, Morinī, quōs Caesar in Britanniam proficīscēns pācātōs relīquerat, spē praedae adductī, prīmō nōn ita magnō suōrum numerō circumsteterunt ac, sī sēsē interficī nōllent, arma pōnere iussērunt. Cum illī, orbe factō, sēsē dēfenderent, cele- 5 riter ad clāmōrem hominum circiter mīlia sex convēnērunt. Quā rē nūntiātā, Caesar omnem ex castrīs equitātum suīs auxiliō mīsit.

Interim nostrī mīlitēs impetum hostium sustinuērunt atque amplius hōrīs quattuor fortissimē pugnāvērunt, et, paucīs vulneribus acceptīs, complūrēs ex hīs occīdērunt. Posteā vērō quam equitātus 10 noster in cōnspectum vēnit, hostēs, abiectīs armīs, terga vertērunt magnusque eōrum numerus est occīsus.

Caesar Punishes the Morini and the Menapii Flee

38. Caesar posterō diē Titum Labiēnum lēgātum cum eīs legiōnibus, quās ex Britanniā redūxerat, in Morinōs, quī rebelliōnem fēcerant, mīsit. Quī cum propter siccitātēs palūdum, quō sē reciperent, nōn habērent, omnēs ferē in potestātem Labiēnī pervēnērunt.

At Q. Titūrius et L. Cotta lēgātī, quī in Menapiōrum fīnēs 5 legiōnēs dūxerant, omnibus eōrum agrīs vāstātīs, frūmentīs succīsīs, aedificiīs incēnsīs, quod Menapiī sē omnēs in dēnsissimās silvās abdiderant, sē ad Caesarem recēpērunt. Caesar in Belgīs omnium legiōnum hīberna cōnstituit.

Hīs rēbus gestīs, ex litterīs Caesaris diērum vīgintī supplicātiō ā 10 senātū dēcrēta est.

---

8. quōs: *as.*

¶37. 1. Quibus ex nāvibus: The two transports mentioned in the last lines of Chapter 36. 3. prīmō: adv. 4. (eōs) circumsteterunt . . . iussērunt. 5. pōnere = dēpōnere. orbe: The "circle" corresponded to the modern "hollow square."

¶38. 3. siccitās, -ātis, f., [siccus], *dryness.* Translate as if singular. quō: (*any place) to which they could withdraw.* The clause quō . . . reciperent (112) depends on habērent.

Book V

Second Expedition to Britain (54 B.C.)

Chapters 1–7

During the winter of 55–54 Caesar employed his legions in building 600 transports for the coming expedition to Britain. They were built a little shallower than usual, so that they could be more easily beached. They were also wider, which enabled them to carry heavier cargoes and more horses. When Caesar reached the army in the spring, these transports together with 28 war galleys were almost ready to be launched.

Caesar Sets Sail

8. Hīs rēbus gestīs, Labiēnō in continentī cum tribus legiōnibus et equitum mīlibus duōbus relīctō, ut portūs tuērētur et rem frūmentāriam prōvidēret, quaeque in Galliā gererentur, cognōsceret, cōnsiliumque prō tempore et prō rē caperet, ipse cum quīnque le-
5 giōnibus et parī numerō equitum, quem in continentī relīquerat, ad sōlis occāsum nāvēs solvit; et lēnī Āfricō prōvectus, mediā circiter nocte ventō intermissō, cursum nōn tenuit et, longius dēlātus aestū, ortā lūce sub sinistrā Britanniam relictam cōnspexit. Tum rūrsus

---

¶**8. 2. ut ... tuērētur ... prōvidēret ... cognōsceret ... caperet:** four clauses setting forth the *purposes* which Labienus was to bear in mind. **4. prō:** *in accordance with.* **rē:** *circumstances.* **6. sōlis occāsum:** The date was about July 6th.

aestūs commūtātiōnem secūtus, rēmīs contendit, ut eam partem īnsulae caperet, quā optimum esse ēgressum superiōre aestāte cog- 10 nōverat. Quā in rē admodum fuit mīlitum virtūs laudanda, quī vectōriīs gravibusque nāvigiīs, nōn intermissō rēmigandī labōre, longārum nāvium cursum adaequārunt.

Accessum est ad Britanniam omnibus nāvibus merīdiānō ferē tempore, neque in eō locō hostis est vīsus; sed, ut posteā Caesar ex 15 captīvīs cognōvit, cum magnae manūs eō convēnissent, multitūdine nāvium perterritae, quae cum annōtinīs prīvātīsque, quās suī quisque commodī fēcerat, amplius octingentae ūnō erant vīsae tempore, ā lītore discesserant ac sē in superiōra loca abdiderant.

---

14. Accessum est ... omnibus nāvibus: *All the ships neared.* **17. annōtinīs (nāvibus):** *ships built the year before.* **prīvātīs (nāvibus):** *privately owned ships;* i.e., belonging to the officers and the traders who accompanied the expedition.

9. Caesar, expositō exercitū et locō castrīs idōneō captō, ubi ex captīvīs cognōvit, quō in locō hostium cōpiae cōnsēdissent, cohortibus X ad mare relictīs et equitibus CCC, quī praesidiō nāvibus essent, dē tertiā vigiliā ad hostēs contendit, eō minus veritus nāvibus, quod 5 in lītore mollī atque apertō dēligātās ad ancorās relinquēbat; eī praesidiō nāvibusque Q. Ātrium praefēcit. Ipse, noctū prōgressus mīlia passuum circiter XII, hostium cōpiās cōnspicātus est.

Illī, equitātū atque essedīs ad flūmen prōgressī, ex locō superiōre nostrōs prohibēre et proelium committere coepērunt. Repulsī ab 10 equitātū sē in silvās abdidērunt, locum nactī ēgregiē et nātūrā et opere mūnītum, quem domesticī bellī, ut vidēbātur, causā iam ante praeparāverant; nam crēbrīs arboribus succīsīs omnēs introitūs erant praeclūsī. Ipsī ex silvīs rārī prōpugnābant, nostrōsque intrā mūnītiōnēs ingredī prohibēbant. At mīlitēs legiōnis septimae, testū 15 dine factā et aggere ad mūnītiōnēs adiectō, locum cēpērunt eōsque ex silvīs expulērunt, paucīs vulneribus acceptīs. Sed eōs fugientēs longius Caesar prōsequī vetuit, et quod locī nātūram ignōrābat, et quod, magnā parte diēī cōnsūmptā, mūnītiōnī castrōrum tempus relinquī volēbat.

A Storm Shatters the Fleet

10. Postrīdiē eius diēī māne tripertītō mīlitēs equitēsque in expedītiōnem mīsit, ut eōs, quī fūgerant, persequerentur. Hīs aliquantum itineris prōgressīs, cum iam extrēmī essent in prōspectū, equitēs ā Q. Ātriō ad Caesarem vēnērunt, quī nūntiārent, superiōre nocte 5 maximā coortā tempestāte, prope omnēs nāvēs afflīctās atque in lītus ēiectās esse, quod neque ancorae fūnēsque subsisterent, neque nautae gubernātōrēsque vim tempestātis patī possent; itaque ex eō concursū nāvium magnum esse incommodum acceptum.

11. Hīs rēbus cognitīs, Caesar legiōnēs equitātumque revocārī atque in itinere resistere iubet, ipse ad nāvēs revertitur; eadem ferē,

---

¶9. 3. essent (105). 4. nāvibus (65). 5. dēligātās (nāvēs). 8. flūmen: the Stour. 11. bellī: with causā. 15. aggere: i.e., after filling the ditch with fascines and earth, they continued to pile up the material until they had formed a rough causeway to the top of the rampart.

¶10. 2. aliquantum itineris: *some distance* (58). 3. extrēmī: *the rear* of the division that had been sent to pursue the Britons was still visible from the camp.

quae ex nūntiīs litterīsque cognōverat, cōram perspicit, sīc ut, āmissīs circiter XL nāvibus, reliquae tamen reficī posse magnō negōtiō
vidērentur.   5

Itaque ex legiōnibus fabrōs dēligit et ex continentī aliōs arcessī
iubet; Labiēnō scrībit, ut, quam plūrimās posset, eīs legiōnibus,
quae sint apud eum, nāvēs īnstituat. Ipse, etsī rēs erat multae
operae ac labōris, tamen commodissimum esse statuit omnēs nāvēs
subdūcī et cum castrīs ūnā mūnītiōne coniungī. In hīs rēbus circiter 10
diēs X cōnsūmit, nē nocturnīs quidem temporibus ad labōrem mīlitum intermissīs.

Subductīs nāvibus castrīsque ēgregiē mūnītīs, eāsdem cōpiās,
quās ante, praesidiō nāvibus relinquit, ipse eōdem unde redierat
proficīscitur. Eō cum vēnisset, maiōrēs iam undique in eum locum 15
cōpiae Britannōrum convēnerant, summā imperī bellīque administrandī commūnī cōnsiliō permissā Cassivellaunō; cuius fīnēs ā mari-
timīs cīvitātibus flūmen dīvidit, quod appellātur Tamesis, ā marī
circiter mīlia passuum LXXX. Huic superiōre tempore cum reliquīs
cīvitātibus continentia bella intercesserant; sed, nostrō adventū 20
permōtī, Britannī hunc tōtī bellō imperiōque praefēcerant.

The Geography and Inhabitants of Britain

12. Britanniae pars interior ab eīs incolitur, quōs nātōs in īnsulā
ipsā dīcunt; maritima pars ab eīs, quī praedae ac bellī īnferendī
causā ex Belgiō trānsiērunt (quī omnēs ferē eīs nōminibus cīvitātum
appellantur, quibus ortī ex cīvitātibus eō pervēnērunt), et, bellō
illātō, ibi permānsērunt atque agrōs colere coepērunt. Hominum est 5
īnfīnīta multitūdō, crēberrimaque aedificia ferē Gallicīs cōnsimilia,
pecorum magnus numerus. Ūtuntur aut aere aut nummō aureō aut
tāleīs ferreīs ad certum pondus examinātīs prō nummō.

Nāscitur ibi plumbum album in mediterrāneīs regiōnibus, in mari-

---

¶11. 8. sint (118, 1). rēs erat multae operae: *a matter involving much toil.*
16. summā . . . administrandī: *the chief command and the management of the war.*
19. Huic . . . intercesserant: *This man had been engaged in.*

¶12. 1. nātōs (esse): *originated.*   3. quī . . . appellantur: e.g., there were British
tribes called the *Atrebates* and the *Belgae* in southern Britain.   4. quibus ex cīvitātibus
ortī.   6. aedificia (sunt).   7. aere: The earliest British *bronze* coins that as yet have
been found go back almost to Caesar's time. nummō aureō: *Gold* coins have been
unearthed that were in use more than a century before Caesar's invasions.   9. plumbum album: *tin.* As early as the 9th century B.C. the Phoenicians obtained tin from

10 timīs ferrum, sed eius exigua est cōpia; aere ūtuntur importātō.
Māteria cuiusque generis, ut in Galliā, est praeter fāgum atque
abietem. Leporem et gallīnam et ānserem gustāre fās nōn putant;
haec tamen alunt animī voluptātisque causā. Loca sunt temperā-
tiōra quam in Galliā, remissiōribus frīgoribus.

the Cornish mines. As a matter of fact the mines are near the coast in southwestern England. **10. ferrum:** Iron in abundance is now found in the interior.
11. fāgum atque abietem: both beech and fir trees are native to Britain. **13. animī
... causā:** *for pastime and pleasure.*

13. Īnsula nātūrā triquetra, cuius ūnum latus est contrā Galliam. Huius lateris alter angulus, quī est ad Cantium, quō ferē omnēs ex Galliā nāvēs appelluntur, ad orientem sōlem, īnferior ad merīdiem spectat. Hoc pertinet circiter mīlia passuum quīngenta.

Alterum vergit ad Hispāniam atque occidentem sōlem; quā ex 5 parte est Hibernia, dīmidiō minor (ut exīstimātur) quam Britannia, sed parī spatiō trānsmissūs atque ex Galliā est in Britanniam. In hōc mediō cursū est īnsula, quae appellātur Mona; complūrēs praetereā minōrēs subiectae īnsulae exīstimantur; dē quibus īnsulīs nōn nūllī scrīpsērunt, diēs continuōs xxx sub brūmā esse noctem. Nōs 10 nihil dē eō percontātiōnibus reperiēbāmus, nisi certīs ex aquā mēnsūrīs breviōrēs esse quam in continentī noctēs vidēbāmus. Huius est longitūdō lateris, ut fert illōrum opīniō, DCC mīlium.

Tertium est contrā septentriōnēs; cui partī nūlla est obiecta terra, sed eius angulus lateris maximē ad Germāniam spectat. Hoc mīlia 15 passuum DCCC in longitūdinem esse exīstimātur. Ita omnis īnsula est in circuitū vīciēs centum mīlium passuum.

¶13. 1. **nātūrā:** *in shape.* 3. **īnferior (angulus):** i.e., the southwestern. 5. **ad Hispāniam:** This curious idea that Spain projected northward toward Britain prevailed for many centuries. 6. **dīmidiō (87).** 7. **sed parī . . . atque:** *but the passage across is the same as.* **In hōc mediō cursū:** *Halfway across.* 9. **subiectae (esse):** *lie near by.* **nōn nūllī:** probably Greek writers. 11. **certīs ex aquā mēnsūrīs:** *by exact measurements with a water clock.* The **clepsydra,** which was used in Roman camps, was a glass globe with a small hole in the bottom, through which the water dropped slowly, the time being measured by the height of the water in the globe. 13. **ut . . . opīniō:** *as they* (the Britons) *think.*

SCUTUM
DE BRITANNIA

14. Ex hīs omnibus longē sunt hūmānissimī, quī Cantium incolunt
(quae regiō est maritima omnis), neque multum ā Gallicā differunt
cōnsuētūdine. Interiōrēs plērīque frūmenta nōn serunt, sed lacte et
carne vīvunt pellibusque sunt vestītī. Omnēs vērō sē Britannī vitrō
5 īnficiunt, quod caeruleum efficit colōrem, atque hōc horridiōrēs sunt
in pugnā aspectū; capillōque sunt prōmissō.

The Britons Resist Bravely

15. Equitēs hostium essedāriīque ācriter proeliō cum equitātū
nostrō in itinere cōnflīxērunt, ita tamen, ut nostrī omnibus partibus
superiōrēs fuerint atque eōs in silvās collēsque compulerint; sed,
complūribus interfectīs, cupidius īnsecūtī nōn nūllōs ex suīs āmī-
5 sērunt.

At illī, intermissō spatiō, imprūdentibus nostrīs atque occupātīs
in mūnītiōne castrōrum, subitō sē ex silvīs ēiēcērunt, impetūque in
eōs factō, quī erant in statiōne prō castrīs collocātī, ācriter pugnāvē-

---

¶14. 5. hōc (81). 6. aspectū (85). capillō prōmissō (84).

¶15. 3. sed (nostrī equitēs).

runt; duābusque missīs subsidiō cohortibus ā Caesare — atque hīs prīmīs legiōnum duārum —, cum hae, perexiguō intermissō locī 10 spatiō, inter sē cōnstitissent, novō genere pugnae perterritīs nostrīs, per mediōs audācissimē perrūpērunt sēque inde incolumēs recēpērunt. Eō diē Q. Laberius Dūrus, tribūnus mīlitum, interficitur. Illī, plūribus summissīs cohortibus, repelluntur.

16. Tōtō hōc in genere pugnae, cum sub oculīs omnium ac prō castrīs dīmicārētur, intellēctum est, nostrōs propter gravitātem armōrum, quod neque īnsequī cēdentēs possent neque ab signīs discēdere audērent, minus aptōs esse ad huius generis hostem; equitēs autem magnō cum perīculō proeliō dīmicāre, proptereā quod illī 5 etiam cōnsultō plērumque cēderent et, cum paulum ab legiōnibus nostrōs remōvissent, ex essedīs dēsilīrent et pedibus disparī proeliō contenderent. Accēdēbat hūc, ut numquam cōnfertī, sed rārī magnīsque intervāllīs proeliārentur statiōnēsque dispositās habērent, atque aliōs aliī deinceps exciperent, integrīque et recentēs dēfatī- 10 gātīs succēderent.

17. Posterō diē procul ā castrīs hostēs in collibus cōnstitērunt, rārīque sē ostendere et lēnius, quam prīdiē, nostrōs equitēs proeliō lacessere coepērunt. Sed merīdiē, cum Caesar pābulandī causā trēs legiōnēs atque omnem equitātum cum C. Trebōniō lēgātō mīsisset, repente ex omnibus partibus ad pābulātōrēs advolāvērunt sīc, utī 5 ab signīs legiōnibusque nōn absisterent.

Nostrī, ācriter in eōs impetū factō, reppulērunt neque fīnem sequendī fēcērunt, quoad subsidiō cōnfīsī equitēs, cum post sē legiōnēs vidērent, praecipitēs hostēs ēgērunt, magnōque eōrum numerō interfectō, neque suī colligendī neque cōnsistendī aut ex essedīs dēsi- 10 liendī facultātem dedērunt.

Ex hāc fugā prōtinus, quae undique convēnerant, auxilia discessērunt, neque post id tempus umquam summīs nōbīscum cōpiīs hostēs contendērunt.

---

9. **atque hīs prīmīs:** *and those the first cohorts.* 11. **inter sē:** *apart.* 12. **per mediōs:** i.e., between the two cohorts.

¶**16.** 2. **intellēctum est:** *it was evident.* 3. **(hostēs) cēdentēs.** 4. **equitēs...dīmicāre:** Clause dependent upon **intellēctum est.** 8. **Accēdēbat hūc, ut...proeliārentur:** *In addition to this they fought.* 9. **statiōnēs dispositās:** *reserves posted.*

¶**17.** 5. **sīc, utī...absisterent:** *with such boldness that they actually charged the lines of the legions.* 8. **subsidiō cōnfīsī:** *depending upon the support* (of the legions) **(61).** 12. **quae:** what is its antecedent?

18. Caesar, cognitō cōnsiliō eōrum, ad flūmen Tamesim in fīnēs Cassivellaunī exercitum dūxit; quod flūmen ūnō omnīnō locō pedibus — atque hōc aegrē — trānsīrī potest. Eō cum vēnisset, animadvertit ad alteram flūminis rīpam magnās esse cōpiās hostium
5 īnstrūctās. Rīpa autem erat acūtīs sudibus praefīxīs mūnīta, eiusdemque generis sub aquā dēfīxae sudēs flūmine tegēbantur.

His rēbus cognitīs ā captīvīs perfugīsque, Caesar, praemissō equitātū, cōnfestim legiōnēs subsequī iussit. Sed eā celeritāte atque eō impetū mīlitēs iērunt, cum capite sōlō ex aquā exstārent, ut hostēs
10 impetum legiōnum atque equitum sustinēre nōn possent rīpāsque dīmitterent ac sē fugae mandārent.

19. Cassivellaunus, ut suprā dēmōnstrāvimus, omnī dēpositā spē contentiōnis, dīmissīs ampliōribus cōpiīs, mīlibus circiter quattuor essedāriōrum relictīs, itinera nostra servābat; paulumque ex viā excēdēbat locīsque impedītīs ac silvestribus sēsē occultābat, atque
5 eīs regiōnibus, quibus nōs iter factūrōs cognōverat, pecora atque hominēs ex agrīs in silvās compellēbat; et cum equitātus noster līberius praedandī vāstandīque causā sē in agrōs ēiēcerat, omnibus viīs sēmitīsque essedāriōs ex silvīs ēmittēbat, et magnō cum perīculō nostrōrum equitum cum eīs cōnflīgēbat atque hōc metū lātius vagārī
10 prohibēbat.

¶**18. 2. ūnō ... locō:** probably near Brentford, about 20 miles up the river from London. **5. praefīxīs:** i.e., driven into the edge of the bank, and projecting out toward the river. **8. eā and eō:** *such.*

¶**19. 1. spē contentiōnis:** *hope of (success from) open fighting.* **4. excēdēbat:** How should this and the following imperfects be translated to show *customary* action? **9. (nostrōs) vagārī.**

Summary of Chapters 20–21

The Trinobantes, a powerful state in this part of Britain, now offered terms of peace, which Caesar was quick to accept. Five other states then submitted to him. Advancing farther, Caesar stormed Cassivellaunus's stronghold, but failed to capture his army.

An Attack on the Naval Camp Fails

22. Dum haec in hīs locīs geruntur, Cassivellaunus ad Cantium, quod esse ad mare suprā dēmōnstrāvimus, quibus regiōnibus quattuor rēgēs praeerant, Cingetorīx, Carvilius, Taximagulus, Segovax, nūntiōs mittit atque hīs imperat, utī, coāctīs omnibus cōpiīs, castra nāvālia dē imprōvīsō adoriantur atque oppugnent. Eī cum ad castra 5

¶22. 2. regiōnibus (62).

vēnissent, nostrī, ēruptiōne factā, multīs eōrum interfectīs, captō
etiam nōbilī duce Lugotorige, suōs incolumēs redūxērunt.

   Cassivellaunus, hōc proeliō nūntiātō, tot dētrīmentīs acceptīs,
vāstātīs fīnibus, maximē etiam permōtus dēfectiōne cīvitātum, lē-
10 gātōs per Atrebātem Commium dē dēditiōne ad Caesarem mittit.
Caesar, cum cōnstituisset hiemāre in continentī propter repentīnōs
Galliae mōtūs, neque multum aestātis superesset, atque id facile
extrahī posse intellegeret, obsidēs imperat et, quid in annōs singulōs
vectīgālis populō Rōmānō Britannia penderet, cōnstituit; imperat
15 Cassivellaunō, nē Trinobantibus noceat.

Caesar Returns with His Army to Gaul

   23. Obsidibus acceptīs, exercitum redūcit ad mare, nāvēs invenit
refectās. Hīs dēductīs, quod et captīvōrum magnum numerum
habēbat et nōn nūllae tempestāte dēperierant nāvēs, duōbus commeātibus exercitum reportāre īnstituit. Ac sīc accidit, utī ex tantō
5 nāvium numerō, tot nāvigātiōnibus, neque hōc neque superiōre
annō ūlla omnīnō nāvis, quae mīlitēs portāret, dēsīderārētur; at ex
eīs, quae inānēs ex continentī ad eum remitterentur, numerō LX,
perpaucae locum caperent, reliquae ferē omnēs reicerentur. Quās
cum aliquamdiū Caesar frūstrā exspectāsset, nē annī tempore ā
10 nāvigātiōne exclūderētur, quod aequinoctium suberat, necessāriō
angustius mīlitēs collocāvit ac, summā tranquillitāte cōnsecūtā,
secundā initā cum solvisset vigiliā, prīmā lūce terram attigit omnēsque incolumēs nāvēs perdūxit.

Results of Caesar's Expeditions to Britain

   In spite of Caesar's failure to subdue the island, his invasions had several important
results. The *immediate* consequences were (1) that the Britons ceased to aid the Gauls
in resisting the Romans and (2) that trade with Britain was greatly stimulated.

   But a more important result was the conviction that it would be both easy and
worth while for Rome to conquer Britain. In this Caesar was the *pioneer* who opened
the way to the more permanent conquest about one hundred years later. During the
three following centuries a large part of Britain became completely *Romanized;* the
impress of Roman civilization in British life and government remains to this day.

---

   13. quid . . . vectīgālis (58). This tribute was never paid.

   ¶**23. 3. commeātibus:** *trips.* **8. locum:** *their destination,* i.e., Britain. **11. angustius:** *rather closely.*

Attacks on Caesar's Winter Camps among the Belgae

Chapters 24–29

After returning from Britain, Caesar put his legions in widely separated winter camps in northern Gaul (see map), chiefly to ensure better supplies for each legion. But a revolt by Ambiorix, the crafty chief of the Eburones, who feigned friendship for the Romans and offered to escort them to a safer place, threatened the security of the whole camp of Sabinus and Cotta. The two Roman generals disagreed as to the proper course to follow, Sabinus feeling that they should move to another camp, and Cotta arguing that they should stay.

Sabinus Forces Cotta to Yield

30. Hāc in utramque partem disputātiōne habitā, cum ā Cottā prīmīsque ōrdinibus ācriter resisterētur,

"Vincite," inquit, "sī ita vultis," Sabīnus, et id clāriōre vōce, ut magna pars mīlitum exaudīret; "neque is sum," inquit, "quī gravissimē ex vōbīs mortis perīculō terrear.   5

"Hī sapient; sī gravius quid acciderit, abs tē ratiōnem poscent; quī, sī per tē liceat, perendinō diē cum proximīs hībernīs coniūnctī, commūnem cum reliquīs bellī cāsum sustineant, — nōn, reiectī et relēgātī longē ā cēterīs, aut ferrō aut famē intereant."

31. Cōnsurgitur ex cōnsiliō; comprehendunt utrumque et ōrant nē suā dissēnsiōne et pertināciā rem in summum perīculum dēdū-

---

¶30. **1. in utramque partem:** *on both sides.* **2. prīmīs ōrdinibus:** i.e., centurions of the first rank. **3. Vincite:** *Have your own way.* **4. exaudīret:** The council was held in the middle of camp. **neque is sum quī ... ex vōbīs ... terrear:** *I am not the man among you to be frightened.* **6. Hī:** pointing to the soldiers. **7. quī:** *they* (*the soldiers*). **sī ... liceat:** *if you would only allow it.*

¶31. **1. Cōnsurgitur:** impersonal.

cant: facilem esse rem, seu maneant seu proficīscantur, sī modo
ūnum omnēs sentiant ac probent; contrā in dissēnsiōne nūllam sē
5 salūtem perspicere. Rēs disputātiōne ad mediam noctem perdūcitur.
Tandem dat Cotta permōtus manūs; superat sententia Sabīnī. Prō-
nūntiātur prīmā lūce itūrōs. Cōnsūmitur vigiliīs reliqua pars noctis,
cum sua quisque mīles circumspiceret quid sēcum portāre posset,
quid ex īnstrūmentō hībernōrum relinquere cōgerētur. Prīmā lūce ex
10 castrīs proficīscuntur longissimō agmine maximīsque impedīmentīs.

The Romans Are Ambushed

32. At hostēs, posteā quam ex nocturnō fremitū vigiliīsque dē
profectiōne eōrum sēnsērunt, collocātīs īnsidiīs bipertītō in silvīs
opportūnō atque occultō locō ā mīlibus passuum circiter duōbus,
Rōmānōrum adventum exspectābant; et cum sē maior pars agminis
5 in magnam convallem dēmīsisset, ex utrāque parte eius vallis subitō
sē ostendērunt, novissimōsque premere et prīmōs prohibēre ascēnsū
atque inīquissimō nostrīs locō proelium committere coepērunt.

33. Tum dēmum Titūrius, quī nihil ante prōvīdisset, trepidābat
et concursābat cohortēsque dispōnēbat, — haec tamen ipsa timidē
atque ut eum omnia dēficere vidērentur; quod plērumque eīs accidere cōnsuēvit quī in ipsō negōtiō cōnsilium capere cōguntur. At
5 Cotta, quī cōgitāsset haec posse in itinere accidere atque ob eam
causam profectiōnis auctor nōn fuisset, nūllā in rē commūnī salūtī
deerat, et in appellandīs cohortandīsque mīlitibus imperātōris et
in pugnā mīlitis officia praestābat.

Cum propter longitūdinem agminis minus facile per sē omnia
10 agere, et quid quōque locō faciendum esset prōvidēre possent, iussērunt prōnūntiārī ut impedīmenta relinquerent atque in orbem
cōnsisterent. Quod cōnsilium, etsī in eius modī cāsū reprehenden-
dum nōn est, tamen incommodē accidit; nam et nostrīs mīlitibus
spem minuit et hostēs ad pugnam alacriōrēs effēcit, quod nōn sine
15 summō timōre et dēspērātiōne id factum vidēbātur. Praetereā ac-

---

6. **dat manūs:** *yielded.*   9. **quid:** (to see) *what.*

¶33. 1. Titūrius (Sabīnus). **prōvīdisset:** Relative clause denoting *cause.*   2. **haec
tamen ipsa** (faciēbat).   3. **ut ... omnia:** *in such a way that all his wits.*   6. **auctor:**
in favor of.   7. **imperātōris, mīlitis:** with **officia.**   13. **mīlitibus** (65).   15. **factum**
(esse).

cidit (quod fierī necesse erat) ut vulgō mīlitēs ab signīs discēderent, quaeque quisque eōrum cārissima habēret ab impedīmentīs petere atque arripere properāret, clāmōre et flētū omnia complērentur.

The Romans Fight Desperately Against Great Odds

34. At barbarīs cōnsilium nōn dēfuit. Nam ducēs eōrum tōtā aciē prōnūntiārī iussērunt nē quis ab locō discēderet: illōrum esse praedam atque illīs reservārī quaecumque Rōmānī relīquissent; omnia in victōriā posita exīstimārent. Nostrī tametsī ab duce et ā fortūnā dēserēbantur, tamen omnem spem salūtis in virtūte pōnē- 5
bant; et quotiēs quaeque cohors prōcurrerat, ab eā parte magnus numerus hostium cadēbat. Quā rē animadversā, Ambiorīx prōnūntiārī iubet ut procul tēla coniciant neu propius accēdant, et quam in partem Rōmānī impetum fēcerint cēdant, rūrsus sē ad signa recipientēs īnsequantur. 10

35. Quō praeceptō ab eīs dīligentissimē observātō, cum quaepiam cohors ex orbe excesserat atque impetum fēcerat, hostēs vēlōcissimē refugiēbant. Interim eam partem nūdārī necesse erat et ab latere apertō tēla recipere. Rūrsus, cum in eum locum, unde erant ēgressī, revertī coeperant, et ab eīs quī cesserant, et ab eīs quī proximī 5
steterant, circumveniēbantur; sīn autem locum tenēre vellent, nec virtūtī locus relinquēbātur, neque ab tantā multitūdine coniecta tēla cōnfertī vītāre poterant.

Tamen tot incommodīs cōnflīctātī, multīs vulneribus acceptīs, resistēbant; et magnā parte diēī cōnsūmptā, cum ā prīmā lūce ad 10
hōram octāvam pugnārētur, nihil, quod ipsīs esset indignum, committēbant. Tum T. Balventius, quī superiōre annō prīmum pīlum dūxerat, vir fortis et magnae auctōritātis, trāgulā trāicitur; Q. Lūcānius, eiusdem ōrdinis, fortissimē pugnāns, dum circumventō fīliō subvenit, interficitur; L. Cotta lēgātus omnēs cohortēs ōrdi- 15
nēsque adhortāns in adversum ōs fundā vulnerātur.

---

17. **quaeque** = **et ea quae. cārissima habēret:** *held most precious.*

¶**34. 2. discēderet:** subj. in a subst. vol. clause after **prōnūntiārī. 4. ā fortūnā:** agent, because fortune is personified. **7. cadēbat:** *would fall.* **8. et (eōs) rūrsus sē recipientēs.**

¶**35. 1. praeceptō:** noun. **quaepiam:** See Vocabulary under **quispiam. 3. partem nūdārī:** subject of **erat (124). 11. ipsīs indignum (85). 15. fīliō (62). 16. in adversum ōs:** *full in the face.* **fundā:** *by a sling (shot).*

36. Hīs rēbus permōtus Q. Titūrius, cum procul Ambiorīgem suōs cohortantem cōnspexisset, interpretem suum Cn. Pompeium ad eum mittit quī roget ut sibi mīlitibusque parcat. Ille appellātus respondet: Sī velit sēcum colloquī, licēre; spērāre ā multitūdine impetrārī
5 posse, quod ad mīlitum salūtem pertineat; ipsī vērō nēminem nocitūrum esse, inque eam rem sē suam fidem interpōnere.

Ille cum Cottā sauciō commūnicat, sī videātur, pugnā ut excēdant et cum Ambiorīge ūnā colloquantur: spērāre ab eō dē suā ac mīlitum salūte impetrārī posse. Cotta sē ad armātum hostem itūrum negat,
10 atque in eō persevērat.

37. Sabīnus, quōs in praesentiā tribūnōs mīlitum circum sē habēbat et prīmōrum ōrdinum centuriōnēs, sē sequī iubet; et, cum propius Ambiorīgem accessisset, iussus arma abicere, imperātum facit, suīsque, ut idem faciant, imperat. Interim, dum dē condiciōnibus
5 inter sē agunt, longiorque cōnsultō ab Ambiorīge īnstituitur sermō, paulātim circumventus interficitur.

Tum vērō suō mōre "Victōriam" conclāmant, impetūque in nostrōs factō ōrdinēs perturbant. Ibi L. Cotta pugnāns interficitur cum maximā parte mīlitum. Reliquī sē in castra recipiunt unde erant
10 ēgressī. Ex quibus L. Petrosidius aquilifer, cum magnā multitūdine hostium premerētur, aquilam intrā vāllum prōicit; ipse prō castrīs fortissimē pugnāns occīditur. Illī aegrē ad noctem oppugnātiōnem sustinent; noctū ad ūnum omnēs, dēspērātā salūte, sē ipsī interficiunt.
15   Paucī, ex proeliō ēlāpsī, incertīs itineribus per silvās ad T. Labiēnum lēgātum in hīberna perveniunt atque eum dē rēbus gestīs certiōrem faciunt.

¶36. 3. **sibi mīlitibusque** (61).   4. (**sē**) **spērāre . . . posse, quod:** *he hoped that the request might be granted, so far as.*   6. **sē . . . interpōnere:** *he pledged his honor.*
7. **Ille:** Sabinus. **sī videātur:** *whether it seemed best.*   8. (**sē**) **spērāre.**

¶37. 1. **quōs tribūnōs** = **eōs tribūnōs, quōs.**   4. **suīs** (61).   13. **ad ūnum:** *to a man.*

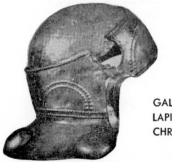

GALEA ET
LAPIS SEPUL-
CHRALIS

Cicero's Heroic Defence Against the Nervii

The Nervii Attack Cicero's Camp

38. Hāc victōriā sublātus, Ambiorīx statim cum equitātū in Aduatucōs, quī erant eius rēgnō fīnitimī, proficīscitur; neque noctem neque diem intermittit, peditātumque sēsē subsequī iubet. Rē dēmōnstrātā Aduatucīsque concitātīs, posterō diē in Nerviōs pervenit hortāturque, nē suī in perpetuum līberandī atque ulcīscendī Rōmā- 5
nōs prō eīs, quās accēperint, iniūriīs occāsiōnem dīmittant; interfectōs esse lēgātōs duōs magnamque partem exercitūs interīsse dēmōnstrat; nihil esse negōtī, subitō oppressam legiōnem, quae cum Cicerōne hiemet, interficī; sē ad eam rem profitētur adiūtōrem. Facile hāc ōrātiōne Nerviīs persuādet. 10

39. Itaque cōnfestim dīmissīs nūntiīs ad Ceutronēs, Grudiōs, Levācōs, Pleumoxiōs, Geidumnōs, quī omnēs sub eōrum imperiō sunt, quam maximās possunt manūs cōgunt, et dē imprōvīsō ad Cicerōnis hīberna advolant, nōndum ad eum fāmā dē Titūrī morte perlātā. 15

¶**38. 4. Nerviōs:** See Book II, ¶16–28. **5. suī līberandī** (130, 2). **6. quās:** the antecedent is **iniūriīs.**

Huic quoque accidit, quod fuit necesse, ut nōn nūllī mīlitēs, quī lignātiōnis mūnītiōnisque causā in silvās discessissent, repentīnō equitum adventū interciperentur. Hīs circumventīs, magnā manū Eburōnēs, Nerviī, Aduatucī atque hōrum omnium sociī et clientēs
10 legiōnem oppugnāre incipiunt. Nostrī celeriter ad arma concurrunt, vāllum cōnscendunt. Aegrē is diēs sustentātur, quod omnem spem hostēs in celeritāte pōnēbant atque, hanc adeptī victōriam, in perpetuum sē fore victōrēs cōnfīdēbant.

The Romans Fight All Day and Toil All Night

40. Mittuntur ad Caesarem cōnfestim ā Cicerōne litterae, magnīs prōpositīs praemiīs, sī pertulissent; obsessīs omnibus viīs, missī intercipiuntur. Noctū ex māteriā, quam mūnītiōnis causā comportāverant, turrēs admodum CXX excitantur incrēdibilī celeritāte; quae
5 deesse operī vidēbantur, perficiuntur. Hostēs posterō diē, multō maiōribus coāctīs cōpiīs, castra oppugnant, fossam complent. Eādem ratiōne, quā prīdiē, ā nostrīs resistitur.

Hoc idem reliquīs deinceps fit diēbus. Nūlla pars nocturnī temporis ad labōrem intermittitur; nōn aegrīs, nōn vulnerātīs facultās
10 quiētis datur. Quaecumque ad proximī diēī oppugnātiōnem opus sunt, noctū comparantur; multae praeūstae sudēs, magnus mūrālium pīlōrum numerus īnstituitur; turrēs contabulantur, pinnae lōrīcaeque ex crātibus attexuntur. Ipse Cicerō, cum tenuissimā valētūdine esset, nē nocturnum quidem sibi tempus ad quiētem
15 relinquēbat, ut ultrō mīlitum concursū ac vōcibus sibi parcere cōgerētur.

41. Tunc ducēs prīncipēsque Nerviōrum, quī aliquem sermōnis

¶39. 6. **Huic quoque**: To Cicero, just as happened to Sabinus and Cotta. (**id**) **quod**: *as.* 7. **lignātiōnis mūnītiōnisque**: *timber for the fortification.* 11. **is diēs sustentātur**: *they held out that day.* 12. **adeptī**: (from **adipīscor**) — equiv. to a conditional clause.

¶40. 1. **ad Caesarem**: at Samarobriva (*Amiens*). 2. **sī (nūntiī eās) pertulissent.** **missī**: *the messengers.* 11. **mūrālium pīlōrum**: *wall pikes*, heavier than the ordinary **pīlum.** 12. **contabulantur**: i.e., the floors were laid in unfinished towers. 13. **lōrīcae ex crātibus**: *breastworks of wattle*, screens of interwoven branches. 15. **concursū ac vōcibus**: i.e., the soldiers gathered round him and begged him to spare himself and take some rest.

¶41. 1. **aliquem sermōnis aditum**: *some claim to talk with him*, having met him before.

aditum causamque amīcitiae cum Cicerōne habēbant, colloquī sēsē velle dīcunt. Factā potestāte, eadem, quae Ambiorīx cum Titūriō ēgerat, commemorant: omnem esse in armīs Galliam; Germānōs Rhēnum trānsīsse; Caesaris reliquōrumque hīberna oppugnārī. 5 Addunt etiam dē Sabīnī morte; Ambiorīgem ostentant fideī faciendae causā. Errāre eōs dīcunt, sī quidquam ab hīs praesidī spērent, quī suīs rēbus diffīdant; sēsē tamen hōc esse in Cicerōnem populumque Rōmānum animō, ut nihil nisi hīberna recūsent, atque hanc inveterāscere cōnsuētūdinem nōlint; licēre illīs per sē incolumibus ex 10 hībernīs discēdere et, quāscumque in partēs velint, sine metū proficīscī.

Cicerō ad haec ūnum modo respondit: Nōn esse cōnsuētūdinem populī Rōmānī, accipere ab hoste armātō condiciōnem; sī ab armīs discēdere velint, sē adiūtōre ūtantur lēgātōsque ad Caesarem mit- 15 tant; spērāre, prō eius iūstitiā, quae petierint, impetrātūrōs.

The Enemy Renew the Attack and Set Fire to the Huts

42. Ab hāc spē repulsī Nerviī vāllō pedum x et fossā pedum xv hīberna cingunt. Haec et superiōrum annōrum cōnsuētūdine ā nōbīs cognōverant et, quōsdam dē exercitū nactī captīvōs, ab hīs docēbantur; sed nūllā ferrāmentōrum cōpiā, quae esset ad hunc ūsum idōnea, gladiīs caespitēs circumcīdere, manibus sagulīsque 5 terram exhaurīre cōgēbantur. Quā quidem ex rē hominum multitūdō cognōscī potuit; nam minus hōrīs tribus mīlium passuum III in circuitū mūnītiōnem perfēcērunt. Reliquīs diēbus turrēs ad altitūdinem vāllī, falcēs testūdinēsque, quās īdem captīvī docuerant, parāre ac facere coepērunt. 10

43. Septimō oppugnātiōnis diē, maximō coortō ventō, ferventēs fūsilī ex argillā glandēs fundīs et fervefacta iacula in casās, quae mōre Gallicō strāmentīs erant tēctae, iacere coepērunt. Hae celeriter ignem comprehendērunt et ventī magnitūdine in omnem locum

---

8. rēbus (61). hōc animō in: *so disposed toward.* **10. cōnsuētūdinem:** *custom* of establishing winter quarters among them. **per sē:** *so far as they* (the Nervii) *were concerned.* **15. sē adiūtōre ūtantur:** *they might use his* (Cicero's) *aid.* **16. (eōs) impetrātūrōs.**

¶**42. 1. pedum x:** in height. **pedum xv:** in width. **4. nūllā cōpiā:** Abl. abs. **7. hōrīs (88). 8. turrēs:** movable towers. **9. testūdinēs:** movable sheds.

¶**43. 2. fundīs:** the slings must have been lined with metal.

5 castrōrum distulērunt. Hostēs maximō clāmōre, sīcutī partā iam atque explōrātā victōriā, turrēs testūdinēsque agere et scālīs vāllum ascendere coepērunt.

At tanta mīlitum virtūs atque ea praesentia animī fuit ut, cum undique flammā torrērentur maximāque tēlōrum multitūdine pre-
10 merentur, suaque omnia impedīmenta atque omnēs fortūnās cōn-flagrāre intellegerent, nōn modo dēmigrandī causā dē vāllō dēcēderet nēmō, sed paene nē respiceret quidem quisquam, ac tum omnēs ācerrimē fortissimēque pugnārent.

Hic diēs nostrīs longē gravissimus fuit; sed tamen hunc habuit
15 ēventum, ut eō diē maximus numerus hostium vulnerārētur atque interficerētur, ut sē sub ipsō vāllō cōnstīpāverant, recessumque prīmīs ultimī nōn dabant.

Paulum quidem intermissā flammā, et quōdam locō turrī adāctā et contingente vāllum, tertiae cohortis centuriōnēs ex eō, quō stā-
20 bant, locō recessērunt suōsque omnēs remōvērunt, nūtū vōcibusque hostēs, sī introīre vellent, vocāre coepērunt; quōrum prōgredī ausus est nēmō. Tum ex omnī parte lapidibus coniectīs dēturbātī, tur-risque succēnsa est.

The Bravery of Two Rival Centurions

44. Erant in eā legiōne fortissimī virī, centuriōnēs, quī prīmīs ōrdinibus appropinquārent, T. Pullō et L. Vorēnus. Hī perpetuās inter sē contrōversiās habēbant, uter alterī anteferrētur, omnibusque annīs dē locō summīs simultātibus contendēbant. Ex hīs Pullō,
5 cum ācerrimē ad mūnītiōnēs pugnārētur, "Quid dubitās," inquit, "Vorēne? Aut quem locum tuae probandae virtūtis exspectās? Hic diēs dē nostrīs contrōversiīs iūdicābit." Haec cum dīxisset, prōcēdit extrā mūnītiōnēs, quaeque pars hostium cōnfertissima est vīsa, in eam irrumpit.
10 Nē Vorēnus quidem sēsē vāllō continet, sed omnium veritus exīsti-mātiōnem, subsequitur. Mediocrī spatiō relictō, Pullō pīlum in hostēs immittit atque ūnum ex multitūdine prōcurrentem trāicit;

---

5. (ignem) distulērunt.   **16. ut:** *as* or *since*.   **17. ultimī:** *those behind.*   **18. turrī:** a tower of the enemy's.   **19. eō ... locō:** on the Roman wall.   **22. dēturbātī (sunt).**

¶**44. 3. alterī** (62).   **4. dē locō:** *for advancement.*   **5. Quid:** *Why.*   **10. Nē ... quidem:** *Nor ... either.*

quō percussō et exanimātō, hunc scūtīs prōtegunt hostēs, in illum
ūniversī tēla coniciunt neque dant prōgrediendī facultātem. Trāns-
fīgitur scūtum Pullōnī et verūtum in balteō dēfīgitur. Āvertit hic 15
cāsus vāgīnam et gladium ēdūcere cōnantī dextram morātur manum,
impedītumque hostēs circumsistunt. Succurrit inimīcus illī Vorēnus
et labōrantī subvenit.

Ad hunc sē cōnfestim ā Pullōne omnis multitūdō convertit; illum
verūtō trānsfīxum arbitrantur. Gladiō comminus rem gerit Vorēnus 20
atque ūnō interfectō reliquōs paulum prōpellit; dum cupidius īnstat,
in locum dēiectus īnferiōrem concidit. Huic rūrsus circumventō
subsidium fert Pullō, atque ambō incolumēs, complūribus interfectīs, summā cum laude sēsē intrā mūnītiōnēs recipiunt.

Sīc fortūna in contentiōne et certāmine utrumque versāvit, ut 25
alter alterī inimīcus auxiliō salūtīque esset, neque diiūdicārī posset,
uter utrī virtūte anteferendus vidērētur.

At Last a Message Reaches Caesar

45. Quantō erat in diēs gravior atque asperior oppugnātiō, —
maximē quod, magnā parte mīlitum cōnfectā vulneribus, rēs ad
paucitātem dēfēnsōrum pervēnerat, — tantō crēbriōrēs litterae nūn-

---

13. illum: Pullo.   15. Pullōnī (65).   16. (eī) cōnantī.   17. illī (62).   20. rem
gerit: *fights*.   22. in . . . inferiōrem: *stumbling into a hollow*.

¶45. 1. Quantō . . . tantō . . .: *The more serious and desperate . . . the more frequently.*

tiīque ad Caesarem mittēbantur; quōrum pars dēprehēnsa, in cōn-
5 spectū nostrōrum mīlitum cum cruciātū necābātur.

Erat ūnus intus Nervius, nōmine Verticō, locō nātus honestō, quī
ā prīmā obsidiōne ad Cicerōnem perfūgerat suamque eī fidem praestiterat. Hic servō spē lībertātis magnīsque persuādet praemiīs, ut
litterās ad Caesarem dēferat. Hās ille in iaculō illigātās effert et
10 Gallus inter Gallōs sine ūllā suspīciōne versātus ad Caesarem pervenit. Ab eō dē perīculīs Cicerōnis legiōnisque cognōscitur.

46. Caesar, acceptīs litterīs hōrā circiter ūndecimā diēī, statim
nūntium in Bellovacōs ad M. Crassum quaestōrem mittit, cuius
hīberna aberant ab eō mīlia passuum XXV; iubet mediā nocte legiōnem proficīscī celeriterque ad sē venīre. Exit cum nūntiō Crassus.
5 Alterum ad C. Fabium lēgātum mittit, ut in Atrebātium fīnēs
legiōnem addūcat, quā sibi iter faciendum sciēbat. Scrībit Labiēnō,
sī reī pūblicae commodō facere posset, cum legiōne ad fīnēs Nerviōrum veniat. Reliquam partem exercitūs, quod paulō aberat longius,
nōn putat exspectandam; equitēs circiter CCCC ex proximīs hīber-
10 nīs cōgit.

47. Hōrā circiter tertiā ab antecursōribus dē Crassī adventū
certior factus, eō diē mīlia passuum XX prōcēdit. Crassum Sama-
robrīvae praeficit legiōnemque eī attribuit, quod ibi impedīmenta
exercitūs, obsidēs cīvitātum, litterās pūblicās frūmentumque omne,
5 quod eō tolerandae hiemis causā dēvexerat, relinquēbat. Fabius, ut
imperātum erat, nōn ita multum morātus, in itinere cum legiōne
occurrit.

Labiēnus, interitū Sabīnī et caede cohortium cognitā, cum omnēs
ad eum Trēverōrum cōpiae vēnissent, veritus nē, sī ex hībernīs
10 fugae similem profectiōnem fēcisset, hostium impetum sustinēre nōn
posset, — praesertim quōs recentī victōriā efferrī scīret, — litterās Caesarī remittit, quantō cum perīculō legiōnem ex hībernīs ēductūrus
esset; rem gestam in Eburōnibus perscrībit; docet omnēs equitātūs

---

6. locō: *family.*　　7. ā prīmā: *at the beginning.*　　8. servō (61).

¶46. 5. Alterum (nūntium).　　7. sī . . . posset: *if he could serve the best interests of the state,* a stereotyped expression = *if he deemed it wise.*　　8. veniat (118, 2).

¶47. 1. antecursōribus: Caesar must have started before Crassus reached Samarobriva.　　6. nōn ita . . . morātus: *with little delay.*　　11. praesertim quōs . . . scīret:
especially since he knew that they.　　12. quantō: Begin this clause with *explaining.*
13. rem gestam: *what had happened.* On hearing of this disaster Caesar is said to

peditātūsque cōpiās Trēverōrum tria mīlia passuum longē ab suīs
castrīs cōnsēdisse.

Cicero Receives a Cheering Message

48. Caesar, cōnsiliō eius probātō, etsī opīniōne trium legiōnum
dēiectus ad duās redierat, tamen ūnum commūnis salūtis auxilium
in celeritāte pōnēbat. Vēnit magnīs itineribus in Nerviōrum fīnēs.
Ibi ex captīvīs cognōscit, quae apud Cicerōnem gerantur, quantōque
in perīculō rēs sit. Tum cuidam ex equitibus Gallīs magnīs praemiīs 5
persuādet, utī ad Cicerōnem epistulam dēferat.

Hanc Graecīs cōnscrīptam litterīs mittit, nē, interceptā epistulā,
nostra ab hostibus cōnsilia cognōscantur. Sī adīre non possit, monet
ut trāgulam cum epistulā ad āmentum dēligātā intrā mūnītiōnem
castrōrum abiciat. In litterīs scrībit, sē cum legiōnibus profectum 10
celeriter affore; hortātur, ut prīstinam virtūtem retineat. Gallus
perīculum veritus, ut erat praeceptum, trāgulam mittit.

Haec cāsū ad turrim adhaesit, neque ā nostrīs bīduō animadversa
tertiō diē ā quōdam mīlite cōnspicitur, dēmpta ad Cicerōnem dē-
fertur. Ille perlēctam in conventū mīlitum recitat maximāque omnēs 15
laetitiā afficit. Tum fūmī incendiōrum procul vidēbantur; quae rēs
omnem dubitātiōnem adventūs legiōnum expulit.

49. Gallī, rē cognitā per explōrātōrēs, obsidiōnem relinquunt, ad
Caesarem omnibus cōpiīs contendunt. Haec erant armāta circiter
mīlia LX. Cicerō, datā facultāte, Gallum ab eōdem Verticōne, quem
suprā dēmōnstrāvimus, repetit, quī litterās ad Caesarem dēferat;
hunc admonet, iter cautē dīligenterque faciat; perscrībit in litterīs, 5
hostēs ab sē discessisse omnemque ad eum multitūdinem convertisse.
Quibus litterīs circiter mediā nocte Caesar allātīs suōs facit certiōrēs,
eōsque ad dīmicandum animō cōnfīrmat.

Posterō diē lūce prīmā movet castra; et circiter mīlia passuum
quattuor prōgressus, trāns vallem et rīvum multitūdinem hostium 10
cōnspicātur. Erat magnī perīculī rēs, tantulīs cōpiīs inīquō locō

---

have sworn that he would neither shave nor cut his hair again until he had avenged the
death of his men.

¶48. 1. opīniōne: *expectation.*

¶49. 5. hunc: Caesar. faciat (118, 2).

dīmicāre; tum, quoniam obsidiōne līberātum Cicerōnem sciēbat, aequō animō remittendum dē celeritāte exīstimābat. Cōnsēdit et, quam aequissimō potest locō, castra commūnit, atque haec, (etsī
15 erant exigua per sē, vix hominum mīlium septem, praesertim nūllīs cum impedīmentīs), tamen angustiīs viārum, quam maximē potest, contrahit, eō cōnsiliō, ut in summam contemptiōnem hostibus veniat. Interim, speculātōribus in omnēs partēs dīmissīs, explōrat, quō commodissimē itinere vallem trānsīre possit.

Caesar Routs the Gauls

50. Eō diē parvulīs equestribus proeliīs ad aquam factīs, utrīque sēsē suō locō continent: Gallī, quod ampliōrēs cōpiās, quae nōndum convēnerant, exspectābant; Caesar, sī forte timōris simulātiōne hostēs in suum locum ēlicere posset, ut citrā vallem prō castrīs
5 proeliō contenderet; sī id efficere nōn posset, ut, explōrātīs itineribus, minōre cum perīculō vallem rīvumque trānsīret.

Prīma lūce hostium equitātus ad castra accēdit proeliumque cum nostrīs equitibus committit. Caesar cōnsultō equitēs cēdere sēque in castra recipere iubet; simul ex omnibus partibus castra altiōre
10 vāllō mūnīrī portāsque obstruī atque in hīs administrandīs rēbus quam maximē concursārī et cum simulātiōne agī timōris iubet.

51. Quibus omnibus rēbus hostēs invītātī cōpiās trādūcunt aciemque inīquō locō cōnstituunt; nostrīs vērō etiam dē vāllō dēductīs, propius accēdunt et tēlā intrā mūnītiōnem ex omnibus partibus coniciunt, praecōnibusque circummissīs prōnūntiārī iubent, seu quis
5 Gallus seu Rōmānus velit ante hōram tertiam ad sē trānsīre, sine perīculō licēre; post id tempus nōn fore potestātem.

Ac sīc nostrōs contempsērunt, ut, obstrūctīs in speciem portīs singulīs ōrdinibus caespitum, quod eā nōn posse intrōrumpere vidē-

---

13. aequō . . . celeritāte: *that without anxiety he could slacken speed.* **16. angustiīs viārum:** By reducing the width of the **viae** Caesar made his camp narrower, to mislead enemy scouts.

¶**50. 1. ad aquam:** near the brook. **3. Caesar (sē suō locō continet).** **4. suum =** *favorable.* **5. contenderet (104). 11. concursārī** and **agī:** (impers.) Translate as active and personal.

¶**51. 8. singulīs ōrdinibus caespitum:** The single row of sods looked solid to the Gauls, but could be easily pushed aside at the proper time by the Romans. **eā:** *in that way,* i.e., through the gates.

bantur, aliī vāllum manū scindere, aliī fossās complēre inciperent.
Tum Caesar, omnibus portīs ēruptiōne factā equitātūque ēmissō, 10
celeriter hostēs in fugam dat, sīc utī omnīnō pugnandī causā resisteret nēmō, magnumque ex eīs numerum occīdit atque omnēs armīs
exuit.

52. Longius prōsequī veritus, quod silvae palūdēsque intercēdē-
bant neque etiam parvulō dētrīmentō illōrum locum relinquī vidēbat, omnibus suīs incolumibus cōpiīs eōdem diē ad Cicerōnem
pervēnit. Īnstitūtās turrēs, testūdinēs mūnītiōnēsque hostium admī-
rātur; legiōne prōductā cognōscit, nōn decimum quemque esse re- 5
liquum mīlitem sine vulnere; ex hīs omnibus iūdicat rēbus, quantō
cum perīculō et quantā cum virtūte rēs sint administrātae. Cicerōnem prō eius meritō legiōnemque collaudat; centuriōnēs singillātim
tribūnōsque mīlitum appellat, quōrum ēgregiam fuisse virtūtem
testimōniō Cicerōnis cognōverat. Dē cāsū Sabīnī et Cottae certius 10
ex captīvīs cognōscit.

Posterō diē, cōntiōne habitā, rem gestam prōpōnit, mīlitēs cōn-
sōlātur et cōnfīrmat; quod dētrīmentum culpā et temeritāte lēgātī
sit acceptum, hōc aequiōre animō ferendum docet, quod, beneficiō
deōrum immortālium et virtūte eōrum expiātō incommodō, neque 15
hostibus diūtina laetitia neque ipsīs longior dolor relinquātur.

¶**52. 2. neque . . . relinquī:** *and that no opportunity remained for* (*inflicting*) *even a*
trifling loss upon them. **7. rēs:** *the defense.* **13. (id) dētrīmentum quod.**

BENEFICIO
DEORUM
IMMORTALIUM

Book VI

Caesar's Second Expedition into Germany (53 B.C.)

Summary of Chapters 1–8

During the winter Caesar more than made up for the losses he had sustained by recruiting two new legions and obtaining the loan of another from Pompey. He took the field earlier than usual, and by his rapid movements quickly stamped out revolts among the Nervii, Senones, and Carnutes. He then ravaged the country of the Menapii and reduced them to submission.

Meanwhile Labienus was again attacked by the Treveri, but by the pretense of fear he drew them into an unfavorable position and defeated them. Caesar now joined forces with him and at once started on a second expedition into Germany.

Caesar Again Bridges the Rhine and Invades Germany

9. Caesar postquam ex Menapiīs in Trēverōs vēnit, duābus dē causīs Rhēnum trānsīre cōnstituit: quārum ūna erat, quod Germānī auxilia contrā sē Trēverīs mīserant; altera, nē ad eōs Ambiorīx receptum habēret. Hīs cōnstitūtīs rēbus, paulum suprā eum locum,

---

¶9. 4. **eum locum:** Near modern Coblenz.

VI, 9

PONS CAESARIS TRANS RHENUM

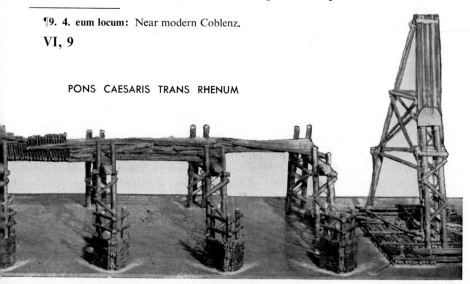

5 quō ante exercitum trādūxerat, facere pontem īnstituit. Nōtā atque
īnstitūtā ratiōne, magnō mīlitum studiō, paucīs diēbus opus efficitur.
Fīrmō in Trēverīs ad pontem praesidiō relictō, nē quis ab hīs subitō
mōtus orirētur, reliquās cōpiās equitātumque trādūcit.

Ubiī, quī ante obsidēs dederant atque in dēditiōnem vēnerant,
10 pūrgandī suī causā ad eum lēgātōs mittunt, quī doceant, neque
auxilia ex suā cīvitāte in Trēverōs missa neque ab sē fidem laesam;
petunt atque ōrant ut sibi parcat, nē commūnī odiō Germānōrum
innocentēs prō nocentibus poenās pendant; sī amplius obsidum
velit darī, pollicentur. Cognitā Caesar causā, reperit ab Suēbīs
15 auxilia missa esse; Ubiōrum satisfactiōnem accipit, aditūs viāsque
in Suēbōs perquīrit.

The Suebi Prepare for War

10. Interim paucīs post diēbus fit ab Ubiīs certior Suēbōs omnēs
in ūnum locum cōpiās cōgere atque eīs nātiōnibus, quae sub eōrum
sint imperiō, dēnūntiāre ut auxilia peditātūs equitātūsque mittant.
Hīs cognitīs rēbus, rem frūmentāriam prōvidet, castrīs idōneum
5 locum dēligit; Ubiīs imperat ut pecora dēdūcant suaque omnia ex
agrīs in oppida cōnferant, spērāns barbarōs atque imperītōs hominēs,
inopiā cibāriōrum adductōs, ad inīquam pugnandī condiciōnem posse
dēdūcī; mandat ut crēbrōs explōrātōrēs in Suēbōs mittant quaeque
apud eōs gerantur cognōscant.

10 Illī imperāta faciunt et paucīs diēbus intermissīs referunt:
Suēbōs omnēs, posteā quam certiōrēs nūntiī dē exercitū Rōmānōrum vēnerint, cum omnibus suīs sociōrumque cōpiīs, quās coēgissent,
penitus ad extrēmōs fīnēs sē recēpisse; silvam esse ibi īnfīnītā magnitūdine, quae appellātur Bacēnis; hanc longē intrōrsus pertinēre
15 et, prō nātīvō mūrō obiectam, Chēruscōs ab Suēbīs Suēbōsque ab

---

5. Nōtā ... ratiōne: *As the plan (of construction) was familiar and had been
tried.*   **7. quis** is sometimes — as here — used for the more common adj. form **quī**.
11. laedō, -ere, laesī, laesus, *injure; break.*   **12. sibi (61).**   **13. nocēns, -entis,**
[**noceō**], *guilty.*   **15. satisfactiō, -ōnis, f.,** [**satisfaciō**], *apology.*   **16. perquīrō, -ere,**
-quīsīvī, -quīsītus, [**quaerō**], *make careful inquiry about.*

¶**10. 2. locum:** Probably the same place which Caesar mentions in his account
of the first expedition into Germany. It was a stronghold in the center of their
country.   **7. cibāria, -ōrum, n.,** [**cibus**], *provisions.*   **13. penitus,** adv., *far within.*
14. intrōrsus, [**intrō** + **versus**], adv., *within.*   **15. nātīvus, -a, -um,** [**nāscor**], *natural,
not artificial.*

Chēruscīs iniūriīs incursiōnibusque prohibēre; ad eius silvae initium
Suēbōs adventum Rōmānōrum exspectāre cōnstituisse.

Factions Among the Gauls

11. Quoniam ad hunc locum perventum est, nōn aliēnum esse
vidētur dē Galliae Germāniaeque mōribus et, quō differant hae
nātiōnēs inter sēsē, prōpōnere.

In Galliā nōn sōlum in omnibus cīvitātibus atque in omnibus pāgīs
partibusque, sed paene etiam in singulīs domibus factiōnēs sunt, 5
eārumque factiōnum prīncipēs sunt quī summam auctōritātem eōrum iūdiciō habēre exīstimantur, quōrum ad arbitrium iūdiciumque
summa omnium rērum cōnsiliōrumque redeat.

Idque eius reī causā antīquitus īnstitūtum vidētur, nē quis ex
plēbe contrā potentiōrem auxilī egēret; suōs enim quisque opprimī 10
et circumvenīrī nōn patitur, neque, aliter sī faciat, ūllam inter suōs
habet auctōritātem. Haec eadem ratiō est in summā tōtīus Galliae;
namque omnēs cīvitātēs in partēs dīvīsae sunt duās.

Shifts in Leadership Among the Gauls

12. Cum Caesar in Galliam vēnit, alterius factiōnis prīncipēs erant
Aeduī, alterius Sēquanī. Hī cum per sē minus valērent, quod summa
auctōritās antīquitus erat in Aeduīs magnaeque eōrum erant clien-
tēlae, Germānōs atque Ariovistum sibi adiūnxerant eōsque ad sē
magnīs iactūrīs pollicitātiōnibusque perdūxerant. 5

Proeliīs vērō complūribus factīs secundīs, atque omnī nōbilitāte
Aeduōrum interfectā, tantum potentiā antecesserant, ut magnam
partem clientium ab Aeduīs ad sē trādūcerent, obsidēsque ab eīs
prīncipum fīliōs acciperent, et pūblicē iūrāre cōgerent, nihil sē contrā

---

16. **Chēruscī, -ōrum,** m., *the Cherusci,* a German people north of the Suebi.

¶**11. 1. hunc locum:** *this point* (in the narrative).   **2. quō:** *in what respect.*
6. (eī) quī. eōrum = Gallōrum.   8. redeat (112): *is referred.*   **9. eius reī** refers to
the following clause. **īnstitūtum (esse).   10. egeō, -ēre, -uī, —,** *lack, be in want (of).*
With what case is it used here? **quisque:** *each (leader).*   **11. circumvenīrī:** *to be de-*
frauded.   **12. Haec ... Galliae:** *This same system prevails throughout the whole of*
Gaul.

¶**12. 3. clientēla, -ae,** f., [**cliēns**], *clientship, dependency.*   **5. iactūra, -ae,** f., [**iaciō**],
sacrifice.   **pollicitātiō, -ōnis,** f., [**pollicitor,** freq. of **polliceor**], *promise.*   **9. (Aeduōs)**
iūrāre. nihil cōnsilī (58).

10 Sēquanōs cōnsilī initūrōs, et partem fīnitimī agrī per vim occupātam
possidērent, Galliaeque tōtīus prīncipātum obtinērent. Quā neces-
sitāte adductus, Dīviciācus auxilī petendī causā Rōmam ad senātum
profectus, īnfectā rē, redierat.

Adventū Caesaris factā commūtātiōne rērum, obsidibus Aeduīs
15 redditīs, veteribus clientēlīs restitūtīs, novīs per Caesarem comparātīs, quod hī, quī sē ad eōrum amīcitiam aggregāverant, meliōre condiciōne atque aequiōre imperiō sē ūtī vidēbant, reliquīs rēbus eōrum
grātiā dignitāteque amplificātā, Sēquanī prīncipātum dīmīserant.

In eōrum locum Rēmī successerant; quōs quod adaequāre apud
20 Caesarem grātiā intellegēbātur, eī, quī propter veterēs inimīcitiās
nūllō modō cum Aeduīs coniungī poterant, sē Rēmīs in clientēlam
dicābant. Hōs illī dīligenter tuēbantur; ita et novam et repente
collēctam auctōritātem tenēbant. Eō tum statū rēs erat, ut longē
prīncipēs habērentur Aeduī, secundum locum dignitātis Rēmī
25 obtinērent.

Classes in Gaul

13. In omnī Galliā eōrum hominum, quī aliquō sunt numerō atque
honōre, genera sunt duo; nam plēbēs paene servōrum habētur locō,
quae nihil audet per sē, nūllī adhibētur cōnsiliō. Plērīque, cum aut
aere aliēnō aut magnitūdine tribūtōrum aut iniūriā potentiōrum
5 premuntur, sēsē in servitūtem dicant nōbilibus; quibus in hōs eadem
omnia sunt iūra quae dominīs in servōs.

Sed dē hīs duōbus generibus alterum est druidum, alterum equitum. Illī rēbus dīvīnīs intersunt, sacrificia pūblica ac prīvāta prō-
cūrant, religiōnēs interpretantur; ad eōs magnus adulēscentium
10 numerus disciplīnae causā concurrit, magnōque hī sunt apud eōs
honōre. Nam ferē dē omnibus contrōversiīs pūblicīs prīvātīsque
cōnstituunt; et, sī quod est admissum facinus, sī caedēs facta, sī dē
hērēditāte, dē fīnibus contrōversia est, īdem dēcernunt, praemia

---

12. Rōmam ... profectus: In 61 B.C.   13. rē (89).   19. quōs quod adaequāre
... intellegēbātur: *and as it was known that they stood equally high* (with the Aedui).
20. inimīcitia, -ae, f., [in-imīcus], *enmity*.

¶13. 1. aliquō numerō: *of any account* (84).   5. dicant: not dīcant. quibus ...
sunt: *who have* (67).   in hōs: *over them.*   8. rēbus (62).   9. eōs = Gallōs.   13. īdem:
likewise.

poenāsque cōnstituunt; sī quī aut prīvātus aut populus eōrum
dēcrētō nōn stetit, sacrificiīs interdīcunt. Haec poena apud eōs est 15
gravissima. Quibus ita est interdictum, hī numerō impiōrum ac
scelerātōrum habentur, hīs omnēs dēcēdunt, aditum sermōnemque
dēfugiunt, nē quid ex contāgiōne incommodī accipiant, neque hīs
petentibus iūs redditur neque honōs ūllus commūnicātur.

His autem omnibus druidibus praeest ūnus, quī summam inter eōs 20
habet auctōritātem. Hōc mortuō, aut, sī quī ex reliquīs excellit
dignitāte, succēdit, aut, sī sunt plūrēs parēs, suffrāgiō druidum dēligitur; nōn numquam etiam armīs dē prīncipātū contendunt. Hī
certō annī tempore in fīnibus Carnutum, quae regiō tōtīus Galliae
media habētur, cōnsīdunt in locō cōnsecrātō. Hūc omnēs undique 25
quī contrōversiās habent conveniunt eōrumque dēcrētīs iūdiciīsque
pārent.

Disciplīna in Britanniā reperta atque inde in Galliam trānslāta
esse exīstimātur; et nunc quī dīligentius eam rem cognōscere volunt
plērumque illō discendī causā proficīscuntur. 30

---

16. **Quibus** (dat.) . . . **interdictum:** *Those who are thus excluded.* 18. **hīs** (63).
26. **dēcrētīs** (61).

The Training and Beliefs of the Druids

14. Druidēs ā bellō abesse cōnsuērunt neque tribūta ūnā cum reliquīs pendunt; mīlitiae vacātiōnem, omniumque rērum habent im-
mūnitātem. Tantīs excitātī praemiīs, et suā sponte multī in disciplīnam conveniunt et ā parentibus propinquīsque mittuntur. Magnum
5 ibi numerum versuum ēdiscere dīcuntur. Itaque annōs nōn nūllī
vīcēnōs in disciplīnā permanent. Neque fās esse exīstimant ea litterīs mandāre, cum in reliquīs ferē rēbus, pūblicīs prīvātīsque ratiōnibus, Graecīs litterīs ūtantur. Id mihi duābus dē causīs īnsti-
tuisse videntur, quod neque in vulgus disciplīnam efferrī velint,
10 neque eōs quī discunt, litterīs cōnfīsōs, minus memoriae studēre;
quod ferē plērīsque accidit, ut praesidiō litterārum dīligentiam in
perdiscendō ac memoriam remittant.

In prīmīs hoc volunt persuādēre, nōn interīre animās, sed ab aliīs
post mortem trānsīre ad aliōs; atque hōc maximē ad virtūtem ex-

---

¶**14. 6. ea litterīs:** *these teachings to writing.*   **7. ratiōnibus:** *transactions.*
8. litterīs (80).   **11. quod:** pronoun — *for it.*   **13. hoc persuādēre:** *to convince*
(men) *of this.*   **animās ... trānsīre:** the doctrine of the transmigration of souls, still
held by Buddhists.   **14. excitārī:** impers., *men are spurred on.*

citārī putant, metū mortis neglēctō. Multa praetereā dē sīderibus 15
atque eōrum mōtū, dē mundī ac terrārum magnitūdine, dē rērum
nātūrā, dē deōrum immortālium vī ac potestāte disputant et iuven-
tūtī trādunt.

The Knights

15. Alterum genus est equitum. Hī, cum est ūsus atque aliquod
bellum incidit (quod ante Caesaris adventum ferē quotannīs accidere
solēbat, utī aut ipsī iniūriās īnferrent aut illātās prōpulsārent),
omnēs in bellō versantur; atque eōrum ut quisque est genere
cōpiīsque amplissimus, ita plūrimōs circum sē ambactōs clientēsque 5
habet. Hanc ūnam grātiam potentiamque nōvērunt.

The Gods of the Gauls

16. Nātiō est omnis Gallōrum admodum dēdita religiōnibus;
atque ob eam causam quī sunt affectī graviōribus morbīs, quīque
in proeliīs perīculīsque versantur, aut prō victimīs hominēs immolant
aut sē immolātūrōs vovent, administrīsque ad ea sacrificia druidibus
ūtuntur, quod, prō vītā hominis nisi hominis vīta reddātur, nōn 5
posse deōrum immortālium nūmen plācārī arbitrantur; pūblicēque
eiusdem generis habent īnstitūta sacrificia. Aliī immānī magnitūdine
simulācra habent, quōrum contexta vīminibus membra vīvīs hominibus complent; quibus succēnsīs, circumventī flammā exanimantur
hominēs. Supplicia eōrum, quī in furtō aut in latrōciniō aut aliquā 10
noxiā sint comprehēnsī, grātiōra dīs immortālibus esse arbitrantur;
sed cum eius generis cōpia dēfēcit, etiam ad innocentium supplicia
dēscendunt.

17. Deum maximē Mercurium colunt. Huius sunt plūrima simulācra; hunc omnium inventōrem artium ferunt, hunc viārum atque

---

¶**15. 3.** (iniūriās) illātās.   **4. eōrum ut quisque ... ita plūrimōs:** *the more distinguished each one of these ... the more.*

¶**16. 4. administrīs:** (*as*) *ministers*.   **8. simulācra:** immense wickerwork images
in human form.

¶**17. 1. Mercurium:** Just as the Romans identified Greek gods with their own,
so here Caesar identifies certain divinities (whose Gallic names he does not give)
with Roman gods of the same general attributes. **simulācra:** Possibly the huge

itinerum ducem, hunc ad quaestūs pecūniae mercātūrāsque habēre
vim maximam arbitrantur. Post hunc Apollinem et Mārtem et
5 Iovem et Minervam. Dē hīs eandem ferē, quam reliquae gentēs,
habent opīniōnem: Apollinem morbōs dēpellere, Minervam operum
atque artificiōrum initia trādere, Iovem imperium caelestium tenēre,
Mārtem bella regere. Huic, cum proeliō dīmicāre cōnstituērunt, ea,
quae bellō cēperint, plērumque dēvovent; cum superāvērunt, ani-
10 mālia capta immolant reliquāsque rēs in ūnum locum cōnferunt.
Multīs in cīvitātibus hārum rērum exstrūctōs tumulōs locīs cōn-
secrātīs cōnspicārī licet; neque saepe accidit ut quispiam, neglēctā
religiōne, aut capta apud sē occultāre aut posita tollere audēret,
gravissimumque eī reī supplicium cum cruciātū cōnstitūtum est.

Strange Customs of the Gauls

18. Gallī sē omnēs ab Dīte patre prōgnātōs praedicant idque ab
druidibus prōditum dīcunt. Ob eam causam spatia omnis temporis
nōn numerō diērum, sed noctium fīniunt; diēs nātālēs et mēnsium
et annōrum initia sīc observant, ut noctem diēs subsequātur.
5 In reliquīs vītae īnstitūtīs hōc ferē ab reliquīs differunt, quod suōs
līberōs, nisi cum adolēvērunt ut mūnus mīlitiae sustinēre possint,

---

upright stones called *menhirs*, which are still standing in some districts of France,
especially in Brittany. **4. (colunt) Apollinem. 9. cēperint (112). 13. (ea) capta
...posita. 14. supplicium:** Compare the fate of Achan, Joshua, vii, 19–26.

¶**18. 1. Dīte patre:** A Gallic divinity is here identified with *Father Dis* (later
called Pluto), god of the Underworld (a region of darkness and night). **3. noctium:**
That our Anglo-Saxon ancestors also reckoned time by nights is evident from the
word *fortnight* (fourteen nights).

palam ad sē adīre nōn patiuntur, fīliumque puerīlī aetāte in pūblicō
in cōnspectū patris assistere turpe dūcunt.

19. Virī, quantās pecūniās ab uxōribus dōtis nōmine accēpērunt,
tantās ex suīs bonīs, aestimātiōne factā, cum dōtibus commūnicant.
Huius omnis pecūniae coniūnctim ratiō habētur frūctūsque servan-
tur; uter eōrum vītā superāvit, ad eum pars utrīusque cum frūctibus
superiōrum temporum pervenit.   5

Virī in uxōrēs, sīcutī in līberōs, vītae necisque habent potestātem;
et cum pater familiae, illūstriōre locō nātus, dēcessit, eius propinquī
conveniunt et, dē morte sī rēs in suspīciōnem venit, dē uxōribus in
servīlem modum quaestiōnem habent et, sī compertum est, igne
atque omnibus tormentīs excruciātās interficiunt.   10

Fūnera sunt prō cultū Gallōrum magnifica et sūmptuōsa; omnia-
que quae vīvīs cordī fuisse arbitrantur in ignem īnferunt, etiam ani-
mālia; ac paulō suprā hanc memoriam servī et clientēs, quōs ab eīs
dīlēctōs esse cōnstābat, iūstīs fūneribus cōnfectīs, ūnā cremābantur.

20. Quae cīvitātēs commodius suam rem pūblicam administrāre
exīstimantur, habent lēgibus sānctum, sī quis quid dē rē pūblicā
ā fīnitimīs rūmōre aut fāmā accēperit, utī ad magistrātum dēferat
nēve cum quō aliō commūnicet, quod saepe hominēs temerāriōs
atque imperītōs falsīs rūmōribus terrērī et ad facinus impellī et dē   5
summīs rēbus cōnsilium capere cognitum est.   Magistrātūs, quae
vīsa sunt, occultant, quaeque esse ex ūsū iūdicāvērunt, multitūdinī
prōdunt.   Dē rē pūblicā nisi per concilium loquī nōn concēditur.

The Germans: Their Religion; Manner of Assigning Land

21. Germānī multum ab hāc cōnsuētūdine differunt.   Nam neque
druidēs habent, quī rēbus dīvīnīs praesint, neque sacrificiīs student.

---

7. fīlium . . . assistere: *for a son to appear;* subject of (**esse**) **turpe.**

¶**19. 1. pecūniās:** *property.*   **2. cum dōtibus commūnicant:** *add it to the dowry.*
6. vītae . . . potestātem: Theoretically the head of a Roman family had the same
power.   **8. in servīlem modum:** *as is done with slaves,* i.e., torture was used in the
examination.   **12. cordī fuisse:** *were dear.*   **13. suprā hanc memoriam:** *before our
time.*   **14. iūstīs:** *regular.*

¶**20. 1. (Eae) cīvitātēs, quae.**   **2. habent lēgibus sānctum:** *have it ordained by law.*
3. accēperit: implied indirect discourse (**118,** 1).   **4. quod . . . cognitum est:** *because
it has been found.*   **6. quae vīsa sunt:** *what seems* (*advisable*).

DEUS GERMANORUM

Deōrum numerō eōs sōlōs dūcunt, quōs cernunt et quōrum apertē opibus iuvantur, Sōlem et Vulcānum et Lūnam; reliquōs nē fāmā
5 quidem accēpērunt.

Vīta omnis in vēnātiōnibus atque in studiīs reī mīlitāris cōnsistit; ā parvīs labōrī ac dūritiae student.

22. Agrī cultūrae nōn student, maiorque pars eōrum vīctūs in lacte, cāseō, carne cōnsistit. Neque quisquam agrī modum certum aut fīnēs habet propriōs; sed magistrātūs ac prīncipēs in annōs singulōs gentibus cognātiōnibusque hominum, quīque ūnā coiērunt,
5 quantum et quō locō vīsum est agrī attribuunt, atque annō post aliō trānsīre cōgunt.

Eius reī multās afferunt causās: nē, assiduā cōnsuētūdine captī, studium bellī gerendī agrī cultūrā commūtent; nē lātōs fīnēs parāre studeant, potentiōrēsque humiliōrēs possessiōnibus expellant; nē
10 accūrātius ad frīgora atque aestūs vītandōs aedificent; nē qua oriātur pecūniae cupiditās, quā ex rē factiōnēs dissēnsiōnēsque nāscuntur; ut animī aequitāte plēbem contineant, cum suās quisque opēs cum potentissimīs aequārī videat.

¶21. 7. ā parvīs: *from childhood.*

¶22. 3. in annōs singulōs: *for a single year.* 4. quīque = eīsque quī: *and to those who have joined* (*the clans*), as independents. 5. agrī: with **quantum.** aliō: adv. 7. reī: *practice.* assiduā cōnsuētūdine captī: *pleased with a permanent mode of living.* 8. agrī cultūrā: *for agriculture.* 12. aequitāte: *contentment.*

23. Cīvitātibus maxima laus est quam lātissimē circum sē, vāstātīs fīnibus, sōlitūdinēs habēre. Hoc proprium virtūtis exīstimant, expulsōs agrīs fīnitimōs cēdere nequᵉ quemquam prope audēre cōnsistere; simul hōc sē fore tūtiōrēs arbitrantur, repentīnae incursiōnis timōre sublātō. Cum bellum cīvitās aut illātum dēfendit aut īnfert, 5 magistrātūs, quī eī bellō praesint et vītae necisque habeant potestātem, dēliguntur. In pāce nūllus est commūnis magistrātus, sed prīncipēs regiōnum atque pāgōrum inter suōs iūs dīcunt contrōversiāsque minuunt.

Latrōcinia nūllam habent īnfāmiam, quae extrā fīnēs cuiusque 10 cīvitātis fīunt, atque ea iuventūtis exercendae ac dēsidiae minuendae causā fierī praedicant. Atque ubi quis ex prīncipibus in conciliō dīxit sē ducem fore, quī sequī velint profiteantur, — cōnsurgunt eī, quī et causam et hominem probant suumque auxilium pollicentur, atque ā multitūdine collaudantur; quī ex hīs secūtī nōn sunt, in 15 dēsertōrum ac prōditōrum numerō dūcuntur, omniumque hīs rērum posteā fidēs dērogātur.

Hospitem violāre fās nōn putant; quī quācumque dē causā ad eōs vēnērunt, ab iniūriā prohibent sānctōsque habent, hīsque omnium domūs patent vīctusque commūnicātur. 20

24. Ac fuit anteā tempus cum Germānōs Gallī virtūte superārent, ultrō bella īnferrent, propter hominum multitūdinem agrīque inopiam trāns Rhēnum colōniās mitterent. Itaque ea, quae fertilissima Germāniae sunt, loca, circum Hercyniam silvam (quam Eratosthenī et quibusdam Graecīs fāmā nōtam esse videō, quam illī Orcyniam 5 appellant), Volcae Tectosagēs occupāvērunt atque ibi cōnsēdērunt; quae gēns ad hoc tempus hīs sēdibus sēsē continet summamque habet iūstitiae et bellicae laudis opīniōnem.

Nunc, quod in eādem inopiā, egestāte, patientiā, quā ante, Germānī permanent, eōdem vīctū et cultū corporis ūtuntur. Gallīs 10 autem prōvinciārum propinquitās et trānsmarīnārum rērum nōtitia

---

¶**23. 2. Hoc:** *It* — explained by the two following clauses. **3. fīnitimōs:** *for their neighbors to* ... **5. bellum** ... **īnfert:** *wages defensive or offensive war.* **13. quī sequī velint profiteantur:** *and that those who are willing to follow should volunteer.* **16. hīs (63).**

¶**24. 11. prōvinciārum (Rōmānārum).**

ad cōpiam atque ūsūs multa largītur. Itaque paulātim assuēfactī superārī, multīsque victī proeliīs, nē sē quidem ipsī cum illīs virtūte comparant.

The Hercynian Forest and Its Wonderful Animals

25. Huius Hercyniae silvae, quae suprā dēmōnstrāta est, lātitūdō novem diērum iter expedītō patet; nōn enim aliter fīnīrī potest, neque mēnsūrās itinerum nōvērunt. Oritur ab Helvētiōrum et Nemetum et Rauracōrum fīnibus, rēctāque flūminis Dānuvī regiōne
5 pertinet ad fīnēs Dācōrum et Anartium; hinc sē flectit sinistrōrsus, dīversīs ā flūmine regiōnibus, multārumque gentium fīnēs propter magnitūdinem attingit; neque quisquam est huius Germāniae quī sē aut adīsse ad initium eius silvae dīcat, cum diērum iter LX prōcesserit, aut, quō ex locō oriātur, accēperit; multaque in eā genera
10 ferārum nāscī cōnstat, quae reliquīs in locīs vīsa nōn sint; ex quibus, quae maximē differant ā cēterīs et memoriae prōdenda videantur, haec sunt.

26. Est bōs cervī figūrā, cuius ā mediā fronte inter aurēs ūnum cornū exsistit, excelsius magisque dērēctum hīs, quae nōbīs nōta sunt, cornibus; ab eius summō sīcut palmae rāmīque lātē diffunduntur. Eadem est fēminae marisque nātūra, eadem fōrma magni-
5 tūdōque cornuum.

27. Sunt item quae appellantur alcēs. Hārum est cōnsimilis caprīs figūra et varietās pellium, sed magnitūdine paulō antecēdunt mutilaeque sunt cornibus et crūra sine nōdīs articulīsque habent, neque quiētis causā prōcumbunt, neque, sī quō afflīctae cāsū concidērunt,
5 ērigere sēsē aut sublevāre possunt. Hīs sunt arborēs prō cubīlibus; ad eās sē applicant, atque ita paulum modo reclīnātae quiētem capiunt. Quārum ex vēstīgiīs cum est animadversum ā vēnātōribus, quō sē recipere cōnsuērint, omnēs eō locō aut ab rādīcibus subruunt

---

12. ad cōpiam ... largītur: *contributes to their wealth and enjoyment.* **multa:** *many articles.* **13. (Gallī) ipsī.**

¶**25. 1. lātitūdō:** from north to south. **2. iter (72). expedītō:** *for an unencumbered* (*traveler*). **3. mēnsūrās:** i.e., the people of that region had no system of measuring distances as the Romans did. **4. rēctā regiōne:** *straight along.* **8. cum (115).**

¶**26. 1. bōs:** Perhaps the reindeer. **2. hīs ... cornibus:** *than those horns (86).*

¶**27. 2. antecēdunt (caprās). 8. omnēs:** with **arborēs.**

aut accīdunt arborēs, tantum ut summa speciēs eārum stantium relinquātur.   Hūc cum sē cōnsuētūdine reclīnāvērunt, īnfīrmās 10 arborēs pondere afflīgunt.

28. Tertium est genus eōrum, quī ūrī appellantur.   Hī sunt magnitūdine paulō īnfrā elephantōs, speciē et colōre et figūrā taurī.   Magna vīs eōrum est et magna vēlōcitās, neque hominī neque ferae quam cōnspexērunt parcunt.   Hōs studiōsē foveīs captōs interficiunt.   Hōc sē labōre dūrant adulēscentēs atque hōc genere 5 vēnātiōnis exercent; et quī plūrimōs ex hīs interfēcērunt, relātīs in pūblicum cornibus, quae sint testimōniō, magnam ferunt laudem. Sed assuēscere ad hominēs et mānsuēfierī nē parvulī quidem exceptī possunt.   Amplitūdō cornuum et figūra et speciēs multum ā nostrō- rum boum cornibus differt.   Haec studiōsē conquīsīta ab labrīs 10 argentō circumclūdunt atque in amplissimīs epulīs prō pōculīs ūtuntur.

---

9. summa: *exact*, i.e., the trees look exactly as though they were standing firmly. **eārum (arborum).   10. Hūc:** *against these.*

¶**28.   3. hominī** and **ferae (61).   7. quae sint** = **ut ea sint.   10. ab labrīs:** *at the rim.*   **11. pōculīs:** Drinking horns were still used in the Middle Ages.

Caesar's Pursuit of Ambiorix

Summary of Chapters 29–44

As it was impossible to follow the Suebi into their forests, Caesar recrossed the Rhine and immediately marched into the country of the Eburones in pursuit of Ambiorix. That chieftain, narrowly escaping capture by Caesar's cavalry, took refuge in the forest of the Ardennes. Caesar advanced to the site of Sabinus's camp. Here he left his baggage with one of the newly recruited legions under the command of Cicero. The remaining nine legions in three divisions, one of which Caesar commanded, proceeded in different directions. They were to devastate the country for a week and then return to Cicero's camp.

Desirous of inflicting the most bitter punishment upon the Eburones, Caesar now invited the neighboring tribes to plunder their territory. Among those who came to do so were the Sugambri, a German tribe from across the Rhine. Learning that Caesar had left large stores behind with a very small force to protect them, they suddenly attacked Cicero's camp, when half the legion had gone foraging. The inexperienced recruits within were seized with a panic, and the capture of the camp was averted only through the gallantry of the veteran centurion Basilus. Balked in this attempt, the Germans attacked the foraging party on their return, inflicted severe losses upon them, and made off with their booty.

Caesar returned and continued to ravage the district in all directions, but Ambiorix, hunted through swamp and forest like a wild animal, always managed to elude his relentless enemies. Late in the autumn, when there was no longer any hope of capturing Ambiorix, Caesar assigned his legions to their camps, and proceeded to Northern Italy for the winter.

AMPHITHEATRUM ROMANUM IN GERMANIA

Book VII

Final Struggle for Freedom Under Vercingetorix

Campaign of 52 B.C.

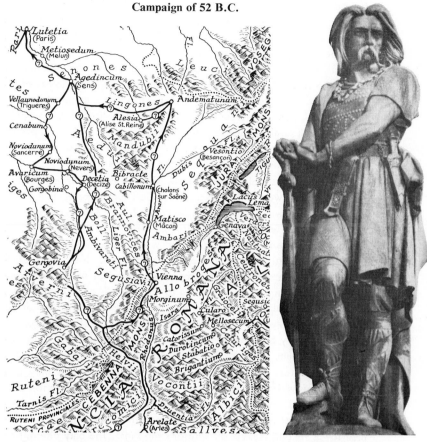

Caesar had been in Gaul six years. He had conquered the country and annexed it as a province of Rome. Yet he had by no means won the allegiance of the Gallic states. Hitherto he had succeeded in holding them under control by shrewdly playing faction against faction and by suppressing scattered revolts through the superiority of his army. But the Gauls had not lost all hope of expelling the Roman invader. What they had lacked thus far was a truly great commander, under whom they could unite to do battle against a common enemy. Now at last in the seventh year there appeared among them an inspiring leader, who combined unusual military ability with great personal magnetism. This was the Arvernian nobleman, Vercingetorix.

During the winter of 53–52 B.C. the city of Rome was greatly disturbed by political dissensions and street riots. Thinking that these troublous conditions would detain Caesar in Northern Italy, many chiefs of Gaul secretly met and conspired against him. The Carnutes began the rebellion by massacring the Roman citizens at Cenabum. News of this outbreak soon reached Gergovia, capital city of the Arverni, the home of Vercingetorix. He at once appealed to the patriotism of his people and persuaded them to take part in this movement for the freedom of Gaul. Numerous other states quickly followed the example set by the Arverni. A large army was assembled and the supreme command was given to Vercingetorix. His first step was to send a force to invade the Roman Province and attack Narbo.

Roused by these alarming reports, Caesar moved with lightning speed. He first went to Narbo and provided for the protection of the Province. Then with a small force he crossed the Cévennes Mountains through snow six feet deep, and suddenly descended upon the Arverni. He thereby forced Vercingetorix, who was further north among the Bituriges, to return for the relief of his own people. Now came Caesar's opportunity. Leaving his forces in command of Brutus to devastate the Arvernian district, he dashed to the river Rhone, up the Saône, through the Aedui, into the country of the Lingones, where two of his legions were wintering. Then stationing two legions at Agedincum to guard the heavy baggage, in quick succession he captured Vellaunodunum, Cenabum, and Noviodunum, and marched toward Avaricum.

These disasters convinced Vercingetorix that there was only one way to cope with the Romans. He called a council and set forth his plan. It called for the utmost self-sacrifice on the part of his countrymen. They must burn their houses, their barns, their villages — even their towns — and thus cut off Caesar's supplies. The only alternative was to be conquered, and that meant death for the warriors and captivity for their wives and children. To this staggering appeal the Gauls responded in a spirit of noble patriotism, and soon the countryside was ablaze in every direction. But the Bituriges could not bear to see their splendid capital Avaricum destroyed. They insisted that it was impregnable and pleaded so piteously that at last Vercingetorix yielded against his better judgment.

Avaricum was indeed wonderfully well fortified, but the Romans pressed the siege indefatigably, and in spite of the garrison's gallant defense took it by storm. It was another hard blow for the Gauls, but they knew full well that it was their own fault. Vercingetorix cheered them with the hope of ultimate victory and retired with his army to Gergovia. Caesar's siege works at Avaricum are illustrated below.

Dispatching Labienus with four legions to put down a revolt in the valley of the Seine, Caesar with the six remaining legions laid siege to Gergovia. But the Aedui were threatening to rebel, and he hurried away to win them back to their allegiance. In his absence Vercingetorix made a furious attack upon the Roman camp, and Caesar returned just in time to save it from capture.

The situation now caused Caesar deep anxiety, for his forces were widely separated, and the rebellion was rapidly gaining in strength. He attempted to surprise the enemy, but the attack — though successful at first — was eventually repulsed with severe losses. A few days later Caesar abandoned the siege and marched north into the country of the Aedui, only to find that they too had joined the rebellion. He was hemmed in on every side, and his supplies were falling short. Marching day and night, at length he reached the Loire, and having crossed its swollen stream, once more confounded his enemies by his speed. Labienus, who had defeated the Parisii and returned to Agedincum, was summoned, and with the arrival of his legions Caesar's united army resumed operations in more hopeful spirit.

But the disaster to the Romans at Gergovia had already had its effect. All the states of Celtic and Belgic Gaul except three, the Remi, Lingones, and Treveri, were now included in the Great Rebellion.

63. Dēfectiōne Aeduōrum cognitā, bellum augētur. Lēgātiōnēs in omnēs partēs circummittuntur; quantum grātiā, auctōritāte, pecūniā valent, ad sollicitandās cīvitātēs nītuntur; nactī obsidēs quōs Caesar apud eōs dēposuerat, hōrum suppliciō dubitantēs territant.
5 Petunt ā Vercingetorīge Aeduī, ut ad sē veniat ratiōnēsque bellī gerendī commūnicet. Rē impetrātā, contendunt ut ipsīs summa imperī trādātur, et, rē in contrōversiam dēductā, tōtīus Galliae concilium Bibracte indīcitur. Eōdem conveniunt undique frequentēs. Multitūdinis suffrāgiīs rēs permittitur; ad ūnum omnēs
10 Vercingetorīgem probant imperātōrem.

Ab hōc conciliō Rēmī, Lingonēs, Trēverī āfuērunt: illī, quod amīcitiam Rōmānōrum sequēbantur; Trēverī, quod aberant longius et ā Germānīs premēbantur, quae fuit causa, quārē tōtō abessent bellō et neutrīs auxilia mitterent. Magnō dolōre Aeduī ferunt sē
15 dēiectōs prīncipātū, queruntur fortūnae commūtātiōnem et Caesaris in sē indulgentiam requīrunt, neque tamen, susceptō bellō, suum cōnsilium ab reliquīs sēparāre audent. Invītī summae speī adulēscentēs, Eporēdorīx et Viridomārus, Vercingetorīgī pārent.

The Plans of Vercingetorix

64. Ille imperat reliquīs cīvitātibus obsidēs itemque eī reī cōnstituit diem; omnēs equitēs, xv mīlia numerō, celeriter convenīre iubet. Peditātū quem anteā habuerit sē fore contentum dīcit, neque fortūnam temptātūrum aut in aciē dīmicātūrum; sed, quoniam
5 abundet equitātū, perfacile esse factū frūmentātiōnibus pābulātiōnibusque Rōmānōs prohibēre; aequō modo animō sua ipsī frūmenta corrumpant aedificiaque incendant, quā reī familiāris iactūrā perpetuum imperium lībertātemque sē cōnsequī videant.

¶63. 2. **quantum . . . valent:** *with all the power of influence, authority, and money.* 4. **territō, -āre,** [freq. of **terreō**], *frighten, terrify.* 8. **frequēns, -entis,** *in large numbers.* 11. **illī:** *the former* (both the Remi and the Lingones). 16. **indulgentia, -ae,** f., *kindness, indulgence.* **requīrunt:** *feel the loss of, miss.* 17. **speī:** *promise.*

¶64. 5. **abundō, -āre,** [**unda,** *wave*], *be well provided.* **factū:** Abl. of the Supine (132, *b*), *to do.* **frūmentātiō, -ōnis,** f., [**frūmentor**], *gathering grain, foraging.* **pābulātiō, -ōnis,** f., [**pābulor**], *gathering fodder.*

His cōnstitūtīs rēbus, Aeduīs Segusiāvīsque, quī sunt fīnitimī
Prōvinciae, decem mīlia peditum imperat; hūc addit equitēs octin- 10
gentōs. His praeficit frātrem Eporēdorīgis bellumque īnferrī Allobrogibus iubet. Alterā ex parte Gabalōs proximōsque pāgōs Arvernōrum in Helviōs, item Rutēnōs Cadūrcōsque ad fīnēs Volcārum
Arecomicōrum dēpopulandōs mittit. Nihilō minus clandestīnīs
nūntiīs lēgātiōnibusque Allobrogas sollicitat, quōrum mentēs nōn- 15
dum ab superiōre bellō resēdisse spērābat. Hōrum prīncipibus
pecūniās, cīvitātī autem imperium tōtīus Prōvinciae pollicētur.

Caesar Obtains Cavalry

65. Ad hōs omnēs cāsūs prōvīsa erant praesidia cohortium duārum
et vīgintī, quae, ex ipsā coācta Prōvinciā ab L. Caesare lēgātō, ad
omnēs partēs oppōnēbantur. Helviī suā sponte cum fīnitimīs proeliō
congressī pelluntur et (C. Valeriō Donnotaurō, Cabūrī fīliō, prīncipe
cīvitātis, complūribusque aliīs interfectīs) intrā oppida mūrōsque 5
compelluntur. Allobrogēs, crēbrīs ad Rhodanum dispositīs praesidiīs, magnā cum cūrā et dīligentiā suōs fīnēs tuentur.

Caesar, quod hostēs equitātū superiōrēs esse intellegēbat et,
interclūsīs omnibus itineribus, nūllā rē ex Prōvinciā atque Ītaliā
sublevārī poterat, trāns Rhēnum in Germāniam mittit ad eās 10

---

14. Arecomicī, -ōrum, m., *the Volcae Arecomici,* a division of the Volcae in the
Province. **clandestīnus, -a, -um, [clam],** *secret.* **15. Allobrogas:** Acc. pl., a Greek
ending. **16. resīdō, -ere, -sēdī, —, [sedeō],** *settle down.*

¶**65. 2. Lucius Julius Caesar,** consul in 64 B.C., was distantly related to Julius
Caesar. **3. oppōnēbantur:** *were (now) posted.* **4. congredior, -ī, -gressus, [gradior,**
step], *come together, meet; engage.* **10. sublevō, -āre, [levō, lighten],** *aid.*

cīvitātēs quās superiōribus annīs pācāverat, equitēsque ab hīs arcessit et levis armātūrae peditēs, quī inter eōs proeliārī cōnsuērant. Eōrum adventū, quod minus idōneīs equīs ūtēbantur, ā tribūnīs mīlitum reliquīsque equitibus Rōmānīs atque ēvocātīs equōs sūmit
15 Germānīsque distribuit.

Vercingetorix Plans a Cavalry Attack

66. Intereā, dum haec geruntur, hostium cōpiae ex Arvernīs equitēsque quī tōtī Galliae erant imperātī conveniunt. Magnō hōrum coāctō numerō, cum Caesar in Sēquanōs per extrēmōs Lingonum fīnēs iter faceret, quō facilius subsidium Prōvinciae ferrī posset,
5 circiter mīlia passuum decem ab Rōmānīs trīnīs castrīs Vercingetorīx cōnsēdit, convocātīsque ad concilium praefectīs equitum, vēnisse tempus victōriae dēmōnstrat:

Fugere in Prōvinciam Rōmānōs Galliāque excēdere. Id sibi ad praesentem obtinendam lībertātem satis esse; ad reliquī temporis
10 pācem atque ōtium parum prōficī; maiōribus enim coāctīs cōpiīs reversūrōs neque fīnem bellandī factūrōs.

Proinde in agmine impedītōs adoriantur. Sī peditēs suīs auxilium ferant atque in eō morentur, iter facere nōn posse; sī (id quod magis futūrum cōnfīdat), relictīs impedīmentīs suae salūtī cōnsulant, et
15 ūsū rērum necessāriārum et dignitāte spoliātum īrī. Nam dē equitibus hostium, quīn nēmō eōrum prōgredī modo extrā agmen audeat, nē ipsōs quidem dēbēre dubitāre.

Id quō maiōre faciant animō, cōpiās sē omnēs prō castrīs habitūrum et terrōrī hostibus futūrum.
20 Conclāmant equitēs, sānctissimō iūre iūrandō cōnfirmārī oportēre,

---

12. peditēs, quī ... cōnsuērant: Elsewhere Caesar states that these light-armed foot soldiers, picked for their strength and speed, fought in the cavalry ranks. If it became necessary they could support themselves by the manes of the horses, and keep pace with them.

¶66. 4. posset (106). 5. trīnīs = tribus. When nouns (like **castra**), which are plural in form but singular in meaning, are used in a *plural sense*, the distributive form of numeral is commonly used instead of the cardinal. **11. (Rōmānōs) reversūrōs (esse). 12. Proinde:** *Hence, therefore.* **peditēs (Rōmānī). 13. in eō:** *in (doing) this.* **14. et ūsū ... et dignitāte (75). 15. spoliātum īrī:** Passive infinitive future. **dē equitibus:** *as far as the cavalry was concerned.* **16. quīn ... audeat:** the object of **dubitāre (111, Note). 17. ipsōs:** i.e., the Gallic cavalry prefects. **18. quō ... faciant (106). sē:** Vercingetorix. **20. iūre iūrandō:** The oath is given in the following part of the sentence.

nē tēctō recipiātur, nē ad līberōs, nē ad parentēs, nē ad uxōrem
aditum habeat, quī nōn bis per agmen hostium perequitārit.

Overwhelming Defeat of the Gallic Cavalry

67. Probātā rē atque omnibus iūre iūrandō adāctīs, posterō diē,
in trēs partēs distribūtō equitātū, duae sē aciēs ab duōbus lateribus
ostendunt, ūna ā prīmō agmine iter impedīre coepit. Quā rē nūntiātā, Caesar suum quoque equitātum, tripertītō dīvīsum, contrā
hostem īre iubet.   5
Pugnātur ūnā omnibus in partibus. Cōnsistit agmen; impedīmenta intrā legiōnēs recipiuntur. Sī quā in parte nostrī labōrāre
aut gravius premī vidēbantur, eō signa īnferrī Caesar aciemque
convertī iubēbat; quae rēs et hostēs ad īnsequendum tardābat et
nostrōs spē auxilī cōnfīrmābat.   10
Tandem Germānī ab dextrō latere summum iugum nactī hostēs
locō dēpellunt; fugientēs ūsque ad flūmen, ubi Vercingetorīx cum
pedestribus cōpiīs cōnsēderat, persequuntur complūrēsque interficiunt. Quā rē animadversā reliquī, nē circumīrentur veritī, sē fugae
mandant. Omnibus locīs fit caedēs.   15
Trēs nōbilissimī Aeduī captī ad Caesarem perdūcuntur: Cotus,
praefectus equitum, quī contrōversiam cum Convictolitāve proximīs

---

21. nē . . . recipiātur: *that no one should be received.*

¶67. 3. ūna (aciēs): i.e., one of the three cavalry divisions, the other two attacking
on the flanks. 8. eō: *to this point.*

Caesar's lines of works about Alesia encompassed a circuit of 11 Roman miles on the inside, 14 miles on the outside. In the plain west of the city, and at other points where required, there were two systems of defenses, one to protect Caesar's men against the attacks of Vercingetorix in the city, the other as a defense against the relieving army.

Camps of infantry were probably located at A, B, C, D; of cavalry at G, H, J, K. The redoubts, *castella* (Chap. 69), are numbered 1 to 23.

On the west, along the edge of the plain, a trench, or moat, 20 feet wide with vertical sides, was constructed (Chap. 72). Further west, in this order, "goads," *stimulī;* "wolf holes," *līlia;* "boundary posts," *cippī;* two V-shaped trenches, *fossae;* rampart, *agger,* and palisade, *vallus,* with a "breastwork," *lōrīca,* and battlements, *pinnae;* also towers, *turrēs,* at intervals of 80 feet. These defenses formed the "Line of Contravallation" (Chap. 72–73).

The same defenses, in a reverse series, the "goads" being farthest outside, the rampart inside, formed the "Line of Circumvallation" (Chap. 74).

-->

comitiīs habuerat, et Cavarillus, quī post dēfectiōnem Litaviccī pedestribus cōpiīs praefuerat, et Eporēdorix, quō duce ante ad-
20 ventum Caesaris Aeduī cum Sēquanīs bellō contenderant.

Vercingetorix Takes Refuge in Alesia

68. Fugātō omnī equitātū, Vercingetorix cōpiās suās, ut prō castrīs collocāverat, redūxit prōtinusque Alesiam, quod est oppidum Mandubiōrum, iter facere coepit, celeriterque impedīmenta ex castrīs ēdūcī et sē subsequī iussit. Caesar, impedīmentīs in proximum
5 collem dēductīs, duābus legiōnibus praesidiō relictīs, secūtus hostēs, quantum diēī tempus est passum, circiter tribus mīlibus ex novissimō agmine interfectīs, alterō diē ad Alesiam castra fēcit. Perspectō urbis sitū perterritīsque hostibus, quod equitātū, quā maximē parte exercitūs cōnfīdēbant, erant pulsī, adhortātus ad labōrem
10 mīlitēs circumvāllāre īnstituit.

Alesia's Defenses

69. Ipsum erat oppidum Alesia in colle summō, admodum ēditō locō, ut nisi obsidiōne expugnārī nōn posse vidērētur; cuius collis

---

¶68. 2. quod (44).   6. quantum (spatium), *as far as.*   7. alterō = posterō.

¶69. 1. **colle:** now called *Mont Auxois,* rising to a height of about 500 feet above the streams on either side. On the southwestern slope of the hill is the village of

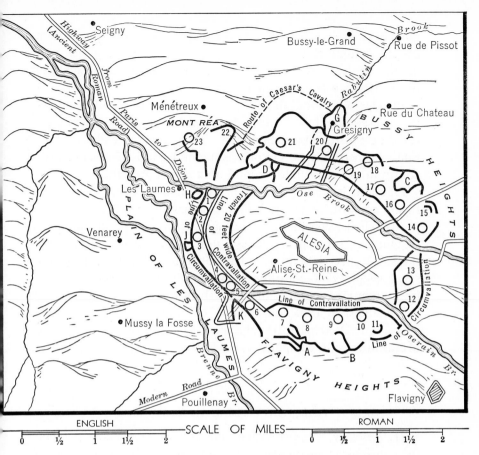

ENGLISH   —SCALE OF MILES—   ROMAN

rādīcēs duo duābus ex partibus flūmina subluēbant. Ante oppidum
plānitiēs circiter mīlia passuum tria in longitūdinem patēbat; reliquīs ex omnibus partibus collēs, mediocrī interiectō spatiō, parī 5
altitūdinis fastīgiō oppidum cingēbant. Sub mūrō, quae pars collis
ad orientem sōlem spectābat, hunc omnem locum cōpiae Gallōrum
complēverant, fossamque et māceriam sex in altitūdinem pedum
praedūxerant.

Eius mūnītiōnis, quae ab Rōmānīs īnstituēbātur, circuitus XI 10

Alise-Ste-Reine. Excavations have yielded many interesting objects, such as Roman
and Gallic weapons, coins, and barbed hooks. **3. flūmina:** the *Ose* and the *Oserain.*
4. plānitiēs: west of the town, now called *Les Laumes.* **5. spatiō:** The distance
between the hilltop of Alesia and the tops of the surrounding hills is about a mile.
parī . . . fastīgiō (84), *of equal height* (high as the hill of Alesia). **6. quae pars collis
. . . hunc omnem locum:** *all that part of the hill which.*

mīlia passuum tenēbat. Castra opportūnīs locīs erant posita ibique castella XXIII facta; quibus in castellīs interdiū statiōnēs pōnē-bantur, nē qua subitō ēruptiō fieret; haec eadem noctū excubitōri-bus ac fīrmīs praesidiīs tenēbantur.

70. Opere īnstitūtō, fit equestre proelium in eā plānitiē, quam — intermissam collibus — tria mīlia passuum in longitūdinem patēre suprā dēmōnstrāvimus. Summā vī ab utrīsque contenditur. Labō-rantibus nostrīs Caesar Germānōs summittit, legiōnēsque prō castrīs
5 cōnstituit, nē qua subitō irruptiō ab hostium peditātū fīat.

Praesidiō legiōnum additō, nostrīs animus augētur; hostēs, in fugam coniectī, sē ipsī multitūdine impediunt atque, angustiōribus portīs relictīs, coartantur. Germānī ācrius ūsque ad mūnītiōnēs sequuntur. Fit magna caedēs; nōn nūllī, relictīs equīs, fossam
10 trānsīre et māceriam trānscendere cōnantur. Paulum legiōnēs Cae-sar, quās prō vāllō cōnstituerat, prōmovērī iubet. Nōn minus, quī intrā mūnītiōnēs erant, Gallī perturbantur; venīrī ad sē cōnfestim exīstimantēs, ad arma conclāmant; nōn nūllī perterritī in oppidum irrumpunt. Vercingetorīx iubet portās claudī, nē castra nūdentur.
15 Multīs interfectīs, complūribus equīs captīs, Germānī sēsē recipiunt.

Vercingetorix Summons Aid from All Gaul

71. Vercingetorīx, prius quam mūnītiōnēs ab Rōmānīs perfician-tur, cōnsilium capit, omnem ab sē equitātum noctū dīmittere. Discē-dentibus mandat, ut suam quisque eōrum cīvitātem adeat omnēsque, quī per aetātem arma ferre possint, ad bellum cōgant. Sua in illōs
5 merita prōpōnit obtestāturque, ut suae salūtis ratiōnem habeant, neu sē, optimē dē commūnī lībertāte meritum, hostibus in cruciātum dēdant. Quod sī indīligentiōrēs fuerint, mīlia hominum dēlēcta LXXX ūnā sēcum interitūra dēmōnstrat; ratiōne initā, sē exiguē

---

11. Castra . . . castella: The sites of four infantry and four cavalry camps and of five redoubts have been determined.

¶70. 1. Opere: The Roman works.   **2. intermissam collibus:** *free from hills.* **8. portīs:** entrances in the stone wall (**māceria**) on the side east of Alesia.   **12. venīrī:** impers., *that the Romans were coming.*

¶71. 1. perficiantur (116).   6. sē . . . meritum: *him, who had most devotedly served the cause of the common liberty.*   **8. ratiōne initā:** *by actual calculation.*

diērum xxx habēre frūmentum, sed paulō etiam longius tolerārī
posse parcendō.   10

His datīs mandātīs, quā erat nostrum opus intermissum, secundā
vigiliā silentiō equitātum dīmittit. Frūmentum omne ad sē referrī
iubet; capitis poenam eīs, quī nōn pāruerint, cōnstituit; pecus,
cuius magna erat cōpia ā Mandubiīs compulsa, virītim distribuit;
frūmentum parcē et paulātim mētīrī īnstituit. Cōpiās omnēs, quās 15
prō oppidō collocāverat, in oppidum recēpit. His ratiōnibus auxilia
Galliae exspectāre et bellum parat administrāre.

Caesar's Inner and Outer Line of Siege Works

72. Quibus rēbus cognitīs ex perfugīs et captīvīs, Caesar haec
genera mūnītiōnis īnstituit.

Fossam pedum xx dērēctīs lateribus dūxit, ut eius fossae solum
tantundem patēret, quantum summae fossae labra distārent. Reliquās omnēs mūnītiōnēs ab eā fossā pedēs cccc redūxit, id hōc 5
cōnsiliō, — quoniam tantum esset necessāriō spatium complexus, nec
facile tōtum opus corōnā mīlitum cingerētur, — nē dē imprōvīsō aut
noctū ad mūnītiōnēs multitūdō hostium advolāret, aut interdiū tēla
in nostrōs opere dēstinātōs conicere possent.

Hōc intermissō spatiō, duās fossās xv pedēs lātās, eādem altitū- 10

---

11. opus intermissum: a gap in the Roman line of works, which had not yet
been completed.

¶72. 3. Fossam: This trench ran across the plain of Les Laumes between the
Ose and the Oserain. **pedum xx:** in width. Excavations show that it was about
9 feet deep. **dērēctīs:** The Romans usually dug trenches with sloping sides. **solum:**
the bottom was as wide as the top. **5. pedēs cccc:** The actual distance was nearer
400 yards. **6. esset complexus** and **7. cingerētur:** Implied indirect discourse,
depending on the *thought* implied in **cōnsilium. 10. Hōc spatiō:** the 400 yards. **duās
fossās:** Of these the inner trench encircled the entire town, but the outer trench,
starting at the Ose, ran across the plain only as far as the foot of the Flavigny Heights.

dine, perdūxit; quārum interiōrem, campestribus ac dēmissīs locīs, aquā ex flūmine dērīvātā complēvit.

Post eās aggerem ac vāllum XII pedum exstrūxit. Huic lōrīcam pinnāsque adiēcit, grandibus cervīs ēminentibus ad commissūrās
15 pluteōrum atque aggeris, quī ascēnsum hostium tardārent; et turrēs tōtō opere circumdedit, quae pedēs LXXX inter sē distārent.

73. Erat eōdem tempore et māteriārī et frūmentārī et tantās mūnītiōnēs fierī necesse, dēminūtīs nostrīs cōpiīs, quae longius ā castrīs prōgrediēbantur; ac nōn numquam opera nostra Gallī temptāre atque ēruptiōnem ex oppidō plūribus portīs summā vī
5 facere cōnābantur. Quā rē ad haec rūrsus opera addendum Caesar putāvit, quō minōre numerō mīlitum mūnītiōnēs dēfendī possent.

Itaque, truncīs arborum aut admodum fīrmīs rāmīs abscīsīs, atque

---

13. Post: On the farther side from the town. **vāllum:** *palisade.* **XII pedum:** in height. **lōrīcam pinnāsque:** *breastwork and battlements* of interwoven branches. **14. cervīs:** *forked branches,* spreading like a stag's horn. **15. pluteōrum:** *the screens* of branches.

¶73. **2. nostrīs cōpiīs:** i.e., the soldiers available for guarding the works. **5. addendum (esse):** impers.

VII, 73

SITUS CASTRORUM
CAESARIS

hōrum dēlibrātīs ac praeacūtīs cacūminibus, perpetuae fossae quīnōs
pedēs altae dūcēbantur. Hūc illī stīpitēs dēmissī, et ab īnfimō re-
vinctī nē revellī possent, ab rāmīs ēminēbant. Quīnī erant ōrdinēs, 10
coniūnctī inter sē atque implicātī; quō quī intrāverant, sē ipsī
acūtissimīs vāllīs induēbant. Hōs cippōs appellābant.

Ante hōs, oblīquīs ōrdinibus in quīncuncem dispositīs, scrobēs in
altitūdinem trium pedum fodiēbantur, paulātim angustiōre ad īn-
fimum fastīgiō. Hūc teretēs stīpitēs feminis crassitūdine, ab summō 15
praeacūtī et praeūstī, dēmittēbantur ita, ut nōn amplius digitīs
quattuor ex terrā ēminērent; simul, cōnfīrmandī et stabiliendī
causā, singulī ab īnfimō solō pedēs terrā exculcābantur; reliqua
pars scrobis ad occultandās īnsidiās vīminibus ac virgultīs integē-
bātur. Huius generis octōnī ōrdinēs ductī ternōs inter sē pedēs 20
distābant. Id ex similitūdine flōris līlium appellābant.

Ante haec tāleae, pedem longae, ferreīs hāmīs īnfīxīs, tōtae in

9. **Hūc:** In these five-foot trenches. **illī stīpitēs:** described in the preceding sentence. **10. ab rāmīs:** only the branches were above the ground. **11. quō,** adv.
12. cippōs: jokingly named *boundary posts*, because they resembled surveyors' boundary marks. **13. in quīncuncem:** *in diagonal order*, like the five-spot on dice.
14. paulātim angustiōre: *gradually narrowing*. **15. feminis,** from **femur**. **16. digitīs**
(86). **18. singulī . . . exculcābantur:** *each trunk was packed with earth to the depth of
a foot from the bottom*. **22. tāleae . . . īnfīxīs:** barbed iron spikes driven into wooden
blocks. Some of them have been found.

terram īnfodiēbantur, mediocribusque intermissīs spatiīs, omnibus locīs disserēbantur; quōs stimulōs nōminābant.

74. Hīs rēbus perfectīs, regiōnēs secūtus quam potuit aequissimās prō locī nātūrā, xɪv mīlia passuum complexus, parēs eiusdem generis mūnītiōnēs, dīversās ab hīs, contrā exteriōrem hostem perfēcit, ut nē magnā quidem multitūdine, sī ita accidat, mūnītiōnum praesidia 5 circumfundī possent; ac nē cum perīculō ex castrīs ēgredī cōgātur, diērum xxx pābulum frūmentumque habēre omnēs convectum iubet.

The Gauls Muster an Immense Army to Relieve Alesia

75. Dum haec ad Alesiam geruntur, Gallī, conciliō prīncipum indictō, nōn omnēs, quī arma ferre possent, ut cēnsuit Vercinge-torīx, convocandōs statuunt, sed certum numerum cuique cīvitātī imperandum, nē tantā multitūdine cōnfūsā nec moderārī nec discer- 5 nere suōs nec frūmentandī ratiōnem habēre possent.

Imperant Aeduīs atque eōrum clientibus, Segusiāvīs, Ambivaretīs, Aulercīs Brannovīcibus, mīlia xxxv; parem numerum Arvernīs, adiūnctīs Eleutetīs, Cadūrcīs, Gabalīs, Vellaviīs, quī sub imperiō Arvernōrum esse cōnsuērunt; Sēquanīs, Senonibus, Biturīgibus, 10 Santonīs, Rutēnīs, Carnutibus duodēna mīlia; Bellovacīs x; totidem Lemovīcibus; octōna Pictonibus et Turonīs et Parīsiīs et Helvētiīs; sēna Andibus, Ambīanīs, Mediomatricīs, Petrocoriīs, Nerviīs, Mo-rinīs, Nitiobrogibus; quīna mīlia Aulercīs Cēnomanīs; totidem Atrebātibus; ɪɪɪɪ Veliocassīs; Aulercīs Eburovīcibus ɪɪɪ; Rauracīs 15 et Boiīs bīna; xxx ūniversīs civitātibus, quae Ōceanum attingunt quaeque eōrum cōnsuētūdine Aremoricae appellantur, quō sunt in numerō Coriosolitēs, Redonēs, Ambibariī, Caletēs, Osismī, Venetī, Lexoviī, Venellī.

Ex hīs Bellovacī suum numerum nōn complēvērunt, quod sē suō 20 nōmine atque arbitriō cum Rōmānīs bellum gestūrōs dīcerent neque cuiusquam imperiō obtemperātūrōs; rogātī tamen ā Commiō, prō eius hospitiō duō mīlia ūnā mīsērunt.

¶74. 3. dīversās: *facing in the opposite direction,* i.e., outward. 6. convectum: *collected.* Notwithstanding these precautions, toward the end of the siege Caesar's soldiers suffered greatly from lack of provisions.

¶75. 3. cīvitātī (61). 10. duodēna mīlia: 12,000 *each.* Notice the following *distributive* numerals.

76. Huius operā Commī, ut anteā dēmōnstrāvimus, fidēlī atque ūtilī superiōribus annīs erat ūsus in Britanniā Caesar; quibus ille prō meritīs cīvitātem eius immūnem esse iusserat, iūra lēgēsque reddiderat atque ipsī Morinōs attribuerat. Tanta tamen ūniversae Galliae cōnsēnsiō fuit lībertātis vindicandae, et prīstinae bellī laudis 5 recuperandae, ut neque beneficiīs neque amīcitiae memoriā movērentur, omnēsque et animō et opibus in id bellum incumberent.

Coāctīs equitum mīlibus VIII et peditum circiter CCL, haec in Aeduōrum fīnibus recēnsēbantur, numerusque inībātur, praefectī cōnstituēbantur. Commiō Atrebātī, Viridomārō et Eporēdorīgī 10 Aeduīs, Vercassivellaunō Arvernō, cōnsobrīnō Vercingetorīgis, summa imperī trāditur. Hīs dēlēctī ex cīvitātibus attribuuntur, quōrum cōnsiliō bellum administrārētur.

Omnēs alacrēs et fīdūciae plēnī ad Alesiam proficīscuntur, neque erat omnium quisquam, quī aspectum modo tantae multitūdinis 15 sustinērī posse arbitrārētur, praesertim ancipitī proeliō, cum ex oppidō ēruptiōne pugnārētur, foris tantae cōpiae equitātūs peditātūsque cernerentur.

Critognatus Speaks in a Council in Alesia

77. At eī, quī Alesiae obsidēbantur praeteritā diē, quā auxilia suōrum exspectāverant, cōnsūmptō omnī frūmentō, īnsciī quid in Aeduīs gererētur, conciliō coāctō dē exitū suārum fortūnārum cōnsultābant. Ac variīs dictīs sententiīs, quārum pars dēditiōnem, pars dum vīrēs suppeterent ēruptiōnem cēnsēbat, nōn praetereunda 5 ōrātiō Critognātī vidētur propter eius singulārem et nefāriam crūdēlitātem. Hic summō in Arvernīs ortus locō et magnae habitus auctōritātis, "Nihil," inquit, "dē eōrum sententiā dictūrus sum, quī turpissimam servitūtem dēditiōnis nōmine appellant, neque hōs habendōs cīvium locō neque ad concilium adhibendōs cēnseō. 10 Cum hīs mihi rēs sit quī ēruptiōnem probant; quōrum in cōnsiliō omnium vestrum cōnsēnsū prīstinae residēre virtūtis memoria vidētur. Animī est ista mollitia, nōn virtūs, paulisper inopiam ferre nōn posse. Quī sē ultrō mortī offerant facilius reperiuntur

---

¶76. 2. **ille:** Caesar. 3. **cīvitātem:** the Atrebates. 4. **ipsī:** to Commius.
12. **dēlēctī:** an advisory staff. 14. **ad (74).**

¶77. 11. **Cum . . . sit:** *Let my business be with those.*

15 quam quī dolōrem patienter ferant. Atque ego hanc sententiam
probārem (tantum apud mē dignitās potest), sī nūllam praeterquam
vītae nostrae iactūram fierī vidērem: sed in cōnsiliō capiendō
omnem Galliam respiciāmus, quam ad nostrum auxilium concitāvi-
mus. Quid hominum mīlibus LXXX ūnō locō interfectīs, pro-
20 pinquīs cōnsanguineīsque nostrīs animī fore exīstimātis, sī paene
in ipsīs cadāveribus proeliō dēcertāre cōgentur? Nōlīte hōs vestrō
auxiliō exspoliāre, quī vestrae salūtis causā suum perīculum neglēxē-
runt, nec stultitiā ac temeritāte vestrā aut animī imbēcillitāte
omnem Galliam prōsternere et perpetuae servitūtī subicere.

25   "An, quod ad diem nōn vēnērunt, dē eōrum fidē cōnstāntiāque
dubitātis? Quid ergō? Rōmānōs in illīs ulteriōribus mūnītiōnibus
animīne causā cotīdiē exercērī putātis? Sī illōrum nūntiīs cōnfīrmārī nōn potestis omnī aditū praesaeptō, hīs ūtiminī testibus
appropinquāre eōrum adventum; cuius reī timōre exterritī diem
30 noctemque in opere versantur.

   "Quid ergō meī cōnsilī est? Facere, quod nostrī maiōrēs nēquāquam parī bellō Cimbrōrum Teutonumque fēcērunt; quī in
oppida compulsī ac similī inopiā subāctī eōrum corporibus quī
aetāte ad bellum inūtilēs vidēbantur vītam tolerāvērunt neque sē
35 hostibus trādidērunt. Cuius reī sī exemplum nōn habērēmus,
tamen lībertātis causā īnstituī et posterīs prōdī pulcherrimum
iūdicārem. Nam quid illī simile bellō fuit? Dēpopulātā Galliā
Cimbrī magnāque illātā calamitāte fīnibus quidem nostrīs aliquandō excessērunt atque aliās terrās petiērunt; iūra, lēgēs, agrōs,
40 lībertātem nōbīs relīquērunt. Rōmānī vērō quid petunt aliud aut
quid volunt, nisi invidiā adductī, quōs fāmā nōbilēs potentēsque
bellō cognōvērunt, hōrum in agrīs cīvitātibusque cōnsīdere atque
hīs aeternam iniungere servitūtem? Neque enim ūllā aliā condiciōne
bella gessērunt. Quod sī ea quae in longinquīs nātiōnibus geruntur
45 ignōrātis, respicite fīnitimam Galliam, quae in prōvinciam redācta
iūre et lēgibus commūtātīs secūribus subiecta perpetuā premitur
servitūte."

---

16. probārem ... vidērem: Contrary to fact condition in present time — *I would
approve ... if I saw.*   **21. Nōlīte ... exspoliāre:** Negative imperative — *Do not
deprive ...*   **26. illīs ulteriōribus mūnītiōnibus:** the line of circumvallation — *those
outer fortifications.*   **28. ūtiminī:** the imperative of **ūtor.**   **31. nēquāquam parī:** *by
no means equal to this.*   **35. habērēmus ... iūdicārem:** See note on **probārem** (16).
41. quōs: the antecedent is **hōrum** (42).

Wretched Fate of the Inhabitants of Alesia

78. Sententiīs dictīs cōnstituunt, ut eī, quī valētūdine aut aetāte inūtilēs sint bellō, oppidō excēdant, atque omnia prius experiantur, quam ad Critognātī sententiam dēscendant; illō tamen potius ūtendum cōnsiliō, sī rēs cōgat atque auxilia morentur, quam aut dēditiōnis aut pācis subeundam condiciōnem. 5

Mandubiī, quī eōs oppidō recēperant, cum līberīs atque uxōribus exīre cōguntur. Hī, cum ad mūnītiōnēs Rōmānōrum accessissent, flentēs omnibus precibus ōrābant, ut sē in servitūtem receptōs cibō iuvārent. At Caesar, dispositīs in vāllō cūstōdiīs, recipī prohibēbat.

The Army of Relief Arrives

79. Intereā Commius reliquīque ducēs, quibus summa imperī permissa erat, cum omnibus cōpiīs ad Alesiam perveniunt, et, colle exteriōre occupātō, nōn longius mīlle passibus ab nostrīs mūnītiōnibus cōnsīdunt. Posterō diē, equitātū ex castrīs ēductō, omnem eam plānitiem, quam in longitūdinem tria mīlia passuum patēre dēmōnstrāvimus, complent; pedestrēsque cōpiās paulum ab eō locō abditās 5

¶78. 2. prius ... quam: *before.* 3. dēscendant (116). potius, with quam. 4. ūtendum (esse) cōnsiliō (80): *that they should adopt that plan.* 9. (eōs) recipī.

¶79. 2. colle: southwest of the town, now called *Mussy-la-Fosse.*

in locīs superiōribus cōnstituunt. Erat ex oppidō Alesiā dēspectus in campum. Concurrunt, hīs auxiliīs vīsīs; fit grātulātiō inter eōs atque omnium animī ad laetitiam excitantur. Itaque, prōductīs
10 cōpiīs, ante oppidum cōnsīdunt et proximam fossam crātibus integunt atque aggere explent sēque ad ēruptiōnem atque omnēs cāsūs comparant.

80. Caesar, omnī exercitū ad utramque partem mūnītiōnum dispositō, ut, sī ūsus veniat, suum quisque locum teneat et nōverit, equitātum ex castrīs ēdūcī et proelium committī iubet. Erat ex omnibus castrīs, quae summum undique iugum tenēbant, dēspectus,
5 atque omnēs mīlitēs intentī pugnae prōventum exspectābant. Gallī inter equitēs rārōs sagittāriōs expedītōsque levis armātūrae interiēcerant, quī suīs cēdentibus auxiliō succurrerent et nostrōrum equitum impetūs sustinērent. Ab hīs complūrēs dē imprōvīsō vulnerātī proeliō excēdēbant.
10 Cum suōs pugnā superiōrēs esse Gallī cōnfīderent et nostrōs multitūdine premī vidērent, ex omnibus partibus et eī, quī mūnītiōnibus continēbantur, et hī, quī ad auxilium convēnerant, clāmōre et ululātū suōrum animōs cōnfīrmābant. Quod in cōnspectū omnium rēs gerēbātur neque rēctē aut turpiter factum cēlārī poterat, utrōsque et
15 laudis cupiditās et timor ignōminiae ad virtūtem excitābat.

Cum ā merīdiē prope ad sōlis occāsum dubiā victōriā pugnārētur, Germānī ūnā in parte cōnfertīs turmīs in hostēs impetum fēcērunt eōsque prōpulērunt; quibus in fugam coniectīs, sagittāriī circumventī interfectīque sunt. Item ex reliquīs partibus nostrī, cēdentēs
20 ūsque ad castra īnsecūtī, suī colligendī facultātem nōn dedērunt. At eī, quī ab Alesiā prōcesserant, maestī, prope victōriā dēspērātā, sē in oppidum recēpērunt.

The Gauls Make an Attack by Night

81. Ūnō diē intermissō, Gallī, atque hōc spatiō magnō crātium, scālārum, harpagōnum numerō effectō, mediā nocte silentiō ex

---

7. **dēspectus:** noun. 8. **Concurrunt:** the Gauls in Alesia.

¶**80.** 7. **succurrerent** (105). 14. **rēctē aut turpiter factum:** *no brave or cowardly deed.* 19. **(hostēs) cēdentēs.**

¶**81.** 2. **harpagōnum:** *grappling hooks* on long poles, for tearing down the Roman breastwork.

castrīs ēgressī, ad campestrēs mūnītiōnēs accēdunt. Subitō clāmōre sublātō, quā significātiōne, quī in oppidō obsidēbantur, dē suō adventū cognōscere possent, crātēs prōicere, fundīs, sagittīs, lapidibus 5 nostrōs dē vāllō prōturbāre reliquaque, quae ad oppugnātiōnem pertinent, parant administrāre. Eōdem tempore, clāmōre exaudītō, dat tubā signum suīs Vercingetorīx atque ex oppidō ēdūcit.

Nostrī, ut superiōribus diēbus suus cuique erat locus attribūtus, ad mūnītiōnēs accēdunt; fundīs lībrīlibus sudibusque, quās in opere 10 disposuerant, ac glandibus Gallōs prōterrent. Prōspectū tenebrīs adēmptō, multa utrimque vulnera accipiuntur. Complūra tormentīs tēla coniciuntur. At M. Antōnius et C. Trebōnius lēgātī, quibus hae partēs ad dēfendendum obvēnerant, quā ex parte nostrōs premī intellēxerant, hīs auxiliō ex ulteriōribus castellīs dēductōs 15 summittēbant.

82. Dum longius ā mūnītiōne aberant Gallī, plūs multitūdine tēlōrum prōficiēbant; posteā quam propius successērunt, aut sē stimulīs inopīnantēs induēbant aut in scrobēs dēlātī trānsfodiēbantur aut ex vāllō ac turribus trāiectī pīlīs mūrālibus interībant. Multīs undique vulneribus acceptīs, nūllā mūnītiōne perruptā, cum lūx 5 appeteret, veritī nē ab latere apertō ex superiōribus castrīs ēruptiōne circumvenīrentur, sē ad suōs recēpērunt. At interiōrēs, dum ea, quae ā Vercingetorīge ad ēruptiōnem praeparāta erant, prōferunt, priōrēs fossās explent, diūtius in hīs rēbus administrandīs morātī, prius suōs discessisse cognōvērunt, quam mūnītiōnibus appropinquā- 10 rent. Ita rē īnfectā in oppidum revertērunt.

An Assault by the Gauls from Without and Within

83. Bis magnō cum dētrīmentō repulsī Gallī, quid agant, cōnsulunt; locōrum perītōs adhibent; ex hīs superiōrum castrōrum situs mūnītiōnēsque cognōscunt. Erat ā septentriōnibus collis, quem propter magnitūdinem circuitūs opere circumplectī nōn potuerant

---

3. **campestrēs:** facing on the *Les Laumes* plain.   10. **fundīs lībrīlibus:** *with slings that threw stones weighing a pound.*   13. **M. Antōnius:** Caesar's first mention of the famous Mark Antony.   14. **quā ex parte:** *wherever.*

¶**82. 6. superiōribus:** on the Flavigny Heights.   7. **interiōrēs:** The Gauls within Alesia.   9. **priōrēs:** *nearer.*   10. **appropinquārent (116).**

¶**83. 2. locōrum (59).**   3. **collis:** now *Mont Réa.*

5 nostrī; necessāriō paene inīquō locō et lēniter dēclīvī castra fēcerant. Haec C. Antistius Rēgīnus et C. Canīnius Rebilus lēgātī cum duābus legiōnibus obtinēbant.

Cognitīs per explōrātōrēs regiōnibus, ducēs hostium LX mīlia ex omnī numerō dēligunt eārum cīvitātum, quae maximam virtūtis 10 opīniōnem habēbant; quid quōque pactō agī placeat, occultē inter sē cōnstituunt; adeundī tempus dēfīniunt, cum merīdiēs esse videātur. Hīs cōpiīs Vercassivellaunum Arvernum, ūnum ex quattuor ducibus, propinquum Vercingetorīgis, praeficiunt. Ille ex castrīs prīmā vigiliā ēgressus, prope cōnfectō sub lūcem itinere, post mon-15 tem sē occultāvit, mīlitēsque ex nocturnō labōre sēsē reficere iussit. Cum iam merīdiēs appropinquāre vidērētur, ad ea castra, quae suprā dēmōnstrāvimus, contendit; eōdemque tempore equitātus ad campestrēs mūnītiōnēs accēdere et reliquae cōpiae prō castrīs sēsē ostendere coepērunt.

84. Vercingetorīx, ex arce Alesiae suōs cōnspicātus, ex oppidō ēgreditur; crātēs, longuriōs, mūsculōs, falcēs reliquaque, quae ēruptiōnis causā parāverat, prōfert. Pugnātur ūnō tempore omnibus locīs, atque omnia temptantur; quae minimē vīsa pars fīrma est, 5 hūc concurritur. Rōmānōrum manus tantīs mūnītiōnibus distinētur nec facile plūribus locīs occurrit. Multum ad terrendōs nostrōs valet clāmor, quī post tergum pugnantibus exsistit, quod suum perīculum in aliēnā vident virtūte cōnstāre; omnia enim plērumque, quae absunt, vehementius hominum mentēs perturbant.

Seeing His Men Weakening, Caesar Sends Help

85. Caesar idōneum locum nactus, quid quāque in parte gerātur, cognōscit; labōrantibus subsidium summittit. Utrīsque ad animum occurrit, ūnum esse illud tempus, quō maximē contendī conveniat: Gallī, nisi perfrēgerint mūnītiōnēs, dē omnī salūte dēspērant; Rō-

---

5. **castra:** Camp D on plan on page 299. 10. **quōque** = et quō. 11. **videātur** (118, 1). 17. **campestrēs:** along the plain of *Les Laumes*, near the redoubts numbered 1 to 5.

¶84. 2. **mūsculōs:** *sheds* — "mousies" — to protect the soldiers while filling the trenches. 7. **pugnantibus** (65).

¶85. 1. **locum:** on the Flavigny Heights, the spot marked with a cross on the plan on page 299.

māni, sī rem obtinuerint, fīnem labōrum omnium exspectant. 5
Maximē ad superiōrēs mūnitiōnēs labōrātur, quō Vercassivellaunum
missum dēmōnstrāvimus. Inīquum locī ad dēclīvitātem fastīgium
magnum habet mōmentum. Aliī tēla coniciunt, aliī testūdine factā
subeunt; dēfatīgātīs in vicem integrī succēdunt. Agger ab ūniversīs
in mūnitiōnem coniectus et ascēnsum dat Gallīs et ea, quae in terrā 10
occultāverant Rōmānī, contegit; nec iam arma nostrīs nec vīrēs
suppetunt.

86. Hīs rēbus cognitīs, Caesar Labiēnum cum cohortibus sex subsidiō labōrantibus mittit; imperat, sī sustinēre nōn possit, dēductīs
cohortibus ēruptiōne pugnet; id nisi necessāriō nē faciat.

Ipse adit reliquōs; cohortātur, nē labōrī succumbant; omnium
superiōrum dīmicātiōnum frūctum in eō diē atque hōrā docet 5
cōnsistere.

Interiōrēs, dēspērātīs campestribus locīs propter magnitūdinem
mūnitiōnum, loca praerupta ex ascēnsū temptant; hūc ea, quae
parāverant, cōnferunt. Multitūdine tēlōrum ex turribus prōpugnantēs dēturbant, aggere et crātibus fossās explent, falcibus vāllum 10
ac lōrīcam rescindunt.

Caesar Leads His Men in Person

87. Mittit prīmō Brūtum adulēscentem cum cohortibus Caesar,
post cum aliīs C. Fabium lēgātum; postrēmō ipse, cum vehementius
pugnārētur, integrōs subsidiō addūcit.

Restitūtō proeliō ac repulsīs hostibus, eō, quō Labiēnum mīserat,
contendit; cohortēs quattuor ex proximō castellō dēdūcit, equitum 5
partem sē sequī, partem circumīre exteriōrēs mūnitiōnēs et ā tergō
hostēs adorīrī iubet. Labiēnus, postquam neque aggerēs neque fossae

---

7. **ad dēclīvitātem fastīgium:** *the downward slope.* The Roman camp (marked **D**
on the battle plan) was on the side of the hill, not at the top. The sentence may be
freely translated: *The unfavorable downward slope of the ground proved to be very
serious* (to the Romans). 9. **Agger:** *Earth.*

¶**86. 2. (nostrīs) labōrantibus:** These were the two legions under Antistius Reginus
and Caninius Rebilus, which were being fiercely assailed in the camp at **D. dēductīs
cohortibus:** *to withdraw his cohorts* from the rampart. 7. **Interiōrēs:** Vercingetorix's
troops. 8. **loca:** probably on the Flavigny Heights. 9. **(nostrōs) prōpugnantēs.**

¶**87. 1. Mittit:** to the point attacked by Vercingetorix. 4. **eō:** Mont Réa.
6. **circumīre:** probably starting from the point marked **G.** 7. **aggerēs:** *ramparts.*

vim hostium sustinēre poterant, coāctīs ūnā XI cohortibus, quās ex
proximīs praesidiīs dēductās fors obtulit, Caesarem per nūntiōs facit
10 certiōrem, quid faciendum exīstimet. Accelerat Caesar ut proeliō
intersit.

88. Eius adventū ex colōre vestītūs cognitō, quō īnsignī in proeliīs
ūtī cōnsuērat, turmīsque equitum et cohortibus vīsīs, quās sē sequī
iusserat, ut dē locīs superiōribus haec dēclīvia et dēvexa cernēbantur,
hostēs proelium committunt. Utrimque clāmōre sublātō, excipit
5 rūrsus ex vāllō atque omnibus mūnītiōnibus clāmor. Nostrī, omissīs
pīlīs, gladiīs rem gerunt.

Repente post tergum equitātus cernitur; cohortēs aliae appropin-
quant. Hostēs terga vertunt; fugientibus equitēs occurrunt. Fit
magna caedēs. Sedulius, dux et prīnceps Lemovīcum, occīditur;
10 Vercassivellaunus Arvernus vīvus in fugā comprehenditur; signa
mīlitāria LXXIV ad Caesarem referuntur; paucī ex tantō numerō sē
incolumēs in castra recipiunt. Cōnspicātī ex oppidō caedem et
fugam suōrum, dēspērātā salūte, cōpiās ā mūnītiōnibus redūcunt.

Fit prōtinus, hāc rē audītā, ex castrīs Gallōrum fuga. Quod nisi
15 crēbrīs subsidiīs ac tōtīus diēī labōre mīlitēs essent dēfessī, omnēs

¶88. 1. vestītūs: a scarlet cloak. īnsignī: *distinguishing mark.* 3. haec . . .
dēvexa: the slopes down which Caesar rode in full view of the enemy on the Heights.
4. excipit: *is taken up.* 14. Quod: *And.*

hostium cōpiae dēlērī potuissent. Dē mediā nocte missus equitātus novissimum agmen cōnsequitur; magnus numerus capitur atque interficitur, reliquī ex fugā in cīvitātēs discēdunt.

Surrender of Vercingetorix

89. Posterō diē Vercingetorīx, conciliō convocātō, id bellum sē suscēpisse nōn suārum necessitātum, sed commūnis lībertātis causā dēmōnstrat; et quoniam sit fortūnae cēdendum, ad utramque rem sē illīs offerre, seu morte suā Rōmānīs satis facere seu vīvum trādere velint. Mittuntur dē hīs rēbus ad Caesarem lēgātī. Iubet arma 5 trādī, prīncipēs prōdūcī. Ipse in mūnītiōne prō castrīs cōnsēdit; eō ducēs prōdūcuntur. Vercingetorīx dēditur, arma prōiciuntur. Reservātīs Aeduīs atque Arvernīs, sī per eōs cīvitātēs recuperāre posset, ex reliquīs captīvīs tōtī exercituī capita singula praedae nōmine distribuit. 10

Caesar Assigns His Legions to Winter Quarters

90. Hīs rēbus cōnfectīs in Aeduōs proficīscitur; cīvitātem recipit. Eō lēgātī ab Arvernīs missī, quae imperāret, sē factūrōs pollicentur. Imperat magnum numerum obsidum. Legiōnēs in hīberna mittit. Captīvōrum circiter xx mīlia Aeduīs Arvernīsque reddit.

T. Labiēnum duābus cum legiōnibus et equitātū in Sēquanōs 5 proficīscī iubet; huic M. Semprōnium Rutilum attribuit. C. Fabium lēgātum et Lūcium Minucium Basilum cum legiōnibus duābus in Rēmīs collocat, nē quam ā fīnitimīs Bellovacīs calamitātem accipiant. C. Antistium Rēgīnum in Ambivaretōs, T. Sextium in Biturīgēs, C. Canīnium Rebilum in Rutēnōs cum singulīs legiōnibus mittit. 10 Q. Tullium Cicerōnem et P. Sulpicium Cabillōnī et Matiscōne in Aeduīs ad Ararim reī frūmentāriae causā collocat. Ipse Bibracte hiemāre cōnstituit.

Hīs rēbus ex Caesaris litterīs cognitīs, Rōmae diērum vīgintī supplicātiō redditur. 15

¶89. 3. **ad utramque rem:** *for either fate.* 8. **sī:** (*to see*) *whether.* 9. **capita singula:** *one to each* (*soldier*).

¶90. 11. **Cabillōnī et Matiscōne:** Names of towns in the locative case. Translate *at.* So also **Bibracte** (12), and **Rōmae** (14).

CONCLUSION

Plutarch vividly describes the scene at Vercingetorix's surrender. Caesar was seated on a tribunal erected well within his fortified lines when forth from the city gate came Vercingetorix, clad in armor, mounted upon a splendidly adorned horse. Riding round the tribunal, he dismounted, put off his armor, and then took his place at the feet of his conqueror. For a time there was profound silence. At length Caesar gave an order, and a guard quietly led the Gallic chieftain away.

Vercingetorix was sent to Rome, where he remained a prisoner for six years. At Caesar's triumph in 46 B.C. he marched in the procession, and then with several other noble captives was slain in sacrifice to the gods of Rome. Yet, in spite of this sad fate, he won a glorious name in history as a high-minded patriot and martyr to the cause of Gallic freedom. Today his statue crowns the heights of ancient Alesia, and the people of France respect and honor him as the first of their great national heroes.

Caesar's *Commentaries on the Gallic War* come to an end with the VIIth book. A further account of what he accomplished in Gaul is contained in an VIIIth book, written by Caesar's friend, Aulus Hirtius. During the year 52 there were revolts here and there, which Caesar crushed without much difficulty. The conquest of the land was now complete, but there still remained the task of securing the allegiance of the Gallic states. To this end Caesar adopted a policy of kindness and conciliation. He took the usual measures to organize the country into a Roman province, but he imposed upon it only a moderate tribute. He presented the chieftains with munificent gifts and gained their friendship by his courtesy and consideration. That he succeeded is evidenced by the fact that all rebellion ceased, and in a few years the Province of Gaul became thoroughly Romanized.

The Civil War

C. IULI CAESARIS

Commentārii Dē Bellō Cīvili

POMPEIUS
MAGNUS

The Battle of Pharsalus (August 9, 48 B.C.)

Caesar Draws Up His Army near Pompey's Camp

84. Rē frūmentāriā praeparātā cōnfīrmātīsque mīlitibus, et satis longō spatiō temporis ā Dyrrachīnīs proeliīs intermissō, quō satis perspectum habēre mīlitum animum vidērētur, temptandum Caesar exīstimāvit, quidnam Pompeius prōpositī aut voluntātis ad dīmicandum habēret. Itaque exercitum ex castrīs ēdūxit aciemque īnstrūxit, 5 prīmō suīs locīs paulōque ā castrīs Pompeī longius, continentibus vērō diēbus ut prōgriderētur ā castrīs suīs collibusque Pompeiānīs aciem subiceret. Quae rēs in diēs cōnfīrmātiōrem eius exercitum efficiēbat.

¶84. **2. ā Dyrrachīnīs proeliīs:** *after the battles at Dyrrachium,* in which Caesar's troops had been defeated. **quō (spatiō) . . . vidērētur:** *to enable him to feel quite sure of the spirit of his soldiers.* **3. (sibi) temptandum (esse). 4. quidnam prōpositī (58):** *what purpose.* **6. suīs:** *favorable.* **continentibus:** *subsequent.* **7. ut:** *in such a way that.* **8. Quae rēs:** The fact that Pompey did not venture to offer battle, when Caesar moved nearer.

315

10   Superius tamen īnstitūtum in equitibus, quod dēmōnstrāvimus,
servābat, ut, quoniam numerō multīs partibus esset īnferior, adulēscentēs atque expedītōs ex antesignānīs, ēlēctīs ad pernīcitātem
armīs, inter equitēs proeliārī iubēret, quī cotīdiānā cōnsuētūdine
ūsum quoque eius generis proeliōrum perciperent.   Hīs erat rēbus
15 effectum ut equitēs mīlle, etiam apertiōribus locīs, VII mīlium Pom-
peiānōrum impetum, cum adesset ūsus, sustinēre audērent, neque
magnopere eōrum multitūdine terrērentur.   Namque etiam per eōs
diēs proelium secundum equestre fēcit, atque ūnum Allobrogem ex
duōbus, quōs perfūgisse ad Pompeium suprā docuimus, cum quibus-
20 dam interfēcit.

---

10. Superius īnstitūtum: *his former arrangement*, of interspersing light-armed infantry among the cavalry.   He first tried this formation shortly after leaving Dyrrachium.   It had proved very effective.   **11. multīs partibus (87):** *many times.* **adulēscentēs . . . antesignānīs:** *light-armed young men from among the skirmishers.*   **12. ad
pernīcitātem:** *with reference to speed.*   **13. cōnsuētūdine:** *practice.*   **14. ūsum:** *experience.* **perciperent (105).**   **16. ūsus:** *need.*   **19. duōbus:** Two brothers, who had
received many favors from Caesar for their services to him while in Gaul, and who
more recently held places of trust in his army.   Detected in dishonest dealing, they re-
sented being censured by Caesar and deserted to Pompey.

THE BATTLE OF PHARSALUS

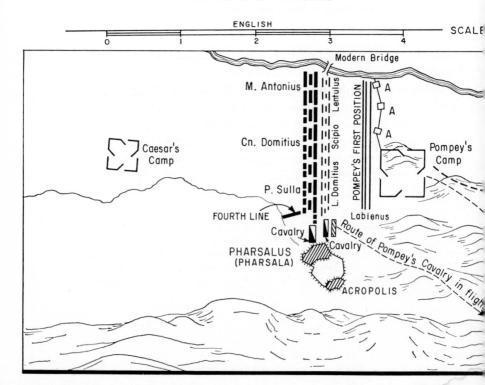

85. Pompeius, quī castra in colle habēbat, ad īnfimās rādīcēs montis aciem īnstruēbat, semper, ut vidēbātur, exspectāns sī inīquīs locīs Caesar sē subiceret. Caesar, nūllā ratiōne ad pugnam ēlicī posse Pompeium exīstimāns, hanc sibi commodissimam bellī ratiōnem iūdicāvit, utī castra ex eō locō movēret semperque esset in 5 itineribus, haec spectāns, ut movendīs castrīs plūribusque adeundīs locīs commodiōre rē frūmentāriā ūterētur; simulque in itinere ut aliquam occāsiōnem dīmicandī nancīscerētur et īnsolitum ad labōrem Pompeī exercitum cotīdiānīs itineribus dēfatīgāret.

Hīs cōnstitūtīs rēbus, signō iam profectiōnis datō tabernāculīsque 10 dētēnsīs, animadversum est paulō ante, extrā cotīdiānam cōnsuētūdinem longius ā vāllō esse aciem Pompeī prōgressam, ut nōn inīquō locō posse dīmicārī vidērētur. Tum Caesar apud suōs, cum iam esset agmen in portīs, "Differendum est," inquit, "iter in praesentiā nōbīs, et dē proeliō cōgitandum, sīcut semper dēpoposcimus. Animō sīmus 15

¶**85. 2. īnstruēbat:** What does the imperfect tense here denote? **sī:** (*to see*) *if.* **3. sē subiceret:** *would advance close to.* **4. bellī ratiōnem:** *plan of campaign.* **6. haec spectāns:** *with this in view.* **11. paulō ante:** *a little before* they were ready to start. **extrā ... longius:** *farther than had been its daily custom.* **12. nōn:** with **inīquō.**

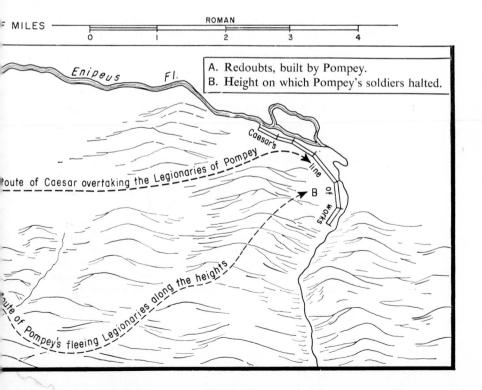

A. Redoubts, built by Pompey.
B. Height on which Pompey's soldiers halted.

ad dīmicandum parātī; nōn facile occāsiōnem posteā reperiēmus,"
cōnfestimque expedītās cōpiās ēdūcit.

Pompey Is Confident of Victory

86. Pompeius quoque, ut posteā cognitum est, suōrum omnium
hortātū statuerat proeliō dēcertāre. Namque etiam in cōnsiliō
superiōribus diēbus dīxerat, prius quam concurrerent aciēs, fore utī
exercitus Caesaris pellerētur. Id cum essent plērīque admīrātī, "Sciō
5 mē," inquit, "paene incrēdibilem rem pollicērī; sed ratiōnem cōnsilī
meī accipite, quō fīrmiōre animō in proelium prōdeātis."

"Persuāsī equitibus nostrīs (idque mihi sē factūrōs cōnfīrmāvē-
runt), ut, cum propius sit accessum, dextrum Caesaris cornū ab
latere apertō aggrederentur, et, circumventā ā tergō aciē, prius
10 perturbātum exercitum pellerent, quam ā nōbīs tēlum in hostem
iacerētur. Ita sine perīculō legiōnum et paene sine vulnere bellum
cōnficiēmus. Id autem difficile nōn est, cum tantum equitātū
valeāmus."

Simul dēnūntiāvit ut essent animō parātī in posterum diem, et,
15 quoniam fieret dīmicandī potestās, ut saepe rogitāvissent, nē suam
neu reliquōrum opīniōnem fallerent.

87. Hunc Labiēnus excēpit et, cum Caesaris cōpiās dēspiceret,
Pompeī cōnsilium summīs laudibus efferret, "Nōlī," inquit, "exīstimāre, Pompeī, hunc esse exercitum quī Galliam Germāniamque
dēvīcerit. Omnibus interfuī proeliīs neque temerē incognitam rem
5 prōnūntiō. Perexigua pars illīus exercitūs superest; magna pars
dēperiit (quod accidere tot proeliīs fuit necesse), multōs autumnī
pestilentia in Italiā cōnsūmpsit, multī domum discessērunt, multī
sunt relictī in continentī. An nōn audīstis, ex eīs quī per causam

---

17. **expedītās:** *in fighting trim* (i.e., *unencumbered* with their packs).

¶86. 2. **etiam:** *actually.* **in cōnsiliō:** *in a meeting* with his staff. **5. ratiōnem:**
nature. **6. quō:** conj. **14. dēnūntiāvit:** *urged.* **16. neu ... fallerent:** *not to
disappoint his expectation or that of the rest* (of the army).

¶87. 1. **Labiēnus:** At the very beginning of hostilities Labienus had deserted his
old commander and gone over to Pompey. **excēpit:** *followed.* **2. Nōlī exīstimāre:**
Do not suppose. **6. autumnī pestilentia:** *the autumnal pestilence.* In the autumn of
49 B.C. Caesar's army had suffered from the scourge of fever in Apulia and at Brundisium. **8. continentī:** Italy. **An:** Single direct questions introduced by **an** often
denote surprise, indignation, or emphatic argument. Do not translate **an**.

318

valētūdinis remānsērunt cohortēs esse Brundisī factās? Hae cōpiae, quās vidētis, ex dīlēctibus hōrum annōrum in citeriōre Galliā sunt 10 refectae, et plērīque sunt ex colōniīs Trānspadānīs. Ac tamen, quod fuit rōboris, duōbus proeliīs Dyrrachīnīs interiit."

Haec cum dīxisset, iūrāvit sē nisi victōrem in castra nōn reversū-rum, reliquōsque ut idem facerent hortātus est. Hoc laudāns, Pom-peius idem iūrāvit; nec vērō ex reliquīs fuit quisquam quī iūrāre 15 dubitāret. Haec tum facta sunt in cōnsiliō magnāque spē et laetitiā omnium discessum est; ac iam animō victōriam praecipiēbant, quod dē rē tantā et ā tam perītō imperātōre nihil frūstrā cōnfīrmārī vidēbātur.

The Formation of the Battle Lines of Both Armies

88. Caesar, cum Pompeī castrīs appropinquāsset, ad hunc modum aciem eius īnstrūctam animum advertit:

Erant in sinistrō cornū legiōnēs duae, trāditae ā Caesare initiō dissēnsiōnis ex senātūs cōnsultō; quārum ūna prīma, altera tertia appellābātur. In eō locō ipse erat Pompeius. Mediam aciem Scīpiō 5 cum legiōnibus Syriacīs tenēbat. Ciliciēnsis legiō coniūncta cum cohortibus Hispānīs, quās trāductās ab Āfrāniō docuimus, in dextrō cornū erant collocātae. Hās fīrmissimās sē habēre Pompeius exīstimābat.

Reliquās inter aciem mediam cornuaque interiēcerat, numerōque 10 cohortēs CX explēverat. Haec erant numerō mīlia XLV; ēvocātōrum circiter duo, quae ex beneficiāriīs superiōrum exercituum ad eum convēnerant; quae tōtā aciē disperserat.

---

9. Brundisī: Locative.   **10. hōrum annōrum:** years of the Civil War.   **11. quod fuit rōboris:** *all their strength.*   **18. nihil ... vidēbātur:** *it was evident that no ground-less assurance was being given.*

¶**88. 5. appellābātur:** These were the VIth and XVth in Caesar's army in Gaul. **Scīpiō:** One of Pompey's most ardent supporters. After the death of Julia, Pompey married this Scipio's daughter.   **6. Syriacīs:** Scipio, who was governor of Syria, set out from his province with two legions, and succeeded in effecting a junction with Pompey in Macedonia. **Ciliciēnsis legiō:** A veteran legion from Cilicia in southeastern Asia Minor.   **7. ab Āfrāniō:** One of Pompey's lieutenants, who had been defeated by Caesar in Spain (49 B.C.).   **8. erant collocātae:** plural, because **legiō cum cohortibus Hispānīs = legiō et cohortēs Hispānae. Hās ... habēre:** *That these (legions) were the strongest he had.*   **11. cohortēs CX:** i.e., the equivalent of 11 legions. **ēvocātōrum:** *of veteran volunteers.*   **12. duo (mīlia). beneficiāriīs:** *privileged soldiers,* who by order of the commander were exempted from certain duties.

Reliquās cohortēs VII castrīs propinquīsque castellīs praesidiō
15 disposuerat. Dextrum cornū eius rīvus quīdam impedītīs rīpīs
mūniēbat; quam ob causam cūnctum equitātum, sagittāriōs funditōrēsque omnēs sinistrō cornū adiēcerat.

89. Caesar, superius īnstitūtum servāns, decimam legiōnem in
dextrō cornū, nōnam in sinistrō collocāverat, tametsī erat Dyrrachīnīs proeliīs vehementer attenuāta, et huic sīc adiūnxit octāvam ut
paene ūnam ex duābus efficeret, atque alteram alterī praesidiō esse
5 iusserat. Cohortēs in aciē LXXX cōnstitūtās habēbat, quae summa
erat mīlium XXII; cohortēs VII castrīs praesidiō relīquerat. Sinistrō
cornū Antōnium, dextrō P. Sullam, mediae aciēī Cn. Domitium
praeposuerat. Ipse contrā Pompeium cōnstitit.

Simul hīs rēbus animadversīs quās dēmōnstrāvimus, timēns nē ā
10 multitūdine equitum dextrum cornū circumvenīrētur, celeriter ex
tertiā aciē singulās cohortēs dētrāxit atque ex hīs quārtam īnstituit
equitātuīque opposuit; et quid fierī vellet ostendit, monuitque eius
diēī victōriam in eārum cohortium virtūte cōnstāre. Simul tertiae
aciēī imperāvit nē iniussū suō concurrerent; sē, cum id fierī vellet,
15 vexillō signum datūrum.

Caesar Addresses His Soldiers

90. Exercitum cum mīlitārī mōre ad pugnam cohortārētur, suaque
in eum perpetuī temporis officia praedicāret, in prīmīs commemo-
rāvit:

Testibus sē mīlitibus ūtī posse, quantō studiō pācem petīsset,
5 quae per Vatīnium in colloquiīs, quae per A. Clōdium cum Scīpiōne
ēgisset, quibus modīs ad Ōricum cum Libōne dē mittendīs lēgātīs
contendisset. Neque sē umquam abūtī mīlitum sanguine neque rem
pūblicam alterutrō exercitū prīvāre voluisse.

---

15. rīvus: the Enipeus. impedītīs: *difficult* to cross.

¶89. 1. superius īnstitūtum: of giving the X th legion the place of honor on the
right wing. 7. Sullam: the dictator's nephew. 11. singulās: *one from each legion.*
15. vexillō: a special signal for this particular movement.

¶90. 1. sua ... officia: *his unvarying kindness to it.* 4. Testibus ... ūtī: *call his
soldiers to witness.* 5. Vatīnium ... Clōdium: Caesar had made every effort in
behalf of peace with Pompey through these men. 6. Libō: commander of Pompey's
fleet at Oricum. He refused to allow Caesar to send envoys to Pompey.

Hāc habitā ōrātiōne, exposcentibus mīlitibus et studiō pugnae
ārdentibus, tubā signum dedit.   10

91. Erat Crāstinus ēvocātus in exercitū Caesaris, quī superiōre
annō apud eum prīmum pīlum in legiōne decimā dūxerat, vir singulārī virtūte. Hic signō datō, "Sequiminī mē," inquit, "manipulārēs
meī quī fuistis, et vestrō imperātōrī, quam cōnsuēvistis, operam date.
Ūnum hoc proelium superest; quō cōnfectō, et ille suam dignitātem   5
et nōs nostram lībertātem recuperābimus." Simul respiciēns Caesarem, "Faciam," inquit, "hodiē, imperātor, ut aut vīvō mihi aut
mortuō grātiās agās." Haec cum dīxisset, prīmus ex dextrō cornū
prōcucurrit, atque eum ēlēctī mīlitēs circiter CXX voluntāriī sunt
prōsecūtī.   10

Pompey Awaits the Enemy's Charge

92. Inter duās aciēs tantum erat relictum spatī, ut satis esset ad
concursum utrīusque exercitūs. Sed Pompeius suīs praedīxerat, ut
Caesaris impetum exciperent nēve sē locō movērent, aciemque eius
distrahī paterentur; idque admonitū C. Triārī fēcisse dīcēbātur, ut
prīmus excursus vīsque mīlitum īnfringerētur aciēsque distenderētur,   5
atque in suīs ōrdinibus dispositī dispersōs adorīrentur; leviusque
cāsūra pīla spērābat, in locō retentīs mīlitibus, quam sī ipsī immissīs
tēlīs occurrissent; simul fore ut, duplicātō cursū, Caesaris mīlitēs
exanimārentur et lassitūdine cōnficerentur.

Quod nōbīs quidem nūllā ratiōne factum ā Pompeiō vidētur, prop- 10
tereā quod est quaedam animī incitātiō atque alacritās nātūrāliter
innāta omnibus, quae studiō pugnae incenditur. Hanc nōn repri-
mere, sed augēre imperātōrēs dēbent; neque frūstrā antīquitus īnstitūtum est, ut signa undique concinerent clāmōremque ūniversī tol-
lerent; quibus rēbus et hostēs terrērī et suōs incitārī exīstimāvērunt. 15

¶91. 3. **manipulārēs meī:** *my old comrades.*   **4. quam:** pron. with **operam,** but
translate *as.*   **9. voluntāriī:** *(serving as) volunteers.*

¶92. 1. **tantum spatī:** *only so much space,* probably about 500 feet.   **4. distrahī:**
to fall into disorder.   **Triārius:** One of Pompey's officers.   **5. excursus vīsque:**
charge and impetus.   **6. (Pompeiānī) dispositī. levius:** *with less effect.*   **8. tēlīs (62).**
duplicātō cursū: *by running double the distance.*   **10. ratiōne:** *judgment.*   **14. signa**
concinerent: *trumpet signals should sound.*

321

93. Sed nostrī mīlitēs, datō signō, cum īnfestīs pīlīs prōcucurrissent atque animum advertissent nōn concurrī ā Pompeiānīs, ūsū perītī ac superiōribus pugnīs exercitātī, suā sponte cursum repressērunt et ad medium ferē spatium cōnstitērunt, nē cōnsūmptīs vīribus appropin-
5 quārent; parvōque intermissō temporis spatiō ac rūrsus renovātō cursū, pīla mīsērunt celeriterque, ut erat praeceptum ā Caesare, gladiōs strīnxērunt. Neque vērō Pompeiānī huic reī dēfuērunt. Nam et tēla missa excēpērunt et impetum legiōnum tulērunt et ōrdinēs cōnservārunt pīlīsque missīs ad gladiōs rediērunt.
10 Eōdem tempore equitēs ab sinistrō Pompeī cornū, ut erat imperā-tum, ūniversī prōcucurrērunt, omnisque multitūdō sagittāriōrum sē prōfūdit. Quōrum impetum noster equitātus nōn tulit, sed paulātim locō mōtus cessit; equitēsque Pompeī hōc ācrius īnstāre et sē turmā-tim explicāre aciemque nostram ab latere apertō circumīre coepērunt.
15 Quod ubi Caesar animum advertit, quārtae aciēī, quam īnstituerat VIII cohortium, dedit signum. Illae celeriter prōcucurrērunt, īn-festīsque signīs tantā vī in Pompeī equitēs impetum fēcērunt, ut eōrum nēmō cōnsisteret, omnēsque conversī nōn sōlum locō excē-derent, sed prōtinus incitātī fugā montēs altissimōs peterent. Quibus
20 summōtīs, omnēs sagittāriī funditōrēsque dēstitūtī, inermēs, sine praesidiō, interfectī sunt. Eōdem impetū cohortēs sinistrum cornū, pugnantibus etiam tum ac resistentibus in aciē Pompeiānīs, circumiē-runt eōsque ā tergō sunt adortae.

Caesar's Third Line Enters into Action

94. Eōdem tempore tertiam aciem Caesar, quae quiēta fuerat et sē ad id tempus locō tenuerat, prōcurrere iussit. Ita cum recentēs atque integrī dēfessīs successissent, aliī autem ā tergō adorīrentur, sustinēre Pompeiānī nōn potuērunt atque ūniversī terga vertērunt.

¶93. 1. **īnfestīs pīlīs:** *with leveled pikes.* 2. **nōn concurrī:** impers., *that there was no advance.* 7. **huic reī dēfuērunt:** *failed to meet this emergency.* 8. **excēpērunt:** *warded off* (lit., *received* with their shields). 9. **rediērunt:** *resorted.* 13. **locō mōtus:** *driven from its position.* **sē turmātim explicāre:** *to deploy by squadrons.* 16. **īnfestīs signīs:** (we should say) *with flying colors.* 19. **incitātī fugā:** *in headlong flight.* 20. **dēstitūtī:** *deserted* by the cavalry.

¶94. 3. **aliī:** Caesar's fourth line.

Neque vērō Caesarem fefellit, quīn ab eīs cohortibus, quae contrā 5
equitātum in quārtā aciē collocātae essent, initium victōriae orīrētur,
ut ipse in cohortandīs mīlitibus prōnūntiāverat. Ab hīs enim prīmum
equitātus est pulsus, ab īsdem factae caedēs sagittāriōrum ac fundi-
tōrum, ab īsdem aciēs Pompeiāna ā sinistrā parte circumita atque
initium fugae factum.   10
    Sed Pompeius, ut equitātum suum pulsum vīdit, atque eam par-
tem, cui maximē cōnfīdēbat, perterritam animum advertit, aliīs
diffīsus aciē excessit, prōtinusque sē in castra equō contulit; et eīs
centuriōnibus, quōs in statiōne ad praetōriam portam posuerat,
clārē, ut mīlitēs exaudīrent, "Tuēminī," inquit, "castra et dēfendite 15
dīligenter, sī quid dūrius acciderit. Ego reliquās portās circumeō et
castrōrum praesidia cōnfīrmō." Haec cum dīxisset, sē in praetōrium
contulit, summae reī diffīdēns et tamen ēventum exspectāns.

---

5. Neque ... quīn: *But it did not escape Caesar's notice that.* **6. orīrētur**
(**111,** Note). **8. factae (sunt). 9. circumita ... factum (est). 12. aliīs diffīsus**
(**61**): *distrusting the rest* of his troops. **16. sī ... acciderit:** *if anything goes amiss.*

Caesar Takes Pompey's Camp. Pompey Flees

95. Caesar, Pompeiānīs ex fugā intrā vāllum compulsīs, nūllum spatium perterritīs darī oportēre exīstimāns, mīlitēs cohortātus est, ut beneficiō Fortūnae ūterentur castraque oppugnārent. Quī, etsī magnō aestū fatīgātī — nam ad merīdiem rēs erat perducta, — tamen 5 ad omnem labōrem animō parātī, imperiō pāruērunt.

Castra ā cohortibus, quae ibi praesidiō erant relictae, industriē dēfendēbantur, multō etiam ācrius ā Thracibus barbarīsque auxiliīs. Nam quī ex aciē refūgerant mīlitēs, et animō perterritī et lassitūdine cōnfectī, dīmissīs plērīque armīs signīsque mīlitāribus, magis dē re- 10 liquā fugā quam dē castrōrum dēfēnsiōne cōgitābant. Neque vērō diūtius, quī in vāllō cōnstiterant, multitūdinem tēlōrum sustinēre potuērunt, sed cōnfectī vulneribus locum relīquērunt, prōtinusque omnēs, ducibus ūsī centuriōnibus tribūnīsque mīlitum, in altissimōs montēs, quī ad castra pertinēbant, cōnfūgērunt.

¶95. 1. **vāllum:** of Pompey's camp.   5. **imperiō** (61).   9. **plērīque:** *in most cases* — with **mīlitēs.**   11. **(eī), quī.**   13. **ducibus:** *as leaders.*

96. In castrīs Pompeī vidēre licuit trichilās strūctās, magnum argentī pondus expositum, recentibus caespitibus tabernācula cōnstrāta, L. etiam Lentulī et nōn nūllōrum tabernācula prōtēcta hederā, multaque praetereā, quae nimiam lūxuriam et victōriae fīdūciam dēsignārent; ut facile exīstimārī posset, nihil eōs dē ēventū 5 eius diēī timuisse, quī nōn necessāriās conquīrerent voluptātēs. At hī miserrimō ac patientissimō exercituī Caesaris lūxuriam obiciēbant, cui semper omnia ad necessārium ūsum dēfuissent!

Pompeius, cum iam intrā vāllum nostrī versārentur, equum nactus, dētrāctīs īnsignibus imperātōriīs, decumānā portā sē ex 10 castrīs ēiēcit, prōtinusque equō citātō Lārīsam contendit. Neque ibi cōnstitit, sed eādem celeritāte paucōs suōs ex fugā nactus, nocturnō itinere nōn intermissō, comitātū equitum XXX ad mare pervēnit nāvemque frūmentāriam cōnscendit, saepe, ut dīcēbātur, querēns tantum sē opīniōnem fefellisse ut, ā quō genere hominum 15 victōriam spērāsset, ab eō, initiō fugae factō, paene prōditus vidērētur.

Caesar Forces the Surrender of Pompey's Army

97. Caesar, castrīs potītus, ā mīlitibus contendit, nē, in praedā occupātī, reliquī negōtī gerendī facultātem dīmitterent. Quā rē impetrātā, montem opere circummūnīre īnstituit. Pompeiānī, quod is mōns erat sine aquā, diffīsī eī locō, relictō monte, ūniversī iugīs eius Lārīsam versus sē recipere coepērunt. Quā rē animadversā, Caesar 5 cōpiās suās dīvīsit partemque legiōnum in castrīs Pompeī remanēre iussit, partem in sua castra remīsit, IV sēcum legiōnēs dūxit, commodiōreque itinere Pompeiānīs occurrere coepit, et prōgressus mīlia

---

¶**96. 1. vidēre licuit:** *one might see.* **trichilās:** *arbors* shaded with branches, under which to dine. **2. argentī:** *silver plate.* **cōnstrāta:** *laid.* **3. L. Lentulī:** consul in 49 B.C. **nōn nūllōrum:** *some (others).* **4. hederā:** *ivy.* **6. nōn:** with **necessāriās. conquīrerent (112). 7. exercituī Caesaris . . . obiciēbant:** *used to taunt Caesar's army with.* **10. īnsignibus:** the scarlet cloak and decorations which distinguished a general. **15. opīniōnem** (subj. of **fefellisse**): *that he had been so greatly disappointed in his expectation.* **ā quō genere . . . ab eō = ab eō genere . . . ā quō. 16. prōditus (esse).**

¶**97. 1. contendit:** *urged.* **2. negōtī gerendī:** *of completing their task.* **4. iugīs eius (montis):** *along its ridges.* **5. versus** (prep., follows its object): *toward.* **7. commodiōre itinere:** *taking an easier route.* **8. occurrere coepit:** *started to intercept.*

passuum VI aciem īnstrūxit. Quā rē animadversā, Pompeiānī in
10 quōdam monte cōnstitērunt. Hunc montem flūmen subluēbat.
Caesar, mīlitēs cohortātus, etsī tōtīus diēī continentī labōre erant
cōnfectī noxque iam suberat, tamen mūnītiōne flūmen ā monte
sēclūsit, nē noctū aquārī Pompeiānī possent. Quō perfectō opere,
illī dē dēditiōne, missīs lēgātīs, agere coepērunt. Paucī ōrdinis senā-
15 tōriī, quī sē cum hīs coniūnxerant, nocte fugā salūtem petīvērunt.

98. Caesar prīmā lūce omnēs eōs, quī in monte cōnsēderent, ex
superiōribus locīs in plānitiem dēscendere atque arma prōicere iussit.
Quod ubi sine recūsātiōne fēcērunt, passīsque palmīs, prōiectī ad
terram, flentēs ab eō salūtem petīvērunt, cōnsōlātus cōnsurgere
5 iussit; et pauca apud eōs dē lēnitāte suā locūtus, quō minōre essent
timōre, omnēs cōnservāvit mīlitibusque suīs commendāvit, nē quī
eōrum violārētur, neu quid suī dēsīderārent. Hāc adhibitā dīligentiā, ex castrīs sibi legiōnēs aliās occurrere et eās, quās sēcum
dūxerat, in vicem requiēscere atque in castra revertī iussit, eōdemque
10 diē Lārīsam pervēnit.

99. In eō proeliō nōn amplius CC mīlitēs dēsīderāvit, sed centuriōnēs, fortēs virōs, circiter XXX āmīsit. Interfectus est etiam fortissimē
pugnāns Crāstinus, cuius mentiōnem suprā fēcimus, gladiō in ōs
adversum coniectō. Neque id fuit falsum, quod ille in pugnam
5 proficīscēns dīxerat. Sīc enim Caesar exīstimābat, eō proeliō ex-
cellentissimam virtūtem Crāstinī fuisse, optimēque eum dē sē
meritum iūdicābat.

Ex Pompeiānō exercitū circiter mīlia XV cecidisse vidēbantur, sed
in dēditiōnem vēnērunt amplius mīlia XXIV (namque etiam cohortēs,
10 quae praesidiō in castellīs fuerant, sēsē Sullae dēdidērunt), multī
praetereā in fīnitimās cīvitātēs refūgērunt; signaque mīlitāria ex
proeliō ad Caesarem sunt relāta CLXXX et aquilae IX. L. Domitius
ex castrīs in montem refugiēns, cum vīrēs eum lassitūdine dēfēcis-
sent, ab equitibus est interfectus.

---

10. flūmen: the Enipeus. 13. sēclūsit: *cut off.*

¶98. 3. passīs palmīs: *with outstretched hands.* 6. nē quī: *(urging) that none.*
7. quid suī (58): *any of their belongings.* Hāc adhibitā dīligentiā: *Having given careful
attention to this matter.* 8. sibi occurrere: *to join him.* 9. in vicem: *in turn.*

¶99. 3. in ōs adversum: *full in the face.* 6. optimē ... meritum: *that he had
rendered him* (Caesar) *the most devoted service.* 9. amplius mīlia (86, Note). 12. Domitius: one of Pompey's generals.

326

POETRY

Ovid

The poet Ovid (Publius Ovidius Naso) lived in Rome during the second half of the first century B.C., in the age of the Emperor Augustus. He was born in 43 B.C. and lived until A.D. 17. Endowed with a brilliant mind and an attractive nature, he became a member of the gay and somewhat frivolous society of Rome during the reign of the first Emperor. In the year A.D. 8 Ovid was banished by the Emperor for some indiscretion, and he lived the last nine years of his life very unhappily near Tomis, on the Black Sea.

Ovid wrote many books of poems, including the HEROIDES, AMORES, FASTI, ARS AMATORIA, TRISTIA, and EX PONTO. By far the greatest, however, was the METAMORPHOSES. This work is a long series of myths in verse form, tied together loosely into a continuous narrative that begins with primeval Chaos at the beginning of the Universe. The selections which follow are taken from the fifteen books of the METAMORPHOSES.

The poetry of the METAMORPHOSES depends for its rhythm on the quantity of the vowels and the length of syllables. The verses consist of *six metric feet*, some *dactyls* ($-$ ⌣ ⌣) and the rest *spondees* ($-$ $-$). This meter is called *dactylic hexameter*. The first four feet may be either dactyls or spondees, in any combination; the fifth foot is always a dactyl, and the last a spondee or a *trochee* ($-$ ⌣).

A syllable is long —
(1) if it contains a long vowel or a diphthong, or
(2) if it contains a short vowel followed by two consonants (one of which may be at the beginning of the next word).

Marking a verse into feet with long and short syllables indicated is called *scanning*. A sample scanned line is:

$$\overline{\text{Dae}} \ \breve{\text{da}} \ \breve{\text{lus}} \ \bigg| \ \overline{\text{in}} \ \breve{\text{ter}} \ \breve{\text{e}} \ \bigg| \ \overline{\text{a}} \ \overline{\text{Cre}} \ \bigg| \ \overline{\text{ten}} \ \overline{\text{long}} \ \bigg| \ \overline{\text{um}} \ \breve{\text{que}} \ \breve{\text{per}} \ \bigg| \ \overline{\text{o}} \ \overline{\text{sus}}$$

When the last letter of a word is a vowel and the first letter of the following word is also a vowel, *elision* occurs; that is, the final letter of the first word is omitted in reciting the poetry aloud. Thus, in line 194 of "Daedalus and Icarus," the first foot is: $\overline{\text{at}} \ \text{que}\breve{\text{i}} \ \breve{\text{ta}}$.

The ending of a word within a foot is called caesura. There may be several in each verse, but the main caesura is usually in the third foot, sometimes in the fourth. This main caesura can be very helpful to the sense of the verse, and it should be observed when reading the poetry aloud.

DAEDALUS ET ICARUS
Right: ICARUS IN MARI

DÆDALUS AND ICARUS

Minos, king of Crete, had employed Daedalus, an Athenian, to build
the famous Labyrinth in which the Minotaur was confined. To escape
from Crete — since Minos would not let him go and had seized all the
ships — Daedalus made wings for himself and his son Icarus.

AEDALUS intereā, Crētēn longumque perōsus
exsilium tāctusque locī nātālis amōre,
clausus erat pelagō. "Terrās licet," inquit, "et undās
obstruat, at caelum certē patet: ībimus illāc.   186
Omnia possideat, nōn possidet āera Mīnōs."
Dīxit, et ignōtās animum dīmittit in artēs,
nātūramque novat. Nam pōnit in ordine pennās,
ā minimā coeptās, longam breviōre sequente,   190

---

183. perōsus: *hating.* **185. clausus erat:** *was shut off.* **licet . . . obstruat:**
though he (Minos) may shut off. **188. dīmittit:** *applied.* **189. novat:** *changes.*

ut clīvō crēvisse putēs. Sīc rustica quondam
fistula disparibus paulātim surgit avēnīs.
Tum līnō mediās et cērīs adligat īmās,
atque ita compositās parvō curvāmine flectit,
ut vērās imitētur avēs. Puer Īcarus ūnā   195
stābat et, ignārus sua sē tractāre perīcla,
ōre renīdentī modo quās vaga mōverat aura
captābat plūmās, flāvam modo pollice cēram
mollībat, lūsūque suō mīrābile patris
impediēbat opus. Postquam manus ultima coeptō   200
imposita est, geminās opifex librāvit in ālās
ipse suum corpus, mōtāque pependit in aurā.
   Īnstruit et nātum, "Mediō" que "ut līmite currās,
Īcare," ait, "moneō, nē, sī dēmissior ībis,
unda gravet pennās, sī celsior, ignis adūrat.   205

---

191. **ut . . . putēs:** *so that you would think that they had grown upon a slope.* 192.
fistula: *pan-pipes.* **avēnīs:** *reeds.* 193. **adligat:** *binds.* 197. **ōre renīdentī:** *with
joyful face.* 198. **pollice:** *with his thumb.* 201. **librāvit:** *balanced.* 203. **Mediō . . .
līmite:** *in a middle course.* 204. **dēmissior:** *too low.* 205. **adūrat:** *may burn.*

Inter utrumque volā; nec tē spectāre Boōtēn
aut Helicēn iubeō strictumque Ōrīonis ensem.
Mē duce carpe viam." Pariter praecepta volandī
trādit et ignōtās umerīs accommodat ālās.
Inter opus monitūsque genae maduēre senīlēs,   210
et patriae tremuēre manūs. Dedit oscula nātō
nōn iterum repetenda suō, pennīsque levātus
ante volat comitīque timet, velut āles, ab altō
quae teneram prōlem prōdūxit in āera nīdō;
hortāturque sequī damnōsāsque ērudit artēs,   215
et movet ipse suās et nātī respicit ālās.
Hōs aliquis, tremulā dum captat harūndine piscēs,
aut pastor baculō stīvāve innīxus arātor,
vīdit et obstipuit, quīque aethera carpere possent
crēdidit esse deōs. Et iam Iūnōnia laevā   220
parte Samos (fuerant Dēlosque Parosque relictae),
dextrā Lebinthos erat fēcundaque melle Calymnē,
cum puer audācī coepit gaudēre volātū,
dēseruitque ducem, caelīque cupīdine tāctus
altius ēgit iter. Rapidī vīcīnia sōlis   225
mollit odōrātās, pennārum vincula, cērās.
Tābuerant cērae: nūdōs quatit ille lacertōs,

---

210. genae: *cheeks.* maduēre = maduērunt: *were wet.* 211. tremuēre = tremuērunt.
212. nōn iterum repetenda: *not to be repeated again.* 213. comitī: *for his companion.*
214. prōlem: *offspring.* 215. damnōsās ērudit artēs: *he instructs him in the fatal
art (of flight).* 218. baculō: *staff.* innīxus: *leaning on.* 220. laevā: *the left.* 222. fē-
cunda melle: *rich in honey.* 226. mollit: *softened.* 227. tābuerant: *began to melt.*

rēmigiōque carēns nōn ullās percipit aurās;
ōraque caeruleā patrium clāmantia nōmen
excipiuntur aquā, quae nōmen trāxit ab illō.   230
At pater infēlix, nec iam pater, "Īcare," dīxit,
"Īcare," dīxit, "ubi es? quā tē regiōne requīram?
Īcare," dīcēbat.   Pennās adspēxit in undīs;
dēvōvitque suās artēs, corpusque sepulcrō
condidit; et tellūs ā nōmine dicta sepultī.   235

Metamorphoses, viii. 183–235

---

228. rēmigiō carēns: *lacking (the oarage of) wings.*   **234. dēvōvit:** *cursed.*

ATALANTA'S RACE

Atalanta, the daughter of King Schoeneus of Boeotia, was famed
for her great beauty and swiftness of foot. The goddess Venus is the
narrator of this story.

FORSITAN audierīs aliquam certāmine cursūs   560
vēlōcēs superasse virōs. Nōn fābula rūmor
ille fuit (superābat enim); nec dīcere possēs,
laude pedum formaene bonō praestantior esset.
Scītantī deus huic dē coniuge "Coniuge," dīxit,
"nīl opus est, Atalanta, tibi. Fuge coniugis ūsum.   565

---

560. Forsitan audierīs: *Perhaps you have heard* (Venus is speaking). **certāmine
cursūs:** *in a foot race.* **562. nec dīcere possēs:** *nor could you tell whether.* **564. Scītantī . . . huic:** *to her, asking.* **565. Fuge coniugis ūsum:** *Avoid marriage.*

334

Nec tamen effugiēs, tēque ipsā vīva carēbis."
Territa sorte deī, per opācās innuba silvās
vīvit, et instantem turbam violenta procōrum
condiciōne fugat, "Nec sum potienda, nisi," inquit,
"victa prius cursū. Pedibus contendite mēcum.   570
Praemia vēlōcī coniūnx thalamīque dabuntur:
mors pretium tardīs. Ea lēx certāminis estō."
Illa quidem immītis; sed (tanta potentia formae est)
vēnit ad hanc lēgem temerāria turba procōrum.
    Sēderat Hippomenēs cursūs spectātor inīquī   575
et "Petitur cuiquam per tanta perīcula coniūnx?"
dīxerat, ac nimiōs iuvenum damnārat amōrēs.

---

566. **tē ipsā vīva carēbis:** *you while living will lose yourself.*   568. **instantem:**
persistent.   569. **Nec sum potienda:** *I am not to be won.*   572. **estō:** *let this be.*
573. **immītis:** *pitiless* (supply **erat**).   576. **per tanta perīcula:** *at such great risk.*

Ut faciem et positō corpus vēlāmine vīdit,
quāle meum, vel quāle tuum, sī fēmina fīās,
obstipuit, tollēnsque manūs "Ignōscite," dīxit,   580
"quōs modo culpāvī. Nōndum mihi praemia nōta
quae peterētis erant." Laudandō concipit ignēs,
et nē quis iuvenum currat vēlōcius optat,
invidiāque timet. "Sed cūr certāminis huius
intemptāta mihi fortūna relinquitur?" inquit.   585
"Audentēs deus ipse iuvat." Dum tālia sēcum
exigit Hippomenēs, passū volat ālite virgō.
Quae quamquam Scythicā nōn sēcius īre sagittā
Āoniō vīsa est iuvenī, tamen ille decōrem
mīrātur magis; et cursus facit ipse decōrem.   590
Aura refert ablāta citīs tālāria plantīs,
tergaque iactantur crīnēs per eburnea, quaeque
poplitibus suberant pīctō genuālia limbō;
inque puellārī corpus candōre rubōrem
trāxerat, haud aliter quam cum super ātria vēlum   595
candida purpureum simulātās inficit umbrās.
Dum notat haec hospes, dēcursa novissima mēta est,
et tegitur festā victrīx Atalanta corōnā.
Dant gemitum victī penduntque ex foedere poenās.

---

578. Ut: *when.* **579. meum:** Venus, who is speaking. **tuum:** Adonis, whom she is addressing. **584. invidiā:** *because of jealousy.* **586. tālia sēcum exigit:** *was pondering such things.* **589. Āoniō . . . iuvenī:** Hippomenes. **591. Aura . . . eburnea:** *The breeze carried back the ankle-bands from her flying feet, and her hair was blown back over her white shoulders.* **595. cum . . . umbrās:** *when a crimson awning, drawn over a hall of white marble, tinges it with borrowed shades.*

Nōn tamen ēventū iuvenis dēterritus hōrum,   600
cōnstitit in mediō, vultūque in virgine fīxō,
"Quid facilem titulum superandō quaeris inertēs?
Mēcum cōnfer!" ait. "Seu mē Fortūna potentem
fēcerit, ā tantō nōn indīgnābere vincī.
Namque mihi genitor Megareus Onchestius, illī   605
est Neptūnus avus: pronepōs ego rēgis aquārum;
nec virtūs citrā genus est: — seu vincar, habēbis,
Hippomenē victō, magnum et memorābile nōmen."
    Tālia dīcentem mollī Schoenēia vultū
adspicit, et dubitat superārī an vincere mālit.   610
Atque ita "Quis deus hunc fōrmōsīs," inquit, "inīquus
perdere vult, cāraeque iubet discrīmine vītae
coniugium petere hōc? Nōn sum, mē iūdice, tantī.
Nec fōrmā tangor (poteram tamen hāc quoque tangī),
sed quod adhūc puer est; nōn mē movet ipse, sed aetās.   615
Quid quod inest virtūs et mēns interrita lētī?
Quid quod ab aequoreā numerātur orīgine quartus?
Quid quod amat, tantīque putat cōnūbia nostra
ut pereat, sī mē Fors illī dūra negārit?
Dum licet, hospes, abī, thalamōsque relinque cruentōs.   620
Coniugium crūdēle meum est. Tibi nūbere nūlla
nōlet, et optārī potes ā sapiente puellā.

---

602. Quid: *Why?* **603. Seu:** *If.* **potentem:** *victor.* **604. non indīgnābere:** *you will not be deemed unworthy.* **609. Schoenēia:** *the daughter of Schoeneus,* Atalanta. **613. Nōn sum . . . tantī:** *I am not worth so great a price.* **618. tantī:** *of such great importance.* **621. nūlla nōlet:** *no woman would be unwilling.*

337

Cūr tamen est mihi cūra tuī, tot iam ante peremptīs?
Vīderit! Intereat, quoniam tot caede procōrum
admonitus nōn est, agiturque in taedia vītae.   625
Occidet hic igitur, voluit quia vīvere mēcum,
indignamque necem pretium patiētur amōris?
Nōn erit invidiae victōria nostrae ferendae.
Sed nōn culpa mea est. Utinam dēsistere vellēs!
aut, quoniam es dēmēns, utinam vēlōcior essēs!   630
A, quam virgineus puerīlī vultus in ōre est!
A, miser Hippomenē, nōllem tibi vīsa fuissem!
Vīvere dignus erās. Quod sī fēlīcior essem,
nec mihi coniugium fāta importūna negārent,
ūnus erās cum quō sociāre cubīlia vellem."   635
Dīxerat; utque rudis prīmōque Cupīdine tācta,
quid facit ignōrāns, amat et nōn sentit amōrem.

    Iam solitōs poscunt cursūs populusque paterque,
cum mē sollicitā prōlēs Neptūnia vōce
invocat Hippomenēs, "Cytherēa" que, "comprecor ausīs   640
adsit," ait, "nostrīs, et quōs dedit adiuvet ignēs!"
Dētulit aura precēs ad mē nōn invida blandās;
mōtaque sum, fateor. Nec opis mora longa dabātur.
Est ager (indigenae Tamasēnum nōmine dīcunt),
tellūris Cypriae pars optima, quam mihi prīscī   645
sacrāvēre senēs, templīsque accēdere dōtem
hanc iussēre meīs. Mediō nitet arbor in arvō,
fulva comās, fulvō rāmīs crepitantibus aurō.
Hinc tria forte meā veniēns dēcerpta ferēbam
aurea pōma manū; nullīque videnda nisi ipsī   650
Hippomenēn adiī, docuīque quis ūsus in illīs.

    Signa tubae dederant, cum carcere prōnus uterque
ēmicat, et summam celerī pede lībat arēnam.

---

624. Vīderit! *Let him look out for himself!*   **628. Nōn ... ferendae:** *Victory will*
bring me unendurable hatred.   **629. Utinam dēsistere vellēs!** *Would that you might*
be willing to desist!   **632. nōllem ... fuissem:** *would that I had not been seen by you.*
636. rudis: *inexperienced.*   **640. Cytherēa:** Venus. **ausīs adsit ... nostrīs:** *help my*
bold attempts.   **646. sacrāvēre = sacrāvērunt.**   **647. iussēre = iussērunt.**   **648. fulva**
comās: *with gleaming foliage* — Accusative of specification.   **649. Hinc ... forte**
... veniēns: *coming from here by chance.*   **652. carcere:** *from the starting line.*

338

Posse putēs illōs siccō freta rādere passū,
et segetis cānae stantēs percurrere aristās.   655
Adiciunt animōs iuvenī clāmorque favorque
verbaque dīcentum: "Nunc, nunc incumbere tempus!
Hippomenē, properā! nunc vīribus ūtere tōtīs!
pelle moram, vincēs!" Dubium, Megarēius hērōs
gaudeat an virgō magis hīs Schoenēia dictīs.   660
O quotiēns, cum iam posset transīre, morāta est
spectātōsque diū vultūs invīta relīquit!
　　Aridus ē lassō veniēbat anhēlitus ōre,
mētaque erat longē. Tum dēnique dē tribus ūnum
fētibus arboreīs prōlēs Neptūnia mīsit.   665
Obstipuit virgō, nitidīque cupīdine pōmī
dēclīnat cursūs aurumque volūbile tollit.
Praeterit Hippomenēs; resonant spectācula plausū.
Illa moram celerī cessātaque tempora cursū
corrigit, atque iterum iuvenem post terga relinquit.   670
Et rūrsus pōmī iactū remorāta secundī
consequitur transitque virum. Pars ultima cursūs
restābat, "Nunc," inquit, "ades, dea mūneris auctor!"
inque latus campī, quō tardius illa redīret,
iēcit ab oblīquō nitidum iuvenāliter aurum.   675
An peteret virgō vīsa est dubitāre. Coēgī
tollere, et adiēcī sublātō pondera mālō,
impediīque oneris pariter gravitāte morāque.
Nēve meus sermō cursū sit tardior ipsō —
praeterita est virgō; dūxit sua praemia victor.   680

---

654. putēs: *you would think.*　**657. dīcentum:** (for dīcentium) *of those cheering.*
659. Dubium (est): *There is doubt whether.*　**662. spectātōs . . . relīquit:** *having gazed
for a long time at his face, she unwillingly left him behind.*　**664. mēta:** *the goal.*
665. prōlēs Neptūnia: *the descendant of Neptune,* Hippomenes.　**mīsit:** *threw.*
667. aurum volūbile: *the rolling apple of gold.*　**673. ades:** *be near me; help me.*
dea: Venus.　**675. iuvenāliter:** *with all his youthful strength.*　**676. Coēgī tollere:**
I (Venus is speaking) *compelled her to pick it up.*

PYRAMUS AND THISBE

Pyramus and Thisbe, who lived at Babylon
in adjacent houses, fell in love, but their parents
forbade their marriage.

PYRAMUS et Thisbe, iuvenum pulcherrimus alter,
altera quas oriens habuit praelata puellis,   56
contiguas tenuere domos, ubi dicitur altam
coctilibus muris cinxisse Semiramis urbem.
Notitiam primosque gradus vicinia fecit;
tempore crevit amor. Taedae quoque iure coissent,   60
sed vetuere patres: quod non potuere vetare,
ex aequo captis ardebant mentibus ambo.
Conscius omnis abest: nutu signisque loquuntur;
quoque magis tegitur, tectus magis aestuat ignis.
Fissus erat tenui rima, quam duxerat olim   65
cum fieret, paries domui communis utrique.
Id vitium nulli per saecula longa notatum —
quid non sentit amor? — primi vidistis amantes,
et vocis fecistis iter; tutaeque per illud
murmure blanditiae minimo transire solebant.   70

---

56. praelata: modifies **altera** — *surpassing*.   **57. tenuere:** Note the perf. act. 3rd
pl. ending often used in poetry.   **58. coctilibus muris:** *with walls of brick.*   **Semiramis:** the mythical founder of Babylon.   **60. Taedae ... coissent:** *They would have
been joined in marriage.*   **65. fissus erat:** *had been cracked.*

Saepe, ubi constiterant hinc Thisbe, Pyramus illinc,
inque vices fuerat captatus anhelitus oris,
"Invide," dicebant, "paries, quid amantibus obstas?
Quantum erat, ut sineres toto nos corpore iungi,
aut, hoc si nimium, vel ad oscula danda pateres?   75
Nec sumus ingrati: tibi nos debere fatemur
quod datus est verbis ad amicas transitus aures."
Talia diversa nequiquam sede locuti,
sub noctem dixere "Vale," partique dedere
oscula quisque suae non pervenientia contra.   80
    Postera nocturnos aurora removerat ignes,
solque pruinosas radiis siccaverat herbas:
ad solitum coiere locum. Tum murmure parvo
multa prius questi, statuunt ut nocte silenti
fallere custodes foribusque excedere temptent,   85
cumque domo exierint, urbis quoque tecta relinquant;
neve sit errandum lato spatiantibus arvo,
conveniant ad busta Nini lateantque sub umbra
arboris. Arbor ibi niveis uberrima pomis
ardua morus erat, gelido contermina fonti.   90
Pacta placent; et lux, tarde discedere visa,
praecipitatur aquis, et aquis nox exit ab isdem.
    Callida per tenebras, versato cardine, Thisbe
egreditur fallitque suos, adopertaque vultum
pervenit ad tumulum dictaque sub arbore sedit.   95
Audacem faciebat amor. Venit ecce recenti
caede leaena boum spumantes oblita rictus,
depositura sitim vicini fontis in unda.
Quam procul ad lunae radios Babylonia Thisbe
vidit, et obscurum trepido pede fugit in antrum,   100
dumque fugit, tergo velamina lapsa reliquit.

---

73. Invide: vocative — *hateful.*   **74. Quantum erat:** *How great a favor it would be.*
80. non pervenientia contra: (kisses) *that did not go through.*   **83. coiere:** *they came*
together.   **87. neve sit errandum:** *lest they miss each other.*   **88. busta Nini:** *the*
tomb of Ninus, a landmark outside the city.   **90. contermina:** *close to.*   **91. pacta**
placent: *the plan was agreed to.*   **93. Callida:** *craftily.*   **94. adoperta vultum:** *with*
her face veiled.   Vultum is an accusative of specification, a poetic construction.
96. recenti . . . rictus: *a lioness, with her jaws dripping with the blood of recently killed*
cattle.   **98. depositura sitim:** *to quench her thirst.*

341

Ut lea saeva sitim multa compescuit unda,
dum redit in silvas, inventos forte sine ipsa
ore cruentato tenues laniavit amictus.
    Serius egressus, vestigia vidit in alto   105
pulvere certa ferae totoque expalluit ore
Pyramus. Ut vero vestem quoque sanguine tinctam
repperit, "Una duos," inquit, "nox perdet amantes;
e quibus illa fuit longa dignissima vita,
nostra nocens anima est. Ego te, miseranda, peremi,   110
in loca plena metus qui iussi nocte venires,
nec prior huc veni. Nostrum divellite corpus,
et scelerata fero consumite viscera morsu,
O quicumque sub hac habitatis rupe leones!
Sed timidi est optare necem." Velamina Thisbes   115
tollit et ad pactae secum fert arboris umbram;
utque dedit notae lacrimas, dedit oscula vesti,
"Accipe nunc," inquit, "nostri quoque sanguinis haustus!"
    Quoque erat accinctus, demisit in ilia ferrum;
nec mora, ferventi moriens e vulnere traxit   120
et iacuit resupinus humo. Cruor emicat alte,
non aliter quam cum vitiato fistula plumbo
scinditur, et tenui stridente foramine longas
eiaculatur aquas atque ictibus aera rumpit.
Arborei fetus adspergine caedis in atram   125
vertuntur faciem, madefactaque sanguine radix
purpureo tingit pendentia mora colore.
    Ecce, metu nondum posito, ne fallat amantem,
illa redit iuvenemque oculis animoque requirit,
quantaque vitarit narrare pericula gestit.   130
Utque locum et visa cognoscit in arbore formam,
sic facit incertam pomi color: haeret an haec sit.
Dum dubitat, tremebunda videt pulsare cruentum

---

    103. inventos . . . sine ipsa: (Thisbe's cloak) *found without her.* **110. nostra nocens anima est:** *my life is guilty.* **111. venires:** the normal prose construction would be an infinitive. **115. Thisbes:** genitive. **119. in ilia:** *into his side.* **122. non aliter quam cum . . . fistula:** *just as when a water pipe.* **125. Arborei fetus:** *the berries on the tree.* **128. ne fallat amantem:** *lest she miss her lover.* **133. tremebunda:** *trembling* (limbs).

membra solum, retroque pedem tulit, oraque buxo
pallidiora gerens exhorruit aequoris instar,   135
quod tremit, exigua cum summum stringitur aura.
Sed postquam remorata suos cognovit amores,
percutit indignos claro plangore lacertos,
et laniata comas amplexaque corpus amatum
vulnera supplevit lacrimis, fletumque cruori   140
miscuit, et gelidis in vultibus oscula figens,
"Pyrame," clamavit, "quis te mihi casus ademit?
Pyrame, responde! tua te carissima Thisbe
nominat: exaudi vultusque attolle iacentes!"
Ad nomen Thisbes oculos a morte gravatos   145
Pyramus erexit, visaque recondidit illa.
    Quae postquam vestemque suam cognovit et ense
vidit ebur vacuum, "Tua te manus," inquit, "amorque
perdidit, infelix! Est et mihi fortis in unum
hoc manus; est et amor: dabit hic in vulnera vires.   150
Persequar exstinctum, letique miserrima dicar
causa comesque tui. Quique a me morte revelli
heu sola poteras, poteris nec morte revelli.
Hoc tamen amborum verbis estote rogati,
O multum miseri, meus illiusque parentes,   155
ut quos certus amor, quos hora novissima iunxit,
componi tumulo non invideatis eodem.
At tu, quae ramis arbor miserabile corpus
nunc tegis unius, mox es tectura duorum,
signa tene caedis, pullosque et luctibus aptos   160
semper habe fetus, gemini monimenta cruoris."
    Dixit, et aptato pectus mucrone sub imum,
incubuit ferro, quod adhuc a caede tepebat.
Vota tamen tetigere deos, tetigere parentes;
nam color in pomo est, ubi permaturuit, ater,   165
quodque rogis superest, una requiescit in urna.

Metamorphoses, iv. 55–166

---

134. ora buxo pallidiora: *her face paler than boxwood.* **142. quis casus:** *what mis-*
chance. **146. visa ... illa:** *having seen her.* **149. Est et mihi:** *I too have.* **154. es-*
tote rogati: *hear this prayer.* **159. es tectura duorum:** *will cover (the bodies of) two.*
163. incubuit: *she fell forward.*

ORPHEUS AND EURYDICE

Orpheus attempts to bring back Eurydice from the lower world.

INDE per immensum, croceo velatus amictu,
aethera digreditur Ciconumque Hymenaeus ad oras
tendit, et Orphea nequiquam voce vocatur.
Adfuit ille quidem, sed nec sollemnia verba
nec laetos vultus nec felix attulit omen.   5
Fax quoque quam tenuit lacrimoso stridula fumo
usque fuit, nullosque invenit motibus ignes.

---

1. Inde: *thence* (from Crete). **per immensum aethera:** *through the boundless air.*
croceo velatus amictu: *wearing a saffron cloak.* **2. Ciconum:** *the Cicones,* a tribe in
Thrace. **6. stridula:** the wedding torch was "sputtering," a bad omen. **7. motibus:**
from being swung about.

344

Exitus auspicio gravior. Nam nupta per herbas
dum nova Naiadum turba comitata vagatur,
occidit, in talum serpentis dente recepto. 10
    Quam satis ad superas postquam Rhodopeius auras
deflevit vates, ne non temptaret et umbras,
ad Styga Taenaria est ausus descendere porta,
perque leves populos simulacraque functa sepulcro
Persephonen adiit inamoenaque regna tenentem 15
umbrarum dominum; pulsisque ad carmina nervis

---

8. **Exitus . . . gravior:** *The end was even worse than the beginning.* **10. in talum:** *in her heel.* **11. Rhodopeius . . . vates:** *the Thracian bard*, Orpheus. **12. umbras:** *the Lower World*, contrasted with the Upper World (**superas auras**, line 11). **13. Taenaria porta:** *by the Taenarian gate.* **14. simulacra . . . sepulcro:** *the shades who had been buried.* **16. umbrarum dominum:** *king of the underworld*, i.e. the god Pluto, or Dis.

sic ait: "O positi sub terra numina mundi,
in quem reccidimus, quicquid mortale creamur!
si licet et, falsi positis ambagibus oris,
vera loqui sinitis, non huc, ut opaca viderem   20
Tartara, descendi, nec uti villosa colubris
terna Medusaei vincirem guttura monstri.
Causa viae est coniunx, in quam calcata venenum
vipera diffudit, crescentesque abstulit annos.
Posse pati volui, nec me temptasse negabo: 25
vicit Amor, supera deus hic bene notus in ora est:
an sit et hic, dubito.   Sed et hic tamen auguror esse;
famaque si veteris non est mentita rapinae,
vos quoque iunxit Amor.   Per ego haec loca plena timoris,
per Chaos hoc ingens vastique silentia regni,   30
Eurydices, oro, properata retexite fata!
Omnia debemus vobis, paulumque morati,
serius aut citius sedem properamus ad unam.
Tendimus huc omnes, haec est domus ultima; vosque
humani generis longissima regna tenetis.   35
Haec quoque, cum iustos matura peregerit annos,
iuris erit vestri: pro munere poscimus usum.
Quod si fata negant veniam pro coniuge, certum est
nolle redire mihi: leto gaudete duorum."
    Talia dicentem nervosque ad verba moventem   40
exsangues flebant animae; nec Tantalus undam
captavit refugam, iacuitque Ixionis orbis,
nec carpsere iecur volucres, urnisque vacarunt
Belides, inque tuo sedisti, Sisyphe, saxo.
Tunc primum lacrimis victarum carmine fama est   45

---

21. nec . . . monstri: *nor to bind the three throats of Medusa's monster* (Cerberus),
rough with serpents.   **26. deus hic:** Cupid, or Amor.   **27. an sit et hic:** *whether he
is known also here* (in the Underworld).   **31. properata retexite fata:** *unravel the
untimely fates* (of Eurydice).   **38. veniam pro coniuge:** *this favor for my wife.* **certum est . . . mihi:** *I am resolved.*   **41–4. nec Tantalus . . . saxo:** All were so affected
by the music of Orpheus that Tantalus no longer tried to catch the receding waves
to quench his thirst, Ixion's wheel no longer turned with him, the vultures no
longer plucked at the liver of the giant Tityos, the Belides no longer tried to fill
with water the vessels full of holes, and Sisyphus sat on his rock instead of rolling
it up the hill.

346

Eumenidum maduisse genas. Nec regia coniunx
sustinet oranti, nec qui regit ima, negare;
Eurydicenque vocant. Umbras erat illa recentes
inter, et incessit passu de vulnere tardo.
Hanc simul et legem Rhodopeius accipit Orpheus,   50
ne flectat retro sua lumina, donec Avernas
exierit valles: aut irrita dona futura.
    Carpitur acclivis per muta silentia trames,
arduus, obscurus, caligine densus opaca.
Nec procul afuerunt telluris margine summae: 55
hic, ne deficeret metuens, avidusque videndi,
flexit amans oculos — et protinus illa relapsa est.
Bracchiaque intendens prendique et prendere captans,
nil nisi cedentes infelix arripit auras.
Iamque iterum moriens non est de coniuge quicquam   60
questa suo: quid enim nisi se quereretur amatam?
supremumque vale, quod iam vix auribus ille
acciperet, dixit, revolutaque rursus eodem est.

Metamorphoses, x. 1–63

---

50. Hanc . . . et legem: *her, and the condition.*   **52. irrita:** *in vain.*   **56. ne deficeret metuens:** *afraid that she might fail him.*   **58. Bracchia intendens:** (*Orpheus*)
holding out his hands.   **62. supremum vale:** *a last farewell.*

347

BOOKS FOR READIN

ROMAN LIFE

A Day in Old Rome by *William Stearns Davis*, Allyn and Bacon, Inc., Boston.

Daily Life in Ancient Rome by *J. Carcopino*, Yale University Press, New Haven, Conn.

Roman Life by *Mary Johnston*, Scott, Foresman and Co., Chicago.

Roman Antiquities by *A. S. Wilkins*, American Book Co., New York.

Two Thousand Years Ago by *A. J. Church*, Dodd, Mead and Co., New York.

Pictures from Roman Life and Story by *A. J. Church*, D. Appleton and Co., New York.

Buried Cities by *Jennie Hall*, The Macmillan Co., New York.

Last Days of Pompeii by *Bulwer-Lytton*, many editons (fiction).

The Unwilling Vestal by *E. L. White*, E. P. Dutton and Co., New York (fiction).

ROMAN LEGENDS AND HISTORY

Stories from Livy by *A. J. Church*, Dodd, Mead and Co., New York.

Roman Historical Tales by *Charles Morris*, J. B. Lippincott Co., Philadelphia.

The Story of the Romans by *H. A. Guerber*, American Book Co., New York.

The Story of the Roman People by *Eva March Tappan*, Houghton Mifflin Co., Boston.

History of Rome by *M. Creighton*, American Book Co., New York.

The Mute Stones Speak by *Paul MacKendrick*, St. Martin's Press, New York.
The World of Rome by *Michael Grant*, New American Library of World Literature, New York.

JULIUS CAESAR

Julius Caesar by *W. W. Fowler*, G. P. Putnam's Sons, New York.
Caesar: A Biography by *Walter Gerard*, Charles Scribner's Sons, New York.
Caesar's Conquest of Gaul by *T. Rice Holmes*, Oxford University Press, New York.
Ancient Britain and the Invasions of Julius Caesar by *T. Rice Holmes*, Oxford University Press, New York.
The Roman Republic and the Founder of the Empire by *T. Rice Holmes*, Oxford University Press, New York.
Warfare by Land and Sea (Our Debt to Greece and Rome) by *E. S. McCartney*, Marshall Jones Co., Boston.

FICTION

A Friend of Caesar by *W. S. Davis*, The Macmillan Co., New York.
The Standard Bearer by *A. C. Whitehead*, American Book Co., New York.
The Ides of March by *Thornton Wilder*, Harper & Brothers, New York.
Gaul Is Divided by *Esther Fisher Brown*, William-Frederick Press, New York.
For Freedom and for Gaul by *Paul L. Anderson*, Biblo & Tannen Booksellers, New York.
Swords in the North by *Paul L. Anderson*, Biblo & Tannen Booksellers, New York.
With the Eagles by *Paul L. Anderson*, Biblo & Tannen Booksellers, New York.
Julius Caesar by *Alfred Duggan*, Alfred A. Knopf, Inc., New York.
The Conquered by *Naomi Mitchison*, Harcourt, Brace and Co., New York.
Tros of Samothrace by *Talbott Mundy*, Gnome Press, Inc., Hicksville, N. Y.
The Young Caesar by *Rex Warner*, Little, Brown and Co., Boston.
The Imperial Caesar by *Rex Warner*, Little, Brown and Co., Boston.
On Land and Sea with Caesar by *R. F. Wells*, Biblo & Tannen Booksellers, New York.
With Caesar's Legions by *R. F. Wells*, Biblo & Tannen Booksellers, New York.

349

Brief Latin Grammar

FORMS

NOUNS

1. FIRST DECLENSION

	SINGULAR	PLURAL
Nom.	porta, *a gate*	portae, *the gates*
Gen.	portae, *of a gate* or *a gate's*	portārum, *of the gates* or *the gates'*
Dat.	portae, *to* or *for a gate*	portīs, *to* or *for the gates*
Acc.	portam, *a gate*	portās, *the gates*
Abl.	portā, *from, with,* or *by a gate*	portīs, *from, with,* or *by the gates*

NOTES.—1. Nouns of the first declension are feminine, except nouns denoting males, which are masculine.

2. The dative and ablative plural of **fīlia** is **fīliābus**, and of **dea, deābus**.

2. SECOND DECLENSION

SINGULAR

Nom.	servus, *m.*	puer, *m.*	ager, *m.*	vir, *m.*
Gen.	servī	puerī	agrī	virī
Dat.	servō	puerō	agrō	virō
Acc.	servum	puerum	agrum	virum
Abl.	servō	puerō	agrō	virō
Voc.	serve			

PLURAL

Nom.	servī	puerī	agrī	virī
Gen.	servōrum	puerōrum	agrōrum	virōrum
Dat.	servīs	puerīs	agrīs	virīs
Acc.	servōs	puerōs	agrōs	virōs
Abl.	servīs	puerīs	agrīs	virīs
Voc.	servī			

	SINGULAR	PLURAL	SINGULAR	PLURAL
Nom.	bellum, *n.*	bella	fīlius, *m.*	fīlii
Gen.	bellī	bellōrum	fīlī	fīliōrum
Dat.	bellō	bellīs	fīliō	fīliīs
Acc.	bellum	bella	fīlium	fīliōs
Abl.	bellō	bellīs	fīliō	fīliīs
Voc.			fīlī	fīlii

NOTES.—1. Second declension nouns in **-us**, **-er**, or **-ir** are masculine; those in **-um** are neuter.

2. **Fīlius**, proper names in **-ius**, and nouns in **-ium** usually, have **-ī** (not **-iī**) in the gen. sing., with the accent on the penult, as: **fī′lī, Vale′rī, auxi′lī.**

3. VOCATIVE CASE

The vocative is the case of direct address. *Its ending is like the nominative.*

EXCEPTIONS.—1. In the *singular* of second decl. nouns in **-us** the vocative ends in **-e**, as: **serve,** *O slave.*

2. The vocative sing. of **filius** and *proper names* of the second decl. in **-ius** ends in **-i** (not **-ie**), with the accent on the penult, as: **fī′lī,** *O son;* **Vale′ri,** *O Valerius.*

4. THIRD DECLENSION

a. Consonant Stems

SINGULAR

Nom.	mīles, *m.*	pater, *m.*	dux, *m.*
Gen.	mīlitis	patris	ducis
Dat.	mīlitī	patrī	ducī
Acc.	mīlitem	patrem	ducem
Abl.	mīlite	patre	duce

PLURAL

Nom.	mīlitēs	patrēs	ducēs
Gen.	mīlitum	patrum	ducum
Dat.	mīlitibus	patribus	ducibus
Acc.	mīlitēs	patrēs	ducēs
Abl.	mīlitibus	patribus	ducibus

	SINGULAR	PLURAL	SINGULAR	PLURAL
Nom.	flūmen, *n.*	flūmina	corpus, *n.*	corpora
Gen.	flūminis	flūminum	corporis	corporum
Dat.	flūminī	flūminibus	corporī	corporibus
Acc.	flūmen	flūmina	corpus	corpora
Abl.	flūmine	flūminibus	corpore	corporibus

352

b. *I Stems*

Nom.	hostis, *m.*	caedēs, *f.*	urbs, *f.*
Gen.	hostis	caedis	urbis
Dat.	hosti	caedi	urbi
Acc.	hostem	caedem	urbem
Abl.	hoste	caede	urbe

PLURAL

Nom.	hostēs	caedēs	urbēs
Gen.	hostium	caedium	urbium
Dat.	hostibus	caedibus	urbibus
Acc.	hostēs (-is)	caedēs (-is)	urbēs (-is)
Abl.	hostibus	caedibus	urbibus

	SINGULAR	PLURAL	SINGULAR	PLURAL
Nom.	mare, *n.*	maria	animal, *n.*	animālia
Gen.	maris	marium	animālis	animālium
Dat.	mari	maribus	animāli	animālibus
Acc.	mare	maria	animal	animālia
Abl.	mari	maribus	animāli	animālibus

NOTES.—1. To -i stems belong:

a. Masculines and feminines in -is and -ēs not increasing in the genitive, as **nāvis, caedēs.**

b. Neuters in -e, -al, and -ar, as **mare, animal, calcar.**

c. Monosyllables whose base ends in two consonants, as **pars, part-is; nox, noct-is.**

d. Nouns whose base ends in -nt or -rt, as **cliēns, client-is; cohors, cohort-is.**

2. **Turris** and some *proper names* -is have -im in the acc. sing., as: **turrim, Tiberim.**

5. FOURTH DECLENSION

SINGULAR

Nom.	frūctus, *m.*	cornū, *n.*	domus, *f.*
Gen.	frūctūs	cornūs	domūs (domi, *loc.*)
Dat.	frūctui	cornū	domui, domō
Acc.	frūctum	cornū	domum
Abl.	frūctū	cornū	domō, domū

PLURAL

Nom.	frūctūs	cornua	domūs
Gen.	frūctuum	cornuum	domuum, domōrum
Dat.	frūctibus	cornibus	domibus
Acc.	frūctūs	cornua	domōs, domūs
Abl.	frūctibus	cornibus	domibus

NOTE.—Fourth declension nouns in -us are masculine and those in -ū are neuter, except **manus** and **domus,** which are feminine.

353

6. FIFTH DECLENSION

	SINGULAR	PLURAL	SINGULAR	PLURAL
Nom.	diēs, *m.*	diēs	rēs, *f.*	rēs
Gen.	diēī	diērum	reī	rērum
Dat.	diēī	diēbus	reī	rēbus
Acc.	diem	diēs	rem	rēs
Abl.	diē	diēbus	rē	rēbus

NOTES.—1. The ending of the gen. and dat. sing. is -eī, instead of -ēī, when a consonant precedes, as: reī, fideī, speī.

2. Fifth declension nouns are feminine, except diēs, which is usually masculine in the singular, and always in the plural.

7. IRREGULAR NOUNS

	SINGULAR	PLURAL	SINGULAR	PLURAL
Nom.	deus, *m.*	deī, diī, dī	vīs, *f.*	vīrēs
Gen.	deī	deōrum, deum	vīs	vīrium
Dat.	deō	deīs, diīs, dīs	vī	vīribus
Acc.	deum	deōs	vim	vīrēs (-īs)
Abl.	deō	deīs, diīs, dīs	vī	vīribus

ADJECTIVES

8. FIRST AND SECOND DECLENSION

SINGULAR

	MASC.	FEM.	NEUT.
Nom.	bonus	bona	bonum
Gen.	bonī	bonae	bonī
Dat.	bonō	bonae	bonō
Acc.	bonum	bonam	bonum
Abl.	bonō	bonā	bonō

PLURAL

Nom.	bonī	bonae	bona
Gen.	bonōrum	bonārum	bonōrum
Dat.	bonīs	bonīs	bonīs
Acc.	bonōs	bonās	bona
Abl.	bonīs	bonīs	bonīs

354

9. THIRD DECLENSION

a. Three Endings
Ācer, sharp

	SINGULAR			PLURAL		
	MASC.	FEM.	NEUT.	MASC.	FEM.	NEUT.
Nom.	ācer	ācris	ācre	ācrēs	ācrēs	ācria
Gen.	ācris	ācris	ācris	ācrium	ācrium	ācrium
Dat.	ācrī	ācrī	ācrī	ācribus	ācribus	ācribus
Acc.	ācrem	ācrem	ācre	ācrēs	ācrēs	ācria
Abl.	ācrī	ācrī	ācrī	ācribus	ācribus	ācribus

b. Two Endings
Fortis, brave

	SINGULAR		PLURAL	
	M. AND F.	NEUT.	M. AND F.	NEUT.
Nom.	fortis	forte	fortēs	fortia
Gen.	fortis	fortis	fortium	fortium
Dat.	fortī	fortī	fortibus	fortibus
Acc.	fortem	forte	fortēs	fortia
Abl.	fortī	fortī	fortibus	fortibus

c. One Ending
Potēns, powerful (Adjective and Present Active Participle)

	SINGULAR		PLURAL	
	M. AND F.	NEUT.	M. AND F.	NEUT.
Nom.	potēns	potēns	potentēs	potentia
Gen.	potentis	potentis	potentium	potentium
Dat.	potentī	potentī	potentibus	potentibus
Acc.	potentem	potēns	potentēs	potentia
Abl.	potentī (*part.*, -e)	potentī (*part.*, -e)	potentibus	potentibus

10. IRREGULAR ADJECTIVES

	SINGULAR			PLURAL		
Nom.	sōlus, *m.*	sōla, *f.*	sōlum, *n.*	sōli, *m.*	sōlae, *f.*	sōla, *n.*
Gen.	sōlius	sōlius	sōlius	sōlōrum	sōlārum	sōlōrum
Dat.	sōli	sōli	sōli	sōlis	sōlis	sōlis
Acc.	sōlum	sōlam	sōlum	sōlōs	sōlās	sōla
Abl.	sōlō	sōlā	sōlō	sōlis	sōlis	sōlis

355

11. PRESENT PARTICIPLE

	m. f.	*n.*	*m. f.*	*n.*
Nom.	regēns		regentēs	regentia
Gen.	regentis		regentium	
Dat.	regentī		regentibus	
Acc.	regentem regēns		regentēs (-is)	regentia
Abl.	regente (-ī)		regentibus	

NOTE.—Present participles, when used as participles or substantives, have -e in the abl. sing.; when used as adjectives, they have -ī.

12. COMPARISON OF ADJECTIVES

a. Regular

POSITIVE	COMPARATIVE	SUPERLATIVE
lātus, -a, -um	lātior, latius	lātissimus, -a, -um
fortis, forte	fortior, fortius	fortissimus, -a, -um
miser, -era, -erum	miserior, miserius	miserrimus, -a, -um
ācer, ācris, ācre	ācrior, ācrius	ācerrimus, -a, -um
facilis, facile	facilior, facilius	facillimus, -a, -um

NOTES.—1. Adjectives in -er have -rimus in the superlative.

2. Five adjectives in -lis have -limus in the superlative, viz., **facilis, difficilis, similis, dissimilis, humilis.**

b. Irregular Comparison

POSITIVE	COMPARATIVE	SUPERLATIVE
bonus, *good*	**melior,** *better*	**optimus,** *best*
malus, *bad*	**peior,** *worse*	**pessimus,** *worst*
magnus, *great*	**maior,** *greater*	**maximus,** *greatest*
parvus, *small*	**minor,** *smaller*	**minimus,** *smallest*
{ **multus,** *much*	——, **plus,** *more*	**plūrimus,** *most*
{ **multī,** *many*	**plūrēs, plūra,** *more*	**plūrimī,** *many*
idōneus, *suitable*	magis idōneus	maximē idōneus
exterus, *outer*	exterior	extrēmus *or* extimus
īnferus, *below*	īnferior	īnfimus *or* imus
posterus, *following*	posterior	postrēmus *or* postumus
superus, *above*	superior	suprēmus *or* summus
(cis, citrā)	citerior, *hither*	citimus
(in, intrā)	interior, *inner*	intimus
(prae, prō)	prior, *former*	prīmus
(prope)	propior, *nearer*	proximus
(ultrā)	ulterior, *farther*	ultimus

356

13. COMPARISON OF ADVERBS

Pos.	Comp.	Superl.	Pos.	Comp.	Superl.
lātē	lātius	lātissimē	bene	melius	optimē
aegrē	aegrius	aegerrimē	male	peius	pessimē
fortiter	fortius	fortissimē	magnopere	magis	maximē
ācriter	ācrius	ācerrimē	parum	minus	minimē
facile	facilius	facillimē	multum	plūs	plūrimum
			diū	diūtius	diūtissimē

14. DECLENSION OF COMPARATIVES

SINGULAR

Nom.	lātior, *m. f.*	lātius, *n.*	——	plūs, *n.*
Gen.	lātiōris		——	plūris
Dat.	lātiōri		——	——
Acc.	lātiōrem	lātius	——	plūs
Abl.	lātiōre		——	plūre

PLURAL

Nom.	lātiōrēs	lātiōra	plūrēs	plūra
Gen.	lātiōrum		plūrium	
Dat.	lātiōribus		plūribus	
Acc.	lātiōrēs	lātiōra	plūrēs	plūra
Abl.	lātiōribus		plūribus	

15. NUMERALS

	MASC.	FEM.	NEUT.		MASC.	FEM.	NEUT.
Nom.	ūnus	ūna	ūnum	*Nom.*	duo	duae	duo
Gen.	ūnius	ūnius	ūnius	*Gen.*	duōrum	duārum	duōrum
Dat.	ūnī	ūnī	ūnī	*Dat.*	duōbus	duābus	duōbus
Acc.	ūnum	ūnam	ūnum	*Acc.*	duōs, duo	duās	duō
Abl.	ūnō	ūna	ūnō	*Abl.*	duōbus	duābus	duōbus

				SINGULAR	PLURAL
Nom.	trēs, *m. f.*	tria, *n.*		mīlle, *adj.*	mīlia, *noun, n.*
Gen.	trium			mīlle	mīlium
Dat.	tribus			mīlle	mīlibus
Acc.	trēs (trīs)	tria		mīlle	mīlia
Abl.	tribus			mīlle	mīlibus

	ROMAN	CARDINALS	ORDINALS
1	I	ūnus, -a, -um, *one*	prīmus, *first*
2	II	duo, duae, duo, *two*	secundus, *second*
3	III	trēs, tria, *three*	tertius, *third*
4	IIII *or* IV	quattuor	quārtus
5	V	quinque	quīntus
6	VI	sex	sextus
7	VII	septem	septimus
8	VIII	octō	octāvus
9	VIIII *or* IX	novem	nōnus
10	X	decem	decimus
11	XI	ūndecim	ūndecimus
12	XII	duodecim	duodecimus
13	XIII	tredecim	tertius decimus
14	XIIII *or* XIV	quattuordecim	quārtus decimus
15	XV	quīndecim	quīntus decimus
16	XVI	sēdecim	sextus decimus
17	XVII	septendecim	septimus decimus
18	XVIII	duodēviginti	duodēvicēsimus
19	XVIIII *or* XIX	ūndēviginti	ūndēvicēsimus
20	XX	viginti	vicēsimus
21	XXI	{ viginti ūnus { ūnus et viginti	{ vicēsimus primus { ūnus et vicēsimus
30	XXX	trigintā	tricēsimus
40	XXXX *or* XL	quadrāgintā	quadrāgēsimus
50	L	quinquāginta	quinquāgēsimus
60	LX	sexāgintā	sexāgēsimus
70	LXX	septuāgintā	septuāgēsimus
80	LXXX	octōgintā	octōgēsimus
90	LXXXX *or* XC	nōnāgintā	nōnāgēsimus
100	C	centum	centēsimus
101	CI	centum (et) ūnus	centēsimus (et) primus
200	CC	ducenti, -ae, -a	ducentēsimus
300	CCC	trecenti, -ae, -a	trecentēsimus
400	CCCC	quadringenti, -ae, -a	quadringentēsimus
500	D	quingenti, -ae, -a	quingentēsimus
600	DC	sescenti, -ae, -a	sescentēsimus
700	DCC	septingenti, -ae, -a	septingentēsimus
800	DCCC	octingenti, -ae, -a	octingentēsimus
900	DCCCC	nōngenti, -ae, -a	nōngentēsimus
1000	M	mille	millēsimus
2000	MM	duo milia	bis millēsimus

PRONOUNS

16. PERSONAL   17. REFLEXIVE

SINGULAR

Nom.	ego	tū	——
Gen.	meī	tuī	suī
Dat.	mihi	tibi	sibi
Acc.	mē	tē	sē *or* sēsē
Abl.	mē	tē	sē *or* sēsē

PLURAL

Nom.	nōs	vōs	——
Gen.	nostrum *or* nostrī	vestrum *or* vestrī	suī
Dat.	nōbīs	vōbīs	sibi
Acc.	nōs	vōs	sē *or* sēsē
Abl.	nōbīs	vōbīs	sē *or* sēsē

18. DEMONSTRATIVE

SINGULAR

Nom.	hic, *m.*	haec, *f.*	hoc, *n.*	ille, *m.*	illa, *f.*	illud, *n.*
Gen.		huius			illīus	
Dat.		huic			illī	
Acc.	hunc	hanc	hoc	illum	illam	illud
Abl.	hōc	hāc	hōc	illō	illā	illō

PLURAL

Nom.	hī	hae	haec	illī	illae	illa
Gen.	hōrum	hārum	hōrum	illōrum	illārum	illōrum
Dat.		hīs			illīs	
Acc.	hōs	hās	haec	illōs	illās	illa
Abl.		hīs			illīs	

SINGULAR

Nom.	is, *m.*	ea, *f.*	id, *n.*	īdem, *m.*	eadem, *f.*	idem, *n.*
Gen.		eius			eiusdem	
Dat.		eī			eīdem	
Acc.	eum	eam	id	eundem	eandem	idem
Abl.	eō	eā	eō	eōdem	eādem	eōdem

PLURAL

Nom.	eī *or* iī	eae	ea	eīdem / iīdem	eaedem	eadem
Gen.	eōrum	eārum	eōrum	eōrundem	eārundem	eōrundem
Dat.		eīs *or* iīs			eīsdem *or* īsdem	
Acc.	eōs	eās	ea	eōsdem	eāsdem	eadem
Abl.		eīs *or* iīs			eīsdem *or* īsdem	

19. INTENSIVE

	SINGULAR			PLURAL		
Nom.	ipse, *m.*	ipsa, *f.*	ipsum, *n.*	ipsī, *m.*	ipsae, *f.*	ipsa, *n.*
Gen.		ipsīus		ipsōrum	ipsārum	ipsōrum
Dat.		ipsī			ipsīs	
Acc.	ipsum	ipsam	ipsum	ipsōs	ipsās	ipsa
Abl.	ipsō	ipsā	ipsō		ipsīs	

20. RELATIVE

	SINGULAR			PLURAL		
Nom.	quī, *m.*	quae, *f.*	quod, *n.*	quī, *m.*	quae, *f.*	quae, *n.*
Gen.		cuius		quōrum	quārum	quōrum
Dat.		cui			quibus	
Acc.	quem	quam	quod	quōs	quās	quae
Abl.	quō	quā	quō		quibus	

21. INTERROGATIVE

	SINGULAR	
Nom.	quis, *m. f.*	quid, *n.*
Gen.	cuius	
Dat.	cui	
Acc.	quem	quid
Abl.	quō	

NOTES.—1. The plural of the *interrogative pronoun* quis is like the plural of the relative quī.

2. The *interrogative adjective* is declined throughout like the relative quī, as: quī deus, *what god?* quae via, *what road?* quod dōnum, *what gift?*

22. INDEFINITE

Substantive Form

SINGULAR

Nom.	aliquis, *m. f.*		aliquid, *n.*
Gen.		alicuius	
Dat.		alicui	
Acc.	aliquem		aliquid
Abl.		aliquō	

PLURAL

Nom.	aliquī, *m.*	aliquae, *f.*	aliqua, *n.*
Gen.	aliquōrum	aliquārum	aliquōrum
Dat.		aliquibus	
Acc.	aliquōs	aliquās	aliqua
Abl.		aliquibus	

360

Adjective Form

Nom.	aliqui, *m.*	aliqua, *f.*	aliquod, *n.*
Gen.		alicuius	
Dat.		alicui	
Acc.	aliquem	aliquam	aliquod
Abl.	aliquō	aliquā	aliquō

PLURAL

Nom.	aliqui, *m.*	aliquae, *f.*	aliqua, *n.*
Gen.	aliquōrum	aliquārum	aliquōrum
Dat.		aliquibus	
Acc.	aliquōs	aliquās	aliqua
Abl.		aliquibus	

NOTE.—After **sī, nisi, nē,** and **num** the indefinite pronoun **quis, quid** is generally used. It is declined like the interrogative pronoun. The adjective form is **quī, quae, quod.**

SINGULAR

Nom.	quīdam, *m.*	quaedam, *f.*	quiddam, *n.*
Gen.		cuiusdam	
Dat.		cuidam	
Acc.	quendam	quandam	quiddam
Abl.	quōdam	quādam	quōdam

PLURAL

Nom.	quīdam, *m.*	quaedam, *f.*	quaedam, *n.*
Gen.	quōrundam	quārundam	quōrundam
Dat.		quibusdam	
Acc.	quōsdam	quāsdam	quaedam
Abl.		quibusdam	

NOTE.—The *adjective* form has **quoddam,** *n.*, instead of **quiddam.**

SINGULAR

Nom.	quisque, *m. f.*	quidque, *n.*
Gen.		cuiusque
Dat.		cuique
Acc.	quemque	quidque
Abl.		quōque

(*Plural rare*)

NOTE.—The *adjective* form of **quisque** is **quisque, quaeque, quodque.**

SINGULAR

Nom.	quisquam, *m. f.*	quidquam
Gen.		cuiusquam
Dat.		cuiquam
Acc.	quemquam	quidquam
Abl.		quōquam

(*Plural lacking*)

NOTE.—**Quisquam** is used chiefly in *negative* sentences, and in questions implying a *negative* answer.

361

REGULAR VERBS

23. FIRST CONJUGATION

PRINCIPAL PARTS: **portō, portāre, portāvī, portātus**
STEMS: **portā-, portāv-, portāt-**

Active Voice   *Passive Voice*

INDICATIVE

PRESENT

I carry, am carrying   *I am carried*

portō	portāmus		portor	portāmur
portās	portātis		portāris	portāminī
portat	portant		portātur	portantur

IMPERFECT

I carried, was carrying   *I was carried*

portābam	portābāmus		portābar	portābāmur
portābās	portābātis		portābāris	portābāminī
portābat	portābant		portābātur	portābantur

FUTURE

I shall (will) carry   *I shall (will) be carried*

portābō	portābimus		portābor	portābimur
portābis	portābitis		portāberis	portābiminī
portābit	portābunt		portābitur	portābuntur

PERFECT

I have carried, I carried   *I have been (was) carried*

portāvī	portāvimus
portāvistī	portāvistis
portāvit	portāvērunt

portātus (-a, -um) { sum / es / est } portātī (-ae, -a) { sumus / estis / sunt }

PLUPERFECT

I had carried   *I had been carried*

portāveram	portāverāmus
portāverās	portāverātis
portāverat	portāverant

portātus (-a, -um) { eram / erās / erat } portātī (-ae, -a) { erāmus / erātis / erant }

FUTURE PERFECT

I shall have carried   *I shall have been carried*

portāverō	portāverimus
portāveris	portāveritis
portāverit	portāverint

portātus (-a, -um) { erō / eris / erit } portātī (-ae, -a) { erimus / eritis / erunt }

362

PRESENT

portem	portēmus	porter	portēmur
portēs	portētis	portēris	portēmini
portet	portent	portētur	portentur

IMPERFECT

portārem	portārēmus	portārer	portārēmur
portārēs	portārētis	portārēris	portārēmini
portāret	portārent	portārētur	portārentur

PERFECT

portāverim	portāverimus	portātus { sim	portāti { simus
portāveris	portāveritis	(-a, -um) { sis	(-ae, -a) { sitis
portāverit	portāverint	{ sit	{ sint

PLUPERFECT

portāvissem	portāvissēmus	portātus { essem	portāti { essēmus
portāvissēs	portāvissētis	(-a, -um) { essēs	(-ae, -a) { essētis
portāvisset	portāvissent	{ esset	{ essent

PRESENT IMPERATIVE

Carry   *Be carried*

portā   portāte   portāre   portāmini

INFINITIVE

PRES. portāre, *to carry*   portāri, *to be carried*
PERF. portāvisse, *to have carried*   portātus esse, *to have been carried*
FUT. portātūrus esse, *to be about to*   portātum iri, *to be about to be carried*
      carry

PARTICIPLES

PRES. portāns, -antis, *carrying*   PERF. portātus, -a, -um, *having been*
FUT. portātūrus, -a, -um, *about to*   *carried*
      carry   FUT. portandus, -a, -um, *to be*
                                               carried, etc.

GERUND

Gen. portandi, *of carrying*
Dat. portandō, *for carrying*
Acc. portandum, *carrying*
Abl. portandō, *by carrying*

SUPINE

Acc. portātum, *to carry*
Abl. portātū, *to carry*

363

24. SECOND CONJUGATION

PRINCIPAL PARTS: **moneō, monēre, monuī, monitus**
STEMS: **monē-, monu-, monit-**

Active Voice		*Passive Voice*	

INDICATIVE

PRESENT

moneō	monēmus	moneor	monēmur
monēs	monētis	monēris	monēmini
monet	monent	monētur	monentur

IMPERFECT

monēbam	monēbāmus	monēbar	monēbāmur
monēbās	monēbātis	monēbāris	monēbāmini
monēbat	monēbant	monēbātur	monēbantur

FUTURE

monēbō	monēbimus	monēbor	monēbimur
monēbis	monēbitis	monēberis	monēbimìni
monēbit	monēbunt	monēbitur	monēbuntur

PERFECT

monuī	monuimus	monitus (-a, -um)	sum / es / est	monitī (-ae, -a)	sumus / estis / sunt
monuistī	monuistis				
monuit	monuērunt				

PLUPERFECT

monueram	monuerāmus	monitus (-a, -um)	eram / erās / erat	monitī (-ae, -a)	erāmus / erātis / erant
monuerās	monuerātis				
monuerat	monuerant				

FUTURE PERFECT

monuerō	monuerimus	monitus (-a, -um)	erō / eris / erit	monitī (-ae, -a)	erimus / eritis / erunt
monueris	monueritis				
monuerit	monuerint				

SUBJUNCTIVE

PRESENT

moneam	moneāmus	monear	moneāmur
moneās	moneātis	moneāris	moneāmini
moneat	moneant	moneātur	moneantur

IMPERFECT

monērem	monērēmus	monērer	monērēmur
monērēs	monērētis	monērēris	monērēmini
monēret	monērent	monērētur	monērentur

monuerim	monuerimus	monitus (-a, -um)	$\begin{cases} \text{sim} \\ \text{sis} \\ \text{sit} \end{cases}$	moniti (-ae, -a)	$\begin{cases} \text{simus} \\ \text{sitis} \\ \text{sint} \end{cases}$
monueris	monueritis				
monuerit	monuerint				

PLUPERFECT

monuissem	monuissēmus	monitus (-a, -um)	$\begin{cases} \text{essem} \\ \text{essēs} \\ \text{esset} \end{cases}$	moniti (-ae, -a)	$\begin{cases} \text{essēmus} \\ \text{essētis} \\ \text{essent} \end{cases}$
monuissēs	monuissētis				
monuisset	monuissent				

PRESENT IMPERATIVE

monē   monēte   monēre   monēmini

INFINITIVE

Pres.	monēre	monērī
Perf.	monuisse	monitus esse
Fut.	monitūrus esse	monitum irī

PARTICIPLES

Pres.	monēns, -entis	*Perf.*	monitus, -a, -um
Fut.	monitūrus, -a, -um	*Fut.*	monendus, -a, -um

GERUND

Gen.	monendī
Dat.	monendō
Acc.	monendum
Abl.	monendō

SUPINE

Acc.	monitum
Abl.	monitū

25. THIRD CONJUGATION

PRINCIPAL PARTS: **dūcō, dūcere, dūxī, ductus**
STEMS: **dūce-, dūx-, duct-**

Active Voice   *Passive Voice*

INDICATIVE

PRESENT

dūcō	dūcimus	dūcor	dūcimur
dūcis	dūcitis	dūceris	dūciminī
dūcit	dūcunt	dūcitur	dūcuntur

IMPERFECT

dūcēbam	dūcēbāmus	dūcēbar	dūcēbāmur
dūcēbās	dūcēbātis	dūcēbāris	dūcēbāminī
dūcēbat	dūcēbant	dūcēbātur	dūcēbāntur

365

dūcam	dūcēmus	dūcar	dūcēmur
dūcēs	dūcētis	dūcēris	dūcēminī
dūcet	dūcent	dūcētur	dūcentur

PERFECT

dūxī	dūximus	ductus	sum	ductī	sumus
dūxistī	dūxistis	(-a, -um)	es	(-ae, -a)	estis
dūxit	dūxērunt		est		sunt

PLUPERFECT

dūxeram	dūxerāmus	ductus	eram	ductī	erāmus
dūxerās	dūxerātis	(-a, -um)	erās	(-ae, -a)	erātis
dūxerat	dūxerant		erat		erant

FUTURE PERFECT

dūxerō	dūxerimus	ductus	erō	ductī	erimus
dūxeris	dūxeritis	(-a, -um)	eris	(-ae, -a)	eritis
dūxerit	dūxerint		erit		erunt

SUBJUNCTIVE

PRESENT

dūcam	dūcāmus	dūcar	dūcāmur
dūcās	dūcātis	dūcāris	dūcāminī
dūcat	dūcant	dūcātur	dūcantur

IMPERFECT

dūcerem	dūcerēmus	dūcerer	dūcerēmur
dūcerēs	dūcerētis	dūcerēris	dūcerēminī
dūceret	dūcerent	dūcerētur	dūcerentur

PERFECT

dūxerim	dūxerimus	ductus	sim	ductī	sīmus
dūxeris	dūxeritis	(-a, -um)	sīs	(-ae, -a)	sītis
dūxerit	dūxerint		sit		sint

PLUPERFECT

dūxissem	dūxissēmus	ductus	essem	ductī	essēmus
dūxissēs	dūxissētis	(-a, -um)	essēs	(-ae, -a)	essētis
dūxisset	dūxissent		esset		essent

366

PRESENT IMPERATIVE

dūc[1]   dūcite   dūcere   dūcimini

INFINITIVE

PRES. dūcere   dūci
PERF. dūxisse   ductus esse
FUT. ductūrus esse   ductum iri

PARTICIPLES

PRES. dūcēns, -entis   PERF. ductus, -a, -um
FUT. ductūrus, -a, -um   FUT. dūcendus, -a, -um

GERUND		SUPINE	
Gen.	dūcendi	*Acc.*	ductum
Dat.	dūcendō	*Abl.*	ductū
Acc.	dūcendum		
Abl.	dūcendō		

26. FOURTH CONJUGATION

PRINCIPAL PARTS: **audiō, audire, audivi, auditus**
STEMS: **audi-, audiv-, audit-**

Active Voice   *Passive Voice*

INDICATIVE

PRESENT

audiō	audimus	audior	audimur
audis	auditis	audiris	audimini
audit	audiunt	auditur	audiuntur

IMPERFECT

audiēbam	audiēbāmus	audiēbar	audiēbāmur
audiēbās	audiēbātis	audiēbāris	audiēbāmini
audiēbat	audiēbant	audiēbātur	audiēbantur

FUTURE

audiam	audiēmus	audiar	audiēmur
audiēs	audiētis	audiēris	audiēmini
audiet	audient	audiētur	audientur

PERFECT

audīvi	audīvimus				
audīvisti	audīvistis	auditus, (-a, -um)	{ sum / es / est }	audīti, (-ae, -a)	{ sumus / estis / sunt }
audīvit	audīvērunt				

---

[1] Irregular for **dūce.**

367

audīveram	audīverāmus			eram		erāmus
audīverās	audīverātis	audītus,		erās	audīti,	erātis
audīverat	audīverant	(-a, -um)		erat	(-ae, -a)	erant

audīverō	audīverimus			erō		erimus
audīveris	audīveritis	audītus,		eris	audīti,	eritis
audīverit	audīverint	(-a, -um)		erit	(-ae, -a)	erunt

SUBJUNCTIVE

PRESENT

audiam	audiāmus	audiar	audiāmur
audiās	audiātis	audiāris	audiāmini
audiat	audiant	audiātur	audiantur

IMPERFECT

audirem	audirēmus	audirer	audirēmur
audirēs	audirētis	audirēris	audirēmini
audiret	audirent	audirētur	audirentur

PERFECT

audīverim	audīverimus			sim		sīmus
audīveris	audīveritis	audītus,		sis	audīti	sitis
audīverit	audīverint	(-a, -um)		sit	(-ae, -a)	sint

PLUPERFECT

audīvissem	audīvissēmus			essem		essēmus
audīvissēs	audīvissētis	audītus,		essēs	audīti,	essētis
audīvisset	audīvissent	(-a, -um)		esset	(-ae, -a)	essent

PRESENT IMPERATIVE

audi	audite	audire	audimini

INFINITIVE

Pres.	audire	audiri
Perf.	audīvisse	audītus esse
Fut.	audītūrus esse	audītum iri

PARTICIPLES

Pres.	audiēns, -entis		*Perf.*	audītus, -a, -um
Fut.	audītūrus, -a, -um		*Fut.*	audiendus, -a, -um

GERUND		SUPINE	
Gen.	audiendi	*Acc.*	audītum
Dat.	audiendō	*Abl.*	audītū
Acc.	audiendum		
Abl.	audiendō		

368

27. THIRD CONJUGATION VERBS IN -IŌ

PRINCIPAL PARTS: **capiō, capere, cēpi, captus**
STEMS: **cape-, cēp-, capt-**

Active Voice		*Passive Voice*	

INDICATIVE

PRESENT

capiō	capimus	capior	capimur
capis	capitis	caperis	capimini
capit	capiunt	capitur	capiuntur

IMPERFECT

capiēbam, etc.		capiēbar, etc.	

FUTURE

capiam	capiēmus	capiar	capiēmur
capiēs	capiētis	capiēris	capiēmini
capiet	capient	capiētur	capientur

PERFECT

cēpi, etc.	captus sum, etc.

PLUPERFECT

cēperam, etc.	captus eram, etc.

FUTURE PERFECT

cēperō, etc.	captus erō, etc.

SUBJUNCTIVE

PRESENT

capiam	capiāmus	capiar	capiāmur
capiās	capiātis	capiāris	capiāmini
capiat	capiant	capiātur	capiantur

IMPERFECT

caperem, etc.	caperer, etc.

PERFECT

cēperim, etc.	captus sim, etc.

PLUPERFECT

cēpissem, etc.	captus essem, etc.

PRESENT IMPERATIVE

cape	capite	capere	capimini

369

INFINITIVE

Pres.	capere		capi
Perf.	cēpisse		captus esse
Fut.	captūrus esse		captum iri

PARTICIPLES

Pres.	capiēns, -entis	*Perf.*	captus, -a, -um
Fut.	captūrus, -a, -um	*Fut.*	capiendus, -a, -um

GERUND		SUPINE	
Gen.	capiendī	*Acc.*	captum
Dat.	capiendō	*Abl.*	captū
Acc.	capiendum		
Abl.	capiendō		

DEPONENT VERBS

Deponent verbs are *passive* in *form, active* in *meaning.* They are inflected in all conjugations as follows:

28. FIRST CONJUGATION

PRINCIPAL PARTS: **cōnor, cōnārī, cōnātus sum**
STEMS: **cōnā-, cōnāt-**

INDICATIVE

PRESENT	IMPERFECT	FUTURE
I try	*I was trying*	*I shall try*
cōnor	cōnābar	cōnābor
cōnāris	cōnābāris	cōnāberis
cōnātur	cōnābātur	cōnābitur
cōnāmur	cōnābāmur	cōnābimur
cōnāminī	cōnābāminī	cōnābiminī
cōnantur	cōnābantur	cōnābuntur

PERFECT		PLUPERFECT		FUTURE PERFECT	
I (have) tried		*I had tried*		*I shall have tried*	
cōnātus (-a, -um)	sum es est	cōnātus (-a, -um)	eram erās erat	cōnātus (-a, -um)	erō eris erit
cōnātī (-ae, -a)	sumus estis sunt	cōnātī (-ae, -a)	erāmus erātis erant	cōnātī (-ae, -a)	erimus eritis erunt

PRESENT	IMPERFECT
cōner	cōnārer
cōnēris	cōnārēris
cōnētur	cōnārētur
cōnēmur	cōnārēmur
cōnēmini	cōnārēmini
cōnentur	cōnārentur

PERFECT		PLUPERFECT	
cōnātus (-a, -um)	sim, sis, sit	cōnātus (-a, -um)	essem, essēs, esset
cōnāti (-ae, -a)	simus, sitis, sint	cōnāti (-ae, -a)	essēmus, essētis, essent

PRESENT IMPERATIVE

cōnāre, *try* cōnāmini, *try*

INFINITIVE

Pres.	cōnāri, *to try*
Perf.	cōnātus esse, *to have tried*
Fut.	cōnātūrus esse, *to be about to try*

GERUND

Gen.	cōnandi, *of trying*
Dat.	cōnandō, *for trying*
Acc.	cōnandum, *trying*
Abl.	cōnandō, *by trying*

PARTICIPLES

Pres.	cōnāns, -antis, *trying*
Fut. Act.	cōnātūrus, *about to try*
Perf.	cōnātus, *having tried*
Fut. Pass.	cōnandus, *necessary to be tried,* or as Gerundive, *trying*

SUPINE

Acc.	cōnātum, *to try*
Abl.	cōnātū, *to try*

CONJ. II.	vereor, verēri, veritus sum
CONJ. III.	sequor, sequi, secūtus sum
-ior VERB.	patior, pati, passus sum
CONJ. IV.	potior, potiri, potitus sum

INDICATIVE

Pres.	vereor	sequor	patior	potior
Imp.	verēbar	sequēbar	patiēbar	potiēbar
Fut.	verēbor	sequar	patiar	potiar
Perf.	veritus sum	secūtus sum	passus sum	potitus sum
Plup.	veritus eram	secūtus eram	passus eram	potitus eram
Fut. P.	veritus erō	secūtus erō	passus erō	potitus erō

Pres.	verear	sequar	patiar	potiar
Imp.	vererer	sequerer	paterer	potirer
Perf.	veritus sim	secūtus sim	passus sim	potītus sim
Plup.	veritus essem	secūtus essem	passus essem	potītus essem

PRESENT IMPERATIVE

Sing.	verēre	sequere	patere	potire
Pl.	verēmini	sequimini	patimini	potimini

INFINITIVE

Pres.	verēri	sequi	pati	potiri
Perf.	veritus esse	secūtus esse	passus esse	potītus esse
Fut.	veritūrus esse	secūtūrus esse	passūrus esse	potītūrus esse

PARTICIPLES

Pres.	verēns, -entis	sequēns, -entis	patiēns, -entis	potiēns, -entis
Fut. Act.	veritūrus	secūtūrus	passūrus	potītūrus
Perf.	veritus	secūtus	passus	potītus
Fut. Pass.	verendus	sequendus	patiendus	potiendus

GERUND

Gen.	verendi, etc.	sequendi, etc.	patiendi, etc.	potiendi, etc.

SUPINE

Acc.	veritum	secūtum	passum	potītum
Abl.	veritū	secūtū	passū	potītū

NOTE.—Four verbs, which are *active* in the *present system*, become *deponents* in the *perfect system*, and are called *semideponents*. They are:

> audeō, audēre, ausus sum, *dare*
> fīdō, fīdere, fīsus sum, *trust*
> gaudeō, gaudēre, gāvīsus sum, *rejoice*
> soleō, solēre, solitus sum, *be accustomed*

29. THE PERIPHRASTIC CONJUGATIONS

1. The Active Periphrastic Conjugation is made by combining the Future Active Participle with **sum.**

2. The Passive Periphrastic Conjugation is made by combining the Future Passive Participle with **sum.**

Active Periphrastic Conjugation

INDICATIVE		SUBJUNCTIVE
Pres.	parātūrus sum, *I am about to prepare*	parātūrus sim
Imp.	parātūrus eram	parātūrus essem
Fut.	parātūrus erō	
Perf.	parātūrus fui	parātūrus fuerim
Plup.	parātūrus fueram	parātūrus fuissem
Fut. P.	parātūrus fuerō	

Infinitive

Pres. parātūrus esse
Perf. parātūrus fuisse

Passive Periphrastic Conjugation

INDICATIVE		SUBJUNCTIVE
Pres.	parandus sum, *I am to be (must be) prepared*	parandus sim
Imp.	parandus eram	parandus essem
Fut.	parandus erō	
Perf.	parandus fui	parandus fuerim
Plup.	parandus fueram	parandus fuissem
Fut. P.	parandus fuerō	

IRREGULAR VERBS

30. SUM, *BE*

Principal Parts: sum, esse, fui, futūrus

Indicative

PRESENT		IMPERFECT		FUTURE	
sum	sumus	eram	erāmus	erō	erimus
es	estis	erās	erātis	eris	eritis
est	sunt	erat	erant	erit	erunt

PERFECT		PLUPERFECT		FUTURE PERFECT	
fui	fuimus	fueram	fuerāmus	fuerō	fuerimus
fuisti	fuistis	fuerās	fuerātis	fueris	fueritis
fuit	fuērunt	fuerat	fuerant	fuerit	fuerint

Subjunctive

PRESENT		IMPERFECT		PERFECT	
sim	sīmus	essem	essēmus	fuerim	fuerimus
sis	sītis	essēs	essētis	fueris	fueritis
sit	sint	esset	essent	fuerit	fuerint

fuissem	fuissēmus
fuissēs	fuissētis
fuisset	fuissent

PRESENT IMPERATIVE

es este

	INFINITIVE	PARTICIPLE
Pres.	esse	
Perf.	fuisse	
Fut.	futūrus esse or fore	futūrus

31. POSSUM, *BE ABLE*

PRINCIPAL PARTS: **possum, posse, potuī, ——**

	INDICATIVE		SUBJUNCTIVE	
Pres.	possum	possumus	possim	possīmus
	potes	potestis	possīs	possītis
	potest	possunt	possit	possint
Imp.	poteram		possem	
Fut.	poterō			
Perf.	potuī		potuerim	
Plup.	potueram		potuissem	
Fut. P.	potuerō			

INFINITIVE

Pres. posse *Perf.* potuisse

32. FERŌ, *BEAR, BRING*

PRINCIPAL PARTS: **ferō, ferre, tulī, lātus**

Active Voice *Passive Voice*

INDICATIVE

Pres.	ferō	ferimus		feror	ferimur
	fers	fertis		ferris	feriminī
	fert	ferunt		fertur	feruntur
Imp.	ferēbam			ferēbar	
Fut.	feram			ferar	
Perf.	tulī			lātus sum	
Plup.	tuleram			lātus eram	
Fut. P.	tulerō			lātus erō	

374

Pres.	feram	ferar
Imp.	ferrem	ferrer
Perf.	tulerim	lātus sim
Plup.	tulissem	lātus essem

PRESENT IMPERATIVE

fer   ferte   ferre   ferimini

INFINITIVE

Pres.	ferre	ferri
Perf.	tulisse	lātus esse
Fut.	lātūrus esse	lātum iri

PARTICIPLES

Pres.	ferēns, -entis	*Perf.*	lātus
Fut.	lātūrus	*Fut.*	ferendus

GERUND	SUPINE	
Gen. ferendi, etc.	*Acc.*	lātum
	Abl.	lātū

33. EŌ, *GO*

PRINCIPAL PARTS: **eō, ire, ivi** *or* **ii, itūrus**

INDICATIVE

Pres.	eō	imus
	is	itis
	it	eunt
Imp.	ibam	
Fut.	ibō	
Perf.	ivi or ii	
Plup.	iveram or ieram	
Fut. P.	iverō or ierō	

SUBJUNCTIVE

eam	eāmus
eās	eātis
eat	eant
irem	
iverim or ierim	
ivissem or issem	

PRESENT IMPERATIVE

i   ite

INFINITIVE

Pres.	ire
Perf.	ivisse or isse
Fut.	itūrus esse
Passive Pres.	iri

PARTICIPLES

Pres.	iēns, euntis
Fut.	itūrus
Perf.	itum (impers.)
Fut.	eundus

GERUND

Gen. eundi, etc.

34. FĪŌ, *BE MADE* (Passive of **Faciō**)

PRINCIPAL PARTS: **fīō, fieri, factus sum**

INDICATIVE

Pres.	fīō	fīmus
	fīs	fītis
	fit	fīunt

Imp.	fiēbam
Perf.	factus sum
Plup.	factus eram
Fut. P.	factus erō

SUBJUNCTIVE

	fīam	fīāmus
	fīās	fīātis
	fīat	fīant

fīerem
factus sim
factus essem

PRESENT IMPERATIVE

fī   fīte

PARTICIPLES

Perf.   factus
Fut.   faciendus

INFINITIVE

Pres.	fieri
Perf.	factus esse

GERUND

Gen.   faciendī, etc.

35. VOLŌ, NŌLŌ, MĀLŌ

PRINCIPAL PARTS

volō, velle, voluī, *be willing, wish*
nōlō, nōlle, nōluī, *be unwilling*
mālō, māile, māluī, *prefer*

INDICATIVE

Pres.	volō	nōlō	mālō
	vīs	nōn vīs	māvis
	vult	nōn vult	māvult
	volumus	nōlumus	mālumus
	vultis	nōn vultis	māvultis
	volunt	nōlunt	mālunt
Imp.	volēbam	nōlēbam	mālēbam
Fut.	volam	nōlam	mālam
Perf.	voluī	nōluī	māluī
Plup.	volueram	nōlueram	mālueram
Fut. P.	voluerō	nōluerō	māluerō

SUBJUNCTIVE

Pres.	velim	velimus	nōlim	nōlimus	mālim	mālimus
	velis	velitis	nōlis	nōlitis	mālis	mālitis
	velit	velint	nōlit	nōlint	mālit	mālint

Imp.	vellem	nōllem	māllem
Perf.	voluerim	nōluerim	māluerim
Plup.	voluissem	nōluissem	māluissem

PRESENT IMPERATIVE

—— nōli   nōlite ——

INFINITIVE

Pres.	velle	nōlle	mālle
Perf.	voluisse	nōluisse	māluisse

PARTICIPLE

Pres.   volēns, -entis   nōlēns, -entis ——

36. DEFECTIVE VERBS

1. **Coepī,** *I have begun, I began,* is used only in the perfect system. With a *passive* infinitive the passive of **coepī** is used, as: **Pōns īnstituī coeptus est.** *The bridge began to be built.*

2. **Meminī,** *I remember,* and **ōdī,** *I hate,* are used only in the perfect system, but with the meanings of the present.

37. CONTRACTED FORMS

1. *Perfects* in **-āvī** and **-ēvī** (as well as other tenses in the perfect system) are sometimes contracted, losing **-ve-** before **-r,** and **-vi-** before **-s,** as: **oppugnārunt** for **oppugnāvērunt, cōnsuērat** for **cōnsuēverat.**

2. *Perfects* in **-īvī** may lose **-vi-** before **-s,** as: **audīssem** for **audīvissem.**

SYNTAX

NOUNS

AGREEMENT OF NOUNS

38. Apposition. — An appositive is in the *same case* as the noun it describes.

Ad urbem Rōmam, *To the city (of) Rome.*

AGREEMENT OF ADJECTIVES

39. Adjectives. — An adjective agrees with the noun it describes in *gender, number,* and *case.*

Malus nauta, *a bad sailor.*

377

a. An *attributive* adjective, used with two or more nouns of *different gender*, agrees with the *nearest* noun.

Summa alacritās et studium, *The highest eagerness and zeal.*

b. A *predicate* adjective, used with two or more nouns of different gender, is *plural*, and *masculine* if the nouns denote living beings, *neuter* if they denote things without life.

Et porta et mūrus erant alta. *Both the gate and the wall were high.*

40. Adjectives as Substantives. — Adjectives are often used as substantives:

nostri, *our men.* **sua,** *their possessions.*

41. Partitive Adjectives. — The following adjectives sometimes designate *a part* of that to which they refer: **extrēmus, īnfimus (īmus), medius, prīmus, reliquus, summus.**

Summus mōns, *the top of the mountain;* **prīmā nocte,** *in the first part of the night.*

NOTE. — **Prīnceps, prior, prīmus** sometimes designate *the first* to do something.

Ea prīnceps poenās persolvit. *This was the first to pay the penalty.*

AGREEMENT OF PRONOUNS

The Relative Pronoun

42. Relative Pronoun. — The relative pronoun agrees with its antecedent in *gender, number,* and *person,* but its *case* depends upon its use in its own clause.

Nihil erat quō famem tolerārent. *There was nothing with which to sustain hunger.*

NOTE. — The antecedent of the relative is sometimes omitted.

Quī decimae legiōnis aquilam ferēbat ... (*He*) *who bore the eagle of the tenth legion* ...

43. Connecting Relative. — In Latin a relative pronoun is often used at the beginning of a sentence, where the English idiom requires a connective — *and, but, for, now,* etc. — with a *demonstrative* or *personal* pronoun.

Quā dē causā, *And for this reason.*

44. Relative with Predicate Noun. — The relative often agrees with a predicate noun in its clause instead of with the antecedent.

Rhēnus, quod est flūmen lātum ... *The Rhine, which is a wide river* ...

45. Relative Clause Preceding. — For the sake of emphasis a relative clause sometimes precedes the clause containing the antecedent.

378

Quōrum per finēs ierant, hīs imperāvit... *He commanded those, through whose territory they had gone...*

Reflexive Pronouns

46. Direct Reflexive. — The reflexive pronoun **sē** and its possessive adjective **suus** usually refer to the subject of the clause in which they stand.

Sē suaque dēdidērunt. *They surrendered themselves and their possessions.*

47. Indirect Reflexives. — In a subordinate clause **sē** and **suus** may refer back to the subject of the principal clause.

Dat negōtium Gallīs utī sē certiōrem faciant. *He directs the Gauls to inform him.*

NOTE. — **Sē** and **suus** refer only to the *third person*. The personal pronouns are used as reflexives for the first and second persons.

The Intensive Pronoun

48. Ipse. — The intensive pronoun **ipse**, *self*, *very*, etc., is used to emphasize the word with which it agrees, or as an emphatic pronoun.

> **Ipsī magistrātūs,** *The magistrates themselves.*
> **In ipsīs rīpīs,** *On the very banks.*

NOTE. — **Ipse** is sometimes used as an indirect reflexive.

AGREEMENT OF VERBS

49. General Rule. — A finite verb agrees with its subject in person and number.

> **Helvētiī lēgātōs mittunt.** *The Helvetians send ambassadors.*

50. Two or More Subjects. — *a.* With two or more subjects connected by **et, -que,** or **atque** the verb may be plural, or agree with the nearest subject.

Imperātor et lēgātus commōtī sunt. *The general and the lieutenant were alarmed.*

Fīlia et ūnus ē fīliīs captus est. *The daughter and one of the sons were captured.*

NOTE. — When two or more subjects form a *single idea*, the verb may be singular.

Matrona et Sēquana dīvidit... *The Marne and the Seine separate...*

b. With two or more singular subjects connected by conjunctions meaning *or* or *nor* the verb is in the singular.

Neque imperātor neque lēgātus commōtus est. *Neither the general nor the lieutenant was alarmed.*

379

51. Some verbs are only used impersonally, as **oportet,** *it is necessary.* But many personal verbs may be used impersonally in the passive voice, as: **ventum est,** *they came;* **mīlitibus dēsiliendum erat,** *the soldiers had to leap down.*

CASES OF NOUNS

Nominative

52. Subject. — The subject of a finite verb is in the nominative case.

> **Lēgāti vēnērunt.** *The envoys have come.*

53. Predicate Nominative. — A predicate noun or adjective, describing the subject, is in the nominative.

> **Labiēnus erat lēgātus.** *Labienus was a lieutenant.*

NOTE. — Predicate nouns and adjectives are used with **sum,** *be;* **fīō,** *become;* **videor,** *seem;* and the passive of certain verbs, like **appellō,** *call.*

> **Flūmen appellātur Tamesis.** *The river is called the Thames.*

Vocative

54. Vocative. — The *person* or *thing addressed* is in the vocative. It is usually postpositive.

> **Dēsilite, commīlitōnēs.** *Leap down, comrades.*

Genitive

55. Limiting Genitive. — A noun or pronoun used to limit or modify the meaning of another noun (not denoting the same person or thing) is put in the genitive. This general rule covers the three uses of the genitive with nouns that follow.

56. Possessive Genitive. — The genitive is used to denote *possession.*

> **Finēs Aeduōrum,** *The territory of the Aedui.*

57. Genitive of Description. — The genitive *with a modifying adjective* is used to describe a person or thing.

> **Vir magnae virtūtis,** *A man of great courage.*

NOTE. — The descriptive genitive is often used in expressions of *measure.*

> **Mūrus duodecim pedum,** *A wall of twelve feet* (in height).

58. Genitive of the Whole. — The genitive is used to denote the whole of which a part is taken.

Trēs partēs cōpiārum trādūxērunt. *They led across three quarters of their forces.*

NOTES. — 1. The genitive of the whole is used not only with nouns, but with pronouns and adjectives.

Hōrum omnium fortissimī, *The bravest of all these.*

2. Instead of the genitive of the whole, the ablative with **ex** or **dē** is regularly used with *cardinal numerals* (except **mīlia**), **paucī**, and **quīdam**, as: **decem ex mīlitibus,** *ten of the soldiers.*

59. Genitive with Adjectives. — The genitive is used with adjectives denoting *desire, knowledge, memory, fullness, power, sharing, guilt,* and their opposites.

Reī mīlitāris perītus, *Skilled in warfare.*

Dative

60. Dative of Indirect Object. — The *indirect* object of a verb is put in the dative.

Mīlitibus signum dat. *He gives the signal to the soldiers.*

61. Dative of Indirect Object with Special Verbs. — The following intransitive verbs (generally transitive in English) take the dative of the indirect object in Latin:

**cōnfīdō, crēdō, faveō, ignōscō, imperō,
indulgeō, invideō, licet, noceō, parcō, pāreō,
persuādeō, placeō, resistō, serviō, studeō.**

Eī cīvitātī persuāsit . . . *He persuaded this state . . .*

NOTE. — In the passive these verbs become impersonal and retain the dative.

Eī cīvitātī persuāsum est . . . *This state was persuaded . . .*

62. Dative of Indirect Object with Compounds. — The dative of the indirect object is used with many verbs compounded with the prepositions **ad, ante, circum, con, in, inter, ob, post, prae, prō, sub,** and **super.**

Dumnorix equitātuī praeerat. *Dumnorix was in command of the cavalry.*
Fīnitimīs bellum īnferēbant. *They were making war upon their neighbors.*

63. Dative of Separation. — Verbs of *taking away,* especially those compounded with **ab, dē,** or **ex,** are followed by the dative of words denoting persons.

Mīlitī scūtum dētrāxit. *He snatched a shield from the soldier.*

64. Dative of Purpose. — The dative is used to denote the *purpose* of an action.

Locum castrīs dēlēgit. *He selected a place for a camp.*

381

65. Dative of Reference. — The dative is used to denote the person to whom an act or state *refers* or whom it *concerns*.

Sēsē Caesari ad pedēs prōiēcērunt. *They cast themselves at Caesar's feet.*

The dative of reference is often used in combination with the dative of purpose. This is the construction known as the "double dative."

Praesidiō impedīmentis erant. *They served as a guard to the baggage.*

66. Dative of Agent. — The dative is used with the *passive periphrastic* to denote the *agent*.

Caesari omnia erant agenda. *Everything had to be done by Caesar.*

67. Dative of Possessor. — The dative is used with the verb **sum** to denote the *possessor*.

Gladius mihi est. *I have a sword.*

68. Dative with Adjectives. — Adjectives denoting *likeness*, *nearness*, *fitness*, *friendliness*, and their *opposites*, take the dative.

Proximī sunt Germānīs. *They are nearest to the Germans.*

Accusative

69. Direct Object. — The direct object of a transitive verb is in the accusative.

Lēgātōs misērunt. *They sent envoys.*

70. Two Accusatives. — *a.* Verbs of *asking*, *demanding*, and *teaching* take two accusatives, one of the *person*, and the other of the *thing*.

Caesar Aeduōs frūmentum flagitābat. *Caesar kept demanding corn of the Aedui.*

NOTE. — **Petō** and **postulō** usually take **ab**, and **quaerō, ab, dē,** or **ex,** with the ablative of the person.

b. Verbs of *naming*, *making*, *choosing*, *showing* may take two accusatives of the *same* person or thing.

Caesar Commium rēgem cōnstituit. *Caesar made Commius king.*

c. **Trādūcō** and **trānsportō** may take two accusatives.

Flūmen exercitum trādūxit. *He led his army across the river.*

71. Subject of Infinitive. — The subject of an infinitive is in the accusative.

Turrim cōnstitui vidērunt. *They saw that the tower was built.*

72. Accusative of Duration or Extent. — *Duration of time* and *extent of space* are expressed by the accusative.

Rēgnum multōs annōs obtinuerat. *He had held the throne many years.*
Fossa quindecim pedēs lāta . . . *A trench fifteen feet wide . . .*

73. Accusative with Prepositions. — The following prepositions govern the accusative.

ad, *to*	**ergā**, *toward*	**praeter**, *past*
adversus, *against*	**extrā**, *outside*	**prope**, *near*
ante, *before*	**infrā**, *below*	**propter**, *on account of*
apud, *at, among*	**inter**, *between*	**secundum**, *after*
circiter, *about*	**intrā**, *within*	**super**, *over*
circum, *around*	**iūxtā**, *near*	**suprā**, *above*
cis, *this side of*	**ob**, *on account of*	**trāns**, *across*
citrā, *this side of*	**per**, *through*	**ultrā**, *beyond*
contrā, *against*	**post**, *after*	**versus**, *toward*

NOTE. — Two prepositions, **in**, *in* or *into*, and **sub**, *under*, govern the *accusative* to denote *motion whither*, but the ablative to denote *place where*.

In silvam, *Into the forest.* In silvā, *In the forest.*

74. Accusative of Place to Which. — Place to which is expressed by the accusative with **ad** or **in**. *Names of towns* and **domum** regularly omit the preposition. When used, the preposition means *to the vicinity of.*

In Italiam, *To Italy.* Rōmam, *To Rome.* Ad Genāvam, *To the vicinity of Geneva.*

Ablative

The ablative is used to express three different relations:

(1) From   (2) With   (3) Where

75. Ablative of Separation. — The ablative with the prepositions **ab, dē**, or **ex** is used to denote *separation*. Certain verbs, as **abstineō, careō, dēiciō, dēsistō, excēdō**, and **līberō**, omit the preposition. With *persons* a preposition is regularly used.

Hic locus ā castris Caesaris aberat. *This place was distant from Caesar's camp.*

Labiēnus proeliō abstinēbat. *Labienus was refraining from battle.*

Gallōs ab Aquitānis Garumna dividit. *The Garonne separates the Gauls from the Aquitanians.*

76. Ablative of Place from Which. — *Place from which* is expressed by the ablative with **ab, dē**, or **ex**.

Ex oppidō ēgreditur. *He sets forth from the town.*

Note. — Names of towns and **domō** regularly omit the preposition. When used, the preposition means *from the vicinity of.*

Rōmā, *From Rome.* Ab Ocelō, *From the vicinity of Ocelum.*

77. Ablative of Source. — The ablative, with or without **ab, dē**, or **ex**, is used to denote *source* or *origin*.

Amplissimō genere nātus est. *He was born of a most distinguished family.*

383

78. Ablative of Agent. — The *personal agent* with passive verbs is expressed by the ablative with **ab.**

Oppidum ā Caesare expugnātum est. *The town was taken by Caesar.*

79. Ablative of Means. — The *means* or *instrument* is expressed by the ablative without a preposition.

Pilō vulnerātus est. *He was wounded by a javelin.*

80. Ablative with Deponents. — The ablative is used with **ūtor, fruor, fungor, potior, vescor,** and their compounds.

Castris nostri potiti sunt. *Our men got possession of the camp.*

81. Ablative of Cause. — The ablative without a preposition is used to denote *cause*, chiefly with verbs of *emotion*.

Suā victōriā glōriantur. *They boast on account of their victory.*

82. Ablative of Manner. — The ablative with **cum** is used to express the *manner* of an action. When there is a modifying adjective, **cum** *may* be omitted.

Cum cruciātū necāti sunt. *They were put to death with torture.*
Incrēdibili celeritāte dēcucurrērunt. *They ran down with wonderful swiftness.*

NOTE. — The ablative may express that *in accordance with* which something is done.

Īnstitūtō suō, *In accordance with his custom.*

83. Ablative of Accompaniment. — The ablative with **cum** is used to denote *accompaniment.* **Cum** is sometimes omitted in *military expressions* containing a modifying adjective (other than a numeral).

Cum his lēgātis vēnit. *He came with these ambassadors.*
Subsequēbātur omnibus cōpiis. *He followed with all his forces.*

84. Ablative of Description. — The ablative *with a modifying adjective* is used to describe a person or thing. For *physical qualities* the ablative is regularly used.

Hominēs inimicō animō, *Men of unfriendly disposition.*

85. Ablative of Specification. — The ablative without a preposition is used to specify *in what respect* a statement is true.

Virtūte praecēdunt. *They excel in courage.*

NOTE. — The ablative of specification is used with the adjectives **dignus** and **indignus.**

Nihil ipsis indignum, *Nothing unworthy of themselves.*

86. Ablative of Comparison. — After a *comparative* the ablative may be used instead of **quam,** *than* (but *only* when the first of the things compared is in the *nominative* or *accusative*).

384

Ei sunt hūmāniōrēs $\begin{cases} \text{cēteris.} \\ \text{quam cēteri.} \end{cases}$ *These are more civilized than the rest.*

NOTE. — Occasionally the comparative adverbs **amplius, longius, plūs,** and **minus** do not affect the construction of the noun following.

Spatium nōn amplius pedum sescentōrum . . . *A space of not more than six hundred feet . . .*

87. Ablative of Degree of Difference. — The *measure* or *degree of difference* is expressed by the ablative without a preposition.

Paulō longius (lit., *further by a little*), *a little further.*

88. Ablative of Time. — *Time when* or *within which* is expressed by the ablative without a preposition.

Diē tertiō, *On the third day.* **Paucis annis,** *Within a few years.*

89. Ablative Absolute. — An ablative noun or pronoun with a participle, grammatically independent of the rest of the sentence, may be used to define the *time* or *circumstances* of an action.

Signō datō, mīlitēs impetum fēcērunt. *When the signal was given, the soldiers charged.*

90. Ablative with Prepositions. — The following prepositions govern the ablative:

ā, ab, or **abs,** *from, by*	**dē,** *from, concerning*	**prae,** *before*
cum, *with*	**ē** or **ex,** *from, out of*	**prō,** *in front of, for*
		sine, *without*

NOTES. — 1. **Cum,** when used with the personal and reflexive pronouns, becomes an enclitic; usually also with the relative and interrogative pronouns: **nōbīscum,** *with us;* **sēcum,** *with himself;* **quibuscum,** *with whom.*

2. Two prepositions **in,** *in, into,* and **sub,** *under,* govern the ablative to denote *place where,* but the accusative to denote *motion whither.*

Sub aquā, *Under the water.* **Sub iugum mittere,** *To send under the yoke.*

91. Ablative of Place Where. — *Place where* is regularly expressed by the ablative with **in,** *in, on.* The preposition is often omitted with certain words, as **locō, locīs, parte, partibus,** when they are modified by an adjective or a genitive. (*Names of towns* and **domus** are put in the locative. See below).

In eōrum finibus, *In their territory.* **Aliēnō locō,** *In an unfavorable place.*

Locative

92. With *names of towns* and **domus,** place where is expressed by the *locative case.* This in the *singular* of the *first* and *second* declension is like the genitive; elsewhere it is like the ablative. (The locative of **domus** is **domī,** *at home.*)

Rōmae, *At Rome.* **Athēnis,** *At Athens.* **Bibracte,** *At Bibracte.*

VERBS

TENSES OF THE INDICATIVE

93. Present. — The present tense represents an act as *going on now*, or states something that *applies to all time*.

Parat — *He prepares; he is preparing; he does prepare.*

94. Historical Present. — In narration the present tense is often used instead of a past tense for the sake of greater vividness.

Cōnsidius ad eum accurrit, dicit ... *Considius rushed up to him and said ...*

Notes. — 1. When the historical present is vivid enough to be felt as a *real present*, it is followed by a *principal* tense; when it is felt as *past*, it is followed by a *historical* tense.

Fīnitimīs persuādent, utī proficīscantur. *They persuaded the neighbors to set out.*
Casticō persuādet, ut rēgnum ocupāret. *He persuaded Casticus to seize royal power.*

2. **Dum,** meaning *while*, takes the historical present.

Dum morātur, lēgātī vēnērunt. *While he was delaying, envoys came.*

95. Imperfect. — The imperfect denotes *continued* or *repeated* action in past time.

Parābat — *He was preparing; he kept preparing.*

96. Future. — The future denotes action in the future.

Parābit — *He will prepare.*

97. Perfect. — The perfect represents an act: (1) as completed *in the past;* (2) as completed *at the time of speaking.*

Parāvit — (1) *He prepared.* (2) *He has prepared.*

98. Pluperfect. — The pluperfect denotes an act completed in the past before another was begun.

Parāverat — *He had prepared.*

99. Future Perfect. — The future perfect represents an action as completed in the future.

Parāverit — *He will have prepared.*

INDICATIVE MOOD

100. The indicative mood is used to express *a fact*.

Germānī Rhēnum trānsiērunt. *The Germans crossed the Rhine.*

101. Temporal Clauses. — Clauses introduced by **postquam,** *after*, **ut** and **ubi,** *when*, **cum prīmum, simul,** and **simul atque,** *as soon as*, take the indicative, usually in the *perfect tense*.

386

Postquam Caesar pervēnit, obsidēs poposcit. *After Caesar had arrived, he demanded hostages.*

102. Adversative Clauses. — Clauses introduced by **quamquam** and **etsī,** *although,* take the indicative.

Etsī castra erant exigua, haec contrāxit. *Although the camp was small, he contracted it.*

SUBJUNCTIVE MOOD

Independent Sentences

103. Hortatory Subjunctive. The hortatory subjunctive represents an idea as willed. The present subjunctive is used in Latin; the negative is **nē.**

Fortēs sīmus. *Let us be brave.* **Nē ignāvī sint.** *Let them not be cowards.*

Subordinate Clauses

104. Purpose Clauses. — Purpose clauses introduced by **ut** (negative **nē**) take the subjunctive.

Veniunt ut pācem faciant. *They are coming to make peace.*
Abiit, nē id accideret. *He went away, that this might not happen.*

105. Relative Purpose Clauses. — A purpose clause may be introduced by a relative pronoun or adverb.

Lēgātōs misērunt, quī dīcerent... *They sent envoys to say...*

106. Purpose Clauses with Quō. — Purpose clauses *containing a comparative* are introduced by **quō** instead of **ut.**

Castra mūnivērunt, quō facilius hostium impetūs sustinērent. *They fortified the camp in order to withstand the enemy's attacks more easily.*

107. Substantive Purpose Clauses. — Verbs meaning to *warn, persuade, request, urge,* and *command* are followed by an object clause with **ut** or **nē** and the subjunctive.

Cīvibus persuāsit ut exīrent. *He persuaded the citizens to go out.*
Lēgātō imperat nē id faciat. *He commands the lieutenant not to do this.*

NOTE. — **Iubeō,** *order,* **vetō,** *forbid,* and **cupiō,** *desire* take the infinitive with subject accusative.

Equitēs proficīscī iussit. *He ordered the cavalry to set out.*

108. Substantive Clauses with Verbs of Fearing. — Verbs and expressions of *fearing* are followed by the subjunctive introduced by **nē,** *that, lest,* or **ut,** *that not.*

Verēbatur nē Diviciāci animum offenderet. *He feared that he might hurt the feelings of Diviciacus.*

387

109. Substantive Clauses with Verbs of Hindering. — Verbs of *hindering* or *preventing* are followed by the subjunctive introduced by **nē** or **quōminus** if the main verb is *affirmative*, and **quīn** or **quōminus** if the main verb is *negative*.

Eōs dēterrēbat nē frūmentum cōnferrent. *He was deterring them from collecting grain.*

Retinērī nōn poterant quīn tēla conicerent. *They could not be restrained from hurling darts.*

NOTE. — **Prohibeō**, *prevent*, regularly takes the infinitive.

Germānōs trānsīre prohibēbant. *They were preventing the Germans from crossing.*

110. Result Clauses. — Clauses of result introduced by **ut** (negative **ut nōn**) take the subjunctive. The main clause often contains **tantus, tam, ita, adeō,** or a similar word.

Tanta erat caedēs ut perpaucī effugerent. *So great was the slaughter that very few escaped.*

Vulneribus cōnfectus est ut iam sē sustinēre nōn posset. *He was exhausted by wounds so that he could no longer hold himself up.*

111. Substantive Clauses of Result. — Substantive result clauses (introduced by **ut** or **ut nōn**) with the subjunctive are used as the subject or object of verbs meaning *to happen* or *to cause* or *effect*.

Accidit ut esset lūna plēna. *It happened that it was full moon.*

Efficiunt ut equī sint summī labōris. *They render the horses capable of the highest exertion.*

NOTE. — *Negative* verbs and expressions of doubt and uncertainty are followed by **quīn** with the subjunctive.

Nōn dubium est quīn plūrimum possint. *There is no doubt that they are the most powerful.*

112. Descriptive Relative Clauses. — A relative clause with the subjunctive may be used to *describe* an indefinite antecedent.

These clauses of *description* or *characteristic* are used especially after such expressions as **est quī, sunt quī, ūnus quī, sōlus quī, nēmō est quī.**

Erant duo itinera, quibus exīre possent. *There were two routes by which they could go out.*

113. *Cum* Circumstantial Clauses. — *In* narration, **cum,** meaning *when,* is used with the imperfect or pluperfect subjunctive to describe the circumstances under which the action took place.

Cum in fugā traherētur, in ipsum Caesarem incidit. *While he was being dragged along in flight, he happened upon Caesar himself.*

Cum pervēnisset, ea cognōvit. *When he had arrived, he ascertained these facts.*

388

NOTE. — If the **cum** clause is used merely to denote *the point of time* at which the action occurred, the verb is in the indicative.

Cum Caesar vēnit, prīncipēs erant Aeduī. *At the time when Caesar came, the Aedui were leaders.*

114. *Cum* Causal. — Cum, meaning *since*, takes the subjunctive.

Hīs cum persuādēre nōn possent, lēgātōs ad Dumnorigem mīsērunt. *Since they could not persuade these, they sent envoys to Dumnorix.*

115. Adversative Clauses with Subjunctive. — An adversative clause introduced by **cum, ut,** or **quamvīs,** *although,* takes the subjunctive.

Cum prīmī ōrdinēs concidissent, tamen reliquī resistēbant. *Although the first ranks had fallen, still the rest kept resisting.*

116. Clauses of Anticipation. — Temporal clauses introduced by **dum,** *until,* and **antequam** or **priusquam,** *before,* take the subjunctive to denote something as *anticipated.* To express an *actual fact* they take the indicative.

Priusquam sē hostēs ex terrōre reciperent, in fīnēs Suessiōnum exercitum dūxit. *Before the enemy could recover from fright, he led his army into the territory of the Suessiones.*

Neque prius fugere dēstitērunt quam ad flūmen Rhēnum pervēnērunt. *They did not cease fleeing before they came to the river Rhine.*

117. Indirect Questions. — *Interrogative* clauses used as the object of verbs of *inquiring, knowing, telling* take the subjunctive.

Eī ostendit unde vēnisset et quis esset. *He showed him whence he had come and who he was.*

118. Subordinate Clauses in Indirect Discourse. — Verbs of *saying, thinking, knowing,* and *perceiving* (which are followed by the accusative and infinitive in the main clause of the indirect discourse), take the subjunctive in all *subordinate clauses* of the indirect discourse.

Dīxit Germānōs, quī trāns Rhēnum incolerent, inter sē obsidēs dare. *He said that the Germans, who dwelt across the Rhine, were exchanging hostages.*

NOTES. — 1. **Implied Indirect Discourse.** Even when there is no verb of saying or thinking in the main clause, the subjunctive is used in clauses in which indirect discourse is *implied.*

Caesar Aeduōs frūmentum, quod essent pollicitī, flāgitābat. *Caesar demanded of the Aedui the grain which* (as he reminded them) *they had promised.*

2. **Commands** in direct discourse become subjunctive in indirect discourse.

Scrībit Labiēnō, cum legiōne veniat. *He writes Labienus to come with the legion.*

119. *Quod* Causal Clauses. — Causal clauses, introduced by **quod** or **quoniam,** *because, since,* (*a*) take the indicative when they give the *writer's* or *speaker's reason*, (*b*) take the *subjunctive* to suggest that it is the reason of *some other person*.

(*a*) **Fortissimī sunt proptereā quod longissimē absunt.** *They are the bravest, because they are farthest away.*

(*b*) **Aeduī querēbantur, quod Harūdēs eōrum fīnēs populārentur.** *The Aedui complained, because the Harudes were devastating their borders.*

120. Conditional Sentences.

INDICATIVE

Simple Conditions

1. *Present.* — **Sī cēdit, ignāvus est.** *If he yields, he is a coward.*
2. *Past.* — **Sī cessit, ignāvus fuit.** *If he yielded, he was a coward.*
3. *Future.* — **Sī cēdet (cesserit), ignāvus erit.** *If he yields* (lit., *shall yield* or *shall have yielded*), *he will be a coward.*

SUBJUNCTIVE

Less Vivid Future Conditions

4. **Sī cēdat, ignāvus sit.** *If he should yield, he would be a coward.*

Contrary to Fact Conditions

5. *Present.* — **Sī cēderet, ignāvus esset.** *If he were yielding, he would be a coward.*
6. *Past.* — **Sī cessisset, ignāvus fuisset.** *If he had yielded, he would have been a coward.*

IMPERATIVE MOOD

121. The imperative is used to express a command.

> **Dēsilite.** *Leap down.* **Nōlite dēsilire.** *Do not leap down.*

NOTE. — Four verbs drop final -e in the imperative singular: **dīc, dūc, fac, fer.**

INFINITIVE MOOD

122. Infinitive as Subject. — As the infinitive is a verbal noun, it may be used as the subject of a verb.

> **Vidēre est crēdere.** *To see is to believe.*

123. Infinitive as Object. — The infinitive is often used as the object of a verb. When it *completes* the meaning of a verb, it is called the *complementary infinitive.*

> **Cōpiās parāre coepērunt.** *They began to prepare forces.*
> **Exīre potuērunt.** *They were able to go out.*

390

124. Infinitive Phrase as Subject or Object. — The infinitive with a subject accusative may be used as the subject or object of a verb.

Oppida incendi oportēbat. *It was necessary that the towns be burned.*
Iubet arma trādi. *He ordered the arms to be handed over.*

125. Infinitive in Indirect Discourse. — After verbs of *saying, thinking, knowing,* and *perceiving,* the *main clause* in the indirect discourse has the infinitive with its subject in the accusative.

Nūntiāvit equitēs pulsōs esse. *He reported that the cavalry had been routed.*

PARTICIPLES

126. A participle is a verbal adjective; as a *verb* it may be followed by an object; as an *adjective* it must agree with its noun in gender, number, and case.

127. Present Participle. — The present participle is used to denote the *same* time as the principal verb.

Cotta pugnāns occiditur. *Cotta is killed (while) fighting.*

128. Perfect Participle. — The perfect participle is used to denote time *before* that of the principal verb.

Caesar, adductus eōrum precibus, bellum suscēpit. *Influenced by their entreaties, Caesar undertook the war.*

129. Future Active Participle. — The future participle is used to denote time *after* that of the principal verb.

Moritūrī, tē salūtāmus. *We (who are) about to die, salute you.*

NOTE. — The future participle is chiefly used in the active periphrastic conjugation.

130. Future Passive Participle (Gerundive). — The future passive participle has two distinct uses:

(1) With the verb **sum** in the passive periphrastic conjugation. When thus used with any part of the verb **sum** — expressed or understood — it is translated *necessary to be, ought to be, must be.*

Signum tubā dandum erat. *The signal had to be given with the trumpet.*

(2) As a gerundive (expressing the leading idea of a phrase) in agreement with a noun, in the sense of *-ing.*

Cōnsilium cēpērunt legiōnis opprimendae. *They formed the plan of crushing the legion.*

NOTE. — Gerundive phrases introduced by **ad** with the accusative, or by **causā** (or **grātiā**) and the genitive, are used to express *purpose.*

Ad eās rēs cōnficiendās, *For the purpose of accomplishing these things.*
Bellī īnferendī causā, *For the sake of making war.*

391

GERUND

131. The gerund is a *verbal noun* of the second declension, used only in the singular. It lacks the nominative case, which is supplied by the infinitive. It may take a direct object, but as a rule it does so only in the genitive or ablative (without a preposition).

Spēs capiendi urbem, *Hope of taking the city.*

SUPINE

132. The supine is a *verbal noun* of the fourth declension, used only in the accusative and ablative.

a. The accusative of the supine is used with verbs of motion to express *purpose.*

Lēgātōs misērunt rogātum auxilium. *They sent envoys to ask assistance.*

b. The ablative of the supine is used with a few adjectives.

Perfacile factū est. *It is very easy to do.*

392

Latin–English Vocabulary

Direct and indirect derivatives from the Latin (as well as cognate words), which are also definitions, are printed in SMALL CAPITALS. Derivatives and cognates which are not definitions are printed in parentheses in SMALL CAPITALS.

ABBREVIATIONS

abl.	= *ablative.*	imper.	= *imperative.*	p., pp.	= *page, pages.*
abs.	= *absolute.*	impers.	= *impersonal.*	part.	= *participle.*
acc.	= *accusative.*	impf.	= *imperfect.*	pass.	= *passive.*
adj.	= *adjective.*	incep.	= *inceptive.*	pl.	= *plural.*
adv.	= *adverb*	indecl.	= *indeclinable.*	poss.	= *possessive.*
c.	= *common.*	indic.	= *indicative.*	prep.	= *preposition.*
comp.	= *comparative.*	infin.	= *infinitive.*	pres.	= *present.*
conj.	= *conjunction.*	insep.	= *inseparable.*	pron.	= *pronoun.*
dat.	= *dative.*	inter.	= *interrogative.*	rel.	= *relative.*
decl.	= *declension.*	intens.	= *intensive.*	sc.	= *supply.*
def.	= *defective.*	interj.	= *interjection.*	semidep.	= *semideponent.*
desid.	= *desiderative.*	intr.	= *intransitive.*	sing.	= *singular.*
dim.	= *diminutive.*	lit.	= *literally.*	subst.	= *substantive.*
f.	= *feminine.*	loc.	= *locative.*	sup.	= *superlative.*
freq.	= *frequentative.*	m.	= *masculine.*	trans.	= *transitive.*
fut.	= *future.*	n.	= *neuter.*	voc.	= *vocative.*
gen.	= *genitive.*				

A

A., abbreviation for **Aulus.**

a. d. = ante diem.

ā, ab, abs, prep. with abl., *from, away from, out of; on; by;* of time, *from, since, after.* **ab utrōque latere,** *on both sides.* **ab milibus passuum octō,** *eight miles off.*

abacus, -ī, m., *the* ABACUS, *a counting board.*

ab-dicō, -āre, -āvī, -ātus, *deny, refuse;* **sē abdicāre,** *to resign.* (ABDICATE)

ab-dō, -ere, -didī, -ditus, *put away; conceal, hide.*

ab-dūcō, -ere, -dūxī, -ductus, *lead away, withdraw; take off.* (ABDUCT)

abeō, -īre, -iī (īvī), -itūrus, *go away, depart.*

ab-iciō, -ere, -iēcī, -iectus, [iaciō], *throw away, throw down, throw, cast.* (ABJECT)

abiēs, -ietis, f., *spruce, fir.*

ab-nuō, -ere, -nuī, -nuitus or **-nūtus,** [nuō, *nod*], *refuse, deny.*

abs-cēdō, -ere, -cessī, -cessūrus, *withdraw, depart.*

abs-̓cidō, -ere, -cidī, -cisus, [caedō], *cut off.*

ab-sēns, -sentis, [ab-sum], ABSENT, *in one's* ABSENCE.

ab-similis, -e, *unlike.*

ab-sistō, -ere, -stitī, —, *withdraw;* de-SIST.

abs-tergeō, -ēre, -tersī, -tersus, [tergeō, *wipe*], *wipe off.*

abs-tineō, -ēre, -uī, -tentus, [teneō], *keep back, hold off; keep away, refrain from,* ABSTAIN; *absent oneself.*

abs-tulī, see au-ferō.

ab-sum, -esse, ā-fuī, ā-futūrus, *be absent, be distant; be free from, be exempt from; be wanting.* longē abesse, *to be far away.*

Absyrtus, -ī, m., ABSYRTUS, Medea's brother.

ab-ūtor, -ī, -ūsus, *waste, squander.* (ABUSE)

ac, see atque.

Acastus, -ī, m., ACASTUS, son of Pelias.

Acca, -ae, f., ACCA *Larentia,* wife of Faustulus.

ac-cēdō, -ere, -cessī, -cessūrus, [ad], *go to, draw near, approach, advance; be added; undertake.* (ACCEDE)

ac-celerō, -āre, -āvī, -ātus, [ad + celerō, from celer], *hasten.* (ACCELERATE)

ac-cendō, -ere, -cendī, -cēnsus, [ad], *kindle, set on fire, light.*

ac-ceptus, [ac-cipiō], ACCEPTABLE, *welcome.*

ac-cidō, -ere, -cidī, —, [ad + cadō], *fall, befall, happen, occur, fall to the lot of.* Impers., accidit, *it happens.* (ACCIDENT)

ac-cidō, -ere, -cidī, -cisus, [ad + caedō], *cut into.*

ac-cingō, -ere, -cinxī, -cinctus, *gird on;* pass. *gird oneself.*

ac-cipiō, -ere, -cēpī, -ceptus, [ad + capiō], *take to oneself, receive,* ACCEPT; *learn, listen to.*

ac-clivis, -e, [ad + clivus], *sloping upwards, rising, uphill.*

ac-clivitās, -ātis, f., [ac-clivis], *slope, ascent.* (ACCLIVITY)

ac-commodō, -āre, -āvī, -ātus, [ad + commodus, *fit*], *fit to, put on, adjust;* ACCOMMODATE *to.*

ac-cumbō, -ere, -cubuī, -cubitus, [ad + cumbō, *lie*], *recline* (at the table).

ac-cūrātē, [ad + cūra], adv., *carefully.* (ACCURATE)

ac-currō, -ere, -currī, -cursūrus, *run to, come up.*

ācer, ācris, ācre, *sharp; bitter; eager, keen, fierce, vigorous.* (ACRID)

ācerrimē, [sup. of ācriter], adv., *most fiercely.*

aciēs, -ēī, f., *edge; line of battle, battle.*

ācriter, [ācer], adv., *sharply, fiercely.*

āctiō, -ōnis, f., [agō], *act,* ACTION.

āctus, see agō.

acūtus, -a, -um, [acuō, *sharpen*], *sharpened, sharp; pointed.* (ACUTE)

ad, prep. w. acc., *to; toward, up to;* of place, *at, nearby, in the presence of, among, on;* of time, *up to, until;* of purpose, especially with the gerundive constr., *in order to, for the purpose of;* of other relations, *with regard to, according to, as to, in;* with words of number, *about.* ad multam noctem, *till late at night.*

ad-aequō, -āre, -āvī, -ātus, *equal.* adaequāre cursum, *to keep up with.* (ADEQUATE)

ad-dō, -ere, -didī, -ditus, ADD.

ad-dūcō, -ere, -dūxī, -ductus, *lead to, bring to; draw, haul taut; induce, influence.* (ADDUCE)

ad-ēmptus, see ad-imō.

ad-eō, -īre, -īvī or -iī, -itus, *go to, approach, reach, visit.*

ad-eō, adv., *so, so much, to such a degree; even, indeed.*

ad-ferō, ad-ferre, attulī, allātus, *bring up, report.*

ad-haerēscō, -ere, -haesī —, [incep. of haereō], *cling to.* (ADHESIVE)

394

Adherbal, -is, m., ADHERBAL, a Numidian prince.

ad-hibeō, -ēre, -uī, -itus, [habeō], *apply; bring forward, offer, summon, admit; use; invite* to a dinner.

ad-hortātiō, -ōnis, f., [hortor], *ex-*HORTATION, *encouragement.*

ad-hortor, -ārī, -ātus, *encourage; rally.*

ad-hūc, adv., *heretofore, hitherto, as yet, still.*

ad-iaceō, -ēre, -uī, —, *lie near, be* ADJACENT.

ad-iciō, -ere, -iēcī, -iectus, [iaciō], *throw; pile up; add, join to.*

ad-igō, -ere, -ēgī, -āctus, [agō], *drive* (*to*), *push up* (*to*); *move up; cast, hurl.*

ad-imō, -ere, -ēmī, -ēmptus, [emō], *take to oneself, take away; cut off.*

ad-ipiscor, -ī, -eptus, [apiscor, *reach*], *arrive at; gain, secure, obtain, win.* (ADEPT)

ad-itus, -ūs, m., [eō], *approach, access, entrance; way of approach.*

ad-iungō, -ere, -iūnxī, -iūnctus, *join to, attach; add to; win over.* (ADJUNCT)

ad-iūtor, -ōris, m., [ad-iuvō], *helper; advocate.* (ADJUTANT)

ad-iuvō, -āre, -iūvī, -iūtus, *help, aid, assist, support; render assistance, be of assistance.*

ad-ligō, -āre, -āvī, -ātus, *bind to, fasten to.*

ad-minister, -trī, m., *assistant; officiating priest,* MINISTER.

ad-ministrō, -āre, -āvī, -ātus, *render assistance; manage,* ADMINISTER; *arrange for;* of orders, *carry out.*

ad-mirātiō, -ōnis, f., [mīror], *wonder, surprise;* ADMIRATION.

ad-miror, -ārī, -ātus, *wonder at;* ADMIRE.

ad-mittō, -ere, -mīsī, -missus, *let go;* ADMIT, *receive; be guilty of,* COMMIT. **equō admissō,** *with his horse at full speed.*

ad-modum, adv., (to the limit); *quite, very, exceedingly; fully, at least.*

ad-moneō, -ēre, -uī, -itus, *remind,* ADMONISH, *warn.*

ad-monitus, -ūs, m., [ad-moneō], *advice,* ADMONITION.

ad-moveō, -ēre, -mōvī, -mōtus, MOVE *to, apply; bring near.*

ad-oleō, -ēre, -uī, -ultus, *increase, magnify.*

ad-olēscō, -ere, -olēvī, -ultus, [olēscō, *grow*], *grow up.* (ADOLESCENT)

ad-operiō, -īre, -eruī, -ertus, *cover over, cover.*

ad-orior, -īrī, -ortus, *rise against, fall upon, assail, attack.*

ad-ōrō, -āre, -āvī, -ātus, *honor, worship,* ADORE.

adspergō, -inis, f., *sprinkling, spray.*

adspiciō, -ere, -exī, -ectus, *look at, catch sight of, behold.*

ad-stō, -āre, -stitī, —, STAND *near* or *by.*

ad-sum, -esse, -fuī, —, *be at hand, come, be present; help; take part in.*

ad-surgō, -ere, -surrēxī, -surrēctus, [sub + regō], *rise, stand up.*

Aduatucī, -ōrum, m., *the* ADUATUCI, a warlike people on the left bank of the Meuse.

ad-ulēscēns, -entis, [adolēscō, *grow*], *young.* As noun, C., *a youth, young man.* (ADOLESCENT)

ad-ulēscentia, -ae, f., [ad-ulēscēns], *youth.* (ADOLESCENCE)

adulēscentulus, -ī, m., [dim. of adulēscēns], *very young man, youth.*

ad-ūrō, -ere, -ussī, -ustus, *scorch, singe.*

ad-veniō, -īre, -vēnī, -ventus, *come to, arrive.*

ad-ventus, -ūs, m., [ad-veniō], *coming, arrival.* (ADVENT)

ad-versārius, -a, -um, [versor], *opposed.* As noun, **ad-versārius, -ī,** m., *enemy,* ADVERSARY.

adversum, see **adversus,** prep.

ad-versus, -a, -um, [vertō], *turned towards, facing, in front, face to face, opposite;* ADVERSE, *unfavorable, un-*

successful. **adversō colle,** *up the hill.* **in adversum ōs,** *full in the face.*

ad-versus and **ad-versum,** [ad-vertō], prep. with acc., *opposite to, against.*

ad-vertō, -ere, -verti, -versus, *turn to, direct, turn.* (ADVERT)

ad-vocō, -āre, -āvi, -ātus, *call, summon.* (ADVOCATE)

ad-volō, -āre, -āvi, -ātus, *fly to; dash up to.*

aedēs, see **aedis.**

aedi-ficium, -i, n., [aedi-ficō], *building, house.* (EDIFICE)

aedi-ficō, -āre, -āvi, -ātus, [aedis + faciō], *build, construct.*

aedilicius, -a, -um, [aedilis], *of* AEDILE *rank.* As noun, **aedilicius, -i,** m., *ex*-AEDILE.

aedilis, -is, m., [aedis], AEDILE, *commissioner of buildings, trade, health, and games.*

aedis or **aedēs, -is,** f., *building; temple;* pl., *house, dwelling.*

Aeduus, -a, -um, AEDUAN. As noun, **Aeduus, -i,** m., *an* AEDUAN; pl., AEDUANS, *the* AEDUI, *a powerful Gallic people, in alliance with the Romans before Caesar's arrival in Gaul.*

Aeētēs, -ae, (acc., **Aeētem**), m., AE-ETES, *king of Colchis.*

aeger, -gra, -grum, *sick.* As noun, **aegri, -ōrum,** m., *the sick.*

aegerrimē, sup. of **aegrē.**

Aegina, -ae, f., AEGINA, *an island and city in the Saronic Gulf, south of Athens.*

aegrē, [aeger], adv., *with difficulty, hardly, scarcely; reluctantly.* **aegrē ferre,** *to dislike, to be annoyed at.*

Aemilius, -i, m., (1) *L.* AEMILIUS *Paulus,* who fell in the battle of Cannae, 216 B.C. (2) *L.* AEMILIUS *Paulus,* who defeated Perseus, king of Macedon, at Pydna. (3) *Lucius* AEMILIUS, a decurion of a squad of Gallic cavalry.

aemulātiō, -ōnis, f., [aemulor, *rival*], *rivalry,* EMULATION.

Aenēās, -ae, m., AENEAS, a Trojan hero.

aēneus, -a, -um, [aes], *of copper, of bronze, bronze.*

aequālis, -e, [aequus], EQUAL.

aequāliter, [aequālis], adv., *evenly, uniformly.*

Aequi, -ōrum, m., *the* AEQUIANS, a people dwelling to the east of Rome.

aequi-noctium, -i, n., [aequus + nox], *the* EQUINOX.

aequitās, -ātis, f., [aequus], *justice,* EQUITY, *fairness.* **animi aequitās,** *calmness,* EQUANIMITY; *contentment.*

aequō, -āre, -āvi, -ātus, [aequus], EQUALIZE, *make* EQUAL.

aequor, -oris, n., *sea.*

aequoreus, -a, -um, *of the sea.*

aequus, -a, -um, *level, even; fair, just, equitable; like,* EQUAL; *favorable.* **aequō animō,** *with* EQUANIMITY, *calmly.*

āēr, āeris, (acc., **aera**), m., AIR.

aes, aeris, n., *copper; bronze; bell; money.* **aes aliēnum,** *debt* (another's money).

Aesōn, -ōnis, m., AESON, a prince of Thessaly.

aestās, -ātis, f., *summer.*

aestimātiō, -ōnis, f., [aestimō], *valuation.* (ESTIMATION)

aestimō, -āre, -āvi, -ātus, [aes], ESTIMATE, *value.*

aestuārium, -i, n., [aestus], *tidal marsh, marsh.* (ESTUARY)

aestuō, -āre, -āvi, -ātus, *boil, seethe, roll in waves.*

aestus, -ūs, m., *heat; tide.*

aetās, -ātis, f., *age, time of life; time.* **primā aetāte,** *from early youth.*

aeternus, -a, -um, [aevi-ternus from aevum, *age*], *everlasting, perpetual;* ETERNAL.

aethēr, -eris, m., *upper air.*

af-ferō, -ferre, at-tuli, al-lātus, [ad], *bring to* or *near, bring; cause; present; allege, assign.* **vim afferre,** *offer violence, do violence.*

af-ficiō, -ere, -fēci, -fectus, [ad + faciō], *do something to*, AFFECT, *treat; visit with, trouble, afflict, weaken.*

af-figō, -ere, -fixi, -fixus, [ad], *fasten to.* (AFFIX)

af-finis, -is, [ad], c., *relation* (by marriage). (AFFINITY)

af-flictō, -āre, -āvī, -ātus, [intens. of af-fligō], *shatter, damage, wreck.*

af-fligō, -ere, -flixi, -flictus, *dash at; throw down; overthrow;* AFFLICT, *damage, shatter.*

af-fore = af-futūrus esse, fut. infin. of ad-sum.

Āfrānius, -ī, m., *L.* AFRANIUS, one of Pompey's officers.

Āfrica, -ae, f., AFRICA; the Roman province of AFRICA.

Āfricānus, -a, -um, [Āfrica], AFRICAN. As noun, m., surname of *Scipio*, the conqueror of Hannibal in AFRICA, 202 B.C., and also of *Scipio Aemilianus*, who destroyed Carthage in 146 B.C.

Āfricus, -a, -um [Āfrica], AFRICAN; as noun, Āfricus, -ī, (sc. ventus), m., *the southwest wind.*

ā-futūrus, fut. part. of ab-sum.

ager, agri, m., *land* under cultivation; *field, territory;* pl., *lands, country, the country.* agri cultūra, *farming,* AGRICULTURE.

ag-ger, -geris, m., [ad + gerō], *rampart,* AGGER; *material for an embankment* (earth, timber).

ag-gredior, -ī, -gressus, [ad + gradior, *step*], *approach; attack, fall upon; attempt, undertake, begin.* (AGGRESSIVE)

ag-gregō, -āre, -āvī, -ātus, [ad + gregō, from grex, *herd*], *collect; join.* (AGGREGATE)

agmen, -inis, n., [agō], *army on the march, marching column; line of march; line, procession.* agmen claudere, *to bring up the rear.* novissimum agmen, *the rear guard.* primum agmen, *the vanguard.*

ag-nōscō, -ere, nōvi, -nitus, [ad], *recognize, acknowledge.*

agō, -ere, ēgi, āctus, *set in motion, drive, lead, conduct, guide; incite, urge; pursue; drive off* as plunder, *rob; do,* ACT, *perform; carry on, accomplish; confer, plead with;* of time, *spend, pass; have.* conventūs agere, *to hold court.* grātiās agere, *to thank.* Of sheds, towers, testudoes, *to bring up.*

agri-cola, -ae, m., [ager + colō], *farmer.*

Agrigentum, -ī, n., AGRIGENTUM, a city on the south coast of Sicily.

Agrippa, -ae, m., *Menenius* AGRIPPA, who persuaded the plebs to return to Rome.

aiō, ais, ait, aiunt, impf. aiēbam, def., *say.*

āla, -ae, f., *wing; squadron* (of cavalry).

alacer, -cris, -cre, *eager, spirited.*

alacritās, -ātis, f., [alacer], *eagerness, ardor,* ALACRITY.

ālārius, -a, -um, [āla], *of the wing.* As noun, ālāriī, -ōrum, m., *auxiliary troops,* posted on the *wings* of the army.

Alba Longa, -ae, f., [albus], ALBA LONGA ('the long white city'), a town in Latium.

Albānus, -a, -um, *of* ALBA, ALBAN. As noun, Albānī, -ōrum, m., *inhabitants of* ALBA, ALBANS

albus, -a, -um, *white.* (ALBUM)

alcēs, -cis, f., *moose,* European ELK.

ālea, -ae, f., *game of dice; die.*

ālēs, -itis, *winged.* As noun, c., *bird.*

Alesia, -ae, f., ALESIA, chief city in the territory of the Mandubii.

Alexander, -dri, m., *Alexander* III, surnamed *the Great*, king of Macedonia from 336 to 323 B.C.

Algidus, -ī, m., [algeō, *be cold*], *Mt.* ALGIDUS, southeast of Rome.

aliēnus, -a, -um, [alius], *of another, another's; foreign, strange;* ALIEN, *unfavorable.*

aliēnus, -ī, m., [alius], *stranger, foreigner.* (ALIEN)

alimentum, -i, n., *food.*

aliō, (alius), adv., *to another place, elsewhere.*

ali-quam-diū, adv., *for some time.*

ali-quandō, [alius], adv., *at some time or other, at any time, ever, once; at last.*

ali-quantum, -ī, [ali-quantus, *somewhat*], n., *a little, something, considerable.*

ali-quī, ali-qua, ali-quod, pron., adj., *some, any, some other.*

ali-quis, ali-quid, [alius], indef. pron., *someone, anyone, anybody;* pl., *some, any.* Neut., **aliquid,** *something, anything.*

ali-quot, [alius], indecl., *some, several.* (ALIQUOT)

ali-ter, [alius], adv., *in any other way, otherwise, differently.* **aliter ac,** *otherwise than.*

alius, -a, -ud, gen. **alīus,** *another, other, different, else.* **alius ... alius,** *one . . . another, the one . . . the other;* pl., **aliī ... aliī,** *some ... other;* often as pronoun, **alius,** *another,* **aliī,** *others.* **longē alius atque,** *very different from.*

al-lātus, see **af-ferō.**

Allia, -ae, f., *the* ALLIA, a tributary of the Tiber.

Allobrogēs, -um, m., *the* ALLOBROGIANS, a Gallic people in the northeastern part of the Province.

al-loquor, -ī, -locūtus, [ad], *speak to, address.*

alō, -ere, -uī, altus, *nourish, sustain; increase; maintain, keep; raise.*

Alpēs, -ium, f., *the* ALPS.

Alpīnus, -a, -um, [Alpēs], ALPINE.

altē, [altus], adv., *high, on high; far.*

alter, -era, -erum, gen., **alterīus,** *one of two, the other, another; second.* **alter ... alter,** *the one ... the other.* **alterī ... alterī,** *the one party, the one division ... the other.*

alter-uter, -tra, -trum, *either of two.*

altitūdō, -inis, f., [altus], *height,* ALTITUDE; *depth.*

altus, -a, -um, [alō], *high, lofty, tall; deep.* As noun, **altum, -ī,** n., *the deep, the sea.*

alveus, -i, m., *bathing tank.*

amābilis, -e, [amō], *worthy to be loved,* AMIABLE.

amb—, am—, an—, inseparable prefix, *round about, around.*

ambactus, -ī, m., *vassal, dependent.*

ambāgēs, -is, f., *circuit; a long story, details; riddle, mystery.*

Ambarrī, -ōrum, m., *the* AMBARRI, a people on both sides of the Arar (*Saône*), near its junction with the Rhone.

Ambiānī, -ōrum, m., *the* AMBIANI, a small state in Belgic Gaul.

Ambibariī, -ōrum, m., *the* AMBIBARII, a people of northwestern Gaul.

Ambiorix, -īgis, m., AMBIORIX, a chief of the Eburones.

amb-itiō, -ōnis, f., [eō], *a going around; desire for favor,* AMBITION.

Ambivaretī, -ōrum, m., *the* AMBIVARETI, a people in central Gaul, clients of the Aeduans.

ambō, ambae, ambō, *both.*

ambulātōrius, -a, -um, [ambulō, *walk*], *movable.* (AMBULATORY)

ambulō, -āre, -āvī, -ātus, *walk.*

ā-mentia, -ae, f., [ā-mēns], *madness, folly.*

āmentum, -ī, n., *thong, strap* (for hurling a dart).

Americānus, -a, -um, [America], AMERICAN.

amīcitia, -ae, f., [amīcus], *friendship; alliance.*

amictus, -ūs, m., *outer garments, robe.*

amīcus, -a, -um, [amō], *friendly, well-disposed.* (AMICABLE)

amīcus, -ī, m., [amō], *friend, ally.*

ā-mittō, -ere, -mīsī, -missus, *send away; let go, lose.*

amnis, -is, m., *river, stream.*

amō, -āre, -āvī, -ātus, *love, be fond of.* (AMIABLE)

amor, -ōris, m., [amō], *love, affection.*

amphi-theātrum, -i, n., AMPHITHEATER.

amplector, -ecti, -exus, *surround, encircle, embrace.*

ampliō, -āre, -āvi, -ātus, [amplus], *enlarge.* (AMPLI-fy)

amplitūdō, -inis, f., [amplus], *breadth, size; greatness, extent; importance; dignity.*

amplius, [comp. of **amplē**], indecl. noun, adj., and adv., *more, further; besides, more than.*

amplus, -a, -um, *great, large,* AMPLE; *splendid, distinguished.*

Amūlius, Amūli, m., AMULIUS, younger son of Proca.

an, conj., *or, whether.*

Anartēs, -ium, m., *the* ANARTES, a people of Dacia (*Hungary*).

an-ceps, -cipitis, [ambō + caput], *two-headed; two-fold.* **anceps proelium,** *battle on two fronts.*

Anchisēs, -ae, m., ANCHISES, father of Aeneas.

ancora, -ae, f., ANCHOR. **in ancoris,** *at* ANCHOR.

Ancus, see **Mārcius.**

Andēs, -ium, or **Andi, -ōrum,** m., *the* ANDES, a Gallic people north of the Liger (*Loire*).

Āndriscus, see **Pseudo-Philippus.**

angulus, -i, m., ANGLE, *corner.*

angustē, [angustus], adv., *closely, in close quarters.*

angustiae, -ārum, f., [angustus], *narrow place, defile; mountain pass; strait, difficulties; scarcity; narrowness.*

angustus, -a, -um, *contracted, narrow, close; steep.* As noun, **angustum, -i,** n., *crisis.*

anhēlitus, -ūs, m., *panting, breath.*

anima, -ae, f., *breath; life, soul.* (ANIMATE)

anim-ad-vertō, or **animum advertō, -ere, -verti, -versus,** [animus], *turn the mind to, attend to; notice, observe; censure, punish.* **in eum ani-**

madvertere, *to punish him, attend to him.*

animal, -ālis, n., [anima], *living being,* ANIMAL.

animus, -i, m., *soul, life; mind; courage, spirit; purpose; disposition, feelings.* **esse in animō,** *to intend.*

Aniō, -ēnis, m., *the* ANIO, a tributary of the Tiber in Latium.

annōtinus, -a, -um, [annus], *of the preceding year.*

annus, -i, m., *year.*

annuus, -a, -um, [annus], *for a year,* ANNUAL.

ānser, -is, m., *goose.*

ante, adv., and prep., *before.*
(1) As adv., *in front; previously.* See **ante quam.**
(2) As prep. with acc., *before, in front of.*

ant-eā, [ante], adv., *before this, before, formerly.*

antecēdō, -ere, -cessi, -cessūrus, *go ahead of, go before, precede, surpass* (used with dat.). (ANTECEDENT)

ante-cursor, -ōris, m., [currō], (forerunner), *scout;* pl., *vanguard.*

ante-eō, -ire, -ivi or **ii, —,** *go before, go ahead, precede; surpass.*

ante-ferō, -ferre, -tuli, -lātus, *place before,* pre-FER.

ante-hāc, adv., *before this.*

antemna, -ae, f., *yard of a ship.* (ANTENNAE)

ante-pōnō, -ere, -posui, -positus, *set before; prefer.*

ante quam, conj. (often separated by intervening words), *sooner than, before; until.*

ante-signānus, -i, m., [signum], *skirmisher.*

Antiochus, -i, m., ANTIOCHUS III, surnamed *the Great,* king of Syria.

antiquitus, [antiquus], adv., *in former times, anciently.*

antiquus, -a, -um, [ante], *old, ancient, former, old-time, early.* (ANTIQUE)

Antistius, see Rēginus.

Antōnius, -i, m., *Marcus* ANTONIUS, Mark Anthony, the triumvir with Augustus and Lepidus.

antrum, -i, n., *cave.*

ānulus, -i, m., *ring, finger ring.*

anxius, -a, -um, ANXIOUS.

Āonius, -a, -um, *Aonian;* the region of Mount Helicon in Boeotia.

aperiō, -ire, -ui, -tus, *uncover; open, show; disclose, reveal.*

apertē, [apertus], *openly, clearly.*

apertus, -a, -um, [aperiō], *open, uncovered; exposed, unprotected; clear, manifest.*

apodyterium, -i, n., *the* APODYTERIUM, *undressing room.*

Apollō, -inis, m., APOLLO, god of light, of divination and oracles, of poetry and music.

Apollōnius, see Molō.

ap-parātus, -ūs, m., [ap-parō], *preparation; equipment, supplies.* (APPARATUS)

ap-pāreō, -ēre, -ui, -itūrus, [ad], APPEAR; *be plain, be manifest.* (APPARENT)

ap-parō, -āre, -āvi, -ātus, [ad], *prepare, make ready.*

ap-pellō, -ere, -puli, -pulsus, [ad], *bring to; land.*

ap-pellō, -āre, -āvi, -ātus, [ad], *address, call, name.* (APPELLATION)

Appenninus, -i, m., *the* APENNINES, a mountain chain running the length of Italy.

ap-petitus, -ūs, m., [ad + petō], APPETITE.

ap-petō, -ere, -ivi, -itus, [ad], *desire, seek; draw near.* (APPETITE)

Appius, -i, m., APPIUS, a Roman forename.

ap-plicō, -āre, -āvi or -ui, -ātus, (ad + plicō, *fold*), APPLY *to.* sē applicāre, *to lean against.* (APPLICATION)

ap-pōnō, -ere, -posui, -positus, [ad], *place near, set before.* (APPOSITION)

ap-prehendō, -ere, -dī, -hēnsus, [ad], *seize, grasp.* (APPREHEND)

ap-propinquō, -āre, -āvi, -ātus, [ad], *approach, come near.*

ap-pulsus, see ap-pellō.

Apr. = Aprilis.

Aprilis, -e, *of* APRIL.

aptē, [aptus], adv., *neatly.*

aptō, -āre, -āvi, -ātus, *equip; adjust, fit, adapt; prepare.*

aptus, -a, -um, *fitted, suitable,* APT.

apud, prep. with acc., *at, on, with, near, close to, by; among, in the presence of; at the house of; in the camp of.*

Āpūlia, -ae, f., APULIA, a district in southeastern Italy.

aqua, -ae, f., *water.*

aquae-ductus, -ūs, m., [dūcō], AQUADUCT.

Aquae Sextiae, -ārum, f., AQUAE SEXTIAE, a town in southern Gaul (modern *Aix*).

aquārium, -i, n., [aqua], *watering place.* (AQUARIUM)

aquāticus, -a, -um, [aqua], AQUATIC.

aquila, -ae, f., *eagle; a silver eagle,* carried on a pole as the *standard* of a legion. (AQUILINE)

Aquileia, -ae, f., AQUILEIA, a city at the head of the Adriatic Sea.

aquili-fer, -i, m., [aquila + ferō], *bearer of the eagle, standardbearer.*

aquilō, -ōnis, m., *north wind; wind.*

Aquitānia, -ae, f., AQUITANIA, one of the three main divisions of Gaul.

Aquitānus, -a, -um, *of* AQUITANIA. As noun, Aquitānus, -i, m., AQUITANIAN; pl., AQUITANIANS, inhabitants of Aquitania.

aquor, -āri, —, [aqua], *get water.*

āra, -ae, f., *altar.*

Arar, -is, (acc., -im), *the* ARAR, now the *Saône.*

arātor, -tōris, m., *ploughman.*

arātrum, -i, n., [arō], *plough.*

arbitrium, -i, n., [arbiter, *judge*],

400

choice, judgment, decision; authority. (ARBITER)

arbitror, -āri, -ātus, [arbiter, *judge*], *think, consider, believe.* (ARBITRATE)

arbor, -oris, f., *tree.* (ARBOR)

arboreus, -a, -um, *of a tree; branching.*

arceō, -ēre, -uī, —, *ward off, keep off, confine.*

arcessō, -ere, -īvī, -ītus, *cause to come, fetch; summon, invite.*

Ardea, -ae, f., ARDEA, a town twenty miles south of Rome.

ārdeō, -ēre, ārsī, ārsūrus, *be on fire, burn;* **ārdens, -entis,** part. as adj., *glowing, burning, blazing.*

ārdor, -ōris, m., [ārdeō], *fire;* ARDOR.

arduus, -a, -um, *steep, high, tall.*

Aremoricus, -a, -um, AREMORICAN, a name applied to a group of small states on the northwest coast of Gaul.

arēna, -ae, f., *sand; seashore;* ARENA.

argentāria, -ae, f., [argentum], *bank.*

argenteus, -a, -um, [argentum], *of silver, silver.*

argentum, -ī, n., *silver; money.*

argilla, -ae, f., *clay.* (ARGILLACEOUS)

Argo-nauta, -ae, m., *an* ARGONAUT, one of the crew of the ARGO.

Argos, (only nom. and acc.), n., also **Argī, -ōrum,** m. pl., ARGOS, capital of Argolis, in the Peloponnesus.

Argus, -ī, m., ARGUS, the builder of the ARGO.

āridus, -a, -um, *dry,* ARID; as noun, **āridum, -ī,** n., *dry land, shore, beach.*

ariēs, -ietis, m., *ram; battering-ram.*

Ariovistus, -ī, m., ARIOVISTUS, a German king.

arista, -ae, f., *ear of grain.*

arma, -ōrum, n., *implements;* ARMS, ARMOR, *weapons.* **ad arma concurrere,** *to rush to* ARMS.

armāmenta, -ōrum, n., [armō], *implements, equipment, rigging.* (ARMAMENT)

armātūra, -ae, f., [armō], ARMOR,

equipment. **levis armātūrae peditēs,** *light infantry.*

armātus, -a, -um, [armō], ARMED, *equipped.* As noun, **armātī, -ōrum,** m., ARMED *men, soldiers.*

Armenia, -ae, f., ARMENIA.

armi-ger, -a, -um, [arma + gerō], *bearing arms.* As noun, **armiger, -ī,** m., *armor bearer.*

armilla, -ae, f., [armus, *shoulder,* ARM], *bracelet,* ARM-*let.*

armō, -āre, -āvī, -ātus, [arma], ARM; *equip.*

arō, -āre, -āvī, -ātus, *plough.* (ARABLE)

ar-ripiō, -ere, -uī, -reptus, [ad + rapiō], *seize, snatch.*

Arrūns, -untis, m., ARRUNS, son of Tarquinius Superbus.

ars, artis, f., ART, *skill; knowledge; science.*

ārsī, see **ārdeō.**

articulus, -ī, m., *joint.* (ARTICLE)

arti-ficium, -ī, n., (ars + faciō), ART, *trade; trick.* (ARTIFICE)

Arvernus, -a, -um, *of the* ARVERNI, ARVERNIAN. As noun, **Arvernī, -ōrum,** m., ARVERNIANS, *the* ARVERNI, a powerful people on the upper Elaver (*Allier*), whose chief city — Gergovia — was unsuccessfully beseiged by Caesar.

arvum, -ī, n., *field.*

arx, arcis, f., *citadel, stronghold.*

Ascanius, -ī, m., ASCANIUS, son of Aeneas.

a-scendō, -ere, -scendī, -scēnsus, [ad + scandō, *climb*], ASCEND; *climb, mount, scale; embark.*

a-scēnsus, -ūs, m., [a-scendō], ASCENT; *way up, approach.*

Asia, -ae, f., ASIA (in Roman times, what is now ASIA *Minor*).

Asiāticus, -ī, m., [Asia], surname of *L.* Scipio ASIATICUS, the conqueror of Antiochus the Great in ASIA.

Asina, -ae, m., *Cn. Cornelius* ASINA, consul in 260 B.C.

asparagus, -ī, m., ASPARAGUS.

a-spectus, -ūs, m., [a-spiciō], *appearance*, ASPECT; *sight.*

asper, -a, -um, *rough, harsh, rugged; severe, desperate.* (ASPERITY)

ā-spernor, -āri, -ātus, *disdain, despise.*

a-spiciō, -ere, -spexī, -spectus, [ad + speciō, *look*], *look on; see, behold, regard.* (ASPECT)

as-sidō, -ere, -sēdi, —, [ad + sedeō], SIT *down, take one's* SEAT.

as-siduē, [as-siduus], adv., *constantly, continually.* (ASSIDUOUSLY)

as-siduus, -a, -um, [ad + sedeō], *continually present; continual, constant.* (ASSIDUITY)

as-sistō, -ere, a-stitī, —, [ad], *stand near; appear before.* (ASSIST)

as-suē-faciō, -ere, -fēci, -factus, [ad + suētus + faciō], *accustom, train.*

as-suēscō, -ere, -suēvī, -suētus, [ad + suēscō, *become accustomed*], *become accustomed to.*

as-sūmō, -ere, -sūmpsī, -sūmptus, [ad], *take to, adopt,* ASSUME.

asȳlum, -i, n., *place of refuge,* ASYLUM.

at, conj., *but* (introducing a contrast to what precedes), *yet, but yet; at least.*

Atalanta, -ae, f., ATALANTA, daughter of the king of Boeotia, Schoeneus, noted for her swiftness of foot.

āter, -tra, -trum, *dark, black.*

Athēnae, -ārum, f., ATHENS, chief city of Greece, situated in Attica, in the southeastern part of central Greece.

Athēniēnsis, -e, [Athēnae], *of* ATHENS, ATHENIAN. As noun, m., *an* ATHENIAN.

Atilius, see Rēgulus.

atque or ac, [ad + -que], conj., *and, and also, and even, and in particular.* After words of likeness or unlikeness, *as, than.* idem atque, pār atque, *the same as.* simul atque, *as soon as.*

ātrāmentum, -i, n., [āter, *black*], *ink.*

Atrebās, -ātis, m., *an* ATREBATIAN; pl., ATREBATIANS, *the* ATREBATES, a Belgic people.

ātriolum, -i, n., [ātrium], *small hall.*

ātrium, -i, n., [āter, *black*], *the* ATRIUM, *forecourt.*

Ātrius, -i, m., *Q.* ATRIUS, an officer in Caesar's army.

atrōx, -ōcis, *fierce, savage,* ATROCIOUS.

at-tenuō, -āre, -āvi, -ātus, [ad + tenuis], *thin out, diminish.* (ATTENUATE)

at-texō, -ere, -ui, -textus, [ad] (weave on), *add, join on.*

at-tingō, -ere, -tigī, -tāctus, [ad + tangō], *touch upon, touch; reach;* of territorial divisions, *border on, adjoin.*

at-tollō, -ere, (lacks perf. forms) *raise up, lift.*

at-tonitus, -a, -um, [ad + tonō] ('thunderstruck'), ASTONISHED.

at-tribuō, -ere, -ui, -ūtus, [ad], *assign, allot.* (ATTRIBUTE)

at-tuli, see af-ferō.

auctiō, -ōnis, f., [augeō], AUCTION.

auctor, -ōris, m., [augeō], AUTHOR*ity; advocate, originator, instigator.* (AUTHOR)

auctōritās, -ātis, f., [auctor], AUTHORITY, *power, influence; dignity; weight, prestige, importance.*

audācia, -ae, f., [audāx], *daring, boldness,* AUDACITY; *rashness, recklessness.*

audācter, [audāx], adv., *boldly, courageously, fearlessly.*

audāx, -ācis, [audeō], *daring, bold,* AUDACIOUS.

audeō, -ēre, ausus, semidep., *dare, risk; attempt.*

audiō, -ire, -ivi, -itus, *hear, listen to; hear of.* dictō audiēns esse, *to obey.* (AUDIENCE)

audītōrium, -i, n., [audiō], *lecture room,* AUDITORIUM.

au-ferō, -ferre, abs-tulī, ab-lātus, [ab], *bear away, carry off, remove; steal.*

au-fugiō, -ere, -fūgī, —, [ab], *flee away, escape.*

augeō, -ēre, auxi, auctus, (transitive verb), *increase, enlarge; add to.* (AUGMENT)

augur, -is, m., [avis], *diviner,* AUGUR.

augurium, -i, n., [augur], *divination,* AUGURY; *omen.*

auguror, -āri, -ātus, *prophesy, predict.*

Aulercus, -i, m., *an* AULERCAN; pl., *the* AULERCI, a people of central Gaul with several branches.

aura, -ae, f., *air, breeze, open air.*

aureus, -a, -um, [aurum], *of gold, golden.* (ORIOLE)

auriga, -ae, m., *charioteer, driver.*

auris, -is, f., [audiō], *ear.* (AURAL)

aurōra, -ae, f., *dawn.*

aurum, -i, n., *gold.* (AURIFEROUS)

Aurunculeius, -i, m., *Lucius* AURUNCULEIUS *Cotta,* a lieutenant of Caesar, killed by the Eburones.

au-spicium, -i, n., [avis + speciō, *look*], *divination* (by the flight of birds); pl., **auspicia,** AUSPICES.

au-spicor, -āri, -ātus, [avis + speciō, *look*], *take the* AUSPICES.

ausum, -i, n., *daring deed, attempt.*

aut, conj., *or;* **aut . . . aut,** *either . . . or.*

autem, post-positive conj., *but, however, on the contrary; and now, moreover.*

autumnus, -i, m., AUTUMN.

auxilior, -āri, -ātus, [auxilium], *help, aid.*

auxilium, -i, n., *help, aid, assistance; relief.* Pl., **auxilia,** AUXILIARIES.

avāritia, -ae, f., [avārus], *greed,* AVARICE, *covetousness.*

avārus, -a, -um, AVARICIOUS, *greedy.*

ā-vehō, -ere, -vexi, -vectus, *carry off.*

ā-vellō, -ere, -velli, -vulsus, *tear away.*

avēna, -ae, f., *reed, straw; shepherd's pipe.*

Avernus, -a, -um, *belonging to Lake* AVERNUS, *of the underworld.*

ā-versus, -a, -um, [ā-vertō], *turned away; behind, in the rear.* **āversum hostem,** *a retreating enemy.* (AVERSE)

ā-vertō, -ere, -verti, -versus, *turn aside,* AVERT; *alienate.*

aviārium, -i, n., [avis], AVIARY.

avidus, -a, -um, *eager, desirous.* (AVIDITY)

avis, -is, f., *bird; sign, omen.* (AVIATION)

avus, -i, m., *grandfather.*

B

Babylōnius, -a, -um, BABYLONIAN.

baculum, -i, n., *staff.*

Baculus, -i, m., [baculus, *staff*], *Publius Sextius* BACULUS, one of the bravest of Caesar's centurions.

ballista, -ae, f., BALLISTA, a military engine which hurled huge stones.

balneae, -ārum, f., *baths.*

balneāticum, -i, n., [balneae], *entrance fee* for the Roman baths.

balteus, -i, m., BELT.

Balventius, -i, m., *T.* BALVENTIUS, a brave centurion.

barbarus, -a, -um, *foreign;* BARBAROUS, *uncivilized.* As noun, **barbari, -ōrum,** m., *foreigners; natives,* BARBARIANS.

barbātus, -a, -um, [barba, *beard*], *bearded.*

basilica, -ae, f., BASILICA, a double-colonnaded hall used for merchants' exchange and for the courts.

Basilus, -i, m., *L. Minucius* BASILUS, one of Caesar's officers.

Belgae, -ārum, m., *the* BELGIANS, inhabitants of the northernmost division of Gaul.

Belgium, -i, n., BELGIUM, the country of the BELGAE.

Bēlides, -um, f., pl., *the granddaughters of Belus, the Danaides.*

bellicōsus, -a, -um, [bellicus], *warlike, fierce.* (BELLICOSE)

bellicus, -a, -um, [bellum], *of war, military.*

bellō, -āre, -āvi, -ātus, [bellum], *wage war, fight.*

Bellovacī, -ōrum, m., *the* BELLOVACI, a powerful Belgic people.

bellum, -ī, n., *war.*

bene, [bonus], adv., *well, ably, successfully.*

bene-ficiāriī, -ōrum, [bene-ficium], m., *privileged soldiers.*

bene-ficium, -ī, n., **[faciō],** *kindness, favor, service,* BENEFIT.

bene-volentia, -ae, f., **[volō],** *goodwill,* BENEVOLENCE.

benignē, [benignus], adv., *kindly, courteously.* (BENIGNLY)

bēstia, -ae, f., BEAST, *animal.*

Bēstia, -ae, m., *L. Calpurnius* BESTIA, consul 111 B.C.

bibliothēca, -ae, f., *library.*

bibō, -ere, bibī, —, *drink.* (im-BIBE)

Bibracte, -is, n., BIBRACTE, capital of the Aedui, situated on a mountain now called *Mont Beuvray* (2690 ft.).

Bibulus, -ī, m., *L. Calpurnius* BIBULUS, Ceasar's colleague in his consulship.

bi-duum, -ī, n., **[bis + diēs],** (space of) *two days.*

bi-ennium, -ī, n., **[bis + annus],** (period of) *two years.* (BIENNIAL)

bīnī, -ae, -a, [bis], *two by two, two at a time.*

bi-pertītō, [partitus], adv., *in two divisions.*

bis, adv., *twice, on two occasions.*

Biturigēs, -um, m., *the* BITURIGES, a people in central Gaul.

blanditia, -ae, f., *caressing;* pl., *endearments.* (BLANDISH-ment)

blandus, -a, -um, *flattering, charming, of smooth tongue.* (BLAND)

Boduognātus, -ī, m., BODUOGNATUS, a leader of the Nervii.

Boiī, -ōrum, m., *the* BOIANS, a Celtic people once widely diffused over central Europe. The name survives in Bo-hemia, *Home of the Boii.*

bonitās, -ātis, f., **[bonus],** *goodness; excellence;* of land, *fertility.*

bonus, -a, -um, *good, advantageous; well disposed, friendly.* **bonō animō**

esse, *to be favorably disposed.* As noun, **bonum, -ī,** n., *good thing, the good; profit, advantage;* pl., **bona, -ōrum,** *goods, possessions.* **bonī, -ōrum,** m. pl., *the good, good men,* a term applied to themselves by the *optimates,* or aristocracy.

Boōtēs, -ae, m., BOÖTES (the ploughman).

boreās, -ae, m., also **boreās ventus,** *the north wind.* (BOREAS)

bōs, bovis, gen. pl., **boum,** dat. **bōbus** or **būbus,** c., *ox, bull, cow.* (BOVINE)

bracchium, -ī, n., *forearm, arm.*

Brannovicēs, -um, m., *the* BRANNOVICES, *a branch* of the Aulerci.

brevī, [brevis], adv., *in a short time, soon, quickly.*

brevis, -e, *short,* BRIEF.

brevitās, -ātis, f., **[brevis],** *shortness;* BREVITY.

Britannī, -ōrum, m., *the inhabitants of* BRITAIN, BRITONS.

Britannicus, -a, -um, [Britannia], BRITISH.

Britannia, -ae, f., BRITAIN.

brūma, -ae, f., (for **brevuma,** sup. of **brevis,** sc. **diēs),** *shortest day* of the year; *winter solstice; winter.*

Brundisium, -ī, n., BRUNDISIUM, a seaport in Calabria in southeastern Italy. Modern BRINDISI.

Bruttiī, -ōrum, m., *the* BRUTTII, *inhabitants of* BRUTTIUM.

Bruttium, -ī, n., BRUTTIUM, a district in the extreme south of Italy.

Brūtus, -ī, m., **[brūtus,** *dull],* (1) *L. Iunius* BRUTUS, who expelled the Tarquins. (2) *M. Junius* BRUTUS, one of the assassins of Julius Caesar. (3) *Decimus Iunius Brutus Albinus,* one of Caesar's officers.

būcina, -ae, f., *bugle.*

bustum, -ī, n., *tomb, mound.*

buxus, -ī, f., *boxwood.*

C

C., abbreviation for **Gaius.**

Cabillōnum, -ī, n., CABILLONUM, a city of the Aeduans.

cacūmen, -inis, n., *top.*

cadāver, -eris, n., [cadō], *corpse.* (CADAVER)

cadō, -ere, cecidī, cāsūrus, *fall, be slain; die.*

Cadūrcī, -ōrum, m., *the* CADURCI, a people of Aquitania.

Caecilius, see Metellus.

caecus, -a, -um, *blind.*

caedēs, -is, f., [caedō], *killing, murder; slaughter, massacre.*

caedō, -ere, cecīdī, caesus, *cut, cut down; cut to pieces, slay.*

caelestis, -e, [caelum], *heavenly.* As noun, caelestēs, -ium, m., *gods.* (CELESTIAL)

caelum, -ī, n., *sky, heaven, heavens.*

Caepiō, -ōnis, m., Cn. *Servilius* CAEPIO, consul in 140 B.C.

caerimōnia, -ae, f., *sacred rite;* CEREMONY.

caeruleus, -a, -um, [caelum], *sky-blue, dark blue.* (CERULEAN)

Caesar, -aris, m., C. *Julius* CAESAR, Roman general, statesman, author.

caespes, -itis, m., *sod, turf.*

Calais, —, m., CALAIS, one of the Argonauts.

calamitās, -ātis, f., *loss, damage, injury, harm, misfortune, disaster, defeat.* (CALAMITY)

calamus, -ī, m., a reed *pen* with split point.

calceus, -ī, m., *shoe.*

calcō, -āre, -āvī, -ātus, *tread upon.*

caldārium, -ī, n., [calidus], *the* CALDARIUM, a hot bathing room.

Calētī, -ōrum, also Calētēs, -um, m., *the* CALETI, a people near the mouth of the Sequana (*Seine*).

calidus, -a, -um, *warm, hot.*

caliga, -ae, f., heavy leather *sandal.*

cālīgō, -inis, f., *mist, darkness.*

callidus, -a, -um, *crafty, sly.*

cālō, -ōnis, m., *camp servant.*

Calpurnia, -ae, f., CALPURNIA, wife of Julius Caesar.

Calpurnius, see Bēstia and Bibulus.

calvitium, -ī, n., [calvus], *baldness.*

calvus, -a, -um, *bald.*

Calvus, -ī, m., C. *Licinius Macer* CALVUS, Roman orator and poet.

Calymnē, -ēs, f., an island in the Aegean Sea.

Camillus, -ī, m., M. *Furius* CAMILLUS, who captured Veii, and delivered Rome from the Gauls in 390 B.C.

Campānia, -ae, f., [campus], CAMPANIA, a district between Latium and Lucania.

Campānus, -a, -um, *of* CAMPANIA, CAMPANIAN.

campester, -tris, -tre, [campus], *of level ground, flat, level.*

campus, -ī, m., *plain, level field.* Campus Mārtius, the CAMPUS MARTIUS, a grassy plain in Rome lying along the Tiber, the place where reviews and the elections were held. (CAMPUS)

candēlābrum, -ī, n., *lamp-stand,* CANDELABRUM.

candidus, -a, -um, [candeō, *shine*], *shining white, bright, shining, glittering.* (CANDID)

candor, -ōris, m., *whiteness, radiance.* (CANDOR)

Caninius, -ī, m., C. CANINIUS *Rebilus,* one of Caesar's lieutenants.

canis, -is, c., *dog.* (CANINE)

Cannae, -ārum, f., CANNAE, a town in Apulia, where Hannibal disastrously defeated the Romans in 216 B.C.

Cannēnsis, -e, [Cannae], *of* CANNAE, *at* CANNAE.

canō, -ere, cecinī, —, *sing, play; prophesy, foretell.*

Cantium, -ī, n., CANTIUM, KENT, a district in the southeast part of Britain.

cantō, -āre, -āvī, -ātus, [freq. of canō], *chant, sing, play, recite.* (INCANTATION)

cantor, -ōris, m., [canō], *singer, poet.*

cantus, -ūs, m., [canō], *song, singing;* CHANT.

cānus, -a, -um, *white, hoary.*

capessō, -ere, -ivi, -itus, [desid. of capiō], *seize, take.*

capillus, -i, m., [caput], *hair,* (CAPILLARY)

capiō, -ere, cēpi, captus, *take, seize;* CAPTURE; *take possession of; reach; captivate, please, charm; select; affect, influence; receive, obtain.* **initium capere,** *to begin.* **cōnsilium capere,** *to form a plan.*

Capitōlium, -i, n., [caput], *the* CAPITOL, a temple on the Capitoline Hill, dedicated to Jupiter, Juno, and Minerva; often *the* CAPITOLINE *Hill* in Rome, on which the CAPITOL stood.

capra, -ae, f., *she-goat.*

captiva, -ae, f., [capiō], (female) *prisoner,* CAPTIVE.

captivus, -a, -um, [capiō], CAPTIVE. As noun, c., *prisoner,* CAPTIVE.

captō, -āre, -āvi, -ātus, [freq. of capiō], *seize* (eagerly); CAPTURE.

caput, -itis, n., *head; person, soul, life;* of a river, *mouth.* **capitis poena,** CAPITAL *punishment.* **capite dēmissō,** *with head bowed down.* **duo milia capitum,** *two thousand souls.*

carcer, -is, m., *prison, dungeon; barrier, starting place* (in a race course). (IN-CARCERATE)

cardō, -inis, m., *hinge; crisis.*

careō, -ēre, -ui, -itūrus, *lack, be without, do without.*

carmen, -inis, n., [canō], *song;* CHARM; *prayer, incantation.*

Carnutēs, -um, m., *the* CARNUTES, a people in central Gaul.

carō, carnis, f., *flesh, meat.* (CARNAL, CARNIVOROUS)

carpentum, -i, n., (two-wheeled, covered) *carriage.*

carpō, -ere, -si, -tus, *pluck; pursue, continue; enjoy.*

carrus, -i, m., *cart, wagon.*

Carthāginiēnsis, -e, [Carthāgō], *of* CARTHAGE, CARTHAGINIAN. As noun, **Carthāginiēnsis, -is, m.,** *a* CARTHAGINIAN.

Carthāgō, -inis, f., CARTHAGE, a city on the north coast of Africa, near modern Tunis.

Carthāgō Nova, NEW CARTHAGE, a town on the southeastern coast of Spain.

cārus, -a, -um, *dear, precious.*

Carvilius, -i, m., CARVILIUS, a chief of the Britons.

casa, -ae, f., *hut, cottage;* pl., *barracks.*

Casca, -ae, m., CASCA, *one of* Caesar's assassins.

cāseus, -i, m., CHEESE.

Cassius, -i, m., (1) *C.* CASSIUS *Longinus,* one of the conspirators against Caesar. (2) *Lucius* CASSIUS *Longinus,* consul in 107 B.C. (3) *Q.* CASSIUS *Longinus,* tribune of the commons in 49 B.C.

Cassivellaunus, -i, m., CASSIVELLAUNUS, CASWALLON, a chief of the Britons.

castellum, -i, [dim. of **castrum**], n., *redoubt; stronghold, citadel.* (CASTLE)

Casticus, -i, m., CASTICUS, a prominent Sequanian.

Castor, -is, m., CASTOR, a hero famed for his skill in taming horses.

castrum, -i, n., *fort; fortress, castle;* pl., **castra, -ōrum,** *camp, encampment.* **castra movēre,** *to break camp.* **castra pōnere,** *to pitch camp.*

cāsus, -ūs, m., [cadō], *fall; occurrence; chance, fortune; emergency; overthrow; accident, misfortune, calamity, fate.* (CASUAL)

Catamantāloedis, -is, m., CATAMANTALOEDIS, a leader of the Sequani before Caesar's time.

catapulta, -ae, f., CATAPULT, a military engine which shot large arrows horizontally.

catēna, -ae, f., *chain; fetter.*

catēnō, -āre, -āvi, -ātus, [catēna], chain together.

cathēdra, -ae, f., easy chair.

Catō, -ōnis, m., [catus, shrewd], (1) M. Porcius CATO, the Censor. (2) M. Porcius CATO Uticensis, grandson of Cato the Censor.

Catullus, -i, m., C. Valerius CATULLUS, a Roman poet (84–54 B.C.).

Catulus, -i, m., (1) C. Lutatius CATULUS, who defeated the Carthaginians in the final battle of the First Punic War. (2) C. Lutatius CATULUS, who aided Marius in defeating the Cimbri in 101 B.C.

Caturigēs, -um, m., the CATURIGES, a Gallic people in the eastern part of the Province.

cauda, -ae, f., tail. (CAUDAL)

Caudinus, -a, -um, [Caudium], CAUDINE, of CAUDIUM, a town in the center of Samnium.

causa, -ae, f., CAUSE, reason; opportunity; pretext, excuse; condition, situation, state; abl., causā, with preceding gen., for the sake, for the purpose, on account.

cautē, [cautus, cautious], adv., CAUTIOUSLY.

caveō, -ēre, cāvi, cautūrus, take precautions against, beware.

Cebenna, -ae, f., the Cevennes, a mountain range in southern Gaul.

cēdō, -ere, cessi, cessūrus, move back or away, go away, yield, withdraw.

celeber, -bris, -bre, renowned, famous, CELEBRATED.

celer, -eris, -ere, quick, swift, speedy.

celeritās, -ātis, f., [celer], speed, quickness, swiftness, rapidity, despatch. (CELERITY)

celeriter, [celer], adv., quickly; at once, immediately.

cella, -ae, f., storeroom; small room.

cēlō, -āre, -āvi, -ātus, con-CEAL, hide, keep secret.

celsus, -a, -um, high, lofty.

Celtae, -ārum, m., the CELTS, inhabitants of central Gaul.

cēna, -ae, f., dinner

cēnō, -āre, -āvi, -ātus, [cēna], dine.

Cēnomani, -ōrum, m., the CENOMANI, a branch of the Aulerci.

cēnseō, -ēre, -ui, cēnsus, estimate; think, judge; decree, determine; vote for, favor.

Cēnsōrinus, -i, [cēnsor, censor], m., L. Marcius CENSORINUS, consul in 149 B.C.

cēnsus, -ūs, m., [cēnseō], registration of citizens and property by the censors; CENSUS; enumeration.

centaurus, -i, m., CENTAUR, a mythical creature, half man, half horse.

centēni, -ae, -a, [centum], one hundred each.

centum, indecl., a hundred. (CENT)

centuria, -ae, f., [centum], century, a company of 60 to 100 men in the legion.

centuriō, -ōnis, m., [centuria], CENTURION, captain of a century.

cēra, -ae, f., wax, (sin-CERE)

cērātus, -a, -um, [cēra, wax], waxed.

Cerēs, -eris, f., CERES, goddess of agriculture.

cernō, -ere, crēvi, —, separate; see; dis-CERN.

certāmen, -inis, n., [certō], contest, battle; trial of strength or skill; competiton.

certē, [certus], adv., assuredly, CERTAINLY.

certō, -āre, -āvi, -ātus, [certus], vie with; contend; rival.

certus, -a, -um, [old part. of cernō], determined; definite, fixed, specified; CERTAIN, assured; trustworthy. certiōrem facere, to inform. certior fieri, to be informed.

cervical, -ālis, n., [cervix, neck], pillow, bolster.

cervus, -i, m., stag; forked branches, called "stag's horns" by the soldiers.

cessō, -āre, -āvi, -ātus, [freq. of cēdō], be remiss; delay, be inactive.

cēterus, -a, -um, other, the other, the rest; pl., the rest, the others, the *other*. As pronoun, **cēterī, -ōrum,** m., *the others, all the rest;* **cētera, -ōrum,** n., *the rest, everything else.* (et CETERA)

Ceutronēs, -um, m., *the* CEUTRONES; (1) A people in the eastern part of the Province. (2) A Belgic people subject to the Nervii.

Chaos, abl. **Chaō,** n., CHAOS, *the Lower World; darkness.*

Christus, -ī, m., CHRIST. **ante Christum nātum,** *before the birth of* CHRIST, B.C.

cibāria, -ōrum, n., [cibus], *provisions, rations.*

cibus, -ī, m., *food.*

Cicerō, -ōnis, m., [cicer, *chickpea*], (1) *M. Tullius* CICERO, the orator and statesman. (2) *Q. Tullius* CICERO, brother of the orator and one of Caesar's lieutenants.

Cicones, -um, m., *the* CICONES, a Thracian tribe.

Ciliciēnsis, -e, [Cilicia], CILICIAN, *of* CILICIA, a country of southeastern Asia Minor.

Cimbrī, -ōrum, m., *the* CIMBRI, a powerful Germanic tribe.

Cincinnātus, -ī, [cincinnus, *curled hair*], m., *L. Quinctius* CINCINNATUS, who was called from his farm to be dictator of Rome.

Cineās, -ae, m., CINEAS, counselor and envoy of Pyrrhus.

Cingetorix, -igis, m., CINGETORIX, a chief among the Britons.

cingō, -ere, cinxī, cinctus, *surround, encircle; invest.* (CINCTURE)

cingulum, -ī, n., [cingō], *girdle.*

Cinna, -ae, m., *L. Cornelius* CINNA, associate of Marius, and leader of the popular party.

cippus, -ī, m., *stake, post; boundary post.*

circēnsis, -e, [circus], *of the* CIRCUS.

circiter, [circus, *circle*], adv., and prep. with acc., *about.*

circu-itus, -ūs, m., [circum-eō], CIRCUIT, *way around;* CIRCUM-*ference.*

circum, [acc. of circus, *circle*], adv. and prep. with acc., *about, around.*

circum-cidō, -ere, -cidī, -cisus, [caedō], *cut around, cut out.*

circum-clūdō, -ere, -clūsī, -clūsus, [claudō], *encircle.*

circum-dō, -dare, -dedī, -datus, *place around, surround; border; envelop.*

circum-eō, -īre, -īvī, or **-iī, -itus,** *go around, surround.* (CIRCUIT)

circum-ferō, -ferre, -tulī, -lātus, *carry around.* (CIRCUMFERENCE)

circum-fundō, -ere, -fūdī, -fūsus, *pour around, surround;* pass., *crowd around.*

circum-mittō, -ere, -mīsī, -missus, *send around.*

circum-mūniō, -īre, -īvī, -ītus, *surround with walls, fortify; hem in.*

circum-plector, -ī, —, *embrace, encompass, surround.*

circum-sistō, -ere, -steti or **-stiti, —,** *stand around, surround, beset.*

circum-spiciō, -ere, -spexī, -spectus, [speciō, *look*], *look about* or *around, look over.* (CIRCUMSPECT)

circum-stō, -stāre, -stetī, —, STAND *around, surround; besiege.*

circum-vāllō, -āre, -āvī, -ātus, [vāllum], *surround with a* WALL, *blockade, invest.*

circum-veniō, -īre, -vēnī, -ventus, *come around, go around; surround.* (CIRCUMVENT)

circus, -ī, m., CIRCUS, an enclosure for races, athletic games, and contests; **Circus Maximus,** an oval CIRCUS between the Palatine and Aventine hills, with seats for 150,000 spectators.

cis, prep. with acc., *on this side of.*

Cis-alpīnus, -a, -um, *lying on this side of the Alps,* CISALPINE.

citerior, -ius, [cis], *on this side, hither; nearer, next.* **Gallia citerior,** *Cisalpine Gaul.*

citharizō, -āre, —, —, [κιθαρίζω], *play on the cithara* or *lyre.*

citharoedus, -ī, m., *singer,* who sings

408

to the accompaniment of the *cithara* or *lyre*.

citō, -āre, -āvī, -ātus, [freq. of cieō, *set in motion*], *urge on.*

cito, sup., citissimē, [citus, *swift*], adv., *swiftly.*

citrā, [cis], prep. with acc., *on this side of, below, inferior to.*

citus, -a, -um, *quick, swift.*

civicus, -a, -um, [civis], *civil*, CIVIC.

civilis, -e, [civis], CIVIC, CIVIL; *courteous, polite.*

civis, -is, c., *citizen.*

civitās, -ātis, f., [civis], *body of citizens, state, nation; city-state; citizenship.*

clādēs, -is, f., *destruction, disaster, defeat.*

clam, adv., *secretly.*

clāmitō, -āre, -āvī, -ātus, [freq. of clāmō], *cry aloud, keep shouting.*

clāmō, -āre, -āvī, -ātus, *cry, shout; pro-*CLAIM.

clāmor, -ōris, m., [clāmō], *outcry, shout, din,* CLAMOR.

clārē, [clārus], adv., CLEARLY, *loudly.*

clārus, -a, -um, CLEAR, *bright; loud, distinct; celebrated, famous.*

classis, -is, f., CLASS; *division of the people; fleet.*

Claudius, -i, m., *Appius* CLAUDIUS *Caecus*, one of the decemvirs. See Mārcellus, Nerō.

claudō, -ere, clausī, clausus, *shut,* CLOSE; *shut up; besiege.* agmen claudere, *to bring up the rear.*

clāvus, -i, m., *nail, spike;* a purple *stripe* on the tunic.

clēmēns, -entis, *mild, gentle, compassionate.* (CLEMENT)

clēmenter, [clēmēns], adv., *quietly, mildly, moderately.*

cliēns, -entis, m., *dependent,* CLIENT, *follower.*

clipeus, -i, m., (round, metal) *shield.*

clivus, -i, m., *slope.*

cloāca, -ae, f., *sewer.*

Clōdius, -i, m., *A.* CLODIUS, a mutual friend of Caesar and Scipio.

Cluentius, -i, m., CLUENTIUS, who was defeated by Sulla in the war with the Italian allies.

Clūsium, -i, n., CLUSIUM, capital of Etruria.

Cn., abbreviation for Gnaeus.

co-, see com-.

co-acervō, -āre, -āvī, -ātus, *heap up, pile up.*

co-āctus, part. of cō-gō.

co-artō, -āre, -āvī, -ātus, [artō, *compress*], *crowd together.*

Cocles, -itis, m., *Horatius* COCLES, who defended the Pōns Sublicius.

coctilis, -e, *burned, built of burned bricks.*

co-emō, -ere, -ēmī, -ēmptus, *buy up.*

co-eō, -ire, -īvī or -iī, -itus, *come together, unite.*

coepī, -isse, coeptus, def., *begin, commence.*

co-erceō, -ēre, -uī, -itus, [arceō], *confine; restrain, check.* (COERCE)

cō-gitō, -āre, -āvī, -ātus, [agitō], *consider, reflect on, think; design, plan.* (COGITATE)

co-gnātiō, -ōnis, f., [(g)nāscor], *blood-relations; group of kinsmen; kindred.*

co-gnōmen, -inis, n., [(g)nōmen], *surname, family name; name.* (COGNOMEN)

co-gnōscō, -ere, -gnōvī, -gnitus, [(g)nōscō], *become acquainted with, learn, learn of, ascertain; know, recognize; examine, investigate; take* COGNIZANCE *of.*

cō-gō, -ere, -ēgī, -āctus, [agō], *drive together, collect, gather; force, compel, oblige.* (COGENT)

co-hibeō, -ēre, -uī, -itus, [habeō], *hold, keep back, restrain.*

cohors, -hortis, f., COHORT, the tenth part of a legion.

co-hortātiō, -ōnis, f., [co-hortor], *encouraging, exhortation.*

co-hortor, -ārī, -ātus, *encourage, exhort, address.*

409

Colchī, -ōrum, m., [Colchis], *inhabitants of* COLCHIS, COLCHIANS.

Colchis, -idis, (acc. -ida), f., COLCHIS, a province of Asia, east of the Black Sea.

col-, see com-.

Collātinus, -ī, m., [Collātia], *L. Tarquinius* COLLATINUS, husband of Lucretia, and colleague of Brutus in his consulship.

col-lātus, see cōn-ferō.

col-laudō, -āre, -āvī, -ātus, *praise highly.*

col-lēga, -ae, m., [lēgō], COLLEAGUE.

col-ligō, -āre, -āvī, -ātus, *bind together, fasten together.*

col-ligō, -ere, -lēgī, -lēctus, [legō], COLLECT, *assemble; obtain, get.* sē colligere, *to gather themselves together, form in battle array; to recover themselves, to rally.*

collis, -is, m., *hill, height, elevation.*

col-locō, -āre, -āvī, -ātus, *place, set, post, station; settle; set in order, arrange.* (COLLOCATION)

col-loquium, -ī, n., [col-loquor], *conference, interview.* (COLLOQUY)

col-loquor, -ī, -locūtus, *talk with, hold a conference, hold a parley.*

collum, -ī, n., *neck.*

colō, -ere, -uī, cultus, *till,* CULTIVATE; *dwell in, inhabit; honor, worship; observe.*

colōnia, -ae, f., [colōnus, COLONIST], COLONY.

color, -ōris, m., COLOR; *complexion.*

coluber, -brī, m., *snake, serpent.*

columba, -ae, f., *dove, pigeon.*

columna, -ae, f., COLUMN.

com-, (primitive form of cum, used in compounds, and changed to col-, con-, cor-, or co-, before certain consonants), (1) *together with;* (2) *thoroughly, completely.*

coma, -ae, f., *hair.*

com-būrō, -ere, -bussī, -būstus, [būrō, burn], *burn up, consume.* (COMBUSTION)

com-es, -itis, m., [eō], *companion, comrade; retainer.*

com-issātiō, -ōnis, f., [edō], *drinking.*

comitātus, -a, -um, [comitō from comes], *accompanied.*

comitātus, -ūs, m., [comitor], *escort, retinue.*

com-itia, -ōrum, n. pl., [eō], *assembly* (of Roman citizens); *election.*

Com-itium, -ī, n., [eō], *the* COMITIUM, a place in the Forum where certain elections were held.

comitor, -ārī, -ātus, [comes], *attend, accompany.*

com-meātus, -ūs, m., [meō, *go*], *passing to and fro, trip, voyage; supplies,* often including grain.

com-memorō, -āre, -āvī, -ātus, *mention, relate.* (COMMEMORATE).

com-mendō, -āre, -āvī, -ātus, [mandō], *intrust,* COMMEND, *re-*COMMEND, *defend.*

com-mentārius, -ī, m., [mēns], *notebook;* COMMENTARY.

com-meō, -āre, -āvī, -ātus, *go to and fro, visit, resort to.*

com-militō, -ōnis, m., [miles], *fellow-soldier.*

com-minus, [manus], adv., *hand to hand.*

com-missūra, -ae, f., [com-mittō], *joint.*

com-mittō, -ere, -mīsī, -missus, *bring together, unite; engage in, begin; intrust,* COMMIT; *cause, do, be guilty of.* proelium committere, *to join battle, fight.*

Commius, -ī, m., COMMIUS, an Atrebatian, a friend of Caesar.

com-modē, [com-modus], adv., *conveniently, to advantage; properly, suitably; well, skillfully.*

com-modus, -a, -um, *fitting, desirable, convenient, comfortable, advantageous, easy; favorable; suitable.* As noun, commodum, -ī, n., *convenience, advantage, profit.* (COMMODIOUS)

410

com-moror, -ārī, -ātus, *delay, stay, remain, linger.*

com-moveō, -ēre, -mōvī, -mōtus, *disturb, alarm;* MOVE, *stir up, begin; excite, rouse, influence.* (COMMOTION)

com-mūnicō, -āre, -āvī, -ātus, [commūnis], *share, divide with; unite with;* COMMUNICATE, *impart; consult.*

com-mūniō, -īre, -īvī, or -iī, -ītus, *strongly fortify, intrench.*

com-mūnis, -e, [mūnus], COMMON, *general, public.* commūnī cōnsiliō, *by common consent.* in commūnī conciliō, *at a general council.* ex commūnī cōnsēnsū, *by general agreement.*

com-mūtātiō, -ōnis, f., [com-mūtō], *change.* (COMMUTATION)

com-mūtō, -āre, -āvī, -ātus, *change, alter; exchange.*

com-parō, -āre, -āvī, -ātus, *pre-*PARE, *get together; secure, get.*

com-parō, -āre, -āvī, -ātus, [pār], *match,* COMPARE.

com-pellō, -ere, -pulī, -pulsus, *drive together, collect; force,* COMPEL.

com-periō, -īre, -perī, -pertus, *find out, learn; discover, find guilty.*

com-pēscō, -ere, -pēscuī, —, *restrain, check; quench* (thirst).

com-plector, -ī, -plexus, [plectō, *braid*], *embrace, encircle; include.*

com-plementum, -ī, n., [compleō], (the means of filling up), COMPLEMENT.

com-pleō, -ēre, -ēvī, -ētus, *fill;* COMPLETE, *fill up.*

com-plexus, -ūs, m., [plector, *embrace*], *embrace.*

com-plūrēs, -a, *several, a number of, many.* As pronoun, complūrēs, -ium, m., *a great many, quite a number, many.*

com-pōnō, -ere, -posuī, -positus, *put together; arrange;* COMPOSE, *settle, conclude.*

com-portō, -āre, -āvī, -ātus, *bring in, carry, convey; collect.*

com-precor, -ārī, -ātus, *implore.*

com-prehendō, -ere, -ī, -hēnsus, [pre-hendō, *grasp*], (take hold of), *catch, seize, arrest;* COMPREHEND.

com-putō, -āre, -āvī, -ātus, *reckon, compute.*

con-, see com-.

cōnātus, -ūs, m., [cōnor], *attempt.*

con-cēdō, -ere, -cessī, -cessūrus, *withdraw; give up, submit; allow, grant,* CONCEDE; *permit.*

con-cidō, -ere, -cidī, —, [cadō], *fall down, fall; perish, be slain.*

con-cidō, -ere, -cidī, -cisus, [caedō], *cut to pieces, kill, destroy.*

con-ciliō, -āre, -āvī, -ātus, [concilium], *win over,* CONCILIATE, *reconcile; win, gain, procure.*

con-cilium, -ī, n., [calō, *call*], *meeting, assembly;* COUNCIL.

con-cinō, -ere, -cinuī, —, [canō], *sound together.*

con-cipiō, -ere, -cēpī, -ceptus, *conceive, imagine, adopt.*

con-citō, -āre, -āvī, -ātus, [freq. of cieō, *set in motion*], *urge on, spur; rouse; instigate.*

con-citor, -ōris, m., [con-citō], *ex-*CITER, *instigator.*

con-clāmō, -āre, -āvī, -ātus, *cry aloud, shout.*

con-cordia, -ae, f., [cor, *heart*], *harmony,* CONCORD; Templum Concordiae, TEMPLE OF CONCORD in the Forum.

con-cupīscō, -ere, -cupīvī, -cupītus, [incep. of cupiō], *greatly desire.*

con-currō, -ere, -cucurrī, -cursūrus, *run* or *rush together; assemble; meet; fight.* (CONCUR)

con-cursō, -āre, —, —, [freq. of con-currō], *rush to and fro, run about.*

con-cursus, -ūs, m., [currō], *running together, assembling, onset;* CONCOURSE; *attack, meeting, collision, shock.*

con-diciō, -ōnis, f., [dicō], CONDITION, *situation, state; terms.*

411

con-dō, -ere, -didi, -ditus, (put to-gether), *found; store, conceal.*

con-dūcō, -ere, -dūxi, -ductus, *bring together, collect.* (CONDUCE)

cōn-ferō, -ferre, con-tuli, col-lātus, *bring together, collect, convey; as-cribe, refer, lay.* sē cōnferre, *to betake one's self, proceed.*

cōn-fertus, -a, -um, [con-fērciō, *press together*], *crowded together, dense, compact, in close array.*

cōn-festim, adv., *at once, speedily.*

cōn-ficiō, -ere, -fēci, -fectus, [faciō], *do thoroughly, perform, finish, com-plete, accomplish, make; compose; wear out, exhaust.* (CONFECTION)

cōn-fidō, -ere, -fīsus, semidep., *rely upon, have confidence in; be con-fident.* (CONFIDE)

cōn-firmātus, -a, -um, [cōnfirmō], *encourage, confident.*

cōn-firmō, -āre, -āvi, -ātus, [fir-mus], CONFIRM, *strengthen;* set, *establish; encourage; declare; assure.*

cōn-flagrō, -āre, -āvi, -ātus, [flagrō, *blaze*], *be on fire, burn up.* (CON-FLAGRATION)

cōn-flictō, -āre, -āvi, -ātus, [freq. of cōn-flīgō], *harm, assail.* (CON-FLICT)

cōn-flīgō, -ere, -flīxi, -flictus, *dash together, collide; contend, fight.* (CONFLICT)

cōn-flō, -āre, -āvi, -ātus (blow up), *kindle, arouse; bring together; cause; heap up, contract.*

cōn-fluō, -ere, -ūxi, —, FLOW to-gether, *assemble.* (CONFLUENCE)

cōn-fodiō, -ere, -fōdi, -fossus, *stab, assassinate.*

cōn-fugiō, -ere, -fūgi, —, *flee, take refuge.*

cōn-fundō, -ere, -fūdi, -fūsus, *mass together, bring together.* (CON-FOUND, CONFUSION)

congredior, -gredi, -gressus, *meet, come together.* (CONGRESS)

con-gregō, -āre, -āvi, -ātus, [grex, *flock*], *collect, assemble,* CONGRE-GATE.

con-gressus, -ūs, m., [gradior, *step*], *meeting, encounter, engagement.* (CONGRESS)

con-iciō, -ere, -iēci, -iectus, [iaciō], *throw* (forcibly), *cast, hurl, drive, strike; throw up, place, put.* coni-cere in fugam, *to put to flight.*

con-iugium, -i, n., *marriage; husband, wife.*

con-iūnctim, [con-iungō], adv., *jointly, in common.*

con-iungō, -ere, -iūnxi, -iūnctus, *join, unite.* (CONJUNCTION)

con-iūnx, or con-iux, -ugis, [iungō], c., *husband, wife.* (CONJUGAL)

con-iūrātiō, -ōnis, f., [iūrō], *sworn union; conspiracy, plot.*

con-iūrātus, -a, -um, [part. of con-iūrō], *conspiring.* As noun, m. pl., *conspirators.*

con-iūrō, -āre, -āvi, -ātūrus, *swear* (an oath) *together, conspire.*

cōnor, -āri, -atus, *attempt, try, en-deavor, undertake.* (CONATIVE)

con-quiēscō, -ere, -quiēvi, -quiētus, [quiēs], *rest, be* QUIET, *pause, take a nap.*

con-quirō, -ere, -quisivi, -quisitus, [quaerō], *seek out, hunt up; bring together, collect.*

cōn-salūtō, -āre, -āvi, -ātus, *hail.* (SALUTATION)

cōn-sanguineus, -a, -um, [sanguis], *of the same blood.* As noun, c., *relative, kinsman;* pl., *blood rela-tions, kinsfolk.* (C O N S A N G U I N-ITY)

cōn-scendō, -ere, -scendi, -scensus, [scandō, *climb*], *mount, ascend; embark, go on board a ship.*

cōn-scius, -a, -um, *conscious, aware of.*

cōn-scribō, -ere, -scripsi, -scriptus, *write; enroll.* (CONSCRIPT)

cōn-secrātus, -a, -um, [sacer], CON-SECRATED, *holy, sacred.*

cōn-sector, -āri, -ātus, [freq. of cōn-sequor], *pursue, overtake.*

cōn-senēscō, -ere, -senui, —, [senex], *grow old.*

cōn-sēnsiō, -ōnis, f., [cōn-sentiō], *common feeling, agreement, unity.*

cōn-sēnsus, -ūs, m., [cōn-sentiō], *agreement, unanimity;* CONSENT. (CONSENSUS)

cōn-sentiō, -īre, -sēnsi, -sēnsus, *think together, agree, unite; conspire, plot.*

cōn-sequor, -i, -secūtus, *follow up; pursue, overtake; acquire, gain; accomplish; arise, ensue.* (CONSEQUENCE)

cōn-serō, -ere, -ui, -sertus, *connect; join.*

cōn-servātōrium, -i, n., [servō, *keep*], *greenhouse.*

cōn-servō, -āre, -āvi, -ātus, *pre-*SERVE, *save, spare; keep, ob-*SERVE. (CONSERVATION)

cōn-siderō, -āre, -āvi, -ātus, *examine;* CONSIDER, *reflect upon.*

Cōnsidius, -i, m., *Publius* CONSIDIUS, an officer in Caesar's army.

cōn-sidō, -ere, -sēdi, —, [sēdeō], *sit down; encamp; establish oneself, settle; hold a sitting.*

cōn-silium, -i, n., [cōn-sulō], *consultation,* COUNSEL; *gathering for deliberation, council; advice; plan, purpose; conduct; judgment, discretion; consent.*

cōn-similis, -e, *very like, exactly like.*

cōn-sistō, -ere, -stiti, —, *stand, stop, halt; take a position, fall in, form, make a stand; stay, remain; sojourn, settle; endure, continue;* CONSIST (*in*), *depend* (*on*).

cōn-sobrinus, -i, m., [soror], COUSIN.

cōn-sōlor, -āri, -ātus, [sōlor, *comfort*], *comfort, cheer,* CONSOLE.

cōn-spectus, -ūs, m., [cōn-spiciō], *sight; view.*

cōn-spiciō, -ere, -spexi, -spectus, [speciō, *look*], *observe, catch sight of, see, perceive, notice;* pass., *be* CONSPICUOUS.

cōn-spicor, -āri, -ātus, [speciō, *look*], *get sight of, see.*

cōn-stāns, -antis, [cōn-stō], CONSTANT.

cōn-stantia, -ae, f., [cōn-stāns], *steadiness, courage; firmness, perseverance.* (CONSTANCY)

cōn-sternō, -ere, -strāvi, -strātus, [sternō], *strew, cover; lay.*

cōn-stipō, -āre, -āvi, -ātus, [stipō, *press*], *crowd together.*

cōn-stiti, see cōnstō and cōnsistō.

cōn-stituō, -ere, -ui, -ūtus, [statuō], *put, place; draw up, form; found, construct; make, establish; fix, appoint, determine, decide;* CONSTITUTE.

cōn-stō, -āre, -stiti, -statūrus, *agree; stand firm; depend on.* Impers., cōn-stat, *it is agreed; it is well known, certain, evident, clear.*

cōn-suēscō, -ere, -suēvi, -suētus, *accustom; accustom oneself, be accustomed.*

cōn-suētūdō, -inis, f., [suēscō], *custom, habit, mode of life, usage; practice.*

cōn-suētus, see cōn-suēscō.

cōn-sul, -ulis, m., [cōn-sulō], CONSUL, *one of the two chief magistrates at Rome, chosen annually.*

cōn-sulāris, -e, [cōnsul], CONSULAR, *of* CONSULAR *rank.* As noun, cōn-sulāris, -is, m., *ex-*CONSUL.

cōn-sulātus, -ūs, m., [cōnsul], *consulship.*

cōn-sulō, -ere, -ui, -sultus, *take counsel,* CONSULT, *deliberate;* with dat., *have regard for, look out for.*

cōn-sultō, [cōn-sulō], adv., *on purpose, purposely.*

cōn-sultō, -āre, -āvi, -ātus, CONSULT, *reflect, take counsel.*

cōn-sultum, -i, n., [cōn-sulō], *deliberation; resolution, decision, decree.* See senātus.

cōn-sūmō, -ere, -sūmpsi, -sūmptus, (*use up*), *devour,* CONSUME; *burn up, destroy;* pass., CONSUME; *spend.*

cōn-surgō, -ere, -surrēxi, -surrēctus, *rise, stand up.*

con-tabulō, -āre, -āvi, -ātus, [tabula, board], *board over; lay floors, build* (in stories), *build up.*

con-tagiō, -ōnis, f., [con-tingō], *contact.* (CONTAGION)

con-tegō, -ere, -tēxi, -tēctus, *cover, cover up.*

con-temnō, -ere, -tempsi, -temptus, *hold in* CONTEMPT, *disdain, despise, scorn.*

con-temptiō, -tiōnis, f., [contemnō], CONTEMPT.

con-tendō, -ere, -tendi, -tentus, *make effort, strive; demand; urge; hasten, push forward; struggle,* CON-TEND, *vie; maintain, insist.*

con-tentiō, -ōnis, f., [tendō], *effort; struggle,* CONTENTION, *contest; controversy.*

con-tentus, -a, -um, [con-tineō], *satisfied,* CONTENT.

con-terminus, -a, -um, *near, close by.*

con-texō, -ere, -ui, -textus, *weave; make of wicker-work; join, construct.* (CONTEXT)

con-tiguus, -a, -um, *side by side, adjacent, touching,* CONTIGUOUS.

con-tinēns, -entis, [con-tineō], *bordering, adjacent; subsequent; continuous.* As noun, f., *the mainland.* (CONTINENT)

con-tinenter, [con-tinēns], adv., *constantly,* CONTINUALLY, *incessantly.*

con-tineō, -ēre, -ui, -tentus, *hold together,* CONTAIN; *hold; hold back, keep, shut in; embrace, include; curb, rule;* of places and regions, *hem in, bound;* sē continēre, *to remain.*

con-tingō, -ere, -tigi, -tāctus, [tangō], *touch, be near, border on, reach; happen.* (CONTACT)

con-tinuō, [con-tinuus], adv., *forthwith, straightway, immediately.*

con-tinuus, -a, -um, [con-tineō], CON-TINUOUS, *successive.*

cōntiō, -ōnis, f., [for co-ventiō, from veniō], *meeting, assembly; speech.*

cōntiōnor, -āri, -ātus, [cōntiō], dep., *address an assembly, make a speech.*

contrā, [com-], adv. and prep.:
(1) As adv., *opposite, on the other side, face to face; on the contrary.*
(2) As prep. with acc., *opposite, facing; off; contrary to; against, to the disadvantage of, in spite of; in reply to.* (CONTRARY)

con-trahō, -ere, -trāxi, -trāctus, *bring together, assemble, collect; draw in,* CONTRACT, *make smaller.*

contrārius, -a, -um, [contrā], *opposite,* CONTRARY.

contrō-versia, -ae, f., [contrā + vertō], *dispute, debate,* CONTROVERSY, *strife.*

con-tuli, see cōn-ferō.

cōnūbium, -i, n., *marriage.*

con-valēscō, -ere, -valui, —, [incep. of valeō], *recover, grow strong.* (CONVALESCENT)

con-vallis, -is, f., VALLEY, *ravine.*

con-vehō, -ere, -vexi, -vectus, *bring together, collect.*

con-veniō, -ire, -vēni, -ventūrus, *come together, assemble; meet,* CON-VENE; *be fitting, belong; be agreed, be settled.* Impers., *convenit, it is agreed.*

con-ventus, -ūs, m., [con-veniō], *assembly, meeting.* conventūs agere, *to hold court.* (CONVENTION)

con-vertō, -ere, -verti, -versus, *turn, direct, turn about, wheel about; change.* conversa signa inferre, *to face about and advance.* (CONVERT)

con-vincō, -ere, -vici, -victus, *conquer; establish;* CONVICT, *refute; prove.*

con-viva, -ae, c., [vivō] (table companion), *guest.*

con-vivium, -i, n., [vivō], *feast, banquet, entertainment.* (CONVIVIAL)

con-vocō, -āre, -āvi, -ātus, *call together, summon,* CONVOKE.

co-orior, -iri, -ortus, *arise, appear.*

cophinus, -i, m., *basket.*

cōpia, -ae, f., [com- + ops], *quantity, supply, abundance, plenty.* In the pl., **cōpiae, -ārum,** *means, resources, wealth; forces, troops.*

cōpiōsus, -a, -um, [cōpia], *well supplied, wealthy, rich.* (COPIOUS)

cor-, see **com-.**

cor, cordis, n., *heart.* (CORDIAL)

cōram, [co- + ōs], adv., *before, face to face, in person, with one's own eyes.*

Corinthus, -ī, f., CORINTH, a city of Greece.

Corinthius, -a, -um, [Corinthus], *of* or *belonging to* CORINTH, CORINTHIAN. As noun, **Corinthius, -ī,** m., *a* CORINTHIAN.

Coriolānus, -ī, m., [Corioli], *C. Marcius* CORIOLANUS, who in response to his mother's appeal gave up his attack upon Rome.

Corioli, -ōrum, m., CORIOLI, a town southeast of Rome.

Coriosolitēs, -um, m., *the* CORIOSOLITES, a people along the northwest coast of Gaul.

Cornēlia, -ae, f., CORNELIA, daughter of Cinna and first wife of Caesar.

Cornēlius, -ī, m., CORNELIUS, name of a Roman *gens.*

corni-cen, -inis, m., [cornū + canō], *horn-blower.*

cornū, -ūs, n., *horn;* of an army, *wing.* (CORNU-copia)

corōna, -ae, f., *crown, wreath; continuous line.* **sub corōnā vēndere,** *to sell as slaves.* (CORONET)

corōnō, -āre, -āvī, -ātus, [corōna], *wreathe, crown.* (CORONATION)

corpus, -oris, n., *body.*

cor-rigō, -ere, -rēxī, -rēctus, [regō], *set* RIGHT, CORRECT, *discipline, improve; restore, calm.*

cor-rumpō, -ere, -rūpī, -ruptus, *destroy, ruin;* CORRUPT, *mislead, bribe.*

cor-ruptus, -a, -um, [rumpō], CORRUPT.

Corvīnus, -ī, m., [corvus], CORVINUS, who with the aid of a raven slew a Gallic champion in single combat.

corvus, -ī, m., *raven.*

coss., = **cōnsulibus.**

coti-diānus, -a, -um, [coti-diē], *daily; ordinary, usual.*

coti-diē, [quot], adv., *daily, every day.*

crās, adv., *tomorrow.*

crassitūdō, -dinis, f., [crassus, *thick*], *thickness.*

Crassus, -ī, m., [crassus, *thick*], (1) *Marcus Licinius* CRASSUS, the triumvir with Caesar and Pompey. (2) *Publius Licinius* CRASSUS, younger son of the triumvir; lieutenant of Caesar, in Gaul, 58–56 B.C. (3) *Marcus Licinius* CRASSUS, elder son of the triumvir, questor in Caesar's army after his brother Publius left Gaul.

Crāstinus, -ī, m., CRASTINUS, a veteran centurion in Caesar's army.

crātēra, -ae, f., *mixing bowl.*

crātēs, -is, f., *wattle, wicker-work; hurdle, fagot; bundles of brush; fascine.*

crēber, -bra, -brum, *thick, frequent, numerous, repeated, abundant.*

crēbrō, [crēber], adv., *frequently.*

crēdibilis, -e, [crēdō], *credible.*

crēdō, -ere, -didī, -ditūrus, *trust, believe, think, suppose; intrust, consign.* (CREDIT)

cremō, -āre, -āvī, -ātus, *burn, burn to death.* (CREMATE)

creō, -āre, -āvī, -ātus, CREATE, *make; elect, appoint.*

Creon, -ontis, m., CREON, king of Corinth.

crepitō, -āre, —, —, *rattle, rustle, crackle.*

crēscō, -ere, crēvī, —, [incep. of creō], intrans., *grow, increase; become great.*

Crēta, -ae, f., CRETE, an island in the Mediterranean.

crimen, -inis, n., [cernō], *accusation, charge;* CRIME, *offense.*

crinis, -is, m., *hair, lock of hair.*

Critognātus, -ī, m., CRITOGNATUS, a prominent man among the Arverni.

croceus, -a, -um, *yellow, golden, saffron-colored.*

Croesus, -i, m., CROESUS, king of Lydia, famous for his riches.

cruciātus, -ūs, m., [**cruciō**], *torture, cruelty, suffering.* (EX-CRUCIATING)

cruciō, -āre, -āvī, -ātus, [**crux**], *torture, torment.*

crūdēlis, -e, CRUEL.

cruentātus, -a, -um, *blood-stained.*

cruentus, -a, -um, *bloody, gory.*

cruor, -ōris, m., *blood, gore.*

crūs, crūris, n., *leg.*

crux, crucis, f., *gallows, cross.* (CRUX)

cubiculāris, -e, [**cubiculum**], *of a sleeping chamber* or *bedroom.*

cubiculum, -i, n., [**-cumbō,** *recline*], *sleeping chamber, bedroom.*

cubile, -is, n., [**cubō,** *lie down*], *bed, resting place.*

culina, -ae, f., *kitchen.*

culpa, -ae, f., *fault, error; blame.* (CULPABLE)

culpō, -āre, -āvī, -ātus, *blame.*

culter, -trī, m., *knife.*

cultūra, -ae, f., [**colō**], CULTIVATION. (CULTURE) See ager.

cultus, -ūs, m., [**colō**], *care, cultivation; civilization, refinement,* CULTURE, *luxury; dress, attire.*

cum, prep. with abl., *with; along with; together with.*

cum, conj., temporal, *when; while, as long as, after; whenever, as often as;* causal, *since, inasmuch as;* adversative, *although.* **cum ... tum,** *both ... and, not only ... but also, while ... especially.* **cum primum,** *as soon as.*

cunctor, -ārī, -ātus, *delay, hesitate.*

cūnctus, -a, -um, [**con-iūnctus**], *altogether; the whole, all.*

cupidē, [**cupidus**], adv., *eagerly, earnestly.*

cupiditās, -ātis, f., [**cupidus**], *eagerness, desire, ambition.* (CUPIDITY)

cupido, -inis, f., *desire, longing; Love,* CUPID.

cupidus, -a, -um, [**cupiō**], *desirous, eager for, fond of.*

cupiō, -ere, -īvī, -ītus, *long for, desire; wish.*

cūr, [**qui + rēs**], inter. adv., *why? wherefore?*

cūra, -ae, f., *care, anxiety, trouble.*

Curēs, -ium, f., CURES, a Sabine town.

cūria, -ae, f., CURIA, *association of families;* **cūria,** *the senate-house;* in republican Rome the senate usually met in the **Cūria Hostilia,** built by Tullus HOSTILIUS.

Curiātius, -i, m., CURIATIUS; pl., CURIATII, who fought with the Horatii.

cūrō, -āre, -āvī, -ātus, [**cūra**], *take care, provide for, take care of, arrange;* with gerundive, *see to.*

currō, -ere, cucurri, cursūrus, *run.* (CURRENT)

currus, -ūs, m., [**currō**], *chariot, car.*

Cursor, -ōris, [**currō**], m., CURSOR. See Papirius.

cursus, -ūs, m., [**currō**], *running,* COURSE; *speed.*

curūlis, -e, CURULE. **sella curūlis,** *the* CURULE *chair,* occupied only by the higher Roman magistrates.

curvāmen, -inis, n., *curve, bending.*

curvus, -a, -um, *bent,* CURVED.

cuspis, -idis, f., *point.*

custōdia, -ae, f., [**cūstōs**], *guard, watch;* CUSTODY.

custōdiō, -ire, ivi, itus, [**custōs**], *watch, guard.*

custōs, -ōdis, c., *guard, keeper, watch.*

Cynos-cephalae, -ārum, f., [Greek for "Dog's-heads"], CYNOSCEPHALAE, hills in Thessaly, where Flamininus defeated Philip.

Cyprius, -a, -um, CYPRIAN, *of* CYPRUS.

Cȳrus, -i, m., CYRUS *the Great,* king of Persia.

Cytherēus, -a, -um, *of* CYTHERA, pertaining to Venus.

Cyzicus, -i, m., CYZICUS, an island and city on the Propontis (*Sea of Marmora*).

D

D., abbreviation for **Decimus**.

d., see **a. d.**

Dācī, -ōrum, m., *the* DACIANS, living north of the Danube.

Daedalus, -ī, m., DAEDALUS, the builder of the Cretan labyrinth.

damnō, -āre, -āvī, -ātus, *con*-DEMN, *sentence.*

damnōsus, -a, -um, *harmful.*

Dānuvius, -ī, m., *the* DANUBE.

datīvus, -a, -um, [dō], *pertaining to giving.* (DATIVE)

dator, -ōris, m., [dō], *giver, patron.*

dē, prep. with abl., *from, down from; away from, out of; sprung from; from among; on account of, for, through, by; concerning, about, over; after, during, in the course of.*

dē-, in composition, *down; utterly.*

dē-beō, -ēre, -uī, -itus, [habeō], *owe, be in* DEBT, *be under obligation;* pass., *be due;* followed by infin., *ought, must, should.* (DEBIT)

dē-cēdō, -ere, -cessī, -cessūrus, *go away, retire, withdraw; avoid, shun; die.*

decem, indecl., *ten.* (DECIMAL)

decem-virī, -ōrum, m., a board of *ten men* with consular power, DE-CEMVIRS.

dē-cernō, -ere, -crēvī, -crētus, *decide; resolve, decree; intrust; contend, fight.*

dēcerpō, -ere, -cerpsī, -cerptus, *pluck.*

dē-certō, -āre, -āvī, -ātūrus, *fight to a finish, fight a decisive battle.*

deciēs, [decem], adv., *ten times.*

decimus, -a, -um, [decem], *tenth* (DECIMAL)

Decimus, -ī, m., [decimus], *Decimus,* a Roman forename. See **Brūtus.**

Decius, -ī, m., DECIUS, a Roman forename.

dē-clārō, -āre, -āvī, -ātus, *make* CLEAR, DECLARE, *announce.*

dē-clīnō, -āre, -āvī, -ātus, *bend down, lower; close.*

dē-clīvis, -e, [clīvus], *sloping, descending.* As noun, **dē-clīvia, -ium**, n., *slopes*, DECLIVITIES.

dē-clīvitās, -ātis, f., [dē-clīvis], DE-CLIVITY, *descent, slope.*

decor, -ōris, m., *beauty.*

dē-crētum, -ī, n., [dē-cernō], DE-CREE, *decision.*

decumānus, -a, -um, [decimus], *of a tenth part*, DECUMAN. **decumāna porta**, *rear gate* of the Roman camp, opposite the **porta praetōria.**

decuria, -ae, f., [decem], DECURIA, *a cavalry squad* of ten men.

decuriō, -ōnis, m., [decem], DECU-RION, a cavalry officer in charge of a *decuria* (10 horsemen).

dē-currō, -ere, -cucurrī or **-currī, -cursūrus**, *run down, rush down, hasten.*

dē-decus, -oris, n., *dishonor, disgrace.*

dē-diticius, -a, -um, [dē-dō], *surrendered, subject.* As noun, **dēditicii, -ōrum**, m., *prisoners of war, captives.*

dē-ditiō, -ōnis, f., [dē-dō], *surrender.*

dē-dō, -ere, -didī, -ditus, *give up, surrender.*

dē-dūcō, -ere, -dūxī, -ductus, *lead down; launch; lead away, withdraw; induce; bring, conduct; attend.* (DEDUCE)

dē-fatīgō, -āre, -āvī, -ātus, [fatīgō, *weary*], *tire out, exhaust.* (FATIGUE)

dē-fectiō, -ōnis, f., [dēficiō], *desertion, revolt*, DEFECTION.

dē-fendō, -ere, -fendī, -fēnsus, *ward off, repel;* DEFEND, *guard, protect.*

dē-fēnsor, -ōris, m., [dē-fendō], DE-FENDER, *protector.*

dē-ferō, -ferre, -tulī, -lātus, *carry down* or *off, remove; fall; deliver; confer upon, bestow; give, offer; report, submit.* (DEFER)

dē-fessus, -a, -um, *wearied, exhausted.* As noun, **dē-fessus, -ī**, m., *one exhausted;* pl., *the exhausted.*

417

dē-fetiscor, -i, -fessus, [fatiscor], *become exhausted.*

dē-ficiō, -ere, -fēci, -fectus, [faciō], *fail, be lacking; be exhausted; fall away, revolt, rebel.* (DEFICIENT)

dē-figō, -ere, -fixi, -fixus, *drive in.*

dē-finiō, -ire, -ivi, -itus, DEFINE, *fix; assign.*

dē-fleō, -ēre, -ēvi, -ētus, *weep for.*

dē-fodiō, -ere, -fōdi, -fossus, [fodiō, *dig*], *bury.*

dē-fōrmitās, -ātis, f., [fōrma], *ugliness, blemish, disfigurement.* (DEFORMITY)

dē-fugiō, -ere, -fūgi, —, *flee; avoid.*

dē-fungor, -i, -fūnctus, *have done with, finish; die.* (DEFUNCT)

dē-iciō, -ere, -iēci, -iectus, [iaciō], *throw down, lay down; dislodge, rout; drive; kill, destroy; disappoint.* (DEJECTED)

dē-iectus, -ūs, m., [dē-iciō], *slope, declivity.*

de-in, see de-inde.

dein-ceps, [capiō], adv., *one after another, in succession; continuously.*

de-inde, or de-in, [dē], adv., *then, thereafter, afterwards, next.*

dē-lābor, -i, -lāpsus, *slip down.*

dē-lātus, see dē-ferō.

dē-lectō, -āre, -āvi, -ātus, DELIGHT, *please.*

dē-lēctus, -a, -um, [dē-ligō], *picked, select, chosen.* As noun, dē-lēcti, -ōrum, m., (a group of) *picked men, advisory staff.*

dē-leō, -ēre, -ēvi, -ētus, *wipe out, erase; blot out, destroy, overthrow.* (DELETE)

dē-liberō, -āre, -āvi, -ātūrus, *weigh, consider,* DELIBERATE.

dē-librō, -āre, -āvi, -ātus, [liber, *bark*], *remove the bark, peel.*

dē-ligō, -ere, -lēgi, -lēctus, [legō], *choose, pick out, se-*LECT.

dē-ligō, -āre, -āvi, -ātus, *bind fast, tie, fasten.*

dē-litēscō, -ere, -litui, —, [latēscō,

incep. of **lateō**], *hide oneself, lie in wait.*

Dēlos, -i, f., DELOS, *a small island in the Aegean Sea, famous for its magnificent temple of Apollo.*

Delphi, -ōrum, m., DELPHI, *a city in Greece, famed for its oracle of Apollo.*

Delphicus, -a, -um, [Delphi], DELPHIC, *of* DELPHI.

dē-lu-brum, -i, n., [dē-luō] (place of washing away one's sins), *shrine.*

dē-luō, -ere, —, —, *wash away.*

Dēmarātus, -i, m., DEMARATUS, *the father of Tarquinius Priscus.*

dēmēns, -entis, *mad, insane,* DEMENTED.

dē-metō, -ere, -messui, -messus, *reap, cut.*

Dēmētrius, -i, m., (1) DEMETRIUS, *father of Philip V, king of Macedon.* (2) DEMETRIUS, *son of Philip V, king of Macedon.*

dē-migrō, -āre, -āvi, -ātus, MIGRATE, *depart, withdraw.*

dē-minuō, -ere, -ui, -ūtus, *lessen,* DIMINISH; *weaken, impair.*

dē-missus, -a, -um, [dē-mittō], *dropped; downcast, low.*

dē-mittō, -ere, misi, -missus, *send down, let fall, drop; let down, lower.* sē dēmittere, *to go down, descend.*

dē-mō, -ere, -dēmpsi, dēmptus, [dē + emō, *take*], *take down.*

dē-mōnstrō, -āre, -āvi, -ātus, *point out, show; mention; explain,* DEMONSTRATE.

dēmum, adv., *at length, at last, finally.*

dēnique, adv., *at length, at last, finally.*

dēns, dentis, m., *tooth.* (DENTIST)

dēnsus, -a, -um, *thick,* DENSE, *crowded.*

dē-nūntiō, -āre, -āvi, -ātus, *an-*NOUNCE, *declare; threaten; urge, admonish; order.* (DENOUNCE)

dē-pellō, -ere, -puli, -pulsus, *drive out, ex-*PEL; *avert, remove.*

418

dē-pendeō, -ēre, —, —, *hang from,* DEPEND.

dē-pereō, -īre, -ii, -peritūrus, PERISH; *be lost.*

dē-pōnō, -ere, -posui, -positus, *lay down, place; lay aside, give up, resign.* (DEPOSE)

dē-populor, -ārī, -ātus, *lay waste, ravage.* Part., **dēpopulātus,** pass., *devastated.* (DEPOPULATE)

dē-portō, -āre, -āvī, -ātus, *carry off; bring home; obtain.* (DEPORT)

dē-poscō, -ere, -poposcī, —, *demand.*

dē-precātor, -ōris, m., [dē-precor], *intercessor.* **eō dēprecātōre,** *by his intercession.*

dē-precor, -ārī, -ātus, *plead, pray, intercede.* (DEPRECATE)

dē-prehendō, -ere, -hendī, -hēnsus, *seize, catch; surprise.*

dē-rēctus, -a, -um, [dē-rigō, *lay straight*], *straight, perpendicular.* (DIRECT)

dē-ripiō, -ere, -uī, -reptus, [rapiō], *snatch away, tear off.*

dē-rivō, -āre, -āvī, -ātus, *draw off.* (DERIVE)

dē-rogō, -āre, -āvī, -ātus, *withdraw, take away.* (DEROGATORY)

dē-scendō, -ere, -scendī, -scēnsus, [scandō, *climb*], *climb down,* DESCEND, *march down; dismount;* DESCEND *to, resort to.*

dē-scrībō, -ere, -scripsī, -scriptus, *divide, distribute;* DESCRIBE, *define.*

dē-serō, -ere, -uī, -sertus, *leave, abandon,* DESERT.

dē-sertor, -ōris, m., [dē-serō], DESERTER.

dē-sertus, -a, -um, [dē-serō], DESERTED, *solitary; lonely.*

dēsiderō, -āre, -āvī, -ātus, *long for, want; ask, need; miss, lack, lose.* (DESIDERATUM)

dē-sidia, -ae, f., [sedeō], *indolence, idleness.*

dē-signō, -āre, -āvī, -ātus, [signō, *mark*], *point out, indicate,* DESIGNATE.

dē-siliō, -īre, -uī, sultus, [saliō, *leap*], *leap down, dismount.* (DESULTORY)

dē-sinō, -ere, -siī, -sitūrus, *leave off, cease.*

dē-sistō, -ere, -stitī, -stitūrus, *leave off, cease,* DESIST *from, give up.*

dē-spectus, -ūs, m., [speciō, *look*], *view downward.*

dē-spērātiō, -ōnis, f., [dē-spērō], DESPERATION, DESPAIR.

dē-spērātus, -a, -um, [dē-spērō], *without hope,* DESPERATE, *abandoned.*

dē-spērō, -āre, -āvī, -ātūrus, *despair of, give up hope of; give up.*

dē-spiciō, -ere, -spexī, -spectus, [speciō, *look*], *look down upon, look down; disdain; disparage.*

dēstinō, -āre, -āvī, -ātus, *make fast, bind, stay, assign, devote.* (DESTINATION)

dē-stitī, see **dē-sistō.**

dē-stituō, -ere, -uī, -ūtus, [statuō], *desert, abandon, leave.* (DESTITUTE)

dē-strictārium, -i, n., [de-stringō], *scraping room.*

dē-stringō, -ere, -strinxī, -strictus, *strip off; scrape;* of a sword, *draw.*

dē-sum, de-esse, dē-fuī, dē-futūrus, *be away; be wanting, be lacking; fail, desert.*

dē-super, adv., *from above.*

dē-tegō, -ere, -tēxī, -tēctus, *uncover, expose; reveal.* (DETECT)

dē-tendō, -ere, -tendī, -tēnsus, *unstretch;* of a tent, *strike.*

dē-terreō, -ēre, -uī, -itus, *frighten off, prevent,* DETER; *hold back.*

dē-testābilis, -e, [testor], *abominable,* DETESTABLE.

dē-tineō, -ēre, -uī, -tentus [teneō], *hold off; hinder,* DETAIN.

dē-trahō, -ere, -trāxī, -trāctus, *draw off, drag off, remove; take from; disparage,* DETRACT.

dē-trimentum, -i, n., [terō, *wear away*], *loss, damage, injury; repulse, defeat.* (DETRIMENT)

dē-turbō, -āre, -āvī, -ātus, *drive off, dislodge.*

419

deus, -ī, m., *god,* DEITY.

dē-vehō, -ere, -vexī, -vectus, *carry away, remove,* con-VEY.

dē-veniō, -īre, -vēnī, -ventus, *come to, reach.*

dē-vexus, -a, -um, [dē-vehō], *sloping.* As noun, **dēvexa, -ōrum,** n., *slopes.*

dē-vincō, -ere, -vīcī, -victus, *conquer, subdue.*

dē-voveō, -ēre, -vōvī, -vōtus, DEVOTE, *consecrate.*

dexter, -tra, -trum, *right; skillful.*

dextra, -ae, f., (sc. **manus**), *right hand.*

diadēma, -atis, n., DIADEM, *royal crown.*

dicō, -āre, -āvī, -ātus, de-DICATE, *devote, offer.*

dīcō, -ere, dīxī, dictus, *say, talk, speak; tell, call, name; talk, appoint, set; plead; administer.* (DICTION)

dictātor, -ōris, m., [dictō], DICTATOR, a *chief* magistrate with unlimited powers, appointed in great emergencies to govern for six months.

dictātūra, -ae, f., [dictātor], *office of* DICTATOR, DICTATORSHIP.

dictō, -āre, -āvī, -ātus, [freq. of **dicō**], *say repeatedly,* DICTATE.

diēs, diēī, m. and f., *day; time.* **multō diē,** *late in the day.* **in diēs,** *day by day, every day.*

dif-ferō, -ferre, dis-tulī, dī-lātus, [dis-], *spread, scatter; put off, delay;* DIFFER, *be different.*

dif-ficilis, -e, [dis- + facilis], *hard,* DIFFICULT; *troublesome.*

dif-ficilius, [comp. of **difficulter**], adv., *with greater* DIFFICULTY.

dif-ficultās, -ātis, f., [dif-ficilis], DIFFICULTY, *trouble, distress.*

dif-fīdō, -ere, -fīsus, [dis-], semidep., *distrust; despair of.*

dif-fundō, -ere, -fūdī, -fūsus, [dis-], *pour out, spread out.* (DIFFUSE)

digitus, -ī, m., *finger.* (DIGIT)

dignitās, -ātis, f., [dignus], *worth, merit,* DIGNITY; *position, rank; grandeur, reputation, honor.*

dignor, -ārī, -ātus, [dignus], *deem worthy,* DEIGN, *condescend.*

dignus, -a, -um, *worthy, deserving.*

dī-gredior, -ī, -gressus, *come away, depart.* (DIGRESS)

di-iūdicō, -āre, -āvī, -ātus, *decide.*

di-lēctus, -ūs, m., [di-ligō], *levy, enlistment, draft.*

di-ligēns, -entis, [di-ligō], *industrious, attentive,* DILIGENT.

di-ligenter, [di-ligēns], adv., *industriously, carefully,* DILIGENTLY, *punctually.*

di-ligentia, -ae, f., [di-ligēns], *activity,* DILIGENCE, *industry.*

di-ligō, -ere, -lēxī, -lēctus, [legō], *single out; value, prize, love.*

di-lūtus, -a, -um, [luō, *wash*], DILUTED, *weakened.*

di-mētior, -īrī, -mēnsus, *measure, measure off; of work, lay out.* (DIMENSION)

di-micātiō, -ōnis, f., [di-micō], *fight; struggle; contest.*

di-micō, -āre, -āvī, -ātūrus, *fight, contend, struggle.*

di-midius, -a, -um, [dis- + medius], *half;* as noun, **di-midium, -ī,** n., *half.*

di-mittō, -ere, -mīsī, -missus, *send apart;* DISMISS, *send off; let go, release, let slip, lose; throw away; abandon, leave.*

di-rigō, -ere, -rēxī, -rēctus, [dis- + regō], DIRECT, *steer.*

di-ripiō, -ere, -uī, -reptus, [rapiō], *plunder, pillage.*

di-ruō, -ere, -ruī, -rutus, *overthrow, demolish, destroy.*

di-rus, -a, -um, *frightful, dreadful,* DIRE.

dis- or **di-,** inseparable prefix, meaning *apart, in different directions; not, un-; utterly, entirely.*

Dīs, Dītis, m., DIS, *god of the underworld; Pluto.*

dis-cēdō, -ere, -cessī, -cessus, *disperse; go away, depart, withdraw; remain; give up, resign.* **victor dis-**

cēdere, *to come off victorious.* **ab armīs discēdere**, *to lay down arms.*

dis-cernō, -ere, -crēvī, -crētus, *distinguish,* DISCERN. (DISCREET)

disciplīna, -ae, f., **[discipulus]**, *instruction, teaching, training, system, education; learning.* (DISCIPLINE)

discipulus, -ī, m., **[discō]**, *scholar, pupil, follower.* (DISCIPLE)

discō, -ere, didicī, —, *learn; learn how.*

dis-crīmen, -inis, n., *crisis.* (DISCRIMINATION)

dis-currō, -ere, -cucurrī or **-currī, -cursus,** *run in different directions.* (DISCURSIVE)

dis-cutiō, -ere, -cussī, -cussus, [quatiō, beat], *strike down, clear away.*

dis-iciō, -ere, -iēcī, -iectus, [iaciō], *drive apart, open; disperse, scatter; rout.*

dis-pār, -paris, *unequal.* (DISPARITY)

di-spergō, -ere, -spersī, -spersus, [spargō, scatter], *scatter,* DISPERSE.

dis-pliceō, -ēre, -uī, -itus, [placeō], DISPLEASE.

dis-pōnō, -ere, -posuī, -positus, *place here and there, distribute; form, array, arrange; station, post; adjust,* DISPOSE.

dis-putātiō, -ōnis, f., **[dis-putō]**, *discussion, debate,* DISPUTE. (DISPUTATION)

dis-putō, -āre, -āvī, -ātūrus, *examine, discuss; argue,* DISPUTE.

dis-sēnsiō, -ōnis, f., **[dis- + sentiō]**, *disagreement,* DISSENSION.

dis-serō, -ere, —, —, [serō, sow], *plant at intervals.*

dissimilis, -e, *unlike.*

dissipō, -āre, -āvī, -ātus, *scatter, disperse.* (DISSIPATE)

dis-tendō, -ere, -tendī, -tentus, *stretch out, spread apart.* (DISTEND)

dis-tineō, -ēre, -uī, -tentus, [teneō], *keep apart, separate.*

di-stō, -stāre, —, —, *stand apart, be apart, be* DISTANT.

dis-trahō, -ere, -trāxī, -trāctus, *draw apart; fall into disorder.* (DISTRACT)

dis-tribuō, -ere, -uī, -ūtus, *divide,* DISTRIBUTE, *apportion, assign.*

diū, comp., **diūtius,** sup., **diūtissimē,** adv., *long, for a long time.* **quam diū,** *as long as.*

diurnus, -a, -um, [diēs], *of the day, by day.* (DIURNAL)

diūtinus, -a, -um, [diū], *long-continued, lasting, long.*

diūturnitās, -ātis, f., **[diūturnus, long]**, *long duration.*

di-vellō, -ere, -vellī, -volsus, *tear away, tear to pieces.*

di-versus, -a, -um, [di-vertō], *opposite; separate, apart; different.* (DIVERSE)

di-vertō, -ere, -tī, -sus, *separate.* (DIVERT)

dives, -itis, comp., **ditior,** sup., **ditissimus,** *rich, wealthy.*

Diviciācus, -ī, m., DIVICIACUS, *an Aeduan of great influence, loyal to Caesar, who at his intercession pardoned Dumnorix.*

di-vidō, -ere, -visī, -visus, [video], *separate,* DIVIDE, *part; distribute, share.*

divinus, -a, -um, [divus], *of a god, godlike,* DIVINE; *prophetic.*

dō, dare, dedī, datus, *give, give up, grant; surrender; offer, furnish, allow; put.* **poenās dare,** *to suffer punishment.* **negōtium dare,** *to commission, direct.* **in fugam dare,** *to put to flight.* (DATA)

doceō, -ēre, -uī, doctus, *teach; inform; point out; show, tell.*

docilis, -e, [doceō], *(easily taught),* DOCILE.

doctor, -ōris, m., **[doceō]**, *teacher, instructor.* (DOCTOR)

doctrina, -ae, f., **[doceō]**, *teaching, instruction; learning;* DOCTRINE.

documentum, -ī, n., **[doceō]**, *lesson, warning.* (DOCUMENT)

doleō, -ēre, -uī, -itus, *suffer; be annoyed.*

421

dolor, -ōris, m., [doleō], *pain; grief, distress; annoyance.* (DOLOROUS)

dolus, -i, m., *cunning, fraud, deceit.*

domesticus, -a, -um, [domus], *of the household;* DOMESTIC; *home, native, one's own; civil, internal.*

domicilium, -i, n., *dwelling.*

domina, -ae, f., [domō], *mistress.*

dominātiō, -ōnis, [dominor], f., *mastery, absolute power, despotism.* (DOMINATION)

dominus, -i, m., [domō], *master.* (DOMINIE)

Domitius, -i, m., (1) *L.* DOMITIUS *Ahenobarbus,* consul in 54 B.C. (2) *Cn.* DOMITIUS, one of Caesar's lieutenants.

domō, -āre, -ui, -itus, *subdue, master, conquer.* (*in-*DOMITABLE)

domus, -ūs, f., *house, dwelling, home.* Loc., **domi,** *at home.* Acc., **domum,** *homewards, home.*

dōnec, conj., *as long as, while; until.*

dōnō, -āre, -āvi, -ātus, [dōnum], *give, present, bestow; grant.* (DONOR)

dōnum, -i, n., [dō], *gift, present, reward.*

dormiō, -ire, -ivi, -itūrus, *sleep.* (DORMITORY)

dorsum, -i, n., *back; range, ridge.* (DORSAL)

dōs, dōtis, f., [dō], DOWRY, DOWER.

dracō, -ōnis, m., DRAGON.

Druidēs, -um, m., DRUIDS, a Gallic priesthood.

dubitātiō, -ōnis, f., [dubitō], *doubt, hesitation.* (DUBITATION)

dubitō, -āre, -āvi, -ātus, [dubius], *doubt; hesitate, delay; be uncertain.* (DUBITATIVE)

dubius, -a, -um, *doubtful, uncertain; critical.* (DUBIOUS)

du-centi, -ae, -a, [duo + centum], *two hundred.*

dūcō, -ere, dūxi, ductus, *lead, guide, conduct;* of a trench, *make; protract, prolong, put off; think, consider, reckon.* **in mātrimōnium dūcere,** *to marry.*

Duilius, -i, m., *C.* DUILIUS, who defeated the Carthaginians off Mylae in 260 B.C.

dulcis, -e, *sweet; agreeable, pleasant;* n. pl., **dulcia,** *"sweets," sweet cakes.* (DULCET)

dum, conj., *while, as long as; until.*

dum modo, conj., *provided, if only.*

Dumnorix, -igis, m., DUMNORIX, an Aeduan, brother of Diviciacus, and son-in-law of Orgetorix; a bitter enemy of Caesar.

duo, -ae, -o, *two; both.* (DUAL)

duo-decim, [decem], indecl., *twelve.* (DUODECIMAL)

duo-decimus, -a, -um, [duo-decim], *twelfth.*

duo-dēni, -ae, -a, [duo-decim], *twelve each.*

duo-dē-quadrāgēsimus, -a, -um, *thirty-eighth.*

duo-dē-septuāgintā, indecl., *sixty-eight.*

duo-dē-viginti, indecl., *eighteen.*

du-plex, -icis, [duo + plicō, *fold*], *twofold, double.* (DUPLEX)

du-plicō, -āre, -āvi, -ātus, [duplex], *make double, double.* (DUPLICATE)

dūritia, -ae, f., [dūrus], *hardness; hardship; severe mode of life.*

dūrō, -āre, -āvi, -ātus, [dūrus], *harden; last.* (*en-*DURE, DURATION)

Dūrus, -i, m., *Q. Laberius* DURUS, one of Caesar's military tribunes.

dūrus, -a, -um, *hard; harsh, severe, difficult; rough; cruel.*

dux, ducis, m., [dūcō], *leader; guide; commander, general.*

Dyrrachinus, -a, -um, [Dyrrachium], *of* or *at* DYRRACHIUM.

Dyrrachium, -i, n., DYRRACHIUM, a seaport on the west coast of Illyria.

E

ē, prep., see **ex.**

eā, [sc. viā], adv., *on that side, there; in that way.*

ebur, -oris, n., IVORY.

eburneus, -a, -um, [ebur, IVORY], *of* IVORY, IVORY.

Eburōnēs, -um, m., *the* EBURONES, a Belgic people north of the Treveri.

Eburovicēs, -um, m., *the* EBUROVICES, a branch of the Aulerci.

ec-ce, interj., *behold! see! here is* or *are.*

Ecnomus, -ī, m., ECNOMUS, a town on the south coast of Sicily.

ec-quid, inter. adv., *at all.*

ē-dīcō, -ere, -dīxī, -dictus, *proclaim, appoint.* (EDICT)

ē-dictum, -ī, n., [ē-dīcō], *proclamation* (EDICT)

ē-discō, -ere, -didicī, —, *learn by heart, commit to memory.*

ē-ditus, -a, -um, [ē-dō], *elevated, high; rising.*

ē-dō, -ere, -didī, -ditus, *give forth, put forth, exhibit; publish, announce; perform, cause; inflict.* (EDIT)

edō, ēsse, ēdī, ēsus, EAT.

ē-dūcō, -āre, -āvī, -ātus, [dux], *bring up, rear;* EDUCATE.

ē-dūcō, -ere, -dūxī, -ductus, *lead out, draw out; draw up; bring up, rear.*

ef-fēminō, -āre, -āvī, -ātus, [ex + fēmina], *make* EFFEMINATE, *weaken, enervate.*

ef-ferō, -ferre, ex-tulī, ē-lātus, [ex], *carry out; spread abroad, publish; raise, praise, extol;* ELATE.

ef-fervēscō, -ere, -ferbuī, —, [fervēscō, incep. of ferveō], *boil up,* EFFERVESCE.

ef-ficiō, -ere, -fēcī, -fectus, [ex + faciō], *work out; bring to pass;* EFFECT, *accomplish; make, cause, produce, render; build, construct.* (EFFICIENT)

ef-fingō, -ere, -finxī, -fictus, *fashion, form.*

ef-flāgitō, -āre, -āvī, -ātus, [ex], *earnestly request, insist.*

ef-fugiō, -ere, -fūgī, —, [ex], *flee; escape.*

ef-fundō, -ere, -fūdī, -fūsus, [ex], *pour out; pour forth, spread; squander, waste.* (EFFUSIVE)

Ēgeria, -ae, f., EGERIA, a prophetic nymph, who was consulted by Numa.

egestās, -tātis, f., [egeō, *need*], *privation, need.*

ēgī, see agō.

ego, meī, pers. pron., *I.* (EGO)

ē-gredior, -ī, -gressus, [gradior, *step*], *go forth, leave;* from a ship, *land, disembark.*

ē-gregiē, [ē-gregius], adv., *excellently, admirably, splendidly, remarkably.*

ē-gregius, -a, -um, [grex, *herd, crowd*], *eminent, distinguished, remarkable, excellent.* (EGREGIOUS)

ē-gressus, -ūs, m., [ē-gredior], *landing place.* (EGRESS)

ēheu, interj., *alas!*

ē-iaculor, -ārī, -ātus, *shoot forth, spout forth.*

ē-iciō, -ere, -iēcī, -iectus, [iaciō], *cast out; cast up; drive out, expel.* sē ēicere, *rush out.*

ē-lābor, -ī, ēlāpsus, *slip away; escape.* (ELAPSE)

ē-lātus, see ef-ferō.

ē-lēctus, -a, -um, [ē-ligō, *pick out*], *chosen, picked.* (ELECT)

elephantus, -ī, m., ELEPHANT.

Eleutetī, -ōrum, m., *the* ELEUTETI, a people of central Gaul.

ē-liciō, -ere, -uī, -itus, [laciō, *entice*], *draw out, entice.* (ELICIT)

ē-micō, -āre, -cuī, -cātus, *leap out, spring forth, bound forth.*

ēmineō, -ēre, -uī, —, *stand out, project; be prominent, be conspicuous.* (EMINENT)

ē-mittō, -ere, -mīsī, -missus, *send forth; drive, hurl, discharge; let loose, set free; let go, drop.* (EMIT)

emō, -ere, ēmī, ēmptus, *buy, purchase; acquire, obtain; take.*

enim, [nam], postpositive conj., *for, for in fact.* neque enim, *and (with good reason) for . . . not, for in fact . . . not.*

ēnsis, -is, m., *sword.*

ē-nūntiō, -āre, -āvi, -ātus, *speak out; disclose, reveal, report.* (ENUNCIATE)

eō, īre, īvī or **iī, itūrus,** *go, march, move, pass, advance.*

eō, [is], adv., *on this account; to that place, thither; to that degree, so far;* with comp., *the;* **eō magis,** *the more.*

eōdem, [idem], adv., *to the same place.*

epigramma, -atis, n., EPIGRAM.

Ēpīrus, -i, m., EPIRUS, *a country northwest of Greece, on the eastern shore of the Adriatic Sea.*

epistula, -ae, f. *letter,* EPISTLE.

Eporēdorix, -igis, m., EPOREDORIX, *a prominent Aeduan.*

epulae, -ārum, f., (viands), *feast, banquet.*

eques, -itis, m., **[equus],** *horseman; cavalryman* (pl. *cavalry*); *Knight,* member of the wealthy *Equestrian Order,* ranking between the *Senatorial Order* and the *Plebs.*

equester, -tris, -tre, [eques], *of a horseman,* EQUESTRIAN; *of cavalry, cavalry; of the Knights.*

e-quidem, adv., *truly, indeed; for my part.*

equitātus, -ūs, m., **[equitō],** *cavalry.*

equitō, -āre, -āvi, -ātus, [eques], *ride.*

equus, -i, m., *horse, steed.* (EQUINE)

Eratosthenēs, -is, m., ERATOSTHENES, *a Greek of the third century* B.C., *librarian of the great library at Alexandria in Egypt, and famous as a geographer, mathematician, historian, and grammarian.*

Erebus, -i, m., EREBUS, *god of darkness; the Lower World.*

ē-rēctus, -a, -um, [ē-rigō], *raised, elevated, high;* ERECT.

ergastulum, -i, n., *dungeon;* pl., *barracks.*

ergō, adv., *consequently, therefore.*

Eridanus, -i, m., ERIDANUS, *mythical name of the* **Padus,** *the river Po.*

ē-rigō, -ere, -rēxī, -rēctus, [regō], *raise,* ERECT.

ē-ripiō, -ere, -ui, -reptus, [rapiō], *snatch away, take away, remove; deprive; rescue, save.* **sē ēripere,** *to rescue oneself, make one's escape.*

errō, -āre, -āvi, -ātūrus, *wander; be in* ERROR, *be mistaken,* ERR.

error, -ōris, m., **[errō],** *wandering;* ERROR, *mistake.*

ē-rudiō, -īre, -īvī, -ītus, *teach.* (ERUDITE)

ē-rumpō, -ere, -rūpī, -ruptus, *break out, burst forth.* (ERUPT)

ē-ruptiō, -ōnis, f., **[ē-rumpō],** *sortie; rush.* (ERUPTION)

essedārius, -i, m., **[essedum],** *chariot-fighter, charioteer.*

essedum, -i, n., (two-wheeled) *war-chariot.*

es-tō, [fut. imperative, 3d sing. of **sum**], *shall be.*

et, (1) conj., *and.* **et . . . et,** *both . . . and.* (2) adv., *also, too, even.*

et-iam, adv. and conj., *and also, also, even.* **nōn sōlum . . . sed etiam,** *not only . . . but also.*

Etrūria, -ae, f., ETRURIA, *a country northwest of Rome.*

Etrūscus, -a, -um, ETRUSCAN, *of* ETRURIA.

Etrūsci, -ōrum, m., *the* ETRUSCANS, *inhabitants of* ETRURIA.

et-si, conj., *although, even if.*

Eumenides, -um, f., *the Furies.*

Euripidēs, -is, m., EURIPIDES, *a famous tragic poet of Athens.*

Eurōpa, -ae, f., EUROPE.

Eurydicē, -ēs, f., EURYDICE, *wife of Orpheus.*

ē-vādō, -ere, -vāsī, -vāsus, *go forth; get away, escape,* EVADE.

ē-vellō, -ere, -velli, -vulsus, *pull out.*

ē-veniō, -īre, -vēni, -ventus, *come out; turn out, happen.*

ē-ventus, -ūs, m., **[ē-veniō],** *outcome, issue, result; chance, fortune; fate, accident.* (EVENT) ē-vertō, -ere, -vertī, -versus, *over-turn; destroy, ruin.*

ē-vocātus, -ī, m., [ē-vocō], *veteran volunteer,* one who re-enlisted after serving for twenty years.

ē-vocō, -āre, -āvī, -ātus, *call forth, summon,* EVOKE.

ē-volō, -āre, -āvī, -ātus, *fly away, fly up.*

ex, (often before consonants ē), prep. with abl., *out of, of; from, down from; since, after; by reason of, by, because of, in consequence of; according to, with, in, on.* ex ūnā parte, *on one side.*
In composition ex- becomes ef-before f, ē- before b, d, g, consonant i, l, m, n, and v.

ex-āctus, see ex-igō.

exāminō, -āre, -āvī, -ātus, [exāmen, *tongue of a balance*], *weigh,* EXAMINE.

ex-animō, -āre, -āvī, -ātus, [anima, *breath*], *put out of breath, deprive of life, kill.* Pass., *be exhausted, be out of breath.*

ex-ārdēscō, -ere, -ārsī, -ārsus, [incep. of ārdeō], *blaze out; break out; be provoked, rage.*

ex-audiō, -īre, -īvī, -ītus, *hear clearly, distinguish; discern, hear* (from afar).

ex-cēdō, -ere, -cessī, -cessūrus, *go out, go forth, depart, withdraw, leave; go beyond, surpass,* EXCEED.

ex-cellēns, -entis, [ex-cellō], *distinguished,* EXCELLENT.

ex-cellō, -ere, —, -celsus, *be eminent.* EXCEL.

ex-celsus, -a, -um, [ex-cellō], *lofty, high.*

ex-cidium, -ī, n., [cadō], *overthrow; fall, ruin, destruction.*

ex-cipiō, -ere, -cēpī, -ceptus, [capiō], *take out; take up; receive; withstand, ward off; capture, take; encounter; succeed, follow, relieve.* (EXCEPT)

ex-citō, -āre, -āvī, -ātus, [freq. of

ex-cieō, *arouse*], *call forth; arouse, stir,* EXCITE; *erect.*

ex-clāmō, -āre, -āvī, -ātūrus, *call out, cry aloud,* EXCLAIM.

ex-clūdō, -ere, -clūsī, -clūsus, [claudō], *shut out,* EXCLUDE; *hinder, prevent.*

ex-cruciō, -āre, -āvī, -ātus, *torture.* (EXCRUCIATING)

ex-cubitor, -ōris, m., [cubō, *lie down*], *sentinel.*

ex-culcō, -āre, -āvī, -ātus, [calcō, *trample*], *trample down.*

ex-cursus, -ūs, m., [currō], *running forth, onset, charge.*

ex-cūsō, -āre, -āvī, -ātus, [causa], *excuse, make excuse for.*

ex-emplum, -ī, n., [ex-imō], *specimen, copy,* EXAMPLE, *precedent.*

ex-eō, -īre, iī, itūrus, *go out, go forth; march out; withdraw, leave; pass away, perish; turn out, result.* (EXIT)

ex-erceō, -ēre, -uī, -itus, [arceō], EXERCISE, *employ, drill, train, discipline; administer; enforce.*

ex-ercitātiō, -ōnis, f., [ex-ercitō, freq. of ex-erceō], *exercise, training, discipline.*

ex-ercitātus, -a, -um, [ex-ercitō, freq. of ex-erceō], *exercised, trained, disciplined.*

ex-ercitus, -ūs, m., [ex-erceō], (disciplined body of men), *army.*

ex-hauriō, -īre, -hausī, -haustus, (draw out), *empty,* EXHAUST; *take out, carry; impoverish.*

ex-horrēscō, -ere, -horruī, *shudder.*

ex-igō, -ere, -ēgī, -āctus, [agō], *drive out, expel.* (EXACT)

ex-iguē, [ex-iguus], adv., *scantily, barely, hardly.*

ex-iguitās, -ātis, f., [ex-iguus], *small-ness; small number, fewness; short-ness.*

ex-iguus, -a, -um, [ex-igō], *scanty, small, little, short, brief.*

ex-imius, -a, -um, [ex-imō], *select; excellent, remarkable, extraordinary.*

ex-imō, -ere, -ēmī, -ēmptus, [emō],
take out, remove; free.

ex-istimātiō, -ōnis, f., [ex-īstimō],
opinion, judgment; reputation.

ex-istimō, -āre, -āvī, -ātus, [aestimō],
value, estimate; suppose, think,
regard.

ex-itium, -ī, n., [eō], destruction, ruin;
death.

ex-itus, -ūs, m., [eō], end, mouth
(of river); departure; conclusion,
result; end of life, death.
(EXIT)

ex-orior, -īrī, -ortus, come forth, rise;
begin.

ex-pallēscō, -ere, -palluī, turn pale.

ex-pediō, -īre, -īvī, -ītus, [pēs], dis-
engage, loose, extricate, set free;
prepare, obtain, procure; be EX-
PEDIENT. (EXPEDITE)

ex-peditiō, -ōnis, f., rapid march,
EXPEDITION.

ex-peditus, -a, -um, [ex-pediō], unencumbered, without baggage; light-
armed; ready, easy, convenient,
free. As noun, ex-peditus, -ī, m.,
light-armed soldier.

ex-pellō, -ere, -pulī, -pulsus, drive
out, remove, EXPEL.

ex-perior, -īrī, -pertus, try, prove,
test; EXPERIENCE; find; try, attempt. (EXPERIMENT)

ex-piō, -āre, -āvī, -ātus, [piō, ap-
pease], EXPIATE, atone for.

ex-pleō, -ēre, -plēvī, -plētus, fill out,
com-PLETE; make good.

ex-plicō, -āre, -plicāvī or -plicuī,
-plicātus or -plicitus, [plicō, fold],
unfold; extend, deploy; set forth,
explain. (EXPLICIT)

ex-plōrātor, -ōris, m., [ex-plōrō],
spy, scout. (EXPLORATION)

ex-plōrātus, -a, -um, [ex-plōrō], established, certain, sure.

ex-plōrō, -āre, -āvī, -ātus, search out,
EXPLORE; spy out, reconnoiter;
test; gain, secure.

ex-pōnō, -ere, -posuī, -positus, set
forth, array, exhibit, set on land,
disembark; EXPOSE; set forth, relate, explain.

ex-poscō, -ere, -poposcī, —, request,
demand.

ex-primō, -ere, -pressī, -pressus,
[premō], PRESS out, force out;
EXPRESS.

ex-pugnātiō, -ōnis, f., [ex-pugnō],
storming; assault.

ex-pugnō, -āre, -āvī, -ātus, take by
assault, storm, capture; overcome,
win over.

ex-quīrō, -ere, -quīsīvī, -quīsītus,
[quaerō], seek out, search out; hunt
up; ask for, inquire into. (EX-
QUISITE)

ex-sanguis, -e, bloodless; pale with fear.

ex-sequor, -ī, -secūtus, follow up,
maintain, enforce. (EXECUTE)

ex-silium, -ī, n., [ex-sul], EXILE.

ex-sistō, -ere, -stitī, —, come forth;
stand out, project; arise, become;
EXIST, be.

ex-spectō, -āre, -āvī, -ātus, look out
for, await; look to see, EXPECT.

ex-spīrō, -āre, -āvī, -ātus, [spīrō,
breathe], breathe out, exhale; EX-
PIRE.

ex-spoliō, -āre, -āvī, -ātus, pillage,
plunder, rob, spoil.

ex-stinguō, -ere, -stīnxī, -stīnctus,
put out, EXTINGUISH; blot out, kill,
destroy.

ex-stitī, see ex-sistō.

ex-stō, -stāre, —, —, stand forth;
exist; be EXTANT.

ex-struō, -ere, -strūxī, -strūctus, pile
up, heap up, build, con-STRUCT.

ex-sul, -is, m., EXILE.

exta, -ōrum, n., (internal organs of
the body), entrails.

ex-ter or ex-terus, -a, -um, [ex],
outward, outer. Comp., exterior,
-ius, outer, EXTERIOR. Sup., extrēmus or ex-timus, farthest, last,
last part of, at the end; EXTREME,
uttermost. As noun, extrēmī, -ōrum,
m., the last, the rear.

exterior, see exter.

426

ex-ternus, -a, -um, [ex-ter], *outward,*
EXTERNAL; *foreign.*
ex-trā, [ex-ter], prep. with acc., *outside of, beyond, without.* (EXTRA)
ex-trahō, -ere, -trāxi, -trāctus, *draw
out; protract, prolong.* (EXTRACT)
extrēmus, see ex-ter.
ex-uō, -ere, -ui, -ūtus, *draw out, pull
off; undress; strip, despoil.*
ex-ūrō, -ere, -ussi, -ūstus, *burn up.*

F

faber, fabri, m., *workman, mechanic,
artisan.*
Fabius, -i, m., (1) *Q.* FABIUS *Rul-
lianus,* master of the horse in the
Second Samnite war. (2) *L.* FABIUS
Maximus, called **Cunctātor,** the
"Delayer," because of his policy of
delay against Hannibal. (3) *L.* FA-
BIUS, one of Caesar's lieutenants.
Fabricius, -i, m., *C.* FABRICIUS
Luscinus, who was admired by
Pyrrhus for his integrity.
fabricō, -āre, -āvi, -ātus, [faber],
build, construct. (FABRICATE)
fābula, -ae, f., [fāri, *to speak*], *story;*
FABLE.
faciēs, -ēi, f., *shape; face, appearance.*
facile, [facilis], adv., *easily, readily.*
facilis, -e, [faciō], *easy; slight, little.*
(FACILE)
facillimus, -a, -um, [sup. of facilis],
very easy. -
facinus, -oris, n., [faciō], *action, deed;
misdeed, crime.*
faciō, -ere, fēci, factus, *make; do,
perform, accomplish, form; bring
about, cause; obtain; incur, suffer;
act; choose, appoint; grant, furnish,
give.* See fiō. certiōrem facere, *to
inform.* iter facere, *to march.* vim
facere, *to use violence.* imperāta
facere, *to obey commands.*
factiō, -ōnis, f., [faciō], *party, political party,* FACTION.
factum, -i, n., [faciō], *deed, action,
achievement.* (FACT)

facultās, -ātis, f., [facilis], *ability, ca-
pability; opportunity, chance; abundance, supply;* pl., *resources.* (FAC-
ULTY)
fāgus, -i, f., *beech tree, beech.*
Falērii, -ōrum, m., FALERII, an Etruscan city north of Rome.
Falernus, -a, -um, [Falērii], FALER-
NIAN; Falernum (*sc.* vinum), -i, n.,
Falernian wine.
Faliscus, -i, m., [Falērii], *an inhabitant of* FALERII, *a* FALISCAN.
fallō, -ere, fefelli, falsus, *deceive,
cheat; escape notice; fail, disappoint.* (FALLACIOUS)
falsus, -a, -um, [fallō], *feigned,* FALSE.
falsum, -i, n., *falsehood.*
falx, falcis, f., *sickle;* (sickle-shaped)
hook; large *hooks* for tearing down
walls.
fāma, -ae, f., [fāri, *to speak*], *report,
rumor, tradition;* FAME, *reputation.*
famēs, -is, (abl., famē), f., *hunger;*
FAMINE, *want.*
familia, -ae, f., [famulus, *servant*],
body of slaves in one household,
family servants; household, FAM-
ILY; including the whole body of
serfs and retainers under the authority of a nobleman, *retinue.*
mātrēs familiae, *matrons.*
familiāris, -e, [familia], *of the* FAMILY
or *household;* FAMILIAR, *intimate.*
rēs familiāris, *private property,
estate.* As noun, familiāris, -is, m.,
friend, intimate acquaintance.
familiāritās, -ātis, f., [familiāris], FA-
MILIARITY, *intimacy, friendship.*
fāmōsus, -a, -um, [fāma], FAMOUS.
famula, -ae, f., [famulus, *servant*],
maid-servant, handmaid.
farreus, -a, -um, [far, *spelt*], (made
of) *spelt.*
fās, (only nom. and acc. sing. in use),
n., [fāri, *to speak*], indecl., *right, al-
lowable, lawful* according to the
laws of God and nature.
fascis, -is, m., *bundle, fagot;* pl., *the*

FASCES, a bundle of rods tied about an ax, a symbol of authority.

fāstī, -ōrum, m., [fāstī diēs, *court days*], *calendar.*

fastīgium, -i, n., *peak, summit, top; slope, descent, declivity.*

fātālis, -e, [fātum], FATED; FATAL; *deadly, destructive.*

fateor, -ēri, fassus, CONFESS, *admit.*

fatīgō, -āre, -āvī, -ātus, *weary,* FATIGUE.

fātum, -i, n., [fārī, *to speak*], FATE, *destiny.*

faucēs, -ium, f., *jaws, throat; narrow way, pass; narrow passage.*

Faustulus, -i, m., FAUSTULUS, a shepherd.

faveō, -ēre, fāvī, fautūrus, FAVOR, *be propitious.*

favor, -ōris, m., [faveō], FAVOR, *goodwill, applause.*

fax, facis, f., *torch, firebrand.*

febris, -is, f., FEVER, *ague.*

fēcundas, -a, -um, *fertile.*

fēliciter, [fēlix], adv., *luckily, happily; successfully;* fēliciter dicō, *offer congratulations.*

fēlix, -icis, *happy, lucky.*

fēmina, -ae, f., *woman; female.* (FEMININE)

femur, -oris or -inis, n., *thigh.*

fera, -ae, f., [ferus, *wild*], *wild beast, wild animal.*

ferculum, -i, n., [ferō], *dish, course.*

ferē, adv., *almost, nearly;* with words denoting time, *about; for the most part, usually, generally, as a rule.*

fēriae, -ārum, f., *holidays.*

ferō, ferre, tulī, lātus, *bear, carry, bring, offer; lead, drive; impel, urge; bring forth, produce; withstand, sustain, endure, suffer; obtain, receive; assert, report, say.* signa ferre, *to advance.* lēgem ferre, *to pass a law.*

ferrāmentum, -i, n., [ferrum], *tool* of iron.

ferreus, -a, -um, [ferrum], *made of iron, iron.*

ferrum, -i, n., *iron; sword.*

fertilis, -e, [ferō], FERTILE.

ferula, -ae, f., *stick, rod.* (FERULE)

ferus, -a, -um, *wild, savage.* As noun, ferus, -i, m., *wild beast.*

ferve-faciō, -ere, -fēcī, -factus, [ferveō], *make hot, heat, heat red-hot.*

fervēns, -entis, [ferveō], *red-hot.* (FERVENT)

ferveō, -ēre, —, —, *be hot.* (FERVID)

fervidus, -a, -um, [ferveō], *glowing.* (FERVID)

fēstum, -i, n., [fēstus], *holiday,* FESTIVAL.

fēstus, -a, -um, FESTAL.

fētus, -ūs, m., *offspring, young.*

fictilis, -e, [fingō], *of clay* or *pottery, earthen.*

fidēlis, -e, [fidēs], *faithful, trustworthy.* (FIDELITY)

fidēs, -eī, f., *trust, belief; good faith, loyalty; pledge, promise; credit; confidence, trust; protection, alliance.*

fidūcia, -ae, f., [fidus], *trust, confidence, reliance, assurance.*

fidus, -a, -um, [fidō, *trust*], *faithful, trusty.*

figō, -ere, fixī, fixus, *fasten,* FIX.

figūra, -ae, f., [fingō], *shape, form,* FIGURE.

filia, -ae, f., *daughter.*

filiola, -ae, f., [filia], *little daughter.*

filiolus, -i, m., [filius], *little son.*

filius, -i, (voc. sing. filī), m., *son.* (FILIAL)

findō, -ere, fidī, fissus, *split, cleave.*

fingō, -ere, finxī, fictus, *form, shape; conceive, imagine; invent, devise.* (FICTION)

finiō, -ire, -ivī, -itus, [finis], *limit, bound, define; end,* FINISH.

finis, -is, m., *limit, boundary, end, extent.* Pl., con-FINES, *territory, country.* (FINIS)

finitimus, -a, -um, [finis], *bordering on, neighboring, adjoining.* As noun, finitimi, -ōrum, m., *neighbors.*

fīō, fierī, factus, (pass. of faciō), *be made, be done; become, happen; come about, come to pass.* certior fierī, *to be informed.*

firmē, [firmus], adv., FIRMLY, *strongly.*

firmiter, [firmus], adv., *solidly,* FIRMLY.

firmus, -a, -um, *strong,* FIRM; *steadfast, powerful.*

fistula, -ae, f., *water pipe; shepherd's pipe.*

flagellum, -ī, n., *whip, scourge.* (FLAGELLATION)

flāgitiōsus, -a, -um, [flāgitium, *disgrace*] *shameful, disgraceful.*

flāmen, -inis, m., *priest,* FLAMEN.

Flāmininus, -ī, m., (1) *T. Quinctius* FLAMININUS, who was sent against the Gauls in 360 B.C. (2) *T. Quinctius* FLAMININUS, the conqueror of Philip, king of Macedon, in 197 B.C.

Flāminius, -ī, m., [flāmen], *C.* FLAMINIUS, defeated and slain at Trasumenus.

flamma, -ae, f., *blaze,* FLAME.

flammeum, -ī, n., [flamma], (a FLAME-colored) *veil.*

flāvus, -a, -um, *yellow, golden.*

flectō, -ere, flexī, flexus, *bend, turn; persuade, influence.* (FLEXIBLE)

fleō, flēre, flēvī, flētūrus, *weep.*

flētus, -ūs, m., [fleō], *weeping.*

flōreō, -ēre, -uī, —, [flōs], FLOURISH, *be prosperous.*

flōs, flōris, m., FLOWER. (FLORIST)

fluctus, -ūs, m., [fluō], *flood, wave.* (FLUCTUATE)

flūmen, -inis, n., [fluō], *stream, river.*

fluō, -ere, flūxī, flūxus, FLOW. (FLUENT)

fluvius, -ī, m., [fluō], *river, stream.*

focus, -ī, m., *fireplace, hearth.* (FOCUS)

fodiō, -ere, fōdī, fossus, *dig.*

foedus, -eris, n., *treaty; agreement.*

follis, -is, m., (a large leather) *handball.*

fōns, fontis, m., *spring,* FOUNTAIN; *source.*

forāmen, -inis, n., *hole, fissure.*

foras, (acc. place whither), adv., *out of doors.*

fore = futūrus esse.

forem = essem.

foris, (abl. place where), adv., *out of doors.*

fōrma, -ae, f., FORM, *figure, appearance; beauty.*

fōrmōsus, -a, -um, *beautiful.*

fors, fortis, f., *chance, luck, accident.*

forsitan, adv., *perhaps, possibly.*

forte, [abl. of fors], adv., *by chance; perchance, perhaps.*

fortis, -e, *strong; brave, valiant.*

fortiter, [fortis], adv., *bravely, boldly.*

fortitūdō, -inis, f., [fortis], *strength, courage, bravery.* (FORTITUDE)

fortūna, -ae, f., [fors], *chance, luck,* FORTUNE; *lot, rank, circumstances; possessions; good fortune; ill fortune;* personified, *the goddess Fortune.*

forum, -ī, n., *market place;* Forum (Rōmānum), *the* FORUM in Rome.

fossa, -ae, f., [fodiō], *ditch, trench, intrenchment.* (FOSSE)

fovea, -ae, f., *pit, pitfall.*

fragmentum, -ī, n., [frangō], FRAGMENT.

frangō, -ere, frēgī, frāctus, *break, break down, dishearten, subdue, overcome.* (FRACTURE)

frāter, -tris, m., *brother.* (FRATERNITY)

frāternus, -a, -um, [frāter], *of a brother, brotherly.* (FRATERNAL)

fremitus, -ūs, m., [fremō, *roar*], *roaring, shouting; roar, noise, din.*

fretum, -ī, n., *sea.*

frigidārium, -ī, n., [frigidus], *cold room* in a Roman bath.

frigidus, -a, -um, *cold, cool.* (FRIGID)

frigus, -oris, n., *cold, cold weather.* Pl., *cold spells; cold season.*

frōns, frontis, f., *forehead;* FRONT.

frūctus, -ūs, m., [fruor], *enjoyment;* FRUIT; *profit; income; result.*

frūgēs, -um, f., *produce, crops, products of the soil, fruits.* (FRUGAL)

429

frūmentārius, -a, -um, [frūmentum], *having to do with grain or supplies; grain-producing.* **rēs frūmentaria,** *supply of grain, supplies.*

frūmentor, -āri, -ātus, [frūmentum], *get grain, forage.*

frūmentum, -i, n., [fruor], *grain, standing grain.* Pl. often, *grain crops.*

fruor, -i, frūctus, *enjoy.*

frūstrā, adv., *in vain.*

Fūfetius, -i, m., *Mettius* FUFETIUS, who was killed by Tullus Hostilius on account of treachery.

fuga, -ae, f., *flight.* **in fugam dare,** *to put to flight, rout.*

fugiēns, -entis, [fugiō], *fleeing.* As noun, m., *a fugitive.*

fugiō, -ere, fūgi, -itūrus, *run away, flee, escape.*

fugitivus, -a, -um, [fugiō], *fleeing.* As noun, **fugitivus, -i,** m., *runaway,* FUGITIVE.

fugō, -āre, -āvi, -ātus, [fuga], *put to flight, rout.*

fulmen, -inis, n., [fulgeō], *lightning flash, thunderbolt.* (FULMINATE)

fulvus, -a, -um, *tawny, yellow.*

fūmō, -āre, —, —, [fūmus], *smoke,* (FUMES)

fūmus, -i, m., *smoke.* (FUME)

fūnāle, -is, n., [fūnis], *torch.*

funda, -ae, f., [fundō], *sling.*

funditor, -ōris, m., [funda], *slinger.*

fundō, -ere, fūdi, fūsus, *pour; scatter, rout.* (con-FUSE)

fūnebris, -e, [fūnus], FUNERAL. As noun, **fūnebria, -ium,** n., FUNERAL *rites.*

fūnestus, -a, -um, [fūnus], *deadly, destructive, fatal.*

fungor, -i, fūnctus, *be engaged in, perform, finish; do, administer.* (FUNCTION)

fūnis, fūnis, m., *rope; cable;* pl., *halyards.*

fūnus, -eris, n., FUNERAL.

Furculae, -ārum, [furcula, dim. of furca, FORK], **Furculae Caudinae,** the CAUDINE FORKS, a narrow pass in the mountains near Caudium, a town in Samnium.

Fūrius, see **Camillus.**

furō, -ere, —, —, *rage, rave.* (FURY)

furor, -ōris, m., [furō], *rage, madness,* FURY. (FUROR)

furtum, -i, n., [fūr, *thief*], *theft.*

fūsilis, -e, [fūndō], *molded.* (FUSILE)

fūsus, -a, -um [fundō], (spread out), *broad, flowing.* (dif-FUSE)

futūrus, -a, -um, [fut. part. of sum], *about to be;* as adj., *coming,* FUTURE.

G

Gabali, -ōrum, m., *the* GABALI, a peop e in southern Gaul.

Gabinius, -i, m., *Aulus* GABINIUS, consul with L. Calpurnius Piso, 58 B.C.

Gādēs, -ium, f., GADES, a city on the south coast of Spain (modern *Cadiz*).

Gaia, -ae, f., GAIA, feminine form of **Gaius.**

Gaius, (abbreviated C.), **-i,** m., GAIUS, a Roman forename.

galea, -ae, f., *helmet.*

Gallia, -ae, f., GAUL.

Gallicus, -a, -um, [Gallus], *of* GAUL, GALLIC.

gallina, -ae, f., *hen.*

Gallus, -a, -um, GALLIC. As noun, m., *a* GAUL; pl., **Galli, -ōrum,** GAULS.

Garumna, -ae, m., *the Garonne,* a large river in southwestern France.

gaudeō, -ēre, gāvisus, semidep., *be glad, rejoice.*

gaudium, -i, n., [gaudeō], *joy, gladness.*

Geidumni, -ōrum, m., *the* GEIDUMNI, a Belgic people near the Nervii.

gelidus, -a, -um, *cold, icy.*

geminus, -a, -um, *twin.*

gemitus, -ūs, m., *groan.*

genae, -ārum, f., *cheeks.*

Genāva, -ae, f., GENEVA, a city of

the Allobroges, on the lacus Lemannus.

gener, -i, m., *son-in-law.*

generātim, [genus], adv., *by peoples,
by tribes, nation by nation.*

genitor, -ōris, m., *father, sire.*

genitus, see **gignō.**

gēns, gentis, f., *clan,* GENS; *tribe,
people, nation.*

genui, see **gignō.**

genū, -ūs, n., *knee.*

genuālia, -ium, n., *leggings.*

genus, -eris, n., *race, birth; kind,
class, rank; mode, method, nature;
sort, style.* (GENUS)

Germani, -ōrum, m., *the* GERMANS.

Germānia, -ae, f., *Germany.*

gerō, -ere, gessi, gestus, *bear, carry;
manage, transact, do, carry on;
wear; perform, accomplish; complete;* of an office, *fill;* of war,
wage. **sē gerere,** *to act, behave.* **rēs
gestae,** *exploits, deeds.*

gestiō, -ire, -ivi (-ii), -itus, *be eager.*

gestō, -āre, -āvi, -ātus, [freq. of gerō],
bear, carry, wield; wear.

gignō, -ere, genui, genitus, *give birth
to;* pass., *be born.* (*pro*-GENITOR)

gladiātor, -ōris, m., *gladiator.*

gladius, -i, m., *sword.* (GLADIATOR)

glāns, glandis, f., *acorn; bullet* thrown
from a sling.

Glaucē, -ēs, (acc. **-ēn**), f., GLAUCE,
daughter of Creon, king of Corinth.

globulus, -i, m., [globus], GLOBULE.

globus, -i, m., *ball,* GLOBE.

glōria, -ae, f., GLORY, *fame.*

glōriōsus, -a, -um, [glōria], GLORIOUS,
famous; honorable.

Gnaeus, (abbreviated **Cn.**), **-i,** m.,
GNAEUS, a Roman forename.

gradus, -ūs, m., *step; station, position;* pl., *steps, stairs.* (GRADE)

Graecia, -ae, f., GREECE; **Magna
Graecia,** southern Italy, so called
because it was colonized by Greeks.

Graecus, -a, -um, [Graecia], GRE-
CIAN, GREEK. As noun, **Graecus,
-i,** m., *a* GREEK.

Graioceli, -ōrum, m., *the* GRAIOCELI,
a Gallic people in the Alps.

grammaticus, -i, m., GRAMMARIAN.
(GRAMMATICAL)

grandis, -e, *large, great.* (GRAND)

grānulum, -i, n., [grānum], GRANULE.

grānum, -i, n., GRAIN.

graphium, -i, n., *stylus,* a sharp-
pointed iron or bronze instrument,
used for writing on wax tablets.

grātia, -ae, f., [grātus], *favor, grace,*
GRATITUDE, *regard, credit, friendship; influence.* Pl., **grātiae,
-ārum,** *thanks.* **grātiā,** with preceding gen., *for the sake.* **grātiam
habēre,** *to feel gratitude.* **grātiās
agere,** *give thanks, to thank.* **grātiam referre,** *to requite.*

grātitūdō, -inis, f., [grātus], GRATI-
TUDE.

grātuitus, -a, -um, [grātiā], (without pay), *free,* GRATUITOUS.

grātulātiō, -ōnis, f., [grātulor], *con-*
GRATULATE], *rejoicing, con-*GRATU-
LATION.

grātus, -a, -um, *pleasing, acceptable;
thankful,* GRATEFUL. **grātum facere,**
to do a favor.

gravis, -e, *heavy; severe, serious, difficult; disagreeable, irksome; strong,
great; of weight, of authority.*
graviōre aetāte, *of greater age*
(GRAVE).

gravitās, -ātis, f., [gravis], *weight;
importance, dignity, influence.*
(GRAVITY)

graviter, [gravis], adv., *heavily; severely, bitterly; seriously, with dis-
pleasure.* **graviter ferre,** *to be
annoyed.*

gravō, -āre, -āvi, -ātus, *weigh down,
make heavy.*

grex, gregis, m., *flock, herd.*

Grudii, -ōrum, m., *the* GRUDII, a
Belgic people near the Nervii.

gubernātor, -ōris, [gubernō, *steer*],
m., *helmsman.* (GUBERNATORIAL)

gustō, -āre, -āvi, -ātus, *taste.*

gustus, -ūs, m., *appetizer.* (dis-GUST)

gutter, -uris, n., *throat, mouth.* (GUT-TURAL)

H

habeō, -ēre, -ui, -itus, *have, hold, possess, keep; regard, consider, think; reckon, render.* **cēnsum habēre,** *to take a census.* **ōrātiōnem habēre,** *to make a speech.*

habitō, -āre, -āvi, -ātūrus, *dwell, reside; live, in-*HABIT.

Haemus, -i, m., a mountain range in Thrace.

haereō, -ēre, haesi, haesus, *stick, cling to; hesitate.*

Hamilcar, -aris, m., HAMILCAR, father of Hannibal.

hāmus, -i, *hook; spike.*

Hannibal, -alis, m., HANNIBAL, the famous Carthaginian general.

Hannō, -ōnis, m., HANNO, a Carthaginian general.

harpagō, -ōnis, m., *grappling-iron; grappling-hook,* a pole with an iron hook on the end.

Harpȳia, -ae, f., *Harpy,* a mythical creature, half bird and half woman.

Harūdēs, -um, m., *the* HARUDES, a German people between the Danube and the upper Rhine.

harundō, -inis, f., *reed, arrow.*

haru-spex, -icis, m., [speciō, *look*], *soothsayer.*

Hasdrubal, -alis, m., HASDRUBAL, (1) brother of Hannibal; (2) general in command during the siege of Carthage.

hasta, -ae, f., *spear.*

haud, adv., *not, not at all, by no means.*

hauriō, -ire, hausi, haustus, *drink, drain,* EXHAUST.

haustus, -ūs, m., *a drink* (of).

hedera, -ae, f., *ivy.*

Helicē, -ēs, f., the constellation of the Great Bear.

Helvētii, -ōrum, m., *the* HELVETIANS.

Helevētius, -a, -um, *of the* HELVETII, HELVETIAN.

herba, -ae, f., HERB; *grass.*

Herculēs, -is, m., HERCULES, a hero of great strength.

Hercynius, -a, -um, HERCYNIAN, a name applied to a great forest in southern Germany.

hērēditās, -ātis, f., [hērēs], *inheritance.* (HEREDITY)

Herennius, -i, m., HERENNIUS, father of Pontius, the Samnite general.

heri, adv., *yesterday.*

hērōs, -ōis, m., HERO.

heu, interj., *alas!*

Hibernia, -ae, f., HIBERNIA; *Ireland.*

hiberna, -ōrum, (sc. **castra**), n., *winter quarters.*

hic, haec, hoc, gen. **huius,** *this, the following; he, she, it; latter.*

hic, [hic], adv., *here, at this place; at this point.*

hiemō, -āre, -āvi, -ātūrus, [hiems], *pass the winter, winter.*

Hiempsal, -is, m., HIEMPSAL, a Numidian prince, who was slain by Jugurtha.

hiems, hiemis, f., *winter; wintry storm, stormy weather.*

Hierō, -ōnis, m., HIERO, king of Syracuse during the First Punic war.

hinc, [hic], adv., *from this place, from here; hence, on this account, from this; henceforth; next, afterwards.* **hinc . . . hinc,** *on this side . . . on that.*

Hippomenēs, -ae, m., HIPPOMENES, son of Megareus.

Hispāni, -ōrum, m., *the* SPANIARDS.

Hispānia, -ae, f., SPAIN.

Hispāniēnsis, -e, [Hispānia], *of* SPAIN, SPANISH.

ho-diē, [hōc + diē], adv., *today.*

Homērus, -i, m., HOMER, the celebrated Greek poet.

homō, hominis, c., *human being, man.*

honestās, -ātis, f., [honor], HONOR, *reputation; uprightness, integrity.* (HONESTY)

honestus, -a, -um, [honor], HONOR-ABLE, *upright, noble.* (HONEST)

honōri-ficē, [honōri-ficus], adv., HON-
OR-*ably, with* HONOR.

honōs, or honor, -ōris, m., HONOR,
esteem, dignity; public office, post.

honōrō, -āre, -āvī, -ātus, [honor], *respect,* HONOR.

hōra, -ae, f., HOUR, a twelfth part of
the day, from sunrise to sunset, the
Roman hours varying in length
with the season of the year.

Horātius, -i, m., (1) HORATIUS *Cocles,*
who defended the bridge against
the Etruscans. (2) *Q.* HORATIUS
Flaccus, the famous Roman poet
Horace. (3) *The* HORATII, triplets,
who fought with the Curiatii.
(4) *M.* HORATIUS *Pulvillus,* consul
509 B.C.

horreō, -ēre, -uī, —, *tremble at, shudder at, dread.* (HORRID)

horrĭbilis, -e, [horreō], *awful,* HOR-
RIBLE.

horridus, -a, -um, [horreō], *wild,
frightful.* (HORRID)

hortātus, -ūs, m., [hortor], *encouragement, urging.*

hortor, -ārī, -ātus, *encourage, ex-*
HORT, *urge on.*

hortus, -i, m., *garden.* (HORTI-cul-
ture)

hospes, -itis, m., *host; guest; friend*
bound by HOSPITALTY, *guest-friend.*

hospitium, -i, n., [hospes], HOSPITAL-
ITY; *friendship.*

hostia, -ae, f., *victim, sacrifice.*

hostilis, -e, [hostis], HOSTILE.

hostĭliter, [hostilis], adv., *in a hostile
manner.*

Hostilius, -i, m., *Tullus* HOSTILIUS,
third king of Rome. See Mancinus.

Hostilius, -a, -um, *of an* HOSTILIUS.
See Cūria.

hostis, -is, m., *stranger,* public *enemy,
foe;* pl., hostēs, -ium, *the enemy.*

hūc, [hic], adv., *hither; here; to this
place; besides.*

hūmānitās, -ātis, f., [hūmānus], HU-
MANITY; *refinement, culture.*

hūmānus, -a, -um, [homō], HUMAN;
civilized; refined.

humilis, -e, [humus], *low; lowly;
small, slight; common,* HUMBLE;
mean.

humus, -i, f., *ground.*

Hylās, -ae, m., HYLAS, one of the
Argonauts, companion of Hercules.

Hymenaeus, -i, m., HYMEN, the marriage god; *marriage.*

I

iaceō, -ēre, -uī, —, *lie, be prostrate;
lie dead.* Pres. part. as noun, iacen-
tēs, -ium, m., *the fallen.*

iaciō, -ere, iēci, iactus, *throw, cast;
hurl.*

iactō, -āre, -āvī, -ātus, [freq. of iaciō],
throw, cast; jerk about.

iactūra, -ae, f., *loss.*

iactus, -ūs, m., *throwing, cast.*

iaculum, -i, n., [iaciō], *javelin.*

iam, adv., *already, now; immediately;
soon; at length; still; actually; in
fact, indeed.* nōn iam, *no longer.*
iam pridem, *long ago, long since.*

Iāniculum, -i, n., [Iānus], *the* JANI-
CULUM, a hill across the Tiber, west
of Rome.

iānitor, -ōris, m., [iānua], *doorkeeper,
porter.* (JANITOR)

iānua, -ae, f., *door; entrance.* (JAN-
UARY)

Iāson, -onis, m., JASON, leader of the
Argonauts.

Ibērus, -i, m., *the Iberus,* a river in
Spain, now the EBRO.

ibi, adv., *there; thereupon.*

Icarus, -i, m., ICARUS, son of Daedalus.

icō, -ere, ici, ictus, *hit, strike;* foedus
icere, *to make a league, make a
treaty.*

ictus, -ūs, m., [icō], *blow, stroke.*

Īd., abbreviation for Īdūs.

Īdē, -ēs, f., a mountain near Troy.

i-dem, ea-dem, i-dem, gen. eius-dem,
[is], *the same;* often with the force

433

of an adv., *also, besides.* (IDEN-
TITY)

iden-t-idem, [idem et idem], adv.,
repeatedly, again and again. (IDEN-
TICAL)

id-eō, adv., *for that reason, therefore.*

idōneus, -a, -um, *fit, suitable, convenient; competent.*

Īdūs, -uum, f., *the Ides,* the 15th day
of March, May, July, and October;
13th day of other months.

iecur, iecoris, n., *liver.*

igitur, postpositive conj. and adv.,
then, therefore.

ignārus, -a, -um, *ignorant.*

ignāvia, -ae, f., [ignāvus], *inactivity,
idleness, laziness.*

ignāvus, -a, -um, *slothful, lazy, spir-
itless, cowardly.*

ignis, -is, m., *fire.* Pl., ignēs, *watch-
fires.* (IGNITE)

ignōbilis, -e, [in- + (g)nōbilis], IG-
NOBLE.

ignōminia, -ae, f., [in- + (g)nōmen],
disgrace, IGNOMINY.

ignōrō, -āre, -āvī, -ātus, [ignōscō], *be
IGNORANT of, not know, be unaware;
overlook.* (IGNORE)

ignōscō, -ere, -gnōvī, -gnōtus, [in-
+ (g)nōscō], *pardon, forgive, excuse.*

ignōtus, -a, -um, [in + (g)nōtus], adj.,
*unknown, untried, strange; un-
familiar, unacquainted with.*

ilia, -ōrum, n., *entrails.*

i-licō, [in + locō], adv., *on the spot;
immediately.*

illāc, adv., *that way.*

il-lātus, see in-ferō.

ille, illa, illud, gen. illius, *that; he, she,
it; the well-known; former.*

illic, [ille], adv., *in that place, there.*

il-ligō, -āre, -āvī, -ātus, [in], *bind,
fasten.*

illinc, adv., *thence, from there.*

illō, [ille], adv., *thither, to that place,
there.*

illūc, [ille], adv., *to that place, thither,
there.*

il-lūstris, -e, [in + lūx], *bright;* IL-
LUSTRIOUS, *renowned.*

Illyricum, -i, n., ILLYRICUM, a region
along the east coast of the Adriatic
Sea.

im-, see in-.

imāgō, -inis, f., *likeness,* IMAGE, *repre-
sentation; statue, bust.*

imbēcillitās, -tātis, f., *weakness.* (IMBE-
CILE)

imber, -bris, m., *rain, shower.*

imitātiō, -ōnis, f., [imitor, *imitate*],
IMITATION.

imitor, -ārī, -ātus, IMITATE, *copy.*

immānis, -e, *monstrous, huge.*

im-mēnsus, -a, -um, [mētior, *measure, immeasurable,* IMMENSE, *vast.*

im-mitis, -e, *cruel, rough, harsh.*

im-mittō, -ere, -mīsī, -missus, *send
in, hurl in* or *upon.*

immō, adv., *no indeed, by no means,
nay.*

im-molō, -āre, -āvī, -ātus, [mola],
sprinkle with sacred meal; sacrifice,
IMMOLATE.

im-mortālis, -e, IMMORTAL, *eternal.*

im-mūnis, -e, [in-+ mūnus], *free* (from
taxes, etc.), *exempt.* (IMMUNE)

im-mūnitās, -ātis, f., [im-mūnis], IM-
MUNITY, *freedom* from taxes, etc.

im-patiēns, -entis, *intolerant,* IM-
PATIENT.

im-pedimentum, -i, n., [impediō],
hindrance, interference, IMPEDI-
MENT. Pl., impedimenta, -ōrum,
heavy baggage, baggage.

im-pediō, -īre, -īvī, -ītus, [pēs], *hinder,
obstruct, hamper, interfere with,
disorder.* (IMPEDE)

im-pedītus, -a, -um, [im-pediō], *encumbered, hindered, obstructed, hampered, embarrassed; difficult, hard;*
of places, *hard to reach, inaccessible.*

im-pello, -ere, -pulī, -pulsus, *strike
against; set in motion,* IMPEL; *urge
on, persuade.*

im-pendeō, -ēre, —, —, *overhang;*
IMPEND, *threaten.*

im-pēnsa, -ae, f., [pendō], *ex*-PENSE.

imperātor, -ōris, m., [imperō], *commander-in-chief, commander, general.* **Imperātor,** EMPEROR.

imperātōrius, -a, -um, [imperātor], *of a commander, general's.*

imperātum, -i, n., [imperō], *command, order.*

im-per-fectus, -a, -um, *unfinished, incomplete.* (IMPERFECT)

im-perītus, -a, -um, *inexperienced, unskilled, unacquainted with.*

imperium, -i, n., [imperō], *command, order; power, authority, government; rule; military authority; the state;* EMPIRE. **Imperium Rōmanum,** *the* ROMAN EMPIRE.

imperō, -āre, -āvi, -ātus, *command, order; rule, exercise authority; levy, draft, demand.* (IMPERATIVE)

im-petrō, -āre, -āvi, -ātus, [patrō, *effect*], *obtain* by request, *procure, accomplish; gain one's end.*

im-petus, -ūs, m., [petō], *attack, charge, rush;* IMPETUS, *onset, fury,* IMPETUOSITY, *force.*

im-pius, -a, -um, *wicked,* IMPIOUS. As noun, **impii, -ōrum,** m., *the wicked.*

im-plicātus, -a, -um, [plicō, *fold*], *entangled.* (IMPLICATED)

im-plicō, -āre, -āvi or -ui, -ātus or -itus, [plicō, *fold*], *interweave; involve,* IMPLICATE.

im-plōrō, -āre, -āvi, -ātus, [plōrō, *cry out*], *beseech,* IMPLORE.

im-pluvium, -i, n., [pluvia, *rain*], *the* IMPLUVIUM, a cistern in the atrium, into which the rain fell through the opening in the roof.

im-pōnō, -ere, -posui, -positus, *place on; put into;* IMPOSE *upon; mount.*

im-portō, -āre, -āvi, -ātus, *bring in,* IMPORT.

importūnus, -a, -um, *cruel, hard, relentless.*

im-primis, adv., (in the first place), *especially.*

im-probō, -āre, -āvi, -ātus, *disapprove of, reject.*

im-prō-visus, -a, -um, [prō-videō], *unforeseen, unexpected.* **dē imprōvisō,** *unexpectedly, suddenly.* (IMPROVISE, IMPROVIDENT)

im-prūdēns, -entis, *unforeseeing, unawares, off one's guard.* (IMPRUDENT)

im-prūdentia, -ae, f., [im-prūdēns], IMPRUDENCE, *ignorance.*

im-pudicus, -a, -um, [pudet, *it shames*], *shameless.*

im-pūnitus, -a, -um, [in- + pūnitus], adj., *unpunished, secure.*

imus, see **infimus.**

in, prep., (1) with acc., (motion toward), *into, to, in, on, upon, against; toward, for, till, until; respecting, concerning; after, over.* (2) with abl., (place where), IN, *on, upon, among; within, during; in case of, in relation to.*

in-, inseparable prefix, (changing to im- before **b, m,** and **p;** to il- before **l;** to ir- before **r**), (1) with verbs, IN, *into, on, against;* (2) with adjectives, *not, un-,* IN-.

in-amoenus, -a, -um, *cheerless.*

inanis, -e, *empty.* (INANE)

in-cēdō, -ere, -cessi, -cessūrus, *advance, march, walk; approach.*

in-cendium, -i, n., [in-cendō], *burning, fire.* (INCENDIARY)

in-cendō, -ere, -cendi, -cēnsus, *set fire to, burn; rouse, excite;* INCENSE.

in-certus, -a, -um, UNCERTAIN.

in-cidō, -ere, -cidi, —, [cadō], *fall in* or *into, fall in with, happen upon, come upon, meet; happen, occur;* of war, *break out.* (INCIDENT)

in-cidō, -ere, -cidi, -cisus, [caedō], *cut into.* (INCISION)

in-cipiō, -ere, -cēpi, -ceptūrus, *begin, undertake.* (INCIPIENT)

in-citātiō, -ōnis, f., [in-citō], *ardor, enthusiasm.*

in-citō, -āre, -āvi, -ātus, *urge, urge on,* INCITE, *hurry, quicken; rouse, spur on.*

in-clēmenter, adv., *harshly, severely.* (INCLEMENT)

in-clūdō, -ere, -clūsi, -clūsus, [claudō], *shut up, imprison;* INCLUDE; INCLOSE.

in-cognitus, -a, -um, *unknown,* (INCOGNITO)

incohō, -āre, -āvi, -ātus, *begin, commence.* (INCHOATIVE)

in-cola, -ae, c., **[in-colō],** *inhabitant.*

in-colō, -ere, -ui, —, *live, dwell; inhabit.*

in-columis, -e, *safe, unharmed.*

in-com-modē, [com-modus], adv., *unfortunately, disastrously.*

in-com-modum, -i, n., **[commodus],** *inconvenience, disadvantage; disaster, injury, defeat.*

in-crēdibilis, -e, *extraordinary,* INCREDIBLE.

in-crepō, -āre, -ui, -itus, [crepō, *rattle*], *resound; chide, upbraid, scold.*

in-cumbō, -ere, -cubui, -cubitus, *press upon; devote one's self to.* (INCUMBENT)

in-cursiō, -ōnis, f., **[currō],** *onrush, attack; invasion,* INCURSION, *raid.*

in-cursus, -ūs, m., **[currō],** *assault, attack, onrush.*

inde, adv., *from that place, thence; from that time; after that, then, thereupon.*

in-dicātivus, -a, -um, [in-dicō], INDICATIVE.

in-dicium, -i, n., **[in-dicō],** *sign;* INDICATION, *proof; information.*

in-dicō, -āre, -āvi, -ātus, *point out, inform; show,* INDICATE, *make known, reveal.* (INDICATIVE)

in-dicō, -ere, -dixi, -dictus, *declare, proclaim, announce; convoke, call, appoint.* (INDICT)

indi-gena, -ae, m., *native.*

indi-gnor, -āri, -ātus, *deem unworthy; be angry, scorn.*

in-dignus, -a, -um, *unworthy, unbecoming.*

in-dīligēns, -entis, *negligent, careless, remiss.*

in-dūcō, -ere, -dūxi, -ductus, *lead in, bring in;* intro-DUCE; INDUCE, *influence.*

in-duō, -ere, -ui, -ūtus, [in(d) + uō, *put*], *put on, dress in; clothe, cover.* **sē induere,** *impale oneself on.* (INDUE)

industria, -ae, f., *diligence,* INDUSTRY, *activity.*

industriē, adv., *vigorously,* INDUSTRIOUSLY, *diligently.*

in-eō, -ire, -ivi or **ii, -itus,** *go into; begin; undertake; form; make; take; adopt.* **initā aestāte,** *in the beginning of summer.*

in-ermis, -e, [arma], UNARMED, *defenceless.*

in-ers, -ertis, *helpless, lifeless,* INERT.

in-fāmia, -ae, f., **[in-fāmis],** *disgrace, dishonor.* (INFAMY)

in-fāmis, -e, [fāma], *notorious,* INFAMOUS.

in-fandus, -a, -um, [fāri, *to speak*], *unspeakable, monstrous.*

in-fectus, -a, -um, [faciō], *not done, unaccomplished.*

in-fēlix, -icis, *unfortunate, unhappy.* (INFELICITOUS)

inferior, -ius, [comp. of inferus], *lower,* INFERIOR.

in-ferō, -ferre, intuli, il-lātus, *bring in, import; inflict; inspire; make, give; obtain.* **bellum inferre,** *to make war.* **signa inferre,** *to advance.* (INFERENCE)

inferus, -a, -um, (comp., **inferior,** sup., **infimus** or **imus**), *below, underneath.*

infestus, -a, -um, *unsafe; hostile, threatening; leveled.* (INFEST)

in-ficiō, -ere, -fēci, -fectus, [faciō], *stain, dye; anoint.* (INFECT)

in-figō, -ere, -fixi, -fixus, FIX *in, drive in.* (INFIX)

infimus or **imus, -a, -um, [sup. of inferus],** *lowest, at the bottom.* **ab infimō,** *at the bottom.*

in-fīnitus, -a, -um, [fīniō], *boundless, endless.* (INFINITE)

in-fīrmus, -a, -um, *weak.* (INFIRM)

in-flātus, -a, -um, [flō, *blow*], IN-FLATED.

in-flectō, -ere, -flexī, -flexus, *bend.* (INFLECT)

in-fluō, -ere, -flūxī, -flūxus, *flow into, flow.* (INFLUX)

in-fodiō, -ere, -fōdī, -fossus, *bury.*

infrā, adv., and prep. with acc., *below.*

in-fringō, -ere, -frēgī, -frāctus, [frangō], *break off; break; lessen; overcome.* (INFRINGE, INFRACTION)

infula, -ae, f., (woolen) *band,* (white and red) *fillet.*

in-fundō, -ere, -fūdī, -fūsus, *pour on.*

in-gemō, -ere, -uī, —, *sigh deeply.*

in-genium, -ī, n., [gignō], *nature; character; disposition; talents, ability.*

ingēns, -entis, *vast, huge, great, immense; mighty; remarkable.*

in-genuus, -a, -um, [gignō], *freeborn, noble.* (INGENUOUS)

in-grātus, -a, -um, *ungrateful, thankless.* (INGRATE)

in-gredior, -ī, -gressus, [gradior, *step*], *advance; go into, enter; undertake.* (INGREDIENT)

in-iciō, -ere, -iēcī, -iectus, [iaciō], *throw in; lay on; put in* or *on; inspire, cause; strike into; infuse,* INJECT.

in-imīcus, -a, -um, [amīcus], *unfriendly, hostile.* As noun, inimīcus, -ī, m., *personal enemy* as disinguished from hostis, *a public enemy.* (INIMICAL)

in-iquē, [in-iquus], adv., UNEQUALLY, *unjustly, unfairly.*

in-iquitās, -ātis, f., [in-iquus], *unevenness; unfairness.*

in-iquus, -a, -um, [aequus], *uneven; sloping; unfavorable, disadvantageous; unjust.* (INIQUITY)

in-itium, -ī, n., [in-eō], *beginning.*

in-iungō, -ere, -iūnxī, -iūnctus, *enjoin, impose upon; bring upon.*

in-iūria, -ae, f., [iūs], *wrong, outrage, injustice,* INJURY.

in-iussus, -ūs, m., [iubeō], (only abl. in use), *without command, without orders.*

in-iūstus, -a, -um, UNJUST.

in-nāscor, -ī, -nātus, *be born in.* (INNATE)

in-nitor, -ī, -nixus, *lean upon, rest* or *lie on.*

in-nocēns, -entis, *blameless,* INNOCENT. As noun, in-nocentēs, -ium, m., INNOCENT *men.*

in-nubus, -a, -um, *unmarried.*

in-numerābilis, -e, INNUMERABLE.

in-opia, -ae, f., [in-ops, *needy*], *want, lack; need, shortage, scarcity.*

in-opīnāns, -antis, *not expecting, unawares, off one's guard.*

in-opīnātus, -a, -um, *unexpected, surprising.*

inquam, inquis, inquit, def., (always postpositive), *say.*

in-rideō, -ēre, -rīsī, -rīsus, *laugh at,* RIDI-*cule.*

in-sānus, -a, -um, *unsound, mad,* INSANE.

in-sciēns, -entis, [sciō], *not knowing.*

in-scius, -a, -um, *not knowing.*

in-scrībō, -ere, -scrīpsī, -scrīptus, *write upon,* INSCRIBE.

in-sequor, -ī, -secūtus, *follow up, pursue.*

in-serō, -ere, -uī, -tus, *plant;* INSERT.

in-sidiae, -ārum, f., [sedeō], *ambush, ambuscade; plot, artifice, trap, pitfall, snare, stratagem.* (INSIDIOUS)

in-signe, -is, n., [in-signis], *mark, emblem, signal, indication; badge, decoration,* ENSIGN; *honor; illustrious deed, exploit.*

in-signis, -e, [signum], *conspicuous; remarkable, noteworthy; eminent, prominent, distinguished.*

in-siliō, -īre, -uī, —, [saliō, *leap*], *leap upon.*

in-sinuō, -āre, -āvī, -ātus, [sinuō, *curve*], *push in.* sē insinuāre, *force one's way in.* (INSINUATE)

in-sistō, -ere, -stiti, —, *stand upon,
stand; press on; follow, pursue;
adopt.* (INSIST)

in-solēns, -entis, [soleō], *haughty, arrogant,* INSOLENT.

in-solenter, [in-solēns·], adv., *haughtily,* INSOLENTLY

in-solitus, -a, -um, *unaccustomed.*

in-spergō, -ere, -spersi, -spersus,
[spargō], *sprinkle upon.*

in-spiciō, -ere, -spexi, -spectus,
[speciō, *look*], *look into,* INSPECT.

in-stans, -stantis, *eager, urgent.*

instar, n., indecl., *the equal* (of).

in-stituō, -ere, -ui, -ūtus, [statuō],
of troops, *draw up; build, construct;
make; make ready, furnish; purpose, resolve; establish,* INSTITUTE;
undertake, begin; teach, instruct.

in-stitūtum, -i, n., [in-stituō], *plan;
arrangement; custom;* INSTITUTION.

in-stō, -stāre, -stiti, -stātūrus, *be
near at hand, approach; press on,
press forward.*

in-strūmentum, -i, n., [in-struō], *tool;
outfit, equipment.* (INSTRUMENT)

in-struō, -ere, -strūxi, -strūctus, *build,
build up, construct, make ready,
provide;* of troops, *draw up; equip.*
(INSTRUCT)

Īnsubrēs, -ium, m., *the* INSUBRIANS,
Gauls dwelling between the Alps
and the river Po.

in-suē-factus, -a, -um, [in-suēscō
+ faciō], *well trained.*

insula, -ae, f., *island.* (INSULAR)

in-sum, -esse, -fui, —, *be in.*

in-teger, -gra, -grum, [tangō], *untouched, whole; uninjured; fresh,
vigorous.* As noun, in-tegri, -ōrum,
m., *fresh troops.* (INTEGER, INTEGRAL)

in-tegō, -ere, -tēxi, -tēctus, *cover
over.*

intel-legentia, -ae, f., [intel-legō],
INTELLIGENCE.

intel-legō, -ere, -lēxi, -lēctus, [inter], *understand, perceive, comprehend, know; ascertain.* (INTELLECT)

intemptātus, -a, -um, *untried.*

in-tendō, -ere, -tendi, -tentus, *hold out,
stretch out.*

in-tentus, -a, -um, [tendō], *eager,*
INTENT.

inter, prep. with acc., *between, among,
in the midst of, amid; in;* of time,
between, during, within. inter sē,
(*with* or *from*) *each other,* (*with* or
from) *one another.* inter iocum, *in
joke, jestingly.*

inter-calārius, -a, -um, [inter-calō],
INTERCALARY.

inter-calō, -āre, -āvi, -ātus, *insert in
the* CALENDAR, INTERCALATE.

inter-cēdō, -ere, -cessi, -cessūrus, *go
between; lie; pass between;* of time,
intervene, take place. (INTERCEDE)

inter-cipiō, -ere, -cēpi, -ceptus, [capiō],
cut off; INTERCEPT; *seize, usurp.*

inter-clūdō, -ere, -clūsi, -clūsus,
[claudō], *shut off, cut off; blockade,
block up, hinder.*

inter-dicō, -ere, -dixi, -dictus, *forbid,* INTERDICT, *prohibit, exclude.*

inter-diū, adv., *in the daytime, by day,*

inter-dum, adv., *sometimes, now and
then.*

inter-eā, adv., *in the meantime, meanwhile.*

inter-eō, -ire, -ii, -itus, *perish, die.*

inter-fector, -ōris, m., [inter-ficiō],
slayer, assassin.

inter-ficiō, -ere, -fēci, -fectus, [faciō], (put out of the way), *destroy,
kill.*

inter-iciō, -ere, -iēci, -iectus, [iaciō], *put between; interpose, intervene.* interiectus, *lying between, intervening.*

inter-im, adv., *in the meantime, meanwhile.* (INTERIM)

inter-imō, -ere, -ēmi, -ēmptus, [emō],
take away; kill, destroy.

interior, -ius, gen. -ōris, [inter], *inner,* INTERIOR (*of*), *middle; more
hidden; more intimate, more confidential.* As noun, interiōrēs, -um,
m., *those within.*

438

inter-itus, -ūs, m., [inter-eō], *destruction, death.*

inter-missiō, -ōnis, f., INTERMISSION.

inter-mittō, -ere, -mīsi, -missus, *send between; leave an interval, allow to elapse, leave vacant; leave off, stop, cease, discontinue; interrupt, suspend;* pass., of fire, *abate;* of wind, *be* INTERMITTENT. **nocte intermissā,** *night intervening.*

inter-neciō, -ōnis, f., [necō], *slaughter, massacre, annihilation.* (INTERNECINE)

inter-pōnō, -ere, -posui, -positus, *place between,* INTERPOSE; *present; pledge;* of time, *allow to elapse.*

inter-pres, -pretis, m., INTERPRETER.

inter-pretor, -āri, -ātus, *explain,* INTERPRET.

inter-rēgnum, -i, n., (interval between two reigns), INTERREGNUM.

in-territus, -a, -um, *unafraid.*

inter-rogō, -āre, -āvi, -ātus, *ask, question,* INTERROGATE.

inter-scindō, -ere, -scidi, -scissus, *cut down; cut through.*

inter-sum, -esse, -fui, —, *be between; be present at, take part in.* Impers., **interest,** *it concerns; it makes a difference.* **magni interesse,** *to be of great importance.* (INTEREST)

inter-vāllum, -i, n., INTERVAL, *space, distance.*

inter-veniō, -ire, -vēni, -ventūrus, *come between,* INTERVENE.

inter-ventus, -ūs, m., INTERVENTION.

intrā, adv., and prep. with acc., *within, inside;* of time, *during.*

intrō, adv., *within, inside.*

intrō, -āre, -āvi, -ātus, [intrā], *go into,* ENTER; *penetrate, reach.*

intro-eō, -ire, -ivi, —, *go in, enter into.*

intro-itus, -ūs, m., [eō], ENTRANCE.

intrōrsus, [intrō + versus], adv., *within, inside.*

intrō-rumpō, -ere, -rūpi, -ruptus, *break in.*

in-tueor, -ēri, -tuitus sum, *look upon; regard.*

in-tuli, see **in-ferō.**

in-tumēscō, -ere, -tumui, —, [incep. of tumeō, *swell*], *swell up, rise.*

intus, adv., *within, on the inside.*

in-ūsitātus, -a, -um, [ūsitor, freq. of ūtor], *un-*USUAL, *unfamiliar, strange, extraordinary.*

in-ūtilis, -e, *useless.*

in-vādō, -ere, -vāsi, -vāsus, *go into; advance upon, rush upon, attack,* INVADE.

in-vehō, -ere, -vexi, -vectus, *carry, in;* pass., *ride into; sail to; attack.*

in-veniō, -ire, -vēni, -ventus, *come upon, find, meet with; discover,* INVENT; *learn.*

in-ventor, -ōris, m., [in-veniō], *originator,* INVENTOR.

in-veterāscō, -ere, -veterāvi, —, [vetus], *grow old; become established; establish oneself.* (INVETERATE)

in-vicem, adv., *in turn.*

invidia, -ae, f., *envy, hatred.*

in-videō, -ēre, -vidi, -visūrus, *look askance at; envy.*

invidus, -a, -um, *hateful, envious.*

in-visus, -a, -um, [in + videō, *to look askance at*], *hated, hateful.*

invitō, -āre, -āvi, -ātus, INVITE; *entice, allure, attract.*

invitus, -a, -um, *unwilling.* **sē invitō,** *against one's will.*

in-vocō, -āre, -āvi, -ātus, *call upon,* INVOKE

Iō! interj., *hurrah!*

iocus, -i, m., *jest,* JOKE.

Iovis, see **Iuppiter.**

ipse, -a, -um, gen. **ipsius,** intens. pron., *self; himself, herself, itself, themselves; he, they* (emphatic); *very;* often best rendered freely, *just, mere, in person.*

ir-, see **in-.**

ira, -ae, f., *anger, wrath, rage.* (IRE)

irātus, -a, -um, [irāscor, *be angry*], *angered, enraged, furious.* (IRATE)

439

ir-ritus, -a, -um, *ineffective, useless, in vain.*

ir-rumpō, -ere, -rūpī, -ruptus, *break into, rush into.*

ir-ruō, -ere, -ruī, —, *rush upon, attack.*

ir-ruptiō, -ōnis, f., [ir-rumpō], *attack, sally.* (IRRUPTION)

is, ea, id, gen., **eius,** dat., **eī,** *he, she, it; that, this, the, the one; before* **ut,** **is = tālis,** *such;* after **et,** *and that too;* after **neque,** *and that not;* with comparatives abl. **eō =** *the, all the;* as **eō magis,** *all the more.*

iste, ista, istud, gen., **istius,** *that of yours, that, this; he, she, it; such.*

ita, [is], adv., *in this way, thus, in the following manner, in such a way, accordingly; of this kind.*

Ītalia, -ae, f., ITALY.

Ītalicus, -a, -um, *of* ITALY, ITALIAN. As noun, **Ītalicī, -ōrum,** m., *the* ITALIANS, as distinguished from the Roman citizens.

Ītalus, -a, -um, [Ītalia], *of* ITALY, ITALIAN. As noun, **Ītalus, -ī,** m., *an* ITALIAN.

ita-que, adv., *and so, and thus, accordingly, therefore.*

item, adv., *also; farther; just so, in like manner, likewise.* (ITEM)

iter, itineris, n., [eō], *journey, line of march, march; road, route.* **magnum iter,** *forced march.* **ex itinere,** *on the march.* (ITINERARY)

iterum, adv., *again, a second time.* (ITERATE)

Iuba, -ae, m., JUBA, king of Numidia.

iubeō, -ēre, iussī, iussus, *order, command; bid; decree.* (JUSSIVE)

iūdex, -icis, c., [iūs + dicō], JUDGE; *juror.*

iūdicium, -ī, n., [iūdex], legal *judgment, decision, decree; court, trial; opinion.* (JUDICIAL)

iūdicō, -āre, -āvī, -ātus, [iūdex], JUDGE, *decide; think, infer; proclaim, declare, conclude.*

iūgerum, -ī, (gen. pl., **iūgerum**), n., IUGERUM, ⅝ of an acre.

iugulō, -āre, -āvī, -ātus, [iugulum], *cut the throat.*

iugulum, -ī, n., [dim. of iugum], *throat, neck.* (JUGULAR)

iugum, -ī, n., [iungō], *yoke;* of mountains, *ridge, summit, chain.*

Iugurtha, -ae, m., JUGURTHA, king of Numidia.

Iūlia, -ae, f., JULIA, daughter of Caesar and wife of Pompey.

Iūliī, -ōrum, m., *the* JULIANS, members of the gēns Jūlia.

Iūlius, see **Caesar.**

iūmentum, -ī, n., [iugum], *yoke-animal, pack-animal, beast of burden.*

iungō, -ere, iūnxī, iūnctus, JOIN, *connect, span, unite; yoke.* (JUNCTION)

Iūnius, see **Brūtus.**

Iūnō, -ōnis, f., JUNO, queen of heaven, sister and wife of Jupiter.

Iūnōnius, -a, -um, *sacred to* JUNO, *of* JUNO.

Iuppiter, Iovis, m., JUPITER, the chief of the Roman gods.

Iūra, -ae, m., JURA, a range of mountains extending from the Rhine to the Rhone.

iūrō, -āre, -āvī, -ātus, [iūs], *take oath; swear.* (JURY)

iūs, iūris, n., *right,* JUSTICE; *legal right, privilege; law;* abl., **iūre,** *justly.*

iūs iūrandum, iūris iūrandī, n., [iūrō], *oath.*

iussus, -ūs, (only abl. sing. in use), m., [iubeō], *order, command.*

iūstitia, -ae, f., [iūs], JUSTICE, *uprightness.*

iūstus, -a, -um, [iūs], JUST, *fair; proper, suitable, due, regular.*

iuvenāliter, adv., *like a young man; with youthful strength.*

iuvenis, -is, comp., **iūnior,** *young, youthful.* As noun, **iuvenis, -is,** c., *young man, young person, youth.* (JUNIOR)

Iuventius, -i, m., P. JUVENTIUS, a Roman general who was defeated by Pseudo-Philip.

iuventūs, -tūtis, f., [iuvenis], *youth; young men.*

iuvō, -āre, iūvi, iūtus, *help, aid, assist.*

iūxtā, adv., and prep. w. acc., *close to, near, close by, by the side of.* (JUXTA-position)

Ixīōn, -ōnis, m., IXION, king of the Lapithae; in the underworld, he was bound to a wheel.

K

Kal. = Kalendae.

Kalendae, -ārum, f., CALENDS, the first day of the month. (CALENDAR)

L

L., abbreviation for Lūcius.

Laberius, see Dūrus.

Labiēnus, -i, m., *Titus* LABIENUS, the most prominent of Caesar's lieutenants in the Gallic War. In the Civil War he went over to the side of Pompey, but displayed little ability as a commander, and fell at the battle of Munda, 45 B.C.

labor, -ōris, m., LABOR, *toil; hardship, work; task.*

lābor, lābi, lāpsus, *slip, slide, glide.* (LAPSE)

labōriōsē, [labor], adv., LABORIOUSLY.

labōrō, -āre, -āvi, -ātus, [labor], LABOR, *toil; strive, struggle; suffer, be afflicted; be hard pressed.*

labrum, -i, n., *lip; rim; edge.* (LABIAL)

lac, lactis, n., *milk.* (LACTEAL)

Lacedaemonii, -ōrum, m., [Lacedaemon], *the* LACEDAEMONIANS, inhabitants of LACEDAEMON or Sparta, the chief city of the Peloponnesus.

lacerō, -āre, -āvi, -ātus, [lacer, *torn to pieces*], *slander.* (LACERATE)

lacertus, -i, m., *arm, upper arm.*

lacessō, -ere, -ivi, -itus, *provoke, challenge; assail, attack.*

lacrima, -ae, f., *tear.* (LACHRYMOSE)

lacrimōsus, -a, -um, *tearful, causing tears.* (LACRYMOSE)

lacus, -ūs, m., LAKE, *pond.*

laetitia, -ae, f., [laetus], *joy, gladness, exultation, rejoicing.*

laetus, -a, -um, *joyful, glad, happy.*

laevus, -a, -um, *left, on the left hand; unpropitious.*

Laevinus, -i, m., [laevus], (1) *P. Valerius* LAEVINUS, consul in 280 B.C., at the beginning of the war with Pyrrhus. (2) *M. Valerius* LAEVINUS, Roman general in command against Philip V in 215 B.C.

lāna, -ae, f., *wool.*

laniō, -āre, -āvi, -ātus, *tear, mangle, mutilate.*

lapis, -idis, m., *stone.* (LAPIDARY)

Lārentia, see Acca.

Larēs, -um, m., *the* LARES, deified spirits of ancestors, protecting the home; household gods.

largior, -iri, -itus, [largus, *abundant*], *give freely, supply, bestow; bribe.*

largitiō, -ōnis, f., [largior], *generosity, lavish giving; bribery.*

Lārisa, -ae, f., LARISA, a city in Thessaly, modern *Larissa.*

lassitūdō, -inis, f., [lassus, *weak*], *weariness, exhaustion.* (LASSITUDE)

lassus, -a, -um, *tired, weary.* (LASSITUDE)

lātē, [lātus], adv., *widely, extensively.* **longē lātēque,** *far and wide.*

latebra, -ae, [lateō], usually pl., *hiding place, retreat.*

lateō, -ēre, -ui, —, *lie hid, be concealed; escape notice.* (LATENT)

Latinus, -a, -um, [Latium], *of* LATIUM, LATIN. As noun, **Latini, -ōrum,** m., *the* LATINS.

Latinus, -i, m., LATINUS, king of LATIUM.

lātitūdō, -inis, f., [lātus], *width, breadth.* (LATITUDE)

Latium, -i, n., LATIUM, a district in Italy, south of the Tiber.

Latobrigi, -ōrum, m., the LATOBRIGI, a people near the Helvetians.

latrō, -ōnis, m., robber, brigand.

latrōcinium, -i, n., [latrō], robbery, brigandage.

lātus, see ferō.

lātus, -a, -um, broad, wide; extensive.

latus, -eris, n., side; of an army, flank. latus apertum, exposed flank. ab latere, on the flank. LATERAL)

laudō, -āre, -āvi, -ātus, [laus], praise, extol, LAUD.

laurea, -ae, f., LAUREL tree, bay; LAUREL crown or wreath.

laus, laudis, f., praise, glory, renown; merit, excellency.

Lāvinia, -ae, f., LAVINIA, daughter of King Latinus.

Lāvinium, -i, n., [Lāvinia], LAVINIUM, a town in Latium.

lavō, -āre, lāvi, lautus or **lotus,** wash, bathe, LAVE.

laxō, -āre, -āvi, -ātus, loosen, spread out, widen, open, extend. (re-LAX)

lea, -ae, f., lioness.

leaena, -ae, f., lioness.

Lebinthus, -i, m., LEBINTHOS, an island in the Aegean Sea.

lectus, -i, m., couch, bed.

lēgātiō, -ōnis, f., [lēgō], embassy, LEGATION; deputation, entreaties.

lēgātus, -i, m., ambassador, envoy; of the army, lieutenant general, deputy; lieutenant. (LEGATE)

legiō, -ōnis, f., [legō], LEGION, a Roman army division, containing 3000–6000 soldiers.

legiōnārius, -a, -um, [legiō], of a legion, LEGIONARY.

legō, -ere, lēgi, lēctus, bring together, gather, col-LECT; choose, appoint; read.

lēgō, -āre, -āvi, -ātus, [lēx], leave by will, bequeath.

Lemannus, -i, m., with lacus, Lake Geneva.

Lemovicēs, -um, m., the LEMOVICES, a people of central Gaul.

lēnis, -e, gentle, light; smooth. (LENIENT)

lēnitās, -ātis, f., [lēnis], smoothness, gentleness, LENIENCE.

lēniter, [lēnis], adv., mildly; gently, slightly. Comp., lēnius, less vigorously.

Lentulus, -i, m., L. LENTULUS, consul in 49 B.C., a partisan of Pompey.

lentus, -a, -um, [lēnis], slow, sluggish; easy.

leō, -ōnis, m., lion

lepus, -oris, m., hare.

lētālis, -e, [lētum, death], deadly, fatal. (LETHAL)

Lēthaea, -ae, f., LETHEA, wife of Olenos.

lētum, -i, n., death. (LETHAL)

Levāci, -ōrum, m., the LEVACI, a Belgic people near the Nervii.

levis, -e, light, slight; trivial, unimportant.

leviter, [levis], adv., lightly.

levō, -āre, -āvi, -ātus, lift, raise.

lēx, lēgis, f., law, rule; condition. (LEGAL)

Lexovii, -ōrum, m., the LEXOVII, a Gallic people on the coast west of the Sequana (Seine).

libēns, -entis, [libet, it is fitting], willing, with pleasure, glad.

libenter, [libēns], adv., willingly, gladly.

Liber, -i, m., [libō], LIBER, an ancient Italian god of fruits.

liber, -era, -erum, free. (LIBERAL)

liber, -bri, m., book. (LIBRARY)

liberāliter, [liberālis], adv., graciously, courteously, kindly. (LIBERALLY)

liberē, [liber], adv., freely; boldly; openly.

liberi, -ōrum, m., [liber], children.

liberō, -āre, -āvi, -ātus, [liber], set free, free, LIBERATE.

libertās, -ātis, f., [liber], freedom, LIBERTY.

libertus, -ī, m., [liber], *freedman.*

Libō, -ōnis, m., *L. Scribonius* LIBO, a partisan of Pompey in the Civil War.

libō, -āre, -āvī, -ātus, *pour a* LIBATION; *offer sacrifice.*

librārium, -ī, n., [liber], *bookcase.* (LIBRARY)

librīlis, -e, [libra, *pound*], *weighing a pound.*

librō, -āre, -āvī, -ātus, *balance, swing; hurl.*

libum, -ī, n., *cake.*

licet, -ēre, licuit and **licitum est,** impers., *it is allowed, lawful, permitted.*

Licinius, -ī, m., *P.* LICINIUS *Crassus,* consul in 171 B.C.

lictor, -ōris, m., LICTOR, an attendant upon a Roman magistrate.

Liger, -eris, m., the principal river of central Gaul, the *Loire.*

lignātiō, -ōnis, f., [lignum], *getting wood.*

ligneus, -a, -um, [lignum, *wood*], *of wood, wooden.* (LIGNITE)

Ligurēs, -um, m., *the* LIGURIANS, a people of northwestern Italy, south of the Po.

lilium, -ī, n., LILY; 'LILY,' soldiers' name for a trap.

Lilybaeum, -ī, n., LILYBAEUM, a promontory on the west coast of Sicily.

limbus, -ī, m., *border, edge.* (LIMBO)

limen, -inis, n., *threshold.*

limes, -itis, m., *path, track;* LIMIT.

linea, -ae, f., *string,* LINE; **alba linea,** *white* LINE (drawn across the arena, marking the end of the racecourse).

Lingonēs, -um, (acc., **-ēs** or **-as**), m., *the* LINGONES, a Gallic state west of the Sequanians.

lingua, -ae, f., *tongue;* LANGUAGE. (LINGUIST)

linter, -tris, f., *boat, skiff.*

linteus, -a, -um, [linum], (made of) LINEN.

linum, -ī, n., *flax,* LINEN *thread.*

littera, -ae, f., LETTER of the alphabet. Pl., **litterae, -ārum,** *writing; letter;* LITERATURE.

litterārius, -a, -um, [littera], *of* or *belonging to reading and writing.* **lūdus litterārius,** *an elementary school.*

litus, -oris, n., *shore; coast.* (LITTORAL)

Livius, -ī, m., *Titus* LIVY, the celebrated Roman historian.

locō, -āre, -āvī, -ātus, *place, put; arrange.* (LOCATE)

locus, -ī, m., *place, ground; position, situation; condition; room; station, post; position, rank; opportunity.* Pl., **loca, -ōrum,** n., *region,* LOCALITY

locūtus, see **loquor.**

Londinium, -ī, n., LONDON.

longē, adv., *a* LONG *way off, at a distance; far; by far.*

longinquus, -a, -um, [longus], *remote, distant; long-continued, lasting.*

longitūdō, -inis, f., [longus], *length.* (LONGITUDE)

longius, [comp. of **longē**], *farther;* LONGER.

longurius, -ī, m., [longus], *long pole.*

longus, -a, -um, LONG, *extended; lasting; remote.*

Longus, see **Semprōnius.**

loquor, -ī, locūtus, *speak, talk; say, tell.* (LOCUTION)

lōrica, -ae, f., [lōrum, *thong*], (leather) *coat of mail; breastwork, fortification.*

Lūcānius, -ī, m., *Q.* LUCANIUS, a brave centurion.

lucerna, -ae, f., [luceō, *shine*], *lamp.*

Lūcius, -ī, m., LUCIUS, a Roman forename.

Lucrētia, -ae, f., LUCRETIA, wife of Tarquinius Collatinus.

Lucrētius, -ī, m., *Spurius* LUCRETIUS, father of Lucretia.

lūctus, -ūs, m., *grief, mourning.*

lūcus, -ī, m., *sacred grove; grove.*

443

lūdō, -ere, lūsi, lūsus, *play.*

lūdus, -i, m., *game, play; school; public game; sport, jest.* (inter-LUDE)

lūgeō, -ēre, lūxi, lūctus, *grieve, mourn, lament; deplore.*

Lugotorix, -īgis, m., LUGOTORIX, a British chieftain.

lūmen, -inis, n., [luceō, *shine*], *light; eye; glory, ornament.* (il-LUMINATION)

lūna, -ae, f., [luceō, *shine*], *the moon.* (LUNATIC)

lupa, -ae, f., *she-wolf.*

Lūsitānia, -ae, f., LUSITANIA, a province on the west coast of Spain.

lūstrō, -āre, -āvi, -ātus, [lūstrum], *review, inspect.* (il-LUSTRATE)

lūsus, -ūs, m., *game, play, sport.*

Lutātius, see Catulus.

lūx, lūcis, f., [luceō, *shine*], *light, daylight.* primā lūce, ortā lūce, *at daybreak.*

lūxi, see lūgeō.

lūxuria, -ae, f., [lūxus, *excess*], LUXURY; *extravagance.*

M

M., abbreviation for Mārcus, a Roman forename.

M'., abbreviation for Manius, a Roman forename.

Macedonia, -ae, f., MACEDONIA, a country north of Greece.

Macedonicus, -a, -um, [Macedonia], MACEDONIAN.

māceria, -ae, f., *wall.*

madefactus, -a, -um, *wet, soaked, stained.*

madeō, -ēre, -ui, —, *be wet, be dripping.*

maestus, -a, -um, *sad, gloomy, dejected.*

magicus, -a, -um, MAGIC.

magis, [comp. of multō], adv., *more, rather.* eō magis, *all the more.*

magister, -tri, m., MASTER, *teacher.* magister equitum, *master of the horse.*

magistrātus, -ūs, m., [magister], MAGISTRACY; MAGISTRATE.

Magnēsia, -ae, f., MAGNESIA, a city in western Asia Minor.

magni, gen. of indefinite value, *of great importance.*

magni-ficus, -a, -um, [faciō], *splendid,* MAGNIFICENT.

magnificentissimē, [sup. of magnificē], adv., *most splendidly, most* MAGNIFICENTLY.

magnitūdō, -inis, f., [magnus], *greatness; size,* MAGNITUDE, *great number; violence.*

magn-opere, [magnum + opus], adv., *very much, greatly, specially, deeply; earnestly, urgently.*

magnus, -a, -um, *great, large, powerful; noble; mighty, loud; violent, important.* (MAGNATE)

Magnus, -i, m., *the Great,* surname of *Cn. Pompeius* and of *Alexander of Macedon.*

maior, -ius, gen., -iōris, [comp. of magnus], *greater.* As noun, maiōrēs, -um, m., *forefathers, ancestors.* maiōrēs nātū, (lit., those greater by birth), *the old men, the elders.*

malacia, -ae, f., *calm* at sea.

male, [malus], adv., *badly.* (MALE-factor)

male-ficium, -i, n., [male + faciō], *mischief, harm.*

malitia, -ae, f., [malus], *ill-will,* MALICE.

malleus, -i, m., MALLET.

mālō, mālle, mālui, —, [magis + volō], (choose rather), *prefer.*

malum, -i, n., [malus], *evil, mischief, misfortune; evil deed.*

mālum, -i, n., *apple, fruit.*

mālus, -i, m., *mast.*

malus, -a, -um, *bad, evil, wicked.*

Mancinus, m., *C. Hostilius* MANCINUS, consul in 137 B.C.

mandātum, -i, n., [mandō], *order,* com-MAND, MANDATE, *injunction, instruction.*

mandō, -āre, -āvi, -ātus, [manus

+ dō], *commit, consign; order, com-*
MAND, *direct.*

Mandubii, -ōrum, m., *the* MANDU-
BII, a Gallic people north of the
Aeduans.

māne, adv., *early in the morning.*

maneō, -ēre, mānsi, mānsūrus, *stay,*
REMAIN, *continue.*

manicae, -ārum, f., [manus], *sleeves.*

Mānilius, -i, m., *M'.* MANILIUS, consul in 149 B.C.

manipulāris, -is, m., [manipulus], *comrade* (member of the same MANIPLE).

manipulus, -i, m., *company* of soldiers,
MANIPLE, one third of a cohort.

Mānlius, -i, m., (1) *T.* MANLIUS
Torquatus, who slew a Gallic
champion in single combat. (2) *Cn.*
MANLIUS *Volso,* consul in 189 B.C.

mān-suē-faciō, -ere, fēci, -factus,
[manus + suēscō + faciō], *tame.*

mānsuētūdō, -inis, f., [mān-suētus,
tame], *tameness, gentleness, compassion.*

mantēle, -is, n., [manus + tēla, *cloth*],
towel.

manū-mittō, -ere, -mīsi, -missus, *release, set free.* (MANUMISSION)

manus, -ūs, f., *hand; skill; force;
band* (of men), *forces, troops.*
(MANUAL)

mappa, -ae, f., *white cloth; napkin;
handkerchief.*

Mārcellus, -i, m., [dim. of Mārcus],
(1) *M. Claudius* MARCELLUS, the
'Sword of Rome,' who captured
Syracuse in 212 B.C.
(2) *M. Claudius* MARCELLUS, consul
in 183 B.C.

Mārcius, -i, m., *Ancus* MARCIUS,
fourth king of Rome. See **Coriolānus** and **Cēnsōrinus.**

Marcomani, -ōrum, m., *the* MAR-
COMANI, a Germanic people.

Mārcus, -i, m., MARCUS, a Roman
forename.

mare, maris, n., *sea.* **Mare Superum,**
the Upper Sea, the Adriatic.

margō, -inis, m., MARGIN, *edge; bank.*

maritımus, -a, -um, [mare], *of the
sea, by the sea, near the sea;* MARI-
TIME, *sea —, seacoast.*

marinus, -a, -um, [mare], *belonging
to the sea, sea —,* MARINE.

maritus, -a, -um, *of marriage, nuptial.*
As noun, **maritus, -i,** m., *married
man, husband;* **novus maritus,** *bridegroom;* **novī maritī,** *bridal couple.*
(MARITAL)

Marius, -i, m., *L.* MARIUS, who defeated Jugurtha and the Cimbri
and Teutones; seven times consul;
the bitter opponent of Sulla.

marmor, -oris, n., MARBLE.

marmoreus, -a, -um, [marmor], *of*
MARBLE, MARBLE.

Mārs, Mārtis, m., *war, battle.* **dubiō
Mārte,** *in an indecisive contest.*

Mārsi, -ōrum, m., *the* MARSI, a people
east of Latium.

Mārtius, -a, -um, *of* MARS, (dedicated) *to* MARS, *martial; of* MARCH.

mās, maris, m., *male.* (MASCULINE)

Massilia, -ae, f., MASSILIA, a city in
southern Gaul, now *Marseilles.*

Massiliēnsis, -e, [Massilia], *of* MAS-
SILIA, modern *Marseilles.* As noun,
Massiliēnsēs, -ium, m., *the* MAS-
SILIANS.

matara, -ae, f., *javelin, spear.*

māter, -tris, f., *mother.* **mātrēs
familiae,** *matrons.* (MATERNAL)

māteria, -ae, f., [māter], MATERIAL;
timber, wood.

māterior, -ārī, -ātus, [māteria], *get
timber.*

māternus, -a, -um, [māter], *belonging to a mother,* MATERNAL.

Matiscō, -ōnis, m., MATISCO, a city
of the Aeduans, modern *Mâcon.*

mātrimōnium, -i, n., [māter], *marriage,* MATRIMONY. **in mātrimōnium dūcere,** *to marry.*

Matrona, -ae, m., *the* MARNE, a
tributary of the Seine.

mātrōna, -ae, f., [māter], *wife,*
MATRON.

mātūrē, comp., mātūrius, sup., mā-
tūrrimē, [mātūrus], adv., *early.*
(MATURELY)

mātūrō, -āre, -āvi, -ātus, [mātūrus],
make haste; hasten. (MATURE)

mātūrus, -a, -um, comp. -ior, sup.,
mātūrrimus, *ripe; early.* (MATURE)

Maurētānia, -ae, f., MAURETANIA,
in north Africa, modern *Morocco.*

maximē, [maximus], adv., *very greatly,
especially, most.*

maximus, -a, -um, [sup. of magnus],
greatest, very great, largest.

Maximus, see Fabius.

Mēdēa, -ae, f., MEDEA, daughter of
Aeetes, king of Colchis; wife of
Jason.

medicina, -ae, f., [medicus], MED-
ICINE.

medicus, -i, m., [medeor, *heal*], *doctor,
physician.* (MEDICAL)

mediocris, -cre, [medius], *moderate;
ordinary, common; small, slight,*
MEDIOCRE.

Mediomatrici, -ōrum, m., *the* MEDIO-
MATRICI, a Gallic people near the
Rhine.

medi-terrāneus, -a, -um, [medius
+ terra], *inland.* (MEDITERRANEAN)

meditor, -āri, -ātus, *consider,* MEDI-
TATE; *plan.*

medium, -i, n., [medius], *middle,
center, intervening space.* (MEDIUM)

medius, -a, -um, *in the middle of,
middle, mid-; moderate.* in colle
mediō, *halfway up the hill.* media
nox, *midnight.* dē mediā nocte,
just after midnight.

Medūsaeus, -a, -um, MEDUSA-*like.*

Megareius, -a, -um, *son of* MEGAREUS,
Hippomenes.

Megarēus, -ei, m., MEGAREUS, father
of Hippomenes.

melior, -ius, gen., -ōris, [comp. of
bonus], *better.*

melius, [comp. of bene], adv., *better.*

mel, mellis, n., *honey.*

membrum, -i, n., MEMBER (of the
body), *limb.*

Memmius, -i, m., *C.* MEMMIUS
Gemellus, consul in 54 B.C.

memorābilis, -e, [memorō, *mention*],
worth mentioning, MEMORABLE; *remarkable.*

memoria, -ae, f., [memor, *mindful*],
MEMORY, *recollection, remembrance.*
memoriā tenēre, *to recollect.* nostrā
memoriā, *in our own day.* memoriā
prōditum, *handed down by tradition.*

Menapii, -ōrum, m., *the* MENAPII, a
people in the northeast part of
Belgic Gaul.

Menēnius, see Agrippa.

mēns, mentis, f., *mind, intellect;
feeling; intelligence; purpose, plan.*
(MENTAL)

mēnsa, -ae, f., *table; course* at dinner; secunda mēnsa, *dessert.*

mēnsis, -is, m., *month.*

mēnsūra, -ae, f., [mētior], MEASURE.

mentiō, -ōnis, f., [mēns], *calling to
mind,* MENTION.

mentior, -iri, -itus, *lie, pretend.*

mercātor, -ōris, m., [mercor, *trade*],
trader, MERCHANT.

mercātūra, -ae, f., [mercor, *trade*],
trade.

Mercurius, -i, m., MERCURY.

mereō, -ēre, -ui, -itus, and mereor,
-ēri, -itus, *deserve, be worthy of,*
MERIT; *earn; render service.*

mergō, -ere, mersi, mersus, *dip,
plunge in; sink, overwhelm,* (sub-
MERGE, im-MERSE)

meridiānus, -a, -um, [meri-diēs], *of
midday, midday.* (MERIDIAN)

meri-diātiō, -ōnis, f., [meri-diēs], *midday nap, siesta.*

meri-diēs, -ēi, m., *midday; south.*

meritum, -i, n., [mereō], MERIT, *service;
worth, value.*

meritus, see mereor.

merx, mercis, f., MERCHANDISE.

Messāla, -ae, m., *Marcus Valerius*
MESSALA, consul 61 B.C.

mēta, -ae, f., *goal.*

Metaurus, -i, m., *the* METAURUS, a

river in Umbria, emptying into the Adriatic Sea.

Metellus, -i, m., (1) *Q. Caecilius* METELLUS *Macedonicus,* who defeated Pseudo-Philip in 148 B.C. (2) *Q. Caecilius* METELLUS *Numidicus,* consul in 109 B.C.

mētior, -iri, mēnsus, *measure, measure out, distribute.* (MENSURATION)

Metius, -i, m., *Marcus* METIUS, an envoy of Caesar to Ariovistus.

Mettius, see **Fūfetius.**

metō, -ere, messui, messus, *reap.*

metuō, -ere, -ui, *fear, dread.*

metus, -ūs, m., *fear, dread; apprehension.* (METICULOUS)

meus, -a, -um, [voc., **mi**], *my, mine.*

micāns, -antis, [micō, *gleam*], *flashing.*

Micipsa, -ae, m., MICIPSA, king of Numidia.

migrō, -āre, -āvi, -ātus, *depart, remove, move.* (MIGRATE)

miles, -itis, m., *soldier, foot soldier.*

Milētus, -i, f., MILETUS, a city on the southwest coast of Asia Minor.

milia, -ium, n., [pl. of **mille**], noun, *thousands;* **milia passuum,** MILES.

miliārium, -i, n., [mille], *milestone.*

miliēs, [mille], adv., *a thousand times.*

militāris, -e, [miles], *of a soldier; of war,* MILITARY. **rēs militāris,** *art of war.*

militia, -ae, f., [miles], *military service.* (MILITIA)

militō, -āre, -āvi, -ātus, [miles], *be a soldier, perform* MILITARY *service, make war, serve.* (MILITANT)

mille, indecl., adj., *a thousand.* **mille passūs,** *a* MILE. See **milia.**

Minerva, -ae, f., MINERVA, goddess of wisdom and the arts.

minimē, [sup. of parum], *least, by no means, not at all, no, no indeed.*

minimus, -a, -um, [sup. of parvus], *smallest.*

minister, -tri, m., *attendant.* (MINISTER)

minor, -āri, -ātus, *threaten, menace.*

minor, -us, gen., **minōris,** [comp. of parvus], *smaller, less, lesser.* (MINOR)

Minōs, -ōis, m., MINOS, king of Crete; judge in the Lower World.

Minucius, see **Basilus.**

minuō, -ere, -ui, -ūtus, *di-*MINISH, *reduce; settle, put an end to, lessen.*

minus, [comp. of parum], adv., *less.*

mirābilis, -e, *wonderful, marvellous.*

mirāculum, -i, n., [miror], *wonder;* MIRACLE.

miror, -āri, -ātus, [mirus], *wonder at, marvel; wonder;* ad-MIRE, *esteem.*

mirus, -a, -um, *wonderful, extraordinary; strange, remarkable.*

misceō, -ēre, miscui, mixtus, MIX.

miser, -era, -erum, *wretched,* MISERABLE, *unfortunate, pitiable; poor.* As noun, **miseri, -ōrum, m.,** *the wretched.*

miserābilis, -e, *wretched, miserable.*

miserandus, -a, -um, *pitiable, unfortunate.*

miseria, -ae, f., [miser], *wretchedness,* MISERY.

miseri-cordia, -ae, f., [miser + cor, heart], *compassion, mercy.*

missiō, -ōnis, f., [mittō], *sending; release; discharge* from service, *dis-*MISSAL. (MISSION)

Mithridātēs, -is, m., MITHRIDATES VI, surnamed *the Great,* king of Pontus.

Mithridāticus, -a, -um, *of* MITHRIDATES, MITHRIDATIC.

mittō, -ere, misi, missus, *send, despatch; release, dismiss;* of weapons, *hurl, throw.*

Mitylēnae, -ārum, f., MITYLENE, chief city of Lesbos, an island in the Aegean Sea.

mōbilis, -e, [moveō], MOVABLE, *nimble,* MOBILE.

mōbilitās, -ātis, f., [mōbilis], MOBILITY, *speed; instability.*

moderātiō, -ōnis, f., [moderor, control], MODERATION, *self-control.*

moderātus, -a, -um, [moderor], *restrained, controlled,* MODERATE.

moderor, -āri, -ātus, [modus], *check, slow down, control.* (MODERATE)

447

modius, -ī, m., [modus], *grain-measure,* MODIUS, *peck.*

modo, [modus], adv., *only, merely, just;* of time, *just now, but now.* **nōn modo ... sed etiam,** *not only ... but also.*

modus, -ī, m., *measure; limit; manner, fashion, way;* MODE. **ad hunc modum,** *after this manner.* **quem ad modum,** *in what way, how, just as.* **eius modi,** *of such a kind.*

moenia, -ium, n., (city) *walls; fortifications.*

mola, -ae, f., *meal;* **salsa mola,** *salted meal,* grains of spelt mixed with salt, which was sprinkled on the heads of victims at sacrifices.

molestia, -ae, f., *trouble, annoyance.*

mōlior, -īrī, -ītus, [mōlēs, *mass*], *struggle; construct; undertake.*

molliō, -īre, -īvī, -ītus, [mollis], *soften; civilize.* (e-MOLLIENT)

mollis, -e, *soft, smooth, gentle, weak.* (MOLLI-fy)

mollitia, -ae, f., *softness.*

Molō, -ōnis, m., *Apollonius* MOLO.

molō, -ere, -uī, -itus, *grind.*

mōmentum, -ī, n., [moveō], *movement, motion;* MOMENT; *influence; cause, circumstance.* (MOMENTUM)

Mona, -ae, f., MONA, the isle of MAN, in the Irish Sea.

moneō, -ēre, -uī, -itus, *remind, ad-*MONISH; *advise, warn; teach; predict, foretell.*

monimentum, -ī, n., *memorial,* MONUMENT.

monitus, -ūs, m., *warning; advice.*

mōns, montis, m., *mountain, mountain range; hill, height.*

mōnstrō, -āre, -āvī, -ātus, *point out, show.* (de-MONSTRATE)

mōnstrum, -ī, n., [moneō], MONSTER.

monumentum, -ī, n., [moneō], *memorial,* MONUMENT.

mora, -ae, f., *delay.*

morbus, -ī, m., *disease, sickness.* (MORBID)

Morinī, -ōrum, m., *the* MORINI, a Belgic people on the seacoast opposite Kent.

morior, -ī, mortuus, [mors], *die.* (MORTUARY)

moror, -ārī, -ātus, [mora], *delay, linger; hinder.*

mors, mortis, f., *death.* (MORTAL)

morsus, -ūs, m., *bite; jaws, teeth.*

mortālis, -e, [mors], MORTAL. As noun, **mortālis, -is,** c., *a* MORTAL, *human being.*

mortuus, -a, -um, [morior], *dead.*

mōrus, -ī, f., *mulberry tree.*

mōs, mōris, m., *habit, custom, manner;* pl., *customs, manners, conduct; character.*

mōtus, -ūs, m., [moveō], MOTION, *movement; uprising, revolt.*

moveō, -ēre, mōvī, mōtus, MOVE, *drive; stir up;* re-MOVE; *influence.* **castra movēre,** *to break camp.*

mox, adv., *soon, presently, next.*

Mūcius, see Scaevola.

mūcrō, -ōnis, m., *sword, point.*

mulier, -is, f., *woman; wife.*

mūliō, -ōnis, m., MULE-*teer.*

multitūdō, -inis, f., [multus], *large number,* MULTITUDE, *crowd.*

multō, [multus], adv., *by much, much; far.*

multum, [multus], adv., *greatly, much.* **multum posse** or **valēre,** *to have great power* or *influence.*

multus, -a, -um, *much;* pl., *many.* As noun, m., **multī, -ōrum,** *many people.* **multō diē,** *late in the day.*

Mummius, -ī, L. MUMMIUS *Achaicus,* who plundered Corinth in 146 B.C.

mundus, -ī, m., *world, universe.* (MUNDANE)

mūnimentum, -ī, n., [mūniō], *fortification, defence, barrier.*

mūniō, -īre, -īvī, -ītus, [moenia], *fortify, protect; guard;* of roads, *construct.*

mūnitiō, -ōnis, f., [mūniō], *a fortifying; fortification, defences; protection.* (MUNITIONS)

mūnitus, -a, -um, [mūniō], *fortified, protected.*

mūnus, -eris, n., *duty, service; gift; spectacle, exhibition.* (re-MUNERATE)

mūrālis, -e, [mūrus], *of a wall, wall.* (MURAL)

murmus, -uris, n., MURMUR, *whisper.*

mūrus, -ī, m., *wall; rampart.*

mūs, mūris, c., *mouse.*

Mūs, Mūris, m., [mūs], *Decius* MUS, who sacrificed his life in the battle of Asculum.

mūsculus, -ī, m., [mūs], *little mouse;* as a military term, *long shed,* called by soldiers 'mousie.' (MUSCLE)

mutilus, -a, -um, *broken,* MUTILATED.

mutō, -āre, -āvī, -ātus, *change, exchange.* (MUTUAL)

mūtus, -a, -um, *dumb, silent,* MUTE.

Mysia, -ae, f., MYSIA, a country of Asia Minor, south of the Propontis (*Sea of Marmora*).

N

Nābis, -idis, m., NABIS, a tyrant of Lacedaemon.

nactus, see **nanciscor.**

Nāis, -idos, f., *a* NAIAD, *water nymph.*

nam, conj., *for.*

nam-que, conj., *for, and in fact.*

nanciscor, -ī, nactus or **nanctus,** *obtain, get; meet with, find, incur.*

Narbō, -ōnis, m., NARBO, chief city of the Province, modern *Narbonne.*

nāre, see **nō.**

nārrō, -āre, -āvī, -ātus, *tell; recount. describe,* NARRATE.

nāscor, -ī, nātus, *be born; arise, grow; be found; begin.* (NATAL)

Nāsica, see **Scipiō.**

nātālis, -e, [nātus], *of birth,* NATAL. **nātālis diēs,** *birthday.*

nātiō, -ōnis, f., [nāscor], *birth; race;* NATION, *people.*

natō, -āre, -āvī, -ātus, [freq. of nō], *swim, float.* (NATATORIUM)

nātūra, -ae, f., [nāscor], NATURE, *character; situation.*

nātūrālis, -e, [nātūra], NATURAL.

nātūraliter, [nātūrālis], adv., NATURALLY, *by* NATURE.

nātus, -a, -um, [nāscor], *born, arisen;* with words denoting time, *old.* As noun, **nātus, -ī,** m., *son.*

nātus, -ūs, m., [nāscor], *birth;* **minor nātū,** *younger;* **minimus nātū,** *youngest.* **maior nātū,** *elder.*

nau-fragium, -ī, n., [nāvis + frangō], *shipwreck.*

nauta, -ae, m., [for nāvita from nāvis], *sailor.*

nauticus, -a, -um, NAUTICAL, *naval.*

nāvālis, -e, [nāvis], *of ships,* NAVAL.

nāvicula, -ae, f., [dim. of nāvis], *small vessel, boat, skiff.*

nāvigātiō, -ōnis, f., [nāvigō], *sailing,* NAVIGATION; *voyage.*

nāvi-gium, -ī, n., [nāvis + agō], *vessel, ship, boat.*

nāv-igō, -āre, -āvī, -ātus, [nāvis + agō], *sail.* (NAVIGATE)

nāvis, -is, f., *ship.* **nāvis longa,** *battleship, galley.* **nāvis onerāria,** *transport.*

nāvō, -āre, -āvī, -ātus, [(g)nāvus, *busy*], *do with zeal.* **operam nāvāre,** *do one's best.*

nē, adv., *not.* **nē . . . quidem,** *not even* (emphasizing the word between **nē** and **quidem**).

nē, conj., *that . . . not, lest, not to;* after verbs of fearing, *that.* See **nē quis.**

-ne, enclitic interrogative particle, used in asking questions simply for information. **-ne . . . an,** or **-ne . . . ne,** *whether . . . or.*

nec, see **neque.**

necessāriō, [necessārius], adv., of NECESSITY, *unavoidably.*

necessārius, -a, -um, [necesse], *unavoidable,* NECESSARY; *urgent, pressing; related.* As noun, **necessārius, -ī,** m., *kinsman, relative.*

necesse, n., indecl., adj., NECESSARY; as noun, NECESSITY.

449

necessitās, -ātis, f., [necesse], NE-CESSITY, *urgency; advantage.*

nec-ne, conj., *or not.*

necō, -āre, -āvi, -ātus, *kill, destroy.*

nectō, -ere, nexui, nexus, *tie, bind.* (CON-NECT)

ne-fārius, -a, -um, [ne-fās, *crime*], *wicked, abominable, infamous,* NE-FARIOUS.

neg-legō, -ere, -lēxi, -lēctus, [nec], *disregard,* NEGLECT; *overlook.*

negō, -āre, -āvi, -ātus, *deny, say . . . not, say no, refuse.* (NEGATIVE)

neg-ōtium, -i, n., [nec], *business; task; effort, trouble, difficulty.* (NE-GOTIATION)

Nemetēs, -um, m., *the* NEMETES, a Germanic people west of the Rhine.

nē-mō, -inis, [ne + homō], (pl. and gen. and abl. sing. not in use, being replaced by forms from **nūllus**) c., *no one, nobody.*

nepōs, -ōtis, m., *grandson,* (NEP-OTISM)

Neptūnius, -a, -um, *of* NEPTUNE.

Neptūnus, -i, m., NEPTUNE, a god of the sea, brother of Jupiter.

nē-quā-quam, adv., *by no means.*

ne-que or **nec,** [nē + que], adv., *and not, nor, not, but . . . not.* **neque . . . neque,** *neither . . . nor.*

nē-qui-quam, adv., *in vain, to no purpose.*

nē quis, nē quid, *that no one, that nothing.*

Nervius, -i, m., *a* NERVIAN. Pl., **Nervii, -ōrum,** *the* NERVII, a war-like people of Belgic Gaul.

nervus, -i, m., *sinew, muscle;* pl., *power, force; strings.*

nē-sciō, -ire, -ivi or **-ii,** —, *not know, be ignorant.* **nēsciō quis** or **quid,** *I know not who = some one; I know not what = something; some.*

neu, see **nē-ve.**

neuter, -tra, -trum, gen., **neutrius,** [nē + uter], *neither.* As noun, **neu-tri, -ōrum,** m., *neither side.* (NEU-TER)

nē-ve or **neu,** conj., *and not, nor, and that . . . not, and lest.*

nex, necis, f., [necō], *violent death, murder; death.*

nidus, -i, m., *nest.*

niger, -gra, -grum, *black.*

nihil or **nil,** n., indecl., *nothing;* acc. often with adverbial force, *not at all, by no means.* (NIHILIST)

nihil-dum, n., indecl., *nothing as yet.*

nihilō sētius, see **sētius.**

nihilum, -i, n., *nothing.* **nihilō,** abl., (lit. *by nothing*), *not at all, in no way.* **nihilō minus,** *none the less.*

nimium, -i, n., *too much.*

nimius, -a, -um, *excessive, too great.*

Ninus, -i, m., NINUS, an Assyrian king.

ni-si, [nē + si], conj., *if not, unless, except.*

niteō, -ēre, -ui, *shine.*

nitidus, -a, -um, *shining, bright.*

Nitiobrogēs, -um, m., *the* NITIO-BROGES, a people in northern Aquitania.

nitor, niti, nixus or **nisus,** *lean, sup-port oneself; strive, struggle.*

niveus, -a, -um, *snow-white, snowy.*

nō, nāre, nāvi, —, *swim, float.*

nōbilis, -e, [nōscō], *noted, renowned; of high rank;* NOBLE. As noun, **nōbilēs, -um,** m., NOBLES, *men of rank;* **nōbilissimus, -i,** m., *man of highest rank.*

nōbilitās, -ātis, f., [nōbilis], NOBILITY; *rank;* NOBLES.

noceō, -ēre, -ui, nocitūrus, (with dat.) *do harm, injure.* (NOXIOUS)

noctū, [nox], adv., *by night, at night.*

nocturnus, -a, -um, [nox], *of* or *for the night, by night,* NOCTURNAL.

nōdus, -i, m., *knot,* NODE *on the joints of an animal.*

Nōla, -ae, f., NOLA, a town in Campania.

nōlō, nōlle, nōlui, —, [nē + volō], *not wish, be unwilling.* **nōli, nōlite,** with infin., *do not.*

nōmen, -inis, n., [nōscō], *name, title; fame, renown; account.* (NOMINAL) nōminātim, [nōminō], adv., *by name.*

nōminātīvus, -a, -um, [nōminō], *pertaining to naming,* NOMINATIVE.

nōminō, -āre, -āvī, -ātus, [nōmen], *call, name; mention.* (NOMINATE)

nōn, adv., *not, no.* See nōn nūllus and nōn numquam.

nōnāgēsimus, -a, -um, [nōnāgintā], *ninetieth.*

nōnāgintā, indecl., *ninety.*

nōn-dum, adv., *not yet.*

nōn-ne, inter. adv., (expects the answer *Yes*), *not?*

nōn nūllus, -a, -um, (not none), *some, several.*

nōn numquam, (not never), *sometimes.*

nōnus, -a, -um, [for novēnus, from novem], *ninth.* (NONES)

Nōreia, -ae, f., NOREIA, chief city of the *Norici,* a people living south of the Danube, now *Neumarkt.*

Nōricus, -a, -um, *of the* NORICI, NORICAN. As noun, Nōrica, -ae, f., *Norican woman.*

nōs, pl. of ego.

nōscō, -ere, nōvī, nōtus, KNOW, *learn.*

noster, -tra, -trum, [nōs], *our, our own.* As noun, nostrī, -ōrum, m., *our men, our side.*

nōtitia, -ae, f., [nōtus], *acquaintance.* (NOTICE)

notō, -āre, -āvī, -ātus, *mark; observe, notice;* NOTE.

nōtus, -a, -um, [nōscō], *well known, familiar.*

novem, indecl., *nine.* (NOVEMBER)

novitās, -ātis, f., [novus], *newness,* NOVELTY.

novō, -āre, -āvī, -ātus, *renew, repeat; refit.*

novus, -a, -um, *new, fresh, strange.* (NOVEL). Sup., novissimus, *last, at the rear.* As noun, novissimī, -ōrum, m., *those at the rear, the rear.* novissimum agmen, *the rear.*

nox, noctis, f., *night.* prīmā nocte,

early in the night. multā nocte, *late at night.* (equi-NOX)

noxia, -ae, f., [noceō], *crime, offence.*

nūbō, -ere, nūpsī, nūptus, *be married; marry, wed.*

nūdō, -āre, -āvī, -ātus, [nūdus], *strip; expose, leave unprotected.*

nūdus, -a, -um, *bare,* NUDE; *unprotected.*

nūllus, -a, -um, gen., nūllius, [nē + ūllus], *not any, none, no.* As pronoun, nūllus, -īus, m., *no one.*

num, inter. adv., (expects the answer *No*), *not so . . . is it?* In indirect questions, *whether, if.*

Numa, -ae, m., NUMA *Pompilius,* second king of Rome.

Numantia, -ae, f., NUMANTIA, a strongly fortified city in the north of Spain.

Numantīnī, -ōrum, [Numantia], m., *inhabitants of* NUMANTIA, *the* NUMANTINES.

nūmen, -inis, n., [nuō, *nod*], *divine will; divine power; divinity, god.*

numerō, -āre, -āvī, -ātus, [numerus], *count, number; count out, pay down.* (e-NUMERATE)

numerus, -ī, m., NUMBER, *quantity; position, rank; importance.* (NUMERAL)

Numidae, -ārum, m., *inhabitants of* NUMIDIA, NUMIDIANS; *famous as bowmen, and employed by the Romans, as light-armed troops.* (NOMAD)

Numidia, -ae, f., NUMIDIA, a country west of the Carthaginian territory.

Numitor, -ōris, m., NUMITOR, elder son of Proca.

nummus, -ī, m., (piece of) *money, coin.*

n-umquam, [nē], adv., *never.*

num quis, *anyone? any?*

nunc, adv., *now.*

nundinae, -ārum, f., [novem + diēs], (the ninth day); *the market day,* on which country people came into the city to buy and sell.

nūntiō, -āre, -āvi, -ātus, [nūntius], *announce, report; give orders.* **nūntiātur,** *word is brought, it is reported.*

nūntius, -ī, m., *messenger; message, news.* (e-NUNCIATE)

nuō, -ere, nui, nūtus, NOD.

nūper, adv., *lately, recently.*

nūpta, -ae, f., [nūbō], *bride.*

nūptiae, -ārum, f., [nūbō], *wedding,* NUPTIALS

n-ūsquam, [nē], adv., *nowhere, in no place.*

nūtō, -āre, -āvi, -ātus, [freq. of nuō, nod], *waver, give way.*

nūtriō, -ire, -ivi, -itus, *nourish, feed.* (NUTRIMENT)

nūtus, -ūs, m., [nuō, nod], *nod; command;* **ad nūtum,** *instantly.*

nux, nucis, f., *nut.*

nympha, -ae, f., NYMPH.

O

ob, prep. with acc., *on account of, for.*

ob-, in composition (1) *towards;* (2) *down.*

ob-aerātus, -a, -um, [aes], *in debt.* As noun, **ob-aerātus, -i,** m., *debtor.*

ob-eō, -ire, -ivi, -itus, *go to meet; attend to; fall, die.* (OBITUARY)

ob-iciō, -ere, -iēci, -iectus, [iaciō], *throw before* or *to, cast; place, offer; oppose;* OBJECT; *taunt, upbraid with.*

ob-iectus, -a, -um, [ob-iciō], *opposite.*

ob-lātus, part. of **of-ferō.**

ob-ligō, -āre, -āvi, -ātus, *bind, lay under* OBLIGATION, OBLIGE.

ob-linō, -ere, -lēvi, -litus, *smear over.*

obliquus, -a, -um, *slanting.* (OBLIQUE)

obliviscor, -i, -litus, *forget.* (OBLIVION)

ob-noxius, -a, -um, [noceō], *liable, guilty; exposed.* (OBNOXIOUS)

ob-oedientia, -ae, f., [audiō], OBEDIENCE.

ob-oediō, -ire, -ivi, -itus, [audiō], *give ear, listen;* OBEY, *be* OBEDIENT, *be subject.*

ob-ortus, -a, -um, *rising, flowing.*

ob-ruō, -ere, -rui, -rutus, *overwhelm, bury, crush; destroy.*

obscurus, -a, -um, *dark,* OBSCURE.

ob-secrō, -āre, -āvi, -ātus, [sacrō, from **sacer**], *beseech in the name of all that is sacred, implore.*

ob-servō, -āre, -āvi, -ātus, *watch,* OBSERVE; *keep track of; heed.*

ob-ses, -idis, c., [sedeō], *hostage; security, pledge.*

ob-sessiō, -ōnis, f., [sedeō], *blockade, siege.* (OBSESSION)

ob-sideō, -ēre, -sēdi, -sessus, [sedeō], *besiege, blockade; block.*

ob-sidiō, -ōnis, f., [ob-sideō], *siege, blockade.*

ob-sistō, -ere, -stiti, -stitus, *take one's place before; resist, withstand, oppose.*

ob-stipēscō, -ere, -stipui, *be amazed.*

ob-stō, -āre, -stiti, *stand in the way of, hinder, oppose.*

ob-stringō, -ere, -strinxi, -strictus, *bind, lay under obligation.*

ob-struō, -ere, -strūxi, -strūctus, *block up, barricade, stop up.* (OBSTRUCT)

ob-temperō, -āre, -āvi, -ātūrus, *obey.*

ob-testor, -āri, -ātus, *call as witness, appeal to; implore.*

ob-tineō, -ēre, -ui, -tentus, [teneō], *hold fast, keep, hold; get possession of,* OBTAIN; *prevail; occupy, inhabit.*

ob-tingō, -ere, -tigi, —, [tangō], *fall to the lot of, befall, occur; be assigned.*

ob-trectātor, -ōris, m., [tractō], *disparager, critic.*

ob-tuli, see **of-ferō.**

ob-veniō, -venire, -vēni, -ventus, *meet; come* or *fall (by lot).*

ob-viam, adv., *in the way; against, to meet.* **obviam ire,** *go to meet.*

ob-volvō, -ere, -volvi, -volūtus, *wrap up, muffle, cover.*

oc-cāsiō, -ōnis, f., [ob + cadō], *opportunity*, OCCASION.

oc-cāsus, -ūs, m., [oc-cidō], *setting. sōlis occāsus, sunset; west.*

oc-cidēns, -entis, [oc-cidō], *setting. occidēns sōl, the west.*

oc-cidō, -ere, -cīdi, -cīsus, [ob + caedō], *kill, slay.*

oc-cidō, -ere, -cidi, -cāsus, [ob + cadō], *fall; perish; go down, set.* (OCCIDENT)

oc-cultē, [oc-cultus], adv., *secretly.*

oc-cultō, -āre, -āvī, -ātus, [freq. of oc-culō, *cover*], *hide, conceal; keep secret.*

oc-cultus, -a, -um, [oc-culō, *cover*], *hidden, secret.* As noun, in occultō, *in concealment, in secret.* (OCCULT)

oc-cupātiō, -ōnis, f., [oc-cupō], OCCUPATION, *employment;* pl., *business.*

oc-cupō, -āre, -āvī, -ātus, [ob + capiō], *seize, capture, take possession of; fill,* OCCUPY; *attack*; of the attention, *engage.*

oc-currō, -ere, -curri, -cursūrus, [ob], *run to meet; meet, fall in with, find, encounter; resist, oppose; come to mind,* OCCUR.

Ōceanus, -ī, m., the OCEAN, looked upon by Caesar as one body of water, including the Atlantic Ocean, the English Channel, and the North Sea; *the sea.*

Ocelum, -ī, n., a city of the Graioceli in the Alps, west of modern Turin.

octāvus, -a, -um, [octō], *eighth.* (OCTAVE)

octin-gentī, -ae, -a, [octō + centum], *eight hundred.*

octō, indecl., *eight.* (OCTOBER)

octōgintā, [octō], indecl., *eighty.*

octōnī, -ae, -a, [octō], *eight apiece, eight at a time.*

oculus, -ī, m., *eye.* (OCULIST)

ōdī, ōdisse, ōsūrus, def., (perf. translated as if present), *hate.*

odium, -ī, n., [ōdī], *hatred,* ODIUM. (ODIOUS)

odōrātus, -a, -um, *perfumed, fragrant.*

of-fendō, -ere, -fendī, -fēnsus, [ob + fendō, *ward off*], OFFEND, *be OFFENSIVE.*

of-ferō, -ferre, ob-tulī, ob-lātus, *bring before, present,* OFFER; *bestow.*

of-ficīna, -ae, f., *wokshop.*

of-ficium, -ī, n., [opus + faciō], *service, favor; duty; allegiance; employment,* OFFICE.

Ōlenos, -ī, m., OLENOS, husband of Lethea, turned to stone.

oleum, -ī, n., OIL.

ōlim, adv., *formerly; once, once upon a time.*

olus, -eris, n., *vegetables.*

ōmen, -inis, n., *sign,* OMEN.

o-mittō, -ere, -mīsī, -missus, [ob], *send aside, let go; lay aside; neglect, disregard.* (OMIT)

omnīnō, [omnis], adv., *altogether; after negatives, at all;* with numerals, *in all, only.*

omnis, -e, *every, all.* As noun, pl., omnēs, -ium, m., *all men, all.* omnia, -ium, n., *all things, everything.* (OMNIBUS)

Onchestius, -a, -um, *of* ONCHESTUS, the grandfather of Hippomenes.

onerārius, -a, -um, [onus], *of burden.* nāvis onerāria, *transport.*

onus, -eris, n., *load, burden; cargo.* (ONEROUS)

onustus, -a, -um, [onus], *laden.*

opācus, -a, -um, *dark, shaded.* (OPAQUE)

opera, -ae, f., [opus], *service, work, labor, toil; assistance, aid; attention; means, agency.*

opi-fex, -ficis, m., *workman.*

opimus, -a, -um, *rich;* spōlia opīma, *spoils of honor.*

opīniō, -ōnis, f., [opinor, *think*], *idea, belief; good* OPINION, *reputation; expectation; impression.*

oportet, -ēre, -uit, impers., *it is necessary, it behooves; ought, is proper; ought, must.*

oppidāni, -ōrum, m., [oppidum], *townspeople.*

oppidum, -ī, n., fortified *town, city;* fortified *inclosure, stronghold.*

op-pōnō, -ere, -posuī, -positus, *place opposite,* OPPOSE.

opportūnē, [opportūnus], adv., OP-PORTUNELY, *advantageously.*

opportūnus, -a, -um, *fit, favorable, advantageous, convenient, suitable,* OPPORTUNE.

op-primō, -ere, -pressī, -pressus, [ob + premō], PRESS *against; overwhelm, crush, destroy; weigh down, burden, overcome; fall upon, surprise.* (OPPRESS)

op-pugnātiō, -ōnis, f., [op-pugnō], *assault, attack, siege; storming.*

op-pugnō, -āre, -āvī, -ātus, [ob], *attack, assault; storm, besiege.*

(ops), opis, f., *help; power; wealth.* Pl., **opēs, -um,** *resources, means, riches, wealth; influence; power.*

optimās, -ātis, m., [optimus], *aristocrat.* (OPTIMATE)

optimē, [sup. of **bene**], *very well, best.*

optimus, -a, -um, [sup. of **bonus**], *best, very good, most favorable.* (OPTIMIST)

optō, -āre, āvī, -ātus, *wish, desire.* (OPTATIVE.)

opulēns, -entis, [ops], *rich, wealthy,* OPULENT.

opus, n., (used only in nom. and acc.) *necessity, need.* **opus est,** *it is necessary.*

opus, operis, n., *work, labor; structure, works, fortification.* (OPUS)

ōra, -ae, f., *shore, coast.*

ōrāculum, -ī, n., [ōrō], ORACLE; *prophecy; oracle,* the place where oracular responses were given.

ōrātiō, -ōnis, f., [ōrō], *speech, language;* ORATION, *address; argument, plea; eloquence.*

ōrātor, -ōris, m., [ōrō], *speaker,* OR-ATOR; *envoy.*

ōrātōrius, -a, -um, [ōrātor], *of an* ORATOR, ORATORICAL.

Orbilius, -ī, m., ORBILIUS, teacher of the poet Horace.

orbis, -is, m., *circle,* ORBIT; *world.* **orbis mēnsae,** *round table.* **orbis terrae** or **terrārum,** *the whole earth.*

Orcynia, -ae, f., another name for Hercynia.

ōrdinārius, -a, -um, [ōrdō], *regular,* ORDINARY.

ōrdinō, -āre, -āvī, -ātus, [ōrdō], *set in order, arrange; appoint, establish; record.* (COORDINATE)

ōrdior, -īrī, ōrsus, [ōrdō], *begin, undertake; describe.*

ōrdō, -inis, m., *row, series,* ORDER, *arrangement; bank* (of oars); *company; class, rank.*

Orgetorix, -īgis, m., ORGETORIX, a Helvetian nobleman who formed a plot to seize supreme power in his state.

Ōricum, -ī, n., ORICUM, a seaport on the east coast of the Adriatic Sea.

oriēns, -entis, [orior], *rising.* **oriēns sōl,** *the rising sun = the east.* (ORIENT)

origō, -inis, f., ORIGIN, *source, race, lineage.*

Ōriōn, -iōnis, m., ORION, a constellation.

orior, -īrī, ortus, *arise, rise; be descended; originate, spring from, start from.*

ōrnāmentum, -ī, n., [ōrnō], *equipment; decoration,* ORNAMENT, *distinction.*

ōrnātus, -a, -um, [ōrnō], *equipped; adorned, embellished; distinguished.* (ORNATE)

ōrnō, -āre, -āvī, -ātus, *furnish, equip;* ADORN, *decorate, beautify.*

ōrō, -āre, -āvī, -ātus, [ōs], *speak; argue, plead; beg, entreat, beseech.*

Orpheus, -ī, m., ORPHEUS, a Thracian bard.

ōs, ōris, n., *mouth, face, features; mouth of a river.* (ORAL)

ōsculum, -ī, n., *kiss; mouth, lip.*

Osismī, -ōrum, m., *the* OSISMI, people in the northwest corner of Gaul.

os-tendō, -ere, -tendi, -tentus [ob], *show, display; point out, declare; disclose, make known.* (OSTENSIBLE)

os-tentō, -āre, -āvi, -ātus, [intens. of os-tendō], *display.*

Ōstia, -ae, f., [ōstium], OSTIA, the seaport of Rome at the mouth of the Tiber.

ōstium, -i, n., [ōs], *door, doorway; mouth, entrance.*

ostrea, -ae, f., OYSTER.

ōtium, -i, n., *leisure; peace, quiet.*

ovō, -āre, —, -ātus, *rejoice.* (OVATION)

ōvum, -i, n., *egg.* (OVAL)

P

P., abbreviation for **Pūblius.**

pābulātor, -ōris, m., [pābulor], *forager.*

pābulor, -āri, -ātus, [pābulum], *forage.*

pābulum, -i, n., *fodder, forage.*

pācō, -āre, -āvi, -ātus, [pāx], PACI-*fy*, *subdue.*

pactus, -a, -um, *agreed upon, appointed.*

pactum, -i, n., [paciscor, *bargain*], *agreement; manner, way.* (COMPACT)

paedagōgus, -i, m., PAEDAGOGUS, a slave who accompanied the children to school and had charge of them at home. (PEDAGOGUE)

Paeligni, -ōrum, m., *the* PAELIGNI, a people of central Italy.

paene, adv., *almost, nearly.*

paenitet, -ēre, -uit, impers., *it repents, it grieves.* (PENITENT)

pāgus, -i, m., *district, canton.* (PAGAN)

palaestra, -ae, f. PALAESTRA, *wrestling school, gymnasium.*

palam, adv., *openly, publicly.*

Palātinus, -a, -um, [Palātium], PALATINE.

Palātium, -i, n., *the* PALATINE *hill.* (PALACE)

Pales, -is, f., PALES, deity of shepherds and cattle.

palla, -ae, f., *the* PALLA, a Roman lady's outer garment.

pallidus, -a, -um, *pale,* PALLID.

palma, -ae, f., PALM of the hand, *hand;* PALM *tree;* PALM *branch.*

palmātus, -a, -um, [palma, *palm*], *embroidered with* PALM *branches.*

palūdāmentum, -i, n., *general's cloak* of scarlet color.

palūs, -ūdis, f., *swamp, marsh.*

pandō, -ere, pandi, passus, *spread out.* **passis manibus,** *with hands outstretched.* (EX-PAND)

pānis, -is, m., *bread; loaf.*

Papirius, -i, m., *L.* PAPIRIUS *Cursor,* general in the Second Samnite war.

papȳrus, -i, c., PAPYRUS, PAPER made out of the pith of the papyrus reed.

pār, paris, *equal, like, similar, same; well matched.* **pār atque,** *same as.* As noun, *an equal.* (PAR)

parātus, -a, -um, [parō], *prepared; equipped, provided.*

parcē, [parcus], adv., *sparingly.*

parcō, -ere, peperci, parsūrus, *be sparing; spare.* (PARSIMONY)

parcus, -a, -um, [parcō], *sparing, moderate, frugal, temperate.*

parēns, -entis, c., [pariō], PARENT

pāreō, -ēre, -ui, -itus, *obey; submit to, be subject to.*

pariēs, -etis, m., *wall* (in a house).

pariō, -ere, peperi, partus, *bear, bring forth, produce; effect; acquire, obtain.*

Parisii, -ōrum, m., *the* PARISII, a Gallic people on the river Sequana (*Seine*). The name survives in PARIS.

pariter, [pār], adv., *equally, alike; together.* (PARITY)

parō, -āre, -āvi, -ātus, *pre-*PARE, *make ready for; obtain, secure.*

Paros, -i, f., PAROS, one of the Cyclades islands.

455

pars, partis, f., PART, *share, number; region, district, division; side, direction;* PARTY, *faction; account;* pl., *party.* **pars maior,** *the majority.* **ūnā ex parte,** *on one side.* in omnēs **partēs,** *in every direction.*

Parthī, -ōrum, m., *the* PARTHIANS, inhabitants of PARTHIA, a country southeast of the Caspian Sea.

partim, [pars], adv., PARTLY, *in* PART.

partus, see **pariō.**

parum, comp., **minus,** sup., **minimē,** adv., *too little, not enough.*

parvulus, -a, -um, [dim. of **parvus**], *very small, very young; trifling, unimportant.* As noun, **parvulus, -ī,** m., *little child, infant.*

parvus, -a, -um, *small, little, trifling, insignificant.* As noun, **parvus, -ī,** m., *a little one, child.*

pāscō, pāscere, pāvī, pāstus, *feed.* In pass., reflexive with dep. force, *graze, feed.* (PASTURE)

passus, -ūs, m., *step, pace.* See **mille** and **milia.**

passus, see **pandō** and **patior.**

pāstor, -ōris, m., [pāscō], *herdsman, shepherd.* (PASTOR)

pate-faciō, -ere, -fēcī, -factus, [pateō], *open; disclose.*

patēns, -entis, [pateō], *open, accessible.* (PATENT)

pateō, -ēre, -uī, —, *lie open, stand open; extend; be accessible.*

pater, -tris, m., *father.* Pl., **patrēs, -um,** *fathers, forefathers.* **patrēs** or **patrēs cōnscriptī,** *senators.*

patiēns, -entis [patior], *bearing, enduring,* PATIENT.

patienter, adv., *patiently.*

patientia, -ae, f., [patior], *endurance,* PATIENCE.

patior, -ī, passus, *suffer, endure; allow, permit.* (PASSION)

patria, -ae, f., [pater], *fatherland, native land.* (PATRIOT)

patrimōnium, -ī, n., [pater], *inheritance* (from a father), PATRIMONY.

patrius, -a, -um, [pater], *of a father, fatherly; ancestral.*

patruēlis, -e, [patruus], *of a father's brother, of a cousin.* As noun, **patruēlis, -is,** m., *a cousin.*

paucitās, -ātis, f., [paucus], *fewness, small number.* (PAUCITY)

paucus, -a, -um, *little;* pl., *few, only a few.* As noun, **paucī, -ōrum,** m., pl., *few, only a few;* **pauca, -ōrum,** n., (*sc.* **verba**), *a few words.*

paulātim, [paulus], adv., *little by little; gradually; by degrees; one by one, one after another.*

paulis-per [paulus], adv., *for a short time.*

paulō, [abl. of **paulus**], adv., (by) *a little, somewhat.*

paulum, [acc. of **paulus**], adv., *a little, somewhat.*

Paulus, see **Aemilius.**

pauper, -eris, adj., *poor.* As noun, m., *poor man.* (PAUPER)

pavimentum, -ī, n., PAVEMENT.

pavor, -ōris, m., *fear.*

pāx, pācis, f., PEACE.

pectus, -oris, n., *heart, breast.* (PECTORAL)

pecūnia, -ae, f., [pecus], (wealth in cattle); *property, money.* (PECUNIARY.)

pecus, -oris, n. *cattle.*

pedes, -itis, m., [pēs], *foot soldier.* Pl., **peditēs, -um,** *infantry.*

pedester, -tris, -tre, [pēs], *on foot,* PEDESTRIAN; *on land, land.* **pedestrēs cōpiae,** *infantry.*

peditātus, -ūs, m., [pedes], *infantry.*

peior, -ius, gen., **-ōris,** [comp. of **malus**], *worse.*

peius, [comp. of **male**], adv., *worse.*

pelagus, -ī, n., *sea.*

Pelias, -ae, m., PELIAS, king of Thessaly.

pel-liciō, -ere, -lexī, -lectus, [per + laciō, *entice*], *allure, entice.*

pellis, -is, f., *skin, hide.* (PELT)

pellō, -ere, pepulī, pulsus, *strike; drive away; defeat, rout.* (re-PEL)

Pelopon-nēsus, -i, f., [(Greek), *Island of Pelops*], *the* PELOPONNESUS, *southern Greece.*

Penātēs, -ium, m., *the* PENATES, *household gods,* guardian gods of the family.

pendeō, -ēre, pependī, —, *hang, hang down,* de-PEND.

pendō, -ere, pependī, pēnsus, *weigh out; pay, pay out.* (EX-PEND)

penetrō, -āre, -āvī, -ātus, *enter,* PENETRATE.

penna, -ae, f., *feather, wing.*

pepercī, see **parcō.**

peperī, see **pariō.**

per, prep. with acc., *through; across, along, over, among; during, in the course of; by, by the hands of, by means of, under pretence of; by reason of; in the name of, by.*

In composition, **per-** adds the force of *through, thoroughly, perfectly, completely, very.*

per-agō, -ere, -ēgī, -āctus, *agitate; go through with, finish, carry out, execute; relate.*

per-cipiō, -ere, -cēpī, -ceptus, [**capiō**], *get, secure, gain; experience, feel.* (PERCEPTION)

per-contātiō, -ōnis, f., [**per-contor,** *inquire*], *questioning, inquiry.*

per-currō, -ere, -cucurrī or **-currī, -cursus,** *run through, run along.*

per-cussor, -ōris, m., [**per-cutiō**], *murderer, assassin.*

per-cutiō, -ere, -cussī, -cussus, [**quatiō,** *beat*], *beat, strike, thrust through, pierce; shock.* (PERCUSSION)

per-discō, -ere, -didicī, —, *learn thoroughly.*

per-dō, -ere, -didī, -ditus, *destroy, ruin; lose.* (PERDITION)

per-dūcō, -ere, -dūxī, -ductus, *bring through, lead, conduct, bring; win over; prolong; construct, make.*

per-egrinus, -a, -um, [**ager**], *foreign.* (PEREGRINATION)

perendinus, -a, -um, *after tomorrow;* **perendinō diē,** *day after tomorrow.*

per-ennis, -e, [**annus**], PERENNIAL; *continual, lasting, undying, perpetual.*

per-eō, -īre, -īvī or **-iī, -itus,** PERISH; *be lost.*

per-equitō, -āre, -āvī, -ātus, *ride through; ride about.*

per-exiguus, -a, -um, *very small.*

per-facilis, -e, *very easy.*

per-fectus, -a, -um, [**faciō**], *finished, wrought.* (PERFECT)

per-ferō, -ferre, -tulī, -lātus, *carry through; carry, bring, report; endure; suffer, submit to.*

per-ficiō, -ere, -fēcī, -fectus, [**faciō**], *do thoroughly, finish, perform, carry out, accomplish; cause, effect; bring about, arrange.* (PERFECT)

per-fidia, -ae, f., [**per-fidus**], *faithlessness, treachery,* PERFIDY.

per-frigēscō, -ere, -frixī, —, [incep. of **frigeō,** *be cold*], *catch cold.*

per-fringō, -ere, -frēgī, -frāctus, [**frangō**], *break through.*

per-fuga, -ae, m., [**per-fugiō**], *deserter.*

per-fugiō, -ere, -fūgī, —, *flee for refuge; desert.*

per-gō, -ere, -rēxī, -rēctus, [**regō**], *go on, proceed, advance.*

pergula, -ae, f., (verandah) *school.*

periculōsus, -a, -um, [**periculum**], *dangerous,* PERILOUS.

periculum, -ī, n., [**perior,** *try*], *trial; attempt, risk, danger,* PERIL.

perimō, -ere, -ēmī, -ēmptus, *kill, destroy.*

peri-stȳlum, -ī, n., PERISTYLE, an open court surrounded by a colonnade.

peritus, -a, -um, [**perior,** *try*], *experienced, skilled, skillful; acquainted with.*

per-lātus, see **per-ferō.**

per-legō, -ere, -lēgī, -lēctus, *read through.*

per-maneō, -ēre, -mānsī, -mānsūrus, *continue,* re-MAIN. (PERMANENT)

per-mātūrēscō, -ere, -mātūruī, *ripen thoroughly.*

per-mittō, -ere, -mīsī, -missus, *let pass; entrust; surrender;* PERMIT, *allow.*

per-moveō, -ēre, -mōvī, -mōtus, *deeply move, greatly disturb, alarm; influence, induce.*

per-multus, -a, -um, *very much;* pl., *very many.*

per-mūtātiō, -ōnis, f., [mūtō], *change, exchange.* (PERMUTATION)

per-niciēs, -ēī, f., [nex], *destruction.*

per-niciōsus, -a, -um, [per-niciēs], *destructive, dangerous,* PERNICIOUS.

pernicitās, -ātis, f., [pernix, *nimble*], *swiftness, speed.*

per-ōdī, -ōdisse, -ōsus, *hate, curse.*

per-paucī, -ae, -a, *very few.* As noun, per-paucī, -ōrum, m., *a very few.*

per-petuō, adv., *continually.*

per-petuus, -a, -um, [petō], *continuous, constant, unbroken,* PERPETUAL. in perpetuum (tempus), *forever; for life.*

per-rumpō, -ere, -rūpī, -ruptus, *break through, force a passage.*

Persea, -ārum, m., *the* PERSIANS.

per-saepe, adv., *very often.*

per-scrībō, -ere, -scrīpsī, -scrīptus, *write fully, report.*

Persephonē, -ēs, f., PROSERPINE, *goddess of the Lower World.*

per-sequor, -ī, -secūtus, *follow up, pursue; assail, attack; overtake; accomplish.*

Perseus, -ī, m., PERSEUS, the last king of Macedonia.

per-sevērō, -āre, -āvī, -ātus, [sevērus], *persist,* PERSEVERE, *keep on.*

per-solvō, -ere, -solvī, -solūtus, *pay in full, pay.*

per-spiciō, -ere, -spexī, -spectus, [speciō, *look*], *see, look; inspect, reconnoiter; perceive, observe; ascertain.* (PERCEPTIVE)

per-suādeō, -ēre, -suāsī, -suāsūrus, *convince,* PERSUADE, *prevail upon, induce.* mihi persuādētur, *I am convinced.*

per-taedet, -ēre, -taesum, impers., *it wearies, it disgusts.*

per-terreō, -ēre, -uī, -itus, *frighten thoroughly,* TERRI-*fy.*

per-territus, -a, -um, [per-terreō], *thoroughly frightened,* TERRI-*fied, panic-stricken.*

per-tinācia, -ae, f., [per-tināx], *perseverance; obstinacy.* (PERTINACITY)

per-tināciter, [per-tināx], adv., *persistently, obstinately.* (PERTINACIOUSLY)

per-tināx, -ācis, [tenāx], *persevering, obstinate.* (PERTINACIOUS)

per-tineō, -ēre, -uī, —, [teneō], *stretch out, extend; reach;* PERTAIN, *concern, belong.*

per-turbātiō, -ōnis, f., [per-turbō], *disturbance, commotion.* (PERTURBATION)

per-turbō, -āre, -āvī, -ātus, *dis*-TURB *greatly, confuse, throw into confusion.*

per-veniō, -īre, -vēnī, -ventūrus, *reach, come to; arrive at; attain.*

pēs, pedis, m., *foot.* pedibus, *on foot.* pedem referre, *to retreat.* (PEDAL)

pessimus, -a, -um, [sup. of malus], *worst, very bad.* (PESSIMIST)

pestilentia, -ae, f., *plague,* PESTILENCE; *fever.*

petitiō, -ōnis, f., [petō], *candidacy;* PETITION.

petō, -ere, -īvī or -iī, -ītus, *seek; go to; make for; get, secure; attack; demand, ask, request; be a candidate for.* petere ut liceat, *to ask permission.*

Petrocoriī, -ōrum, m., *the* PETROCORII, a Gallic people north of the Garumna (*Garonne*) River.

Petrosidius, -ī, m., *L.* PETROSIDIUS, a brave standard-bearer.

phalanx, -angis, (acc., phalanga), f., *compact host, mass,* PHALANX.

Pharnacēs, -is, m., PHARNACES, son of Mithridates, king of Pontus.

Pharsālicus, -a, -um, [Pharsālia], *of* PHARSALUS, a town in Thessaly.

Phāsis, -idos, (acc., Phasim), *the* PHASIS, a river of Colchis.

Philippus, -i, m., *Philip V,* king of Macedon.

Phineus, -i, (acc., **Phinea**), m., PHINEUS, king of Salmydessus in Thrace.

Phrixus, -i, m., PHRIXUS, son of Athamas.

Picentēs, -ium, m., [**Picēnum**], *the* PICENES, inhabitants of PICENUM, a district in central Italy.

Pictonēs, -um, m., *the* PICTONES, a Gallic people living on the Atlantic coast, south of the Liger (*Loire*).

pictūra, -ae, f., [**pingō,** *paint*], *painting,* PICTURE.

pictus, -a, -um, [**pingō,** *paint*], *decorated, embroidered.* (de-PICT)

pietās, -ātis, f., [**pius**], *dutiful conduct, devotion, justice,* PIETY; *loyalty.*

pigmentum, -i, n., [**pingō,** *paint*], *color, paint,* PIGMENT.

pilleus, -i, m., (a cone-shaped felt) *cap.*

pilum, -i, n., *javelin, pike.*

pilus, -i, m., [**pilum**], with **primus,** a division in the army containing the most experienced soldiers. **primi pili centūriō,** *first centurion of the first maniple of the triarii,* the first centurion of the legion in rank; **primum pilum dūcere,** *to hold the rank of first centurion.*

pingō, -ere, pinxi, pictus, *paint.* (de-PICT)

pinna, -ae, f., *feather;* in military language, *battlement.* (PEN)

pirāta, -ae, m., PIRATE.

piscina, -ae, f., [**piscis,** *fish*], *pool.*

piscis, -is, m., *fish.* (PISCATORIAL)

Pisō, -ōnis, m., (1) *Lucius Calpurnius* PISO *Caesoninus,* consul 112 B.C. (2) *Lucius Calpurnius* PISO *Caesoninus,* consul with *Aulus Gabinius,* 58 B.C.; father-in-law of Caesar. (3) *Marcus Pupius* PISO *Calpurnianus,* consul with *M. Valerius Messala,* 61 B.C.

pius, -a, -um, *dutiful,* PIOUS.

placeō, -ēre, -ui, -itus, PLEASE, *be agreeable, be welcome to.* Impers., **placet,** *it* PLEASES, *it is agreed, it seems good; it is resolved, it is decided.*

plācō, -āre, -āvi, -ātus, [**placeō**], *appease; conciliate.* (PLACATE)

plāga, -ae, f., *stroke, blow.*

plāgōsus, -a, -um, [**plāga**], (full of blows), *fond of flogging.*

plangor, -ōris, m., *outcry, shriek.*

plānitiēs, -ēi, f., [**plānus**], PLAIN.

planta, -ae, f., *sole, foot.*

plānus, -a, -um, *level, flat.* (PLAIN)

plausus, -ūs, m., [**plaudō,** *clap*], *applause.*

plēbēius, -a, -um, [**plēbs**], PLEBEIAN.

plēbs, plēbis, and **plēbēs, -ei** or **-is,** f., *common people,* PLEBEIANS, *populace.*

plēnus, -a, -um, [**pleō**], *full, filled.*

plērum-que, adv., *generally, usually, for the most part.*

plērus-que, -a-que, -um-que, [**plērus,** *very many*], *very many, most.* As noun, **plēri-que, -ōrum-que,** m., *the greater part, the majority, most.*

Pleumoxii, -ōrum, m., a Belgic people near the Nervii.

Plinius, -i, m., **Plinius Maior,** PLINY *the Elder,* a Roman historian and scientist.

plūma, -ae, f., *feather.* (PLUME)

plumbum, -i, n., *lead;* **plumbum album,** *tin.* (PLUMBER)

plūrēs, plūra, gen., **-ium,** *more, several, many.* (PLURAL)

plūrimum, [sup. of **multum**], adv., *very much, most, especially.* See **possum.**

plūrimus, -a, -um, [sup. of **multus**], *most;* pl., *very many, most.*

plūs, plūris, [comp. of **multus**], *more.* **plūs valēre,** *to have more power.* (PLURALITY)

pluteus, -i, m., *movable screen,* to protect advancing besiegers; *breastwork.*

pluvia, -ae, f., *rain, shower.*

pōculum, -i, n., *cup.*

poena, -ae, f., *fine, punishment,* PEN-ALTY. **poenās dare,** *to pay the penalty.*

Poenī, -ōrum, m., *the Carthaginians,* so named because they came originally from PHOENICIA.

Poenus, -i, m., *T. Quinctius* POENUS, dictator in' the war with the Gauls, 360 B.C.

poēta, -ae, m., POET.

pollex, -icis, m., *thumb.*

pol-liceor, -ērī, -itus, [prō + liceor, bid], *promise, offer.*

Polyphemus, -i, m., POLYPHEMUS, one of the Argonauts.

pompa, -ae, f., *public procession; parade, display.* (POMP)

Pompeiānus, -a, -um, [POMPEIUS], *of* POMPEY, POMPEIAN. As noun, **Pompeiānī, -ōrum,** m., *soldiers of* POMPEY; POMPEY'S *men.*

Pompeius, -i, m., (1) POMPEIUS, consul in 141 B.C. (2) *Cn.* POMPEIUS *Magnus,* POMPEY *the Great.* (3) *Cn.* POMPEIUS, interpreter for Titurius Sabinus.

Pompilius, see Numa.

Pomptinus, -a, -um, POMPTINE. **Pomptinae palūdēs,** *the* POMPTINE *Marshes* on the coast of Latium.

pōmum, -i, n., *apple, fruit.*

pondus, -eris, n., [pendō], *weight; quantity.* (PONDEROUS)

pōnō, -ere, posui, positus, *place, put.* Pass., often *be situated; be dependent, depend on.* **castra pōnere,** *to pitch camp.* (POSITION)

pōns, pontis, m., *bridge.* (PONTOON)

ponticulus, -i, m., [dim. of pōns], *little bridge.*

Ponticus, -a, -um, [Pontus], *of* PONTUS, PONTIC.

ponti-fex, -icis, m., a Roman *high priest.* (PONTIFF)

Pontius, -i, m., *C.* PONTIUS, general of the Samnites in the Second Samnite war.

Pontus, -i, m., PONTUS, a country north of the Black Sea.

popa, -ae, m., *the priest's assistant.*

poples, -itis, m., *knee.*

poposci, see poscō.

populāris, -e, [populus], *belonging to the* PEOPLE, POPULAR.

populor, -ārī, -ātus, *lay waste, devastate.* (de-POPULATE)

populus, -i, m., PEOPLE, *nation; the people, the citizens;* POPULACE.

por-, in composition, *forth, forward.*

por-rigō, -ere, -rēxī, -rēctus, [regō], *stretch out, extend.*

Porsena, -ae, m., *Lars* PORSENA, king of Clusium.

porta, -ae, f., *gate, entrance, passage.* (PORTAL)

por-tendō, -ere, -tendi, -tentus, [tendō], *point out, indicate; predict, foretell.* (PORTEND)

por-tentum, -i, n., [por-tendō], *omen,* PORTENT.

porticus, -ūs, f., [porta], *colonnade,* PORTICO.

portitor, -ōris, m., *ferryman;* esp., *Charon,* ferryman of the Styx.

portō, -āre, -āvī, -ātus, *bear, carry, bring.*

portōrium, -i, n., [portō], *tax, duty.*

portus, -ūs, m., [porta], *harbor,* PORT.

poscō, -ere, poposci, —, *ask, demand, beg.*

positus, -a, -um, see pōnō.

pos-sessiō, -ōnis, f., [pos-sīdō], POSSESSION.

pos-sideō, -ēre, -sēdī, -sessus, [por- + sedeō], *hold, occupy,* POSSESS.

pos-sīdō, -sidere, -sēdī, -sessus, [por- + sīdō], *take* POSSESSION *of, occupy, seize.*

pos-sum, posse, potui, —, [potis, able, + sum], irr., *be able; can.* **multum (plūrimum) posse,** *to have great (very great) power* or *influence.*

post, adv., *afterwards, after;* often with abl. of degree of difference. **annō post,** *a year later, the follow*

460

ing year; **paucīs post diēbus,** *a few days later.*

post, prep. with acc., *after, behind.*

post-eā, adv., *afterwards.*

post-eā-quam, conj., *after.*

posterior, -ius, gen. -ōris, [comp. of **posterus**], *later.*

posterus, -a, -um, [post], *next, following.* **in posterum,** *for the future.* As noun, **posterī, -ōrum,** m., *descendants,* POSTERITY.

post-hāc, adv., *hereafter, in the future.*

postis, -is, m., *door-*POST.

post-quam, conj., *after, when.* **post** and **quam** are often separated by intervening words.

postrēmō, [abl. of **postrēmus**], adv., *at last, finally.*

postrēmus, or **postumus,** [sup. of **posterus**], *last.* **ad postrēmum,** *finally.*

postrī-diē, [posterō diē], adv., *on the day after, next day.* **postrīdiē eius diēī,** *on the following day.*

postulō, -āre, -āvī, -ātus, *demand, ask, request;* of things, *require.* (POSTULATE)

Postumius, -ī, m., (1) *Aulus* POSTUMIUS, Roman commander at the battle of Lake Regillus. (2) *Spurius* POSTUMIUS, consul in 321 B.C. (3) *A.* POSTUMIUS, consul in 242 B.C.

potēns, -entis, [part. of **possum**], *powerful; influential.* (POTENT)

potentia, -ae, f., [potēns], *might, power; influence.* (POTENTIAL)

potentior, -ōris, [comp. of **potēns**], m., *a more powerful man;* pl., *the more powerful.*

potentissimus, -ī, [sup. of **potēns**], m., *a most powerful man;* pl., *the most powerful.*

potestās, -ātis, f., [potis, *able*], *ability, power, capacity; rule; office, magistracy; opportunity.*

potior, -īrī, -ītus, [potis, *able*], *obtain possession of, acquire, obtain.*

potius, [comp. of **potis**], adv., *rather, preferably, more.* **potius quam,** *rather than.*

prae, prep. with abl., *before, in front of; in comparison with; on account of.* In composition **prae-** denotes *before, at the head of; very.*

prae-acūtus, -a, -um, [acuō, *sharpen*], *sharpened, pointed; very sharp.*

prae-beō, -ēre, -uī, -itus, [habeō], *hold forth, offer, present; grant, supply; furnish, provide, give; show, exhibit.*

prae-cēdō, -ere, -cessī, -cessus, *go before,* PRECEDE; *surpass, excel.*

prae-ceps, -cipitis, [caput], *headlong; steep,* PRECIPITOUS

prae-ceptum, -ī, n., [prae-cipiō], *maxim, wise saying; rule, order; direction, command.* (PRECEPT)

prae-cipiō, -ere, -cēpī, -ceptus, [capiō], *anticipate; admonish, inform, direct; bid, order; instruct.*

prae-cipitō, -āre, -āvī, -ātus, [prae-ceps], *throw headlong, cast down.* (PRECIPITATE)

prae-cipuē, [prae-cipuus], adv., *especially.*

prae-cipuus, -a, -um, [capiō], *particular, especial.*

prae-clārē, [prae-clārus], adv., *gloriously.*

prae-clūdō, -ere, -clūsī, -clūsus, [claudō], CLOSE *up, block.* (PRECLUDE)

praecō, -ōnis, m., *herald, crier.*

praeda, -ae, f., *booty, spoil, plunder.* (de-PREDATION)

prae-dicātiō, -ōnis, f., [dicō], *praise, boast; assertion, statement.* (PREDICATION)

prae-dicō, -āre, -āvī, -ātus, *announce, make known, proclaim, declare, report; commend; boast.* (PREDICATE)

prae-dicō, -ere, -dīxī, -dictus, *say beforehand, warn, admonish;* PREDICT, *foretell.*

praedium, -ī, n., *farm, estate.*

praedō, -ōnis, m., [praeda], *robber; pirate.*

praedor, -ārī, -ātus, [praeda], *pillage, plunder.*

prae-dūcō, -ere, -dūxi, -ductus, *extend; construct.*

prae-fectus, -ī, m., [prae-ficiō], *commander;* **praefectus equitum,** *cavalry* PREFECT.

prae-ferō, -ferre, -tulī, -lātus, *carry before, display;* PREFER; *reveal.* **sē praeferre,** *to show oneself superior to.*

prae-ficiō, -ere, -fēcī, -fectus, [faciō], *place over, place in command of.*

prae-figō, -ere, -fixī, -fixus, *fix in front, set in front.* (PREFIX)

prae-mittō, -ere, -misī, -missus, *send forward* or *ahead, send in advance.*

prae-mium, -ī, n., [emō], *reward, recompense; distinction; prize, booty.* (PREMIUM)

prae-moneō, -ēre, -uī, -itus, *forewarn.* (PREMONITION)

Praeneste, -is, n., PRAENESTE, strongly fortified town east of Rome.

prae-optō, -āre, -āvī, -ātus, *prefer.*

prae-parō, -āre, -āvī, -ātus, *get ready,* PREPARE.

prae-pōnō, -ere, -posuī, -positus, *set over, place in command of; prefer.*

prae-rumpō, -ere, -rūpī, -ruptus, *break off.*

prae-ruptus, -a, -um, [prae-rumpō], *steep.*

praesaeptus, -a, -um, *blocked.*

prae-scrībō, -ere, -scrīpsī, -scrīptus, *direct,* PRESCRIBE.

prae-sēns, -entis, [part. of prae-sum], PRESENT, *at hand, in person; immediate; propitious.* **in praesentia,** [sc. **tempora**], *for the present.*

prae-sentia, -ae, f., [prae-sēns], PRESENCE; *present time.*

prae-sertim, [serō], adv., *especially.*

prae-sidium, -ī, n., [sedeō], *defence, guard, protection, support, aid; garrison, station; fortress.*

prae-stāns, -antis, [stō], *excellent, distinguished, remarkable.*

prae-stō, -āre, -stitī, -stitus, (stand before), *be superior, excel; fulfill, perform; show, manifest; furnish, give.* Impers., **praestat,** *it is preferable, it is better.*

prae-sum, -esse, -fuī, —, *have command of, rule, govern; be in charge of, be at the head of.*

praeter, [prae], prep., with acc., *past, beyond; more than; against; except, besides.* In composition, *past, beyond.* (PRETER-natural)

praeter-eā, adv., *further, besides, moreover.*

praeter-eō, -īre, -īvī, -itūrus, *pass by; disregard; surpass.*

praeter-mittō, -ere, -misī, -missus, *let pass, disregard, let go; pass over, overlook.*

praeter-quam, adv., *except, besides.*

praeter-vehor, -ī, -vectus (be borne past), *sail by.*

prae-textus, -a, -um, [texō, *weave*], *bordered;* **toga praetexta,** *purple bordered toga,* worn only by the higher magistrates and the dictator.

praetor, -ōris, m., [prae + eō], *leader, chief; general, commander; judge,* PRAETOR, a magistrate at Rome, next to the consul in rank, charged with the administration of justice.

praetōrium, -ī, n., [praeter], *general's tent, headquarters.*

praetōrius, -a, -um, [praetor], *of the commander,* PRAETORIAN; *of* PRAETORIAN *rank.* **praetōria porta,** *the* PRAETORIAN *gate, the front gate of a camp,* near the **praetōrium.** As noun, **praetōrius, -ōrī,** m., *ex-*PRAETOR.

prae-ūstus, -a, -um, [ūrō], *burnt at the end, hardened by burning.*

prae-veniō, -īre, -vēnī, -ventus, *come before, outstrip, anticipate.*

prandium, -ī, n., *lunch, midday meal.*

prehendō, -ere, -hendī, -hēnsus, *take, grasp.*

premō, -ere, pressī, pressus, PRESS; PRESS *hard; oppress; overwhelm; drive;* pass., *be hard pressed, be in need, be in danger.*

prēndō, -ere, prēndī, prēnsus, *seize, grasp.*

pretium, -ī, n., *price, value; recompense, reward.* (PRECIOUS)

prex, precis, f., *prayer, entreaty, supplication; curse, im-*PRECATION.

prīdem, see **iam.**

prī-diē, adv., *the day before.*

prīmi-pilus, -ī, m., = **prīmus pilus,** *first centurion;* see **pilus.**

prīmō, [abl. of **prīmus**], adv., *at first, first.*

prīmum, [acc. of **prīmus**], adv., *at first, in the first place, for the first time.* **cum prīmum,** *as soon as.* See **quam prīmum.**

prīmus, -a, -um, [sup. of **prior**], *first, the first; earliest; foremost.* As noun, **prīmī, -ōrum,** m., *the foremost men; chiefs, nobles.* **prīma, -ōrum,** n., in the phrase **in prīmīs,** *especially.* (PRIME)

prin-ceps, -ipis, [**prīmus** + **capiō**], *leading, first, chief.* As noun, m., *leader, chief;* PRINCE.

prin-cipālis, -e, [**prin-ceps**], *chief, main,* PRINCIPAL.

prin-cipātus, -ūs, m., [**prin-ceps**], *supremacy, leadership; chief command.* (PRINCIPATE)

prin-cipium, -ī, n., [**prīmus** + **capiō**], *beginning.*

prior, -us, gen., **priōris,** comp. adj., [**prō**], *former,* PRIOR; *first.* As noun, **priōrēs, -um,** m., *those in advance.*

priscus, -a, -um, *ancient, early, former.*

pristinus, -a, -um, [**prius**], *former, old-time, previous, original.* (PRISTINE)

prius, adv., *before, earlier; first; rather.*

prius-quam, conj., *sooner than, before, until.* **prius** and **quam** are

often separated by intervening words.

prīvātus, -a, -um, [**prīvō**], *personal,* PRIVATE. As noun, **prīvātus, -ī,** m., PRIVATE *citizen.*

prīvō, -āre, -āvī, -ātus, *bereave, de-*PRIVE, *rob.*

prō, prep. with abl., *in front of, before; for, in behalf of; instead of, as; on account of, in return for; in proportion to, considering, in accordance with.*

probō, -āre, -āvī, -ātus, [**probus,** *honest*], ap-PROVE, *think highly of; show to be worthy;* PROVE, *demonstrate.*

Proca, -ae, m., *Silvius* PROCA, king of Alba Longa, the father of Numitor and Amulius.

prōcēdō, -ere, -cessī, -cessūrus, *go forward, march on; advance;* PROCEED.

Procillus, -ī, m., *Gaius Valerius* PROCILLUS, who was sent by Caesar as an envoy to Ariovistus.

procul, adv., *at a distance, far, afar off.*

prō-cumbō, -ere, -cubuī, -cubitus, [**cumbō,** *lie*], *sink down; be beaten down; lie down; lean forward.*

prō-cūrō, -āre, -āvī, -ātus, *take care of, attend to.* (PROCURE)

prō-currō, -ere, -cucurrī or **-currī, -cursūrus,** *run* or *rush forward, advance.*

procus, -ī, m., *suitor.*

prōd-eō, īre, -īvī or **-iī, -itus,** [**prō** + **eō**], *come forth, advance.*

prōd-esse, see **prō-sum.**

prōdigium, -ī, n., *omen, portent;* PRODIGY, *wonder.*

prō-ditiō, -ōnis, f., [**prō-dō**], *betrayal, treason, treachery.*

prō-ditor, -ōris, m., [**prō-dō**], *traitor.*

prō-dō, -ere, -didī, -ditus, *put forth; hand down; reveal, disclose; transmit; surrender, abandon; betray.*

prō-dūcō, -ere, -dūxī, -ductus, *lead forth, bring out; prolong, extend.* (PRODUCE)

463

proelior, -āri, -ātus, [proelium], *fight*.
proelium, -i, n., *battle*.
pro-fectiō, -ōnis, f., [pro-ficiscor], *departure, setting out*.
pro-fectus, see proficiscor.
prō-ferō, -ferre, -tuli, -lātus, *bring forth; put forth; mention*.
prō-ficiō, -ere, -fēci, -fectūrus, [faciō], *effect, accomplish, make*. (PROFICIENT)
pro-ficiscor, -i, -fectus, [incep. of prō-ficiō], *set out, proceed, march*.
pro-fiteor, -ēri, -fessus, [fateor], *declare publicly*, PROFESS; nōmen profitēri, *offer, promise, volunteer*.
pro-fligō, -āre, -āvi, -ātus, [fligō, *dash*], *overthrow, overcome, rout*. (PROFLIGATE)
pro-fugiō, -ere, -fūgi, —, *flee, escape; take refuge*.
prō-fundō, -ere, -fūdi, -fūsus, *pour forth*. sē profundere, *rush forward*. (PROFUSE)
prō-gnātus, -a, -um, [prō + (g)nātus, from (g)nāscor], *sprung, descended*.
prō-gredior, -i, -gressus, [gradior, *step*], *go forward; advance, make* PROGRESS, *proceed*.
pro-hibeō, -ēre, -ui, -itus, [habeō], *hold back, check; keep away, hinder, prevent, stop; forbid*, PROHIBIT; *cut off, shut off; protect*.
prō-iciō, -ere, -iēci, -iectus, [iaciō], *throw forward; throw, fling, cast, prostrate;* of arms, *throw down*.
pro-inde, adv., *hence, then*.
prōlēs, -is, f., *offspring, descendant*.
prō-missum, -ī, n., [prō-mittō], *a* PROMISE.
prō-missus, -a, -um, [prō-mittō], of hair, *hanging down, flowing*.
prō-mittō, -ere, -misi, -missus, *put forth;* PROMISE.
prō-moveō, -ēre, -mōvi, -mōtus, *move forward, push forward*. (PROMOTE)
prō-munturium, -i, n., [mōns], PROMONTORY, *headland, cape*.
pro-nepōs, -ōtis, m., *great-grandson*.

prō-nuba, -ae, f., [nūbō], *matron of honor*.
prō-nūntiō, -āre, -āvi, -ātus, *announce, declare*. (PRONOUNCE)
prō-nus, -a, -um, *bending* or *leaning forward*. (PRONE)
prope, adv., *near, nearly, almost;* prep. with acc., *near*.
prō-pellō, -ere, -puli, -pulsus, *drive forward; drive away, put to flight, defeat*. (PROPEL)
properō, -āre, -āvi, -ātus, *hurry, hasten*.
propinquitās, -ātis, f., [propinquis], *nearness, vicinity; relationship*. (PROPINQUITY)
propinquus, -a, -um, [prope], *near, neighboring*. As noun, propinquus, -i, m., *relative;* pl., propinqui, -ōrum, m., *relatives, kinsfolk*.
propior, -ius, gen., propiōris, adj. in comp. degree, sup., proximus, [prope], *nearer*.
propius, [comp. of prope], adv., and prep. w. acc., *nearer*.
prō-pōnō, -ere, -posui, -positus, *set forth, put forward, present; declare, explain;* PROPOSE, *offer; raise, display*.
prō-positum, -i, n., [prō-pōnō], *plan, purpose;* PROPOSITION.
proprius, -a, -um [prope], *one's own; characteristic, particular; a sign of*.
propter, prep. with acc., *on account of, in consequence of*.
propter-eā, adv., *for this reason, therefore*. proptereā quod, *because*.
prō-pugnō, -āre, -āvi, -ātus, *come forth to fight, fight* on the defensive.
prō-pulsō, -āre, -āvi, -ātus, [freq. of prō-pellō], *drive off, drive back; ward off, repel*.
prōra, -ae, f., PROW.
prō-scrībō, -ere, -scripsi, -scriptus, *make public; post, publish, announce; offer for sale;* PROSCRIBE.
prō-sequor, -i, -secūtus, *follow after; follow up, pursue*. (PROSECUTE)

464

prō-siliō, -īre, -uī, —, [saliō, *leap*], *leap forward.*

prō-spectus, -ūs, m., [prō-spiciō], *view, sight.* (PROSPECT)

prō-sperē, [prō-sperus], adv., *favorably*, PROSPEROUSLY, *propitiously.*

prō-sperus, -a, -um, [spēs], *favorable, fortunate*, PROSPEROUS; *propitious.*

prō-spiciō, -ere, -spexī, -spectus, [speciō, *look*], *look forward, look; provide for.*

prōsternō, -ere, -strāvī, -strātus, *throw to the ground, cast down, destroy.* (PROSTRATE)

prō-sum, prōd-esse, prō-fuī, *be a benefit, benefit, profit, avail.*

prō-tegō, -ere, -tēxī, -tēctus, *cover*, PROTECT.

prō-terreō, -ēre, -uī, -itus, *frighten off.*

prō-tinus, [tenus, *as far as*], adv., *immediately, at once.*

prō-trahō, -ere, -trāxī, -trāctus, *produce;* PROTRACT, *prolong.*

prō-tulī, see prō-ferō.

prō-turbō, -āre, -āvī, -ātus, *drive away; repulse.*

prō-vehō, -ere, -vexī, -vectus, *carry forward;* pass., *be carried; ride, drive; put out* (to sea), *sail.*

prō-ventus, -ūs, m., [prō-veniō], *outcome; issue, result; success.*

prō-videō, -ēre, -vīdī, -vīsus, *foresee;* PROVIDE *for, look out for, prepare.*

prōvincia, -ae, f., PROVINCE; conquered territory formed into a Roman PROVINCE.

prō-vocātiō, -ōnis, f., [prō-vocō], *challenge.* (PROVOCATION)

prō-vocō, -āre, -āvī, -ātus, *call forth, summon; challenge.* (PROVOKE)

prō-volō, -āre, -āvī, —, *fly forward, dash forth.*

proximē, [sup. of prope], adv., *nearest; next, last.*

proximus, -a, -um, [sup. of propior], *nearest, next, last.*

prūdēns, -entis, [prō-vidēns], *foreseeing; experienced*, PRUDENT.

prūdentia, -ae, f., [prūdēns], *foresight; knowledge, skill; good sense*, PRUDENCE.

pruinōsus, -a, -um, *white with frost, frosty.*

Pseudo-philippus, -ī, m., *the False* PHILIP, PSEUDO-PHILIP, a pretender named Andriscus, who claimed the throne of Macedonia.

Ptolemaeus, -ī, m., PTOLEMY, king of Egypt.

pūblicē, [pūblicus], adv., *in the name of the state, as a state*, PUBLICLY.

pūblicō, -āre, -āvī, -ātus, [pūblicus], *open to the* PUBLIC; PUBLISH.

Pūbli-cola, -ae, m., [populus + colō], *Valerius* PUBLICOLA, consul in 509 B.C.

pūblicus, -a, -um, [populicus], *of the people, of the state*, PUBLIC, *common.* As noun, pūblicum, -ī, n., *public place.* See rēs pūblica.

Pūblius, -ī, m., PUBLIUS, a Roman forename.

puella, -ae, f., [puera], *girl.*

puellāris, -e, *girlish.*

puer, -ī, m., *child, boy;* ā puerō, *from boyhood.*

puerilis, -e, [puer], *boyish, childish*, PUERILE.

pueritia, -ae, f., [puer], *boyhood, childhood.*

puerulus, -ī, m., [dim. of puer], *little boy.*

pūgiō, -ōnis, m., *dagger, poniard.*

pugna, -ae, f., *fight, battle; fighting; dispute.*

pugnāx, -ācis, [pugnō], *fond of fighting*, PUGNACIOUS.

pugnō, -āre, -āvī, -ātūrus, [pugna], *fight, contend; engage* in battle. pugnātum est, *the battle raged.* (PUGNACIOUS)

pulcher, -chra, -chrum, *beautiful, handsome; fair; noble, illustrious.*

Pullō, -ōnis, m., PULLO, a brave centurion.

pullus, -a, -um, *dark-colored.*

pullus, -ī, m., *young fowl, chicken.*

puls, pultis, f., *meal,* PULSE.

pulsō, -āre, -āvi, -ātus, *beat, paw.* (PULSATE)

pulsus, see **pellō.**

Pulvillus, -i, m., *Horatius* PULVILLUS, consul in 509 B.C.

pulvis, -eris, m., *dust.* (PULVERIZE)

Pūnicus, -a, -um, [Poeni], PUNIC, *Carthaginian.*

pūniō, -ire, -ivi, -itus, [poena], *punish, chastise.* (PUNITIVE)

pūpillus, -i, m., *orphan, ward.* (PUPIL)

puppis, -is, f., *stern; ship.*

pūrgō, -āre, -āvi, -ātus, [pūrus + agō], *make clean; free from blame, excuse.* (PURGE)

purpureus, -a, -um, [purpura, PURPLE], PURPLE, *dark red.*

putō, -āre, -āvi, -ātus, *think, consider, believe, judge.* (PUTATIVE)

Pydna, -ae, f., PYDNA, a town near the coast in Macedonia, north of Mt. Olympus.

Pȳramus, -i, m., PYRAMUS, the lover of Thisbe.

Pyrēnaei (montēs), *the* PYRENEES *Mountains,* between Spain and France.

Pyrrhus, -i, m., PYRRHUS, king of Epirus.

Pȳthia, -ae, f., PYTHIA, the priestess who uttered the responses of the Delphic Apollo.

Q

Q., abbreviation for **Quintus.**

quā, [abl. fem. of **qui,** originally sc. **viā** or **parte**], adv., *where.*

quadra, -ae, f., [quattuor], *square table.* (QUADRATIC)

quadrāgēsimus, -a, -um, [quadrāgintā], *fortieth.*

quadrāgintā, [quattuor], indecl., *forty.*

quadrāns, -antis, m., [quattuor], *farthing,* a small copper coin worth less than a cent. (QUADRANT)

quadrigae, -ārum, f., [quattuor + iugum], *four-horse chariot.*

quadrin-gentēsimus, -a, -um, [quadringenti], *the four hundredth.*

quadrin-genti, -ae, -a, [quattuor + centum], *four hundred.*

quaerō, -ere, quaesivi, quaesitus, *seek, look for; desire, require; inquire, ask.* (QUERY)

quaestiō, -ōnis, f., [quaerō], *investigation,* QUESTIONING, *inquiry.*

quaestor, -ōris, m., [quaerō], QUAESTOR, a *state-treasurer;* of the army, *quartermaster general.*

quaestus, -ūs, m., [quaerō], *gain, profit.*

quālis, -e, [qui], inter., *of what kind? what kind of?* rel., *of such a kind, such as, as.* (QUALITY)

quam, [qui], adv. and conj., *how much, how;* with superlatives (with or without **possum**), *as possible;* after comparatives and comparative expressions, *than, as;* with expressions of time, *after.* **tam . . . quam,** *so . . . as.* **quam diū,** *as long as.*

quam diū, see **quam.**

quam ob rem, (1) inter., *on what account? why?* (2) rel., *on account of which, why.*

quam primum, adv., *as soon as possible.*

quam-quam, conj., *although.*

quam-vis, [volō], conj., (as much as you will), *however much, although.*

quandō, (1) inter. adv., *at what time? when?* (2) indef. adv., *at any time, ever;* (3) conj., *when, since.*

quantō, [quantus], adv., *by how much, how much.*

quantō opere, see **quantus.**

quantum, [quantus], adv., rel., *so much as, to as great an extent;* inter., *how much? how far?*

quantus, -a, -um, adj., rel., *as great as, as;* inter., *how great? how much?* **tantum . . . quantum,** *so much, so far . . . as.* As noun, (with gen. of the whole), **quantum boni,** *how much advantage.* **quantō opere,** *how* *much, how deeply.* **quantus ... tantus,** *as much ... as, as great ... as.* **quanti?** *how much?*

quā rē, or **quārē,** *why; wherefore.*

quārtānus, -a, -um, [quārtus], *of the fourth.*

quārtus, -a, -um, [quattuor], *fourth.*

quā-si, adv. and conj., *as if, as though.*

quatiō, -ere, —, quassus, *shake.*

quattuor, indecl., *four.* (QUADRUped)

quattuor-decim, [quattuor + decem], indecl., *fourteen.*

-que, enclitic conj., *and, but.*

quem ad modum, *in what way, how.*

queror, -i, questus, *complain, lament; complain of.* (QUERULOUS)

qui, quae, quod, gen., **cuius,** inter. adj., pron., *which? what? what kind of?*

qui, quae, quod, gen., **cuius,** rel. pron., *who, which, that;* at the beginning of a clause often best rendered by a personal or demonstrative pronoun.

qui, quae or **qua, quod,** indef. pron., *any, anyone,* or *anything,* used both as subst. and as adj. **si qui,** *if anyone.*

quia, conj., *because, since.*

qui-cumque, quae-cumque, quod-cumque, indef. pron., *whoever, whatever, whichever.*

quid, inter. pron., *what?* See **quis.**

qui-dam, quae-dam, quid-dam, and **quod-dam,** indef. pron., *a certain one, a certain thing.* As adj., **quidam, quae-dam, quod-dam,** *a certain, some, certain.*

quidem, adv., *indeed, at least.* **nē ... quidem,** *not even;* the word emphasized is always placed between **nē** and **quidem.**

quiēs, -ētis, f., *rest,* QUIET; *sleep.*

quiētus, -a, -um, [quiēscō, *rest*], *at rest, inactive;* QUIET.

quin, [old abl. **qui + ne**], conj., *that not, but that, without;* after words expressing doubt or suspicion, *that;* after **dēterreō, retineō,** etc., trans.

by *from* with a participle. **quin etiam,** *moreover.*

Quinctius, see **Cincinnatus, Poenus,** and **Flāminīnus.**

quinc-ūnx, -uncis, [quinque + ūncia], QUINCUNX, a figure like the five-spot on dice.

quin-decim, [quinque + decem], indecl., *fifteen.*

quin-gentēsimus, -a, -um, [quingenti], *the five hundredth.*

quin-genti, -ae, -a, [quinque + centum], *five hundred.*

quini, -ae, -a, [quinque], *five each, five at a time.*

quinquāgēsimus, -a, -um, [quinquāgintā], *fiftieth.*

quinquāgintā, [quinque], indecl., *fifty.*

quinque, indecl., *five.*

quinquiēs, [quinque], adv., *five times, for the fifth time.*

quintum, [quintus], adv., *for the fifth time.*

quintus, -a, -um, [quinque], *fifth.*

Quintus, -i, m., [quinque], QUINTUS, a Roman forename.

Quirinus, -i, m., QUIRINUS, the name of Romulus when he was worshiped as a god after his death.

quis, quid, gen., **cuius,** inter. pron., *who? what?* Neut. **quid,** with gen. of the whole, **quid cōnsilī,** *what plan?*

quis, quid, indef. pron., often used after **si, nisi, nē,** and **num,** *anyone, anything.* As adj., **qui, quae** or **qua, quod,** *any.* **si quis,** *if anyone.* **nē quis,** *that not anyone, that no one.*

quis-nam, quid-nam, inter. pron., *who, pray? what, pray?* As adj., **quinam, quae-nam, quod-nam,** *of what kind, pray?*

quispiam, quaepiam, quidpiam or **quodpiam,** indef. pron., *anyone, anything;* as adj., *any.*

quis-quam, quid-quam, indef. pron., *any person, anyone, anything.* As adj., *any.*

quis-que, quid-que, indef. pron., *each one, each thing.* As adj., quis-que, quae-que, quod-que, *each, every.*

quis-quis, quid-quid, indef. rel. pron., *whoever, whatever.*

qui-vis, quae-vis, quid-vis, [qui + vis, from volō], indef. pron., *anyone, anything you please.* As adj., qui-vis, quae-vis, quod-vis, *any whatever.*

quō, abl. of qui and quis.

quō, adv. and conj.: (1) quō, [dat. or abl. of qui], adv., inter., *whither? to what place? where?* rel., *whither, where, when.* Indefinite, after si and nē, *to any place, to any point, anywhere.* (2) quō, [abl. of qui], conj., used especially with comparatives and followed by subj., *in order that, that, that thereby.* quō minus, *that not;* often best translated by *from* with a participle.

quo-ad, conj., *as long as, until, till.*

quod, (1) as adv., *with respect to which.* quod si, *but if, and yet if.* (2) conj., *that, in that; because, inasmuch as; as to the fact that, so far as.* proptereā quod, *because.*

quō minus, see quō.

quō modo, inter. adv., *in what manner? in what way? how?*

quon-dam, [quom, old form of cum], adv., *at some time, at one time; once, formerly;* of the future, *some day, hereafter.*

quon-iam, [quom, old form of cum], conj., *since, as, because, whereas.*

quo-que, post-positive adv., *also, too.*

quō-que = et quō.

quōrsum, [quō + versus], adv., *to what place? whither?*

quot, indecl., *how many? as many as.*

quot-annīs, adv., *yearly, every year.*

quotiēs, [quot], adv., *as often as; how often;* inter., *how often?*

quotus, -a, -um, [quot], *of what number, what;* quota hōra, *what o'clock?*

R

rabiēs, (gen. lacking), f., *madness.*

radius, -i, m., *ray; rod; spoke; staff.*

rādix, -icis, f., *root;* of an elevation, *foot, base.* (RADICAL)

rādō, -ere, rāsi, rāsus, *coast along, pass by; scrape, shave.* (ERASE)

raeda, -ae, f., (four-wheeled) *wagon.*

rāmus, -i, m., *branch, bough.* (RAMIFICATION)

rapāx, -ācis, [rapiō], *grasping,* RAPACIOUS.

rapidus, -a, -um, [rapiō], *swift,* RAPID.

rapina, -ae, f., *plunder, booty.*

rapiō, -ere, -ui, -tus, *seize and carry off, seize, snatch; hasten, hurry; destroy, pillage.* (RAPINE)

raptor, -ōris, m., [rapiō], *robber, plunderer.*

rārus, -a, -um, *thin;* RARE, *few; scattered, in small parties.*

ratiō, -ōnis, f., [reor], *reckoning, enumeration, calculation, account, sum; plan, nature, manner, method, means; science; reason, ground, judgment; regard, consideration, transaction.* (RATIO, RATIONAL)

ratis, -is, f., *raft.*

ratus, see reor.

Rauraci, -ōrum, m., *the* RAURACI, a people along the Rhine, north of the Helvetii.

re-, red-, inseparable particle, *again, back.*

re-belliō, -ōnis, f., [bellum], *uprising, revolt,* REBELLION.

re-bellō, -āre, -āvi, -ātus, *revolt,* REBEL; *renew the struggle.*

Rebilus, see Caninius.

re-cēdō, -ere, -cessi, -cessūrus, *go back,* RECEDE, *withdraw, retreat; retire; desist.*

recēns, -entis, *fresh;* RECENT, *late.* As noun, recentēs, -ium, m., *the unwearied.*

re-cēnseō, -ēre, -ui, —, *review.* (RECENSION)

receptus, -ūs, m., [recipiō], *retreat*.

re-cessus, -ūs, m., [re-cēdō], *retreat; means of retreat.* (RECESS)

re-cidō, -ere, recidī, *fall back.*

re-cipiō, -ere, -cēpi, -ceptus, [capiō], *take back, recover, win;* RECEIVE, *admit.* sē recipere, *to withdraw, retreat; recover.*

re-citō, -āre, -āvi, -ātus, [citō, *quote*], *read aloud,* RECITE.

re-clinō, -āre, -āvi, -ātus, [clīnō, *bend*], *bend back.* sē reclīnāre, *lean back,* RECLINE.

re-condō, -ere, -condidi, -conditus, *hide, conceal, put away; close again.*

rēctē, [rēctus], adv., *rightly, properly; nobly.*

rēctus, -a, -um, [regō], *straight.* (RECTI-fy)

re-cuperō, -āre, -āvī, -ātus, [capiō], *recover, regain.* (RECUPERATE)

re-cūsātiō, -ōnis, f., [re-cūsō], *refusal.*

re-cūsō, -āre, -āvī, -ātus, [causa], *refuse, decline; raise objections to.*

red-, see re-.

red-dō, -ere, -didi, -ditus, *give back, restore, return; pay back; make,* RENDER; *proclaim; hand over, deliver.*

red-eō, -ire, -ii, -itūrus, *go back, return, resort; be reduced.*

red-igō, -ere, -ēgī, -āctus, [agō], *drive back; reduce; render.* (REDACTION)

red-imō, -ere, -ēmī, -ēmptus, [emō], *buy back, purchase; ransom.* (REDEMPTION)

red-integrō, -āre, -āvī, -ātus, [integer, *whole*], *renew; revive.*

red-itiō, -ōnis, f., [eō], *a going back, returning.*

red-itus, -ūs, m., [eō], *return.*

Redonēs, -um, m., *the* REDONES, a people in northwestern Gaul.

re-dūcō, -ere, -dūxī, -ductus, *draw back; lead back, bring back; accompany; restore;* REDUCE.

re-ferō, -ferre, ret-tulī, re-lātus, *carry back, bring back; bring, carry, convey* to a person or place; *pay back, return, requite; ascribe,* REFER; RELATE. sē referre, *go back, return.* pedem referre, *to retreat.* grātiam referre, *to make return, requite.* ad senātum referre, *to lay a matter before the senate.*

re-ficiō, -ere, -fēci, -fectus, [faciō], *reconstruct, repair, restore; refresh; recruit, reinforce.*

re-fluō, -ere, —, —, *flow back, recede.*

re-foveō, -ēre, -fōvī, -fōtus, *warm again; refresh, revive.*

re-fugiō, -ere, -fūgi, —, *flee back, flee; escape.* (REFUGE)

re-fugus, -a, -um, *ever-fleeing.*

re-fulgeō, -ēre, -fulsī, —, *flash back, reflect light, glitter, gleam.* (REFULGENT)

rēgālis, -e, [rēx], *of a king, royal,* REGAL.

rēgia, -ae, f., [rēgius], *palace.*

rēgina, -ae, f., [rēx], *queen.*

Rēginus, -i, m., *C. Antistius* REGINUS, one of Caesar's lieutenants.

regiō, -ōnis, f., [regō, *keep straight*], *direction, line;* REGION, *country, district.*

rēgius, -a, -um, [rēx], *of a king, kingly,* REGAL, *royal; magnificent.*

rēgnō, -āre, -āvī, -ātūrus, REIGN, *be king; be supreme.*

rēgnum, -i, n., [rēx], *kingship, royalty; dominion, sovereignty, kingdom, throne.* (REIGN)

regō, -ere, rēxī, rēctus, *direct, control, rule.*

re-gredior, -ī, -gressus, [gradior, *step*], *go back, return; retreat.* (REGRESSION)

rēgulus, -i, m., [dim. of rēx], *petty king, prince.*

Rēgulus, -i, m., [dim. of rēx], *M. Atilius* REGULUS, Roman general in the First Punic War.

re-iciō, -ere, -iēci, -iectus, [iaciō], *throw back, hurl back; of ships, carry back; drive back, repulse;*

469

throw away, cast aside; refuse,
REJECT.
re-lābor, -lābi, -lāpsus, *fall back,
vanish.* (RELAPSE)
re-lātus, see **re-ferō.**
re-lēgō, -āre, -āvi, -ātus, *banish, remove.* (RELEGATE)
re-lictus, see **re-linquō.**
re-ligiō, -ōnis, f., [legō], *sense of right,
duty; religious scruple; fear of the
gods;* RELIGION, *worship, religious
rite.*
re-linquō, -ere, -liqui, -lictus, *leave,
leave behind; desert, abandon;* of a
siege or attack, *give up; bequeath.*
(RELINQUISH)
re-liquiae, -ārum, f., [linquō], *rem-
nant, rest.* (RELIQUARY)
re-liquus, -a, -um, [linquō], *remaining, the rest.* As noun, **reliqui,
-ōrum,** m., *the rest.* **reliquum, -i,**
n., *remainder, rest.* **nihil reliqui,**
nothing left.
re-maneō, -ēre, -mānsi, -mānsūrus,
stay behind, REMAIN.
rēmex, -igis, m., [rēmus + agō], *oars-
man, rower.*
Rēmi, -ōrum, m., *the* REMI, a Gallic
people, about the head waters of
the Axona (*Aisne*); chief city,
Durocortorum, now *Reims.*
rēmigium, -i, n., *rowing, oarage.*
rēmigō, -āre, —, —, [rēmex], *row.*
re-migrō, -āre, -āvi, -ātus, *move
back, go back.* (REMIGRATE)
re-missus, -a, -um, [re-mittō], *re-
laxed; mild;* REMISS.
re-mittō, -ere, -misi, -missus, *send
back; throw back; relax, diminish;*
REMIT.
re-moror, -āri, -ātus, *delay.*
re-mōtus, -a, -um, [re-moveō], *far
off,* REMOTE.
re-moveō, -ēre, -mōvi, -mōtus, *move
back,* REMOVE, *draw away, drive
away.*
Remus, -i, m., REMUS, twin brother
of Romulus.
Rēmus, -i, m., *one of the* REMI.

rēmus, -i, m., *oar.*
re-nidēns, -entis, *shining, gleaming.*
re-novō, -āre, -āvi, -ātus, [novus],
renew, restore; revive. (RENOVATE)
re-nūntiō, -āre, -āvi, -ātus, *bring
back word, report.* (RENOUNCE)
reor, rēri, ratus, *believe, think, suppose; reckon.* (RATIFY)
re-parō, -āre, -āvi, -ātus, *prepare
again, renew, revive.* (REPARATION)
re-pellō, -ere, rep-puli, re-pulsus,
drive back, REPULSE, REPEL; *disappoint; reject, refuse.*
repēns, -entis, *sudden, unexpected.*
repente, [repēns, *sudden*], adv., *suddenly, unexpectedly.*
repentinus, -a, -um, [repēns, *sudden*], *sudden, hasty, unexpected.*
re-periō, -ire, rep-peri or **re-peri, repertus,** *find out; discover, find;
learn.*
re-petō, -ere, -ivi, -itus, *seek again;
demand; exact.* **repetendae** (sc.
pecūniae), *extortion.* (REPEAT, REP-
ETITION)
re-pleō, -ēre, -ēvi, -ētus, *fill again,
fill up; com-*PLETE. (REPLETE)
re-pōnō, -ere, -posui, -positus, *put
back, replace, restore; renew.* (RE-
POSE)
re-portō, -āre, -āvi, -ātus, *carry back.*
(REPORT)
re-potia, -ōrum, n., [potō, *drink*], *return banquet.*
re-prehendō, -ere, -hendi, -hēnsus,
*seize, catch; blame, find fault with;
reprove; criticise,* REPREHEND.
re-primō, -ere, -pressi, -pressus,
[premō], PRESS *back; check, prevent;
confine, restrain,* REPRESS.
re-pudiō, -āre, -āvi, -ātus, [pudet],
put away, divorce; reject, scorn, RE-
PUDIATE.
re-pugnō, -āre, -āvi, -ātus, *be opposed, oppose, fight back, resist.*
re-pulsus, see **re-pellō.**
re-putō, -āre, -āvi, -ātus, *think over;
meditate, reflect.* (REPUTE)
re-quiēs, -ētis, f., *rest.* (REQUIEM)

re-quiēscō, -ere, -quiēvī, -quiētus, *rest.*
(REQUIEM)

re-quīrō, -ere, -quīsīvī, -quīsītus,
[quaerō], REQUIRE, *miss.*

rēs, reī, f., *thing, object; matter, re-*
spect; affair, event, success; circum-
stance, consideration, fact; condition,
lot; property, possessions, object,
project, business; campaign. rēs
frūmentāria, *grain supply.* rēs mīlitāris, *warfare, military science.*
rēs novae, *a revolution.* quā rē,
therefore, for this reason. rē vērā,
indeed, in truth. See rēs pūblica.

re-scindō, -ere, -scidī, -scissus, *cut*
off, cut down, break up, destroy; an-
nul, repeal. (RESCIND)

re-sciscō, -ere, -scīvī or scii, -scī-
tus, [scīscō, *inquire*], *learn, find out,*
discover.

re-servō, -āre, -āvī, -ātus, *keep back,*
RESERVE, *keep.*

re-sideō, -ēre, -sēdī, RESIDE, *stay, re-*
main.

re-sistō, -sistere, -stitī, —, *remain;*
halt, stop, stand still; RESIST, *oppose,*
withstand.

re-sonō, -āre, -āvī, RESOUND.

re-spiciō, -ere, -spexī, -spectus,
[speciō, *look*], *look back, look back*
upon, gaze at; consider, RESPECT.

re-spondeō, -ēre, -spondī, -spōnsū-
rus, *answer, reply,* RESPOND.

re-spōnsum, -ī, n., [re-spondeō], *an-*
swer, reply; RESPONSE of oracle.

rēs pūblica, reī pūblicae, f., *common-*
wealth, state, REPUBLIC; *public in-*
terest, government.

re-stituō, -ere, -uī, -ūtus, [statuō],
replace, rebuild; put back, restore,
revive. (RESTITUTION)

restō, -āre, -stitī, *remain, be left.*

resupīnus, -a, -um, *lying on one's back.*

rēte, -is, n., *net, snare.*

re-texō, -ere, -uī, -textus, *reverse,*
cancel.

rēticulum, -ī, [rēte], *little net, net-*
work bag. (RETICULE)

re-tineō, -ēre, -uī, -tentus, [teneō],
hold back, keep, RETAIN; *restrain,*
de-TAIN; *preserve, main-*TAIN.

retrō, adv., *backward.*

ret-tulī, see re-ferō.

re-vellō, -ere, -vellī, -vulsus, [vellō,
pull], *pull back; tear away.* (RE-
VULSION)

re-verentia, -ae, f., [vereor], *respect,*
regard, REVERENCE.

re-vertō, -ere, -vertī, (only in tenses
from perf. stem), and re-vertor, -ī,
-versus, *return, come back, go back;*
REVERT.

re-vinciō, -īre, -vīnxī, -vīnctus, *bind*
fast, bind, fasten.

re-vocō, -āre, -āvī, -ātus, *recall, take*
back; call off. (REVOKE)

re-volvō, -ere, -volvī, -volūtus, *throw*
back, roll back.

rēx, rēgis, m., [regō], *king, monarch,*
ruler, chieftain.

Rhea, -ae, f., RHEA *Silvia*, daughter
of Numitor.

Rhēnus, -ī, m., *the river* RHINE.

rhētor, -ōris, m., RHETORICIAN, teacher
of rhetoric or oratory.

rhētoricus, -a, -um, [rhētor], *of a*
RHETORICIAN, RHETORICAL.

Rhodanus, -ī, m., *the river* RHONE.

Rhodopēius, -a, -um, *Thracian.*

Rhodus, -ī, f., RHODES, a city in the
island of RHODES south of Asia
Minor.

rictus, -ūs, m., *open mouth; jaws.*

rideō, -ēre, rīsī, rīsus, *laugh;*
*laugh at, mock, de-*RIDE. (RIDIC-
ULOUS)

rīma, -ae, f., *crack, chink, cleft.*

rīpa, -ae, f., *bank* of a river. (RIPA-
RIAN)

rīte, [rītus], adv., *with proper cere-*
monies, duly, rightly, fitly.

rītus, -ūs, m., *religious ceremony,*
RITE.

rīvus, -ī, m., *stream.* (RIVULET)

rōbur, -oris, n., *hard wood, oak;*
strength, vigor.

rōdō, -ere, rōsī, rōsus, *gnaw,*
peck.

rogitō, -āre, -āvi, —, [freq. of **rogō**], *ask* or *inquire* (eagerly).

rogō, -āre, -āvi, -ātus, *ask, question; beg, request.*

Rōma, -ae, f., ROME.

Rōmānus, -a, -um, [**Rōma**], RO-MAN; As noun, **Rōmānus**, -i, m., *a* ROMAN; pl., *the* ROMANS.

rogus, -i, m., *funeral pyre.*

Rōmulus, -i, m., ROMULUS, founder and first king of Rome. See **Silvius**.

rōstrum, -i, n., [**rōdō**, *gnaw*], *beak, bill; ship's beak, prow;* pl., **Rōstra**, *the* ROSTRA, adorned with beaks of captured ships, a platform for speakers in the Forum.

rota, -ae, f., *wheel.* (ROTATE)

Rubicō, -ōnis, m., *the* RUBICON, a small river, which formed the boundary between Caesar's province and Italy.

rubōr, -ōris, m., *redness, flush.*

rubus, -i, m., *bramble, brier.*

rudis, -e, *rough, crude, unskilled.*

Rūfus, -i, m., [**rūfus**, *reddish*], *Publius Sulpicius* RUFUS, a lieutenant of Caesar.

ruina, -ae, f., [**ruō**], *rushing down, falling;* RUIN, *destruction; fallen building,* RUIN.

Rulliānus, see **Fabius**.

rūmor, -ōris, m., RUMOR, *report.*

rumpō, -ere, **rūpi**, **ruptus**, *break, break down; rend; destroy.*

ruō, -ere, **rui**, **ruitūrus**, *fall, go to ruin; overthrow; rush.*

rūpēs, -is, f., [**rumpō**], *cliff; rock.*

rūrsus or **rūrsum**, [= **re-vorsus** or **re-vorsum**], adv., *turned back, back; in turn; on the contrary, again, anew.*

rūs, **rūris**, n., *the country; lands, fields, estate.* (RURAL)

rūsticus, -a, -um, [**rūs**], *of the country*, RURAL, RUSTIC. As noun, **rūsticus**, -i, m., *countryman*, RUSTIC.

Rutēni, -ōrum, m., *the* RUTENI, a Gallic people, west of the Cévennes; part of them were within the limits

of the Province, and were hence called **Rutēni prōvinciālēs**.

Rutilius, -i, m., *P.* RUTILIUS *Lupus*, consul in 90 B.C.

Rutilus, -i, m., *M. Sempronius* RUTILUS, one of Ceasar's officers.

S

Sabinus, -a, -um, *of the* SABINES, SABINE. As noun, **Sabini**, -ōrum, m., *the* SABINES, dwelling in central Italy north of Latium.

Sabinus, see **Titurius**.

Sabis, -is, m., *the* SABIS, (*Sambre*), a river in the central part of Belgic Gaul, flowing northeast into the Mosa (*Meuse*).

sacer, -cra, -crum, *consecrated*, SA-CRED; *accursed.* **Via Sacra**, the principal street in Rome. See **sacrum**.

sacerdōs, -ōtis, c., [**sacer**], *priest, priestess.* (SACERDOTAL)

sacerdōtium, -i, n., [**sacerdōs**], *priesthood.*

sacrārium, -i, n., [**sacrum**], *shrine, sanctuary.*

sacri-ficāns, -antis, m., [**sacrificō**], *person offering a* SACRIFICE.

sacri-ficium, -i, n., [**sacrum** + **faciō**], SACRIFICE.

sacri-ficō, -āre, -āvi, -ātus, [**sacrum** + **faciō**], SACRIFICE.

sacrō, -āre, -āvi, -ātus, *con*-SECRATE, *make* SACRED, *dedicate.*

sacrum, -i, n., [**sacer**], *something* SACRED; SACRI-*fice; sacred vessel;* pl., *religious rites.*

saeculum (**saeclum**), -i, n., *age, generation.*

saepe, adv., *often, frequently.* **saepe numerō**, *oftentimes, repeatedly.*

saepēs, -is, f., *hedge.*

saeviō, -ire, -ii, -itus, [**saevus**], *be fierce, rage, rave.*

saevus, -a, -um, *raging, fierce*, SAV-AGE; *cruel, harsh.*

sagitta, -ae, f., *arrow.*

472

sagittārius, -ī, m., [sagitta], *bowman.*
sagulum, -ī, n., [dim. of sagum], (military) *cloak; traveling cloak.*
sagum, -ī, n., (a thick woolen) *cloak.*
Saguntīnī, -ōrum, [Saguntum], m., *the* SAGUNTINES, *inhabitants of* SAGUNTUM.
Saguntīnus, -a, -um, [Saguntum], *of* or *belonging to* SAGUNTUM.
Saguntum, -ī, n., SAGUNTUM, a town on the east coast of Spain.
salīnum, -ī, n., [sal, *salt*], *saltcellar.*
Salmȳdessus, -ī, m., SALMYDESSUS, a town in Thrace.
salsus, -a, -um, [salīre, *to salt*], SALTED.
saltā-trix, -īcis, f., [saltō, *dance* + fem. suffix -trix = *agent*], *dancing girl.*
saltem, adv., *at least, even.*
salūs, -ūtis, f., [salvus, *well*], *health, welfare; safety.*
salūtātis, -e, [salūs], *pertaining to health, healthful, wholesome,* SALUTARY.
salūtō, -āre, -āvī, -ātus, [salūs], *greet, hail,* SALUTE.
Salvē, [imperative of salveō, *be well*], *"Welcome."*
salvus, -a, -um, *well, sound, safe.* (SALVATION)
Samarobrīva, -ae, f., SAMAROBRIVA, a city of the Ambiani; now *Amiens.*
Samnītēs, -ium, m., *the* SAMNITES, a people on the south and east of Latium.
Samos, -ī, f., SAMOS, an island in the Aegean Sea.
sanciō, -īre, sānxī, sānctus, *render sacred, confirm, ratify.* (SANCTI-fy)
sānctus, -a, -um, [sanciō], *sacred, solemn; ordained.*
sānē, [sānus], adv., *soundly, reasonably; by all means, truly, certainly, of course.* (SANELY)
sanguis, -inis, m., *blood, bloodshed.* (SANGUINARY)
Santonēs, -um, or Santonī, -ōrum, m., *the* SANTONES, a Gallic people on the seacoast north of the Garonne.

sānus, -a, -um, *sound, whole, healthy, sober,* SANE.
sapiēns, -entis, [sapiō], *wise, sensible, discreet.* As noun, m., *man of wisdom, sage.*
sapienter, [sapiēns], adv., *wisely.*
sapiō, -ere, -īvī, —, *taste; be sensible, understand.*
sarcinae, -ārum, f., *baggage, pack* that each soldier carried.
satelles, -itis, c., *attendant; courtier.* (SATELLITE)
satis, adj., n., indecl., *enough, sufficient,* SATIS-*factory.* As noun, *enough, sufficiency.* As adv., *enough, sufficiently, quite; somewhat;* often used as adj. with gen. of the whole, as satis causae, *sufficient reason.* Comp., satius, *better, preferable.*
satis-faciō, -ere, -fēcī, -factūrus, SATISFY; *make restitution; appease, placate; apologize.*
Sāturnia, -ae, f., [Sāturnus], SATURNIA, citadel built by SATURNUS.
Sāturnus, -ī, m., [serō], SATURNUS, ancient king of Latium; afterwards Roman god of agriculture.
saucius, -a, -um, *wounded; ill, sick.*
saxum, -ī, n., *stone, rock.*
Scaevola, -ae, m., [scaevus, *left*], C. Mucius SCAEVOLA, who burned off his right hand, and received the surname Scaevola, *left-handed.*
scālae, -ārum, f., *ladder,* SCALING *ladder.*
scamnum, -ī, n., *stool, step.*
scapha, -ae, f., *light boat,* SKIFF.
scelerātus, -a, -um, [scelus], *wicked, criminal; desecrated.* As noun, scelerātus, -ī, m., *a criminal.*
scelestus, -a, -um, [scelus], *infamous, impious, wicked.*
scelus, -eris, n., *wicked deed, crime; sin, wickedness.*
scēptrum, -ī, n., SCEPTER.
Schoenēius, -a, -um, *of* SCHOENEUS, father of Atalanta.

schola, -ae, f., SCHOOL.
sciēns, -entis, [sciō], *knowing, understanding; skilled, expert.*
scientia, -ae, f., [sciēns], *knowledge, skill,* SCIENCE.
sci-licet, [scīre licet], adv., *you may know, of course, forsooth, evidently.*
scindō, -ere, scidī, scissus, *tear; tear down, break down.* (re-SCIND)
sciō, -īre, -īvī, -ītus, *know, know how; understand, perceive.*
Scīpiō, -ōnis, m., [scīpiō, *staff*], (1) *Cn. Cornelius* SCIPIO, consul in 222 B.C. (2) *P. Cornelius* SCIPIO, defeated by Hannibal at the Ticinus; killed in battle in Spain, 212 B.C. (3) *P. Cornelius* SCIPIO *Africanus Maior,* conqueror of Hannibal in Africa. (4) *L. Cornelius* SCIPIO *Asiaticus,* conqueror of Antiochus in Asia. (5) *P. Cornelius* SCIPIO *Aemilianus Africanus Minor,* destroyer of Carthage in 146 B.C. (6) *P. Cornelius* SCIPIO *Nasica,* consul in 111 B.C. (7) *Q. Caecilius Metellus Pius* SCIPIO, Pompey's father-in-law.
scitor, -ārī, -ātus, *ask, inquire.*
scorpiō, -ōnis, m., SCORPION, a small catapult. See **catapulta.**
scrība, -ae, m., [scrībō], SCRIBE, *clerk, secretary.*
scrībō, -ere, scrīpsī, scrīptus, *write; communicate.* (SCRIPT)
scrīnium, -ī, n., *case, box.*
scrīptor, -ōris, m., [scrībō], SCRIBE, *copyist, clerk; writer, author.*
scrīptūra, -ae, f., [scrībō], *a writing, composition.* (SCRIPTURE)
scrobis, -is, c., *ditch.*
scrūpulōsē, [scrūpulōsus], adv., *carefully, accurately,* SCRUPULOUSLY.
scurra, -ae, m., *buffoon, jester.* (SCURRILOUS)
scūtum, -ī, n., *shield.*
Scythicus, -a, -um, SCYTHIAN.
sē, sēsē, see **suī.**
sē- or **sēd-,** inseparable prefix, *apart, away from.*

sē-cēdō, -ere, -cessī, -cessūrus, *go apart, withdraw, separate, retire; rebel, revolt,* SECEDE.
sē-cessiō, -ōnis, f., [sē-cēdō], *revolt,* SECESSION.
secius, adv., *none the less, otherwise.*
sē-clūdō, -ere -clūsī, -clūsus, [claudō], *shut apart* or *off.* (SECLUDE)
secundum, [sequor], prep. with acc., *along, next to, by the side of; according to.*
secundus, -a, -um, [sequor], SECOND, *next; propitious, favorable.*
secūris, -is, f., [secō], *ax; power, authority.*
sē-cūrus, -a, -um, [cūra], *careless,* SECURE.
sed, conj., *but; yet, but yet.*
sēd-, see **sē-.**
sē-decim, [sex + decem], indecl., *sixteen.*
sedeō, -ēre, sēdī, sessus, *sit; be encamped; settle, be established.* (SESSION)
sēdēs, -is, f., [sedeō], *seat, chair; throne; habitation, settlement.*
sedīle, -is, n., [sedeō], *chair, seat.*
sēd-itiō, -ōnis, f., [eō], *dissension, civil discord, rebellion; strife, riot, quarrel,* SEDITION.
sē-dūcō, -ere, -dūxī, -ductus, *lead away, lead astray,* SEDUCE.
Sedulius, -ī, m., SEDULIUS, a chief of the Lemovices.
Sedusii, -ōrum, m., *the* SEDUSII, a German tribe.
seges, -etis, f., *crop; field of grain.*
Segovax, -actis, m., SEGOVAX, a British chieftain.
sē-gregō, -āre, -āvī, -ātus, [gregō, from grex], (flock apart), *remove, separate.* (SEGREGATE)
Segusiāvī, -ōrum, m., *the* SEGUSIAVI, a Gallic people, subject to the Aedui.
sella, -ae, f., [sedeō], *seat, chair.*
semel, adv., *once.*
sēmen, -inis, n., [serō], *seed.* (disSEMINATE)

474

sēmentis, -is, f., [sēmen], *sowing; seeding.*

sēminārium, -i, n., [sēmen], SEMINARY.

Semiramis, -idis, f., SEMIRAMIS, queen of Assyria.

sēmita, -ae, f., *path.*

semper, adv., *always, continually, ever.*

Semprōnius, -i, m., (1) *Ti.* SEMPRONIUS *Longus,* consul in 218 B.C.; defeated at the river Trebia. (2) *M.* SEMPRONIUS *Rutilus,* one of Caesar's officers.

Sēna, -ae, f., SENA, a town in Umbria in northeastern Italy, near which Hasdrubal was defeated and killed in 207 B.C.

senātor, -ōris, m., [senex], SENATOR.

senātōrius, -a, -um, [senātor], *of a senator,* SENATORIAL.

senātus, -ūs, m., [senex], *council of elders,* SENATE. **senātūs cōnsultum,** *decree of the* SENATE.

senectūs, -ūtis, f., [senex], *old age.*

seneō, -ēre, —, —, [senex], *be old.*

senex, senis, comp., *senior, old, aged.* As noun, m., *old man.* Comp. as noun, **senior, -ōris,** m., *elder, elderly man.* (SENIOR)

sēni, -ae, -a, [sex], *six each.*

senilis, -e, *aged,* SENILE, *of an old man.*

senior, see **senex.**

Senonēs, -um, m., *the* SENONES, a people of central Gaul.

sēnsus, -ūs, m., [sentiō], *feeling, inclination,* SENSE.

sententia, -ae, f., [sentiō], *opinion, judgment, will, desire; thought, purpose; purport;* SENTENCE, *saying, sentiment, vote.* **sententiam dicere,** *to express an opinion.*

sentiō, -ire, sēnsi, sēnsus, *perceive, feel; hear, see, perceive; think, believe; know; agree in opinion.* (SENSE)

sentis, -is, m., *thorn, brier.*

sē-parātim, [parātus], adv., SEPARATELY, *apart.*

sē-parō, -āre, -āvi, -ātus, (put apart), SEPARATE, *divide.*

sepeliō, -ire, -ivi, -pultus, *bury.*

septem, indecl., SEVEN.

septen-decim, [septem + decem], indecl., *seventeen.*

septen-triō, -ōnis, m., [septem + triō, *plow-ox*]; generally pl., **septen-triōnēs, -um,** (lit., *the seven plow-oxen*), the seven stars forming the constellation of the Great Bear, hence *the North.*

septi-collis, -e, [septem], *having seven hills, seven-hilled.*

septiēs, [septem], adv., *seven times.*

septimus, -a, -um, [septem], *seventh.*

septin-gentēsimus, -a, -um, [sep-tin-genti], *seven hundredth.*

septin-genti, -ae, -a, [septem + centum], *seven hundred.*

septuāgēsimus, -a, -um, [septuā-gintā], *seventieth.*

septuāgintā, indecl., *seventy.*

sepulcrum, -i, n., [sepeliō], *burial-place, grave, tomb,* SEPULCHER.

sepultūra, -ae, f., [sepeliō], *burial; funeral.*

Sēquana, -ae, m., *the Seine,* the principal river of northern France.

Sēquani, -ōrum, m., *the* SEQUANIANS, a Gallic people west of the Jura; chief city Vesontio, now *Besançon.*

Sēquanus, -a, -um, SEQUANIAN, *of the* SEQUANI. As noun, **Sēquanus, -i,** m., *a* SEQUANIAN.

sequentia, -ae, f., [sequor], (that which follows), SEQUENCE.

sequor, -i, secūtus, *follow, attend; come after, come next; pursue; comply with, adopt, conform to; hold to.* (SEQUENCE)

Ser., = Servius, a Roman forename.

seriēs, (gen. lacking), f., [serō], *row, series.*

sēriō, [sērius], adv., *in earnest,* SERIOUSLY.

sērius, [comp. of sērō, *late*], adv., *later, too late.*

sermō, -ōnis, m., *speech, talk, conversation; remark; discussion; language.* (SERMON)

serō, -ere, sēvi, satus, *sow, plant.*

serpens, -entis, m., [serpō, *crawl*], SERPENT, *snake.*

serva, -ae, f., (female) *slave.*

servilis, -e, [servus], SERVILE, *of slaves.*

serviō, -ire, -ivi, -itūrus, SERVE.

servitūs, -ūtis, f., [servus], *slavery,* SERVITUDE.

Servius, -i, m., SERVIUS. See Tullius.

servō, -āre, -āvi, -ātus, *save, pre-*SERVE; *keep, retain; guard, watch.*

servus, -i, m., *slave, servant.*

ses-centēsimus, -a, -um, [sex + centum], *six hundredth.*

ses-centi, -ae, -a, [sex + centum], *six hundred;* often used indefinitely, *hundreds.*

sē-sē, acc. and abl. of sui.

sessiō, -ōnis, f., [sedeō], *a sitting,* SESSION.

sēs-tertius, -i, m., [sēmis + tertius], SESTERCE, a small silver coin worth about 5 cents.

sētius, comp. adv., *less.* nihilō sētius, *none the less, nevertheless.*

seu, see si-ve.

sevērē, [sevērus], adv., *gravely, sternly,* SEVERELY.

sevērus, -a, -um, *serious, grave, stern,* SEVERE.

sex, indecl., SIX.

sexāgēsimus, -a, -um, [sexāgintā], *sixtieth.*

sexāgintā, indecl., *sixty.*

Sextiae, see Aquae Sextiae.

Sextius, -i, m., *T.* SEXTIUS *Baculus,* one of Caesar's officers.

sextus, -a, -um, [sex], SIXTH.

si, conj., *if, whether.* quod si, *but if, now if.* See si quis.

sibi, see sui.

sic, adv., *so, in this way, thus.* ut ... sic, *as ... so.* sic ... ut, *so ... that; just as.*

siccō, -āre, -āvi, -ātus, [siccus], *dry, drain; exhaust.* (de-SICCATE)

siccus, -a, -um, *dry.* As noun, siccum, -i, n., *dry land, a dry place.*

Sicilia, -ae, f., SICILY.

Siculus, -a, -um, SICILIAN. As noun, Siculi, -ōrum, m., *the* SICILIANS.

sic-ut or sic-uti, adv., *just as, as; just as if.*

sidus, sideris, n., *constellation; star.* (SIDEREAL)

signi-fer, -feri, m., [signum + ferō], *standard-bearer.*

signi-ficātiō, -ōnis, f., [signi-ficō], SIGN, SIGNAL. (SIGNIFICATION)

signi-ficō, -āre, -āvi, -ātus, [signum + faciō], *show, intimate, announce; mean,* SIGNIFY.

signō, -āre, -āvi, -ātus, [signum], *mark, de-*SIGNATE; *mark with a seal, seal; indicate,* SIGN.

signum, -i, n., *mark,* SIGN; *military standard, en-*SIGN; SIGNAL; *seal of a letter; statue, figure.*

silēns, -entis, SILENT, *still.*

silentium, -i, n., [sileō, *be* SILENT], SILENCE.

silva, -ae, f., *wood, forest.* (SYLVAN)

silvestris, -e, [silva], *wooded.*

Silvia, -ae, f., SILVIA. See Rhea.

Silvius, -i, m., (1) SILVIUS, stepbrother of Ascanius. (2) *Romulus* SILVIUS, who was killed for presuming to be greater than Jove. (3) SILVIUS *Proca,* king of Alba Longa, father of Numitor and Amulius.

similis, -e, *like, resembling,* SIMILAR.

similitūdō, -dinis, f., [similis], SIMILARITY, *resemblance.* (SIMILITUDE)

simul, adv., *at the same time, at once, together; as soon as.* simul ... simul, *both ... and, partly ... partly.* simul atque (ac), *as soon as.*

simulācrum, -i, n., [simulō], *likeness, image, statue.*

simulātiō, -ōnis, f., [simulō], *pretense, deceit.* (SIMULATION)

simul atque, see simul.

476

simulō, -āre, -āvī, -ātus, [similis], *make like, imitate, copy; pretend,* SIMULATE.

simultās, -ātis, f., [simul], *encounter, enmity; rivalry, hatred.*

sīn, [sī + nē], conj., *if however, but if.*

sine, prep. with abl., *without.*

singillātim, [singulī], adv., *one by one, individually,* SINGLY.

singulāris, -e, [singulī], *one by one, single;* SINGULAR; *remarkable, extraordinary.*

singulī, -ae, -a, *one to each, one by one, one apiece; separate,* SINGLE; *individual.*

sinister, -tra, -trum, *left, on the left;* in the language of the Roman augurs, *favorable, auspicious;* of the Greek augurs, *perverse, unlucky.* (SINISTER)

sinistra, -ae, [sc. manus], f., *left hand.* sub sinistrā, *on the left.*

sinistrōrsus, [sinister + vorsus = versus], adv., (turned) *to the left.*

sinō, -ere, sīvī, situs, *allow, permit.*

sī quis, sī quid, *if anyone, if anything.*

Sisyphus, -ī, m., SISYPHUS, a king of Corinth.

sitis, -is, f., *thirst.*

situs, -ūs, m., [sinō], *situation, location,* SITE.

sī-ve or seu, conj., *or if.* sīve (seu) ... sīve (seu), *if ... or if, whether ... or, either ... or.*

sōbrius, -a, -um, [sē- + ēbrius, *drunk*], SOBER.

socer, -erī, m., *father-in-law.*

sociālis, -e, [socius], *allied, confederate.* (SOCIAL)

societās, -ātis, f., [socius], SOCIETY; *alliance, confederacy.*

sociō, -āre, -āvī, -ātus, *unite, join, ally.*

socius, -ī, m., *companion, comrade; ally.* (AS-SOCIATE)

sōl, sōlis, m., *the sun.* (SOLAR)

solea, -ae, f., *sandal.* (SOLE)

soleō, -ēre, -itus, semidep., *be wont, be accustomed.*

solidus, -ī, m., SOLIDUS, a gold coin

in imperial times, worth about $3.00.

sōlitūdō, -inis, f., [sōlus], SOLITUDE, *wilderness, waste land.*

soll-emnis, -e, [sollus, *whole* + annus], *appointed;* SOLEMN.

sollicitō, -āre, -āvī, -ātus, [sollicitus, *agitated*], *disturb; rouse, excite, urge;* SOLICIT, *tempt.*

solum, -ī, n., *lowest part, bottom; ground.* agrī solum, *the bare ground.*

sōlum, [sōlus], adv., *only.* nōn sōlum ... sed etiam, *not only ... but also.*

sōlus, -a, -um, gen., sōlīus, *alone, only,* SOLE.

solvō, -ere, solvī, solūtus, [sē- + luō, *loose*], *loose; pay.* nāvem solvere, or solvere, *to set sail.* (SOLVE)

somnus, -ī, m., *sleep.* (SOMN-ambulist)

sonō, -āre, -uī, -itus, [sonus], SOUND, re-SOUND.

sonus, -ī, m., *noise,* SOUND.

soror, -ōris, f., *sister.* (SORORITY)

sors, sortis, f., *lot, fate.* (SORT)

Sp. = Spurius, a Roman forename.

spargō, -ere, sparsī, sparsus, *strew, sprinkle, scatter.* (SPARSE)

spatior, -ārī, -ātus, [spatium], *take a walk, promenade.*

spatium, -ī, n., SPACE, *room, distance; racecourse, track; time; interval, period, duration.*

speciēs, -ēī, f., [speciō, *look*], *look, appearance, show; semblance, pretense.* ad speciem, *for show.* (SPECIES)

spectāculum, -ī, n., [spectō], *show,* SPECTACLE, *exhibition, amusement, entertainment.*

spectātor, -ōris, m., SPECTATOR.

spectō, -āre, -āvī, -ātus, [freq. of speciō, *look*], *look at, behold, watch, see; look to, aim at; tend, face, lie.* (SPECTACLE)

speculātor, -ōris, m., [speculor, *spy*], *spy, scout.* (SPECULATOR)

speculātōrius, -a, -um, [speculātor], *spying, scouting;* speculātōrium nāvigium, *spy-boat.*

spērō, -āre, -āvī, -ātus, [spēs], *hope, expect.*

spēs, speī, f., *hope, expectation.*

spina, -ae, f., SPINA, a low wall in the middle of the Circus, around which the races were run.

splendidus, -a, -um, [splendeō, *shine*], SPLENDID, *magnificent, glittering.*

spoliō, -āre, -āvī, -ātus, [spolium], *strip; rob, pillage, plunder, de-*SPOIL.

spolium, -ī, n., *skin, hide;* pl., *arms* stripped from an enemy, *booty,* SPOILS.

sponda, -ae, f., *bed* or *couch frame.*

spondeō, -ēre, spopondī, spōnsus, *promise.* (SPONSOR)

spōnsa, -ae, f., [spondeō], (betrothed woman), *bride.*

spōnsus, -ī, m., [spondeō], (betrothed man), *bridegroom.*

sponte, (abl., of an obsolete nom. spōns), f., *of one's own accord, willingly, voluntarily, by one's own influence.*

spūmāns, -antis, *foaming.*

Spūrinna, -ae, m., SPURINNA, a soothsayer who warned Caesar to beware of the Ides of March.

Spurius, -ī, m., SPURIUS, a Roman forename.

squālidus, -a, -um, SQUALID, *filthy.*

stabiliō, -īre, -īvī, -ītus, [stabilis, *firm*], *make steady; make fast.*

stabilitās, -ātis, f., [stabilis, firm], *steadiness,* STABILITY.

stabulum, -ī, n., [stō], *stall,* STABLE.

stadium, -ī, n., STADE, a distance of 625 Roman feet or about 607 English feet.

statim, [stō], adv., *forthwith, immediately, instantly.*

statiō, -ōnis, f., [stō], *outpost, picket, guard, reserve.* (STATION)

statua, -ae, f., [sistō], *image,* STATUE.

statuō, -ere, -uī, -ūtus, *set, place; build; decide, determine, resolve; judge, think; appoint.* (STATUTE)

statūra, -ae, f., [stō], *height,* STATURE.

status, -ūs, m., [stō], *standing, position, place; condition, rank,* STATUS.

stella, -ae, f., *star.* (STELLAR)

stellātus, -a, -um, [stella], *starry.*

stercus, -oris, n., *filth, manure.*

stilus, -ī, m., *the* STYLE, a pencil-shaped instrument for writing on wax tablets.

stimulus, -ī, m., *goad; trap* called *goad* by the soldiers. (STIMULUS)

stipendium, -ī, n., [stips, *gift +* pendō], *tribute;* STIPEND, *pay; military service, campaign.* Pl., *stipendia facere, to serve* in the army.

stipes, -itis, m., *post, stake.*

stiva, -ae, f., *plough handle.*

stō, stāre, stetī, statūrus, *stand, abide by, remain.*

stola, -ae, f., *the* STOLA, the Roman matron's outer garment or housedress.

strāgulus, -a, -um, *for covering; strāgula vestis, covering, spread, blanket.*

strāmentum, -ī, n., [sternō, *strew*], *thatch.*

strangulō, -āre, -āvī, -ātus, STRANGLE.

strēnuē, [strēnuus], adv., *vigorously,* STRENUOUSLY.

strēnuus, -a, -um, *active, vigorous,* STRENUOUS.

strepitus, -ūs, m., *din, clash, crash; applause.*

strīdeō, -ēre, strīdī, —, *creak, roar, howl.*

strīdulus, -a, -um, *whizzing, hissing.*

strigilis, -is, f., [stringō, *graze*], STRIGIL, an instrument to scrape the flesh during the bath.

stringō, -ere, strinxī, strictus, *draw tight; graze; strip off;* of a sword, *draw.* (STRICT)

struō, -ere, strūxī, strūctus, *build,* con-STRUCT.

studeō, -ēre, -uī, —, *be eager for, strive for, give attention to,* STUDY; *eagerly desire, strive.*

478

studiōsē, [studiōsus], adv., *eagerly, diligently, zealously,* STUDIOUSLY.

studiōsus, -a, -um, [studium], *eager,* STUDIOUS.

studium, -ī, n., [studeō], *zeal, eagerness;* STUDY, *pursuit.*

stultitia, -ae, f., [stultus, *foolish*], *folly, stupidity.* (STULTI-fy)

stupeō, -ēre, -uī, —, *be astounded, amazed.* (STUPE-fy)

Styx, -ygis, f., *the river* STYX *in the Lower World.*

suādeō, -ēre, suāsī, suāsus, *advise, urge, per*-SUADE.

sub, prep., (1) with acc., after verbs of motion, *under, towards, close to, up to; until; just before.* (2) with abl., *under, beneath, at the foot of; during.* In composition, (1) *under, beneath;* (2) *from beneath, up;* (3) *secretly;* (4) *slightly.*

sub-acidus, -a, -um, *slightly* ACID.

sub-dūcō, -ere, -dūxī, -ductus, *lead up, lead away, carry off, draw off, transfer; haul up.*

sub-eō, -īre, -iī, -itus, *go under; come up, go up (to), ascend, approach, enter; undergo; submit to.*

sub-fero, see suf-fero.

sub-iciō, -ere, -iēcī, -iectus, [iaciō], *throw from beneath; place near; expose; make* SUBJECT.

sub-iectus, -a, -um, [sub-iciō], *lying near, adjacent.* (SUBJECT)

sub-igō, -ere, -ēgī, -āctus, [agō], *conquer, subjugate; compel.*

sub-itō, [sub-itus], adv., *suddenly.*

sub-itus, -a, -um, [eō], *sudden, unexpected, surprising.*

sub-iungō, -ere, -iūnxī, -iūnctus, *make subordinate,* SUBJOIN. (SUBJUNCTIVE)

sub-lātus, part. of tollō.

sub-levō, -āre, -āvī, -ātus, [levō, *lighten*], *lift up, support, raise; lighten.*

sub-licius, -a, -um, [sub-lica, *pile*], *resting on piles;* Pōns Sublicius, *the Pile Bridge* across the Tiber.

sub-ligāculum, -ī, n., [ligō, *bind*], *loincloth, short drawers.*

sub-luō, -ere, —, -lūtus, *wash, flow at the base of.*

sub-mergō, -ere, -mersī, -mersus, *plunge under,* SUBMERGE.

sub-mittō, -ere, -mīsī, -missus, *send under, submit.*

sub-rīdeō, -ēre, -rīsī, —, (laugh slightly), *smile.*

sub-ripiō, -ere, -uī, -reptus, [rapiō], *snatch away, filch, steal.* (SURREPTITIOUS)

sub-ruō, -ere, -ruī, -rutus, [ruō, *fall*], *undermine.*

sub-rūsticus, -a, -um, *somewhat clownish.*

sub-scrībō, -ere, -scrīpsī, -scrīptus, *write below,* SUBSCRIBE.

sub-sequor, -ī, -secūtus, *follow close upon, follow after, follow up.* (SUBSEQUENT)

sub-sidium, -ī, n., [sub-sīdō, *remain behind*], *reserve, auxiliaries; reinforcing, relief, help, aid, resource, remedy.* (SUBSIDIARY)

sub-sistō, -ere, -stitī, —, *halt, stop for a moment, pause; remain; hold; oppose.* (SUBSIST)

sub-sum, -esse, —, *be near; be at hand; be in reserve.*

sub-tendō, -ere, —, tentus, *ex*-TEND *beneath,* SUBTEND.

subter, prep., (1) with acc., after verbs of motion, *underneath, beneath;* (2) with abl., to denote place where, *underneath.*

sub-trahō, -ere, -trāxī, -trāctus, *carry off; withdraw, take away.* (SUBTRACT)

sub-veniō, -īre, -vēnī, -ventus, *come to help, assist, relieve.* (SUBVENTION)

suc-cēdō, -ere, -cessī, -cessūrus, [sub], *come up;* SUCCEED *to another's place, relieve; approach, draw near, advance.*

suc-cendō, -ere, -cendī, -cēnsus, [sub + candeō, *glow*], *set on fire.*

suc-cidō, -ere, -cidi, -cisus, [sub + caedō], *cut down.*

suc-cumbō, -ere, -cubui, —, [sub], *lie down; submit, yield,* SUCCUMB.

suc-currō, -ere, -curri, -cursurus, [sub], *run toward, run to the help of, aid.* (SUCCOR)

sucus, -i, m., *juice.* (SUCCULENT)

sudis, sudis, f., *stake; log.*

sūdō, -āre, -āvi, -ātus, *perspire, sweat.*

sūdor, -ōris, m., *sweat; hard labor.*

Suēbi, -ōrum, m., *the Swabians,* a powerful German people.

Suessiōnēs, -um, m., *the* SUESSIO-NES, a Belgic people north of the Matrona (*Marne*); the name survives in *Soissons.*

suf-ferō, -ferre, sus-tuli, sub-lātus, *bear up, endure,* SUFFER.

suf-figō, -figere, —, -fixus, [sub], *fasten, attach, af-*FIX. **cruci suffigere,** *to crucify.* (SUFFIX)

suffrāgātor, -ōris, m., [suffrāgium], (political) *favorer, supporter.*

suffrāgium, -i, n., *vote.* (SUFFRAGE)

sug-gerō, -ere, -gessi, -gestus, *lay under, furnish,* SUGGEST.

sui, sibi, sē or **sēsē,** reflex. pron., *himself, herself, itself, themselves, him, her, it, them.*

Sulla, -ae, m., (1) *L. Cornelius* SULLA, leader of the aristocratic party in the civil wars against Marius and Cinna; he defeated Mithridates; was dictator of Rome, 81–70 B.C. (2) *P. Cornelius* SULLA, nephew of the dictator, one of Caesar's officers.

Sulpicius, -i, m., *Publius* SULPICIUS, consul in 279 B.C. See also **Rūfus.**

sum, esse, fui, futūrus, *be, exist, consist.*

summa, -ae, f., [summus], *total, whole;* SUM *of money; administration, control; supremacy;* **summa imperi,** *the chief command.*

sum-ministrō, -āre, -āvi, -ātus, [sub + ministrō, *serve*], *supply, provide, furnish.*

sum-mittō, -ere, -misi, -missus, [sub], *let down, lower; furnish, supply; send secretly; send as reinforcement.*

sum-moveō, -ēre, -mōvi, -mōtus, [sub], *drive back, force back, dislodge.*

summus, -a, -um, [sup. of superus], *highest; top of; greatest; most important, chief.* As noun, **summum, -i,** n., *top,* SUMMIT, *end.*

sūmō, -ere, sūmpsi, sūmptus, [sub + emō], *take; take on, put on,* ASSUME. **dē aliquō supplicium sūmere,** *to inflict punishment on anyone.*

sūmptuārius, -a, -um, [sūmptus], *relating to expense,* SUMPTUARY.

sūmptuōsus, -a, -um, [sūmptus], *expensive, costly,* SUMPTUOUS.

supellex, -lectilis, f., *furniture.*

super, (1) prep. with acc., (to denote motion toward), *over, above, upon;* (2) with abl., (to denote place where), *over, upon, beyond, in addition to.*

superbia, -ae, f., [superbus], *haughtiness, arrogance, pride.*

superbus, -a, -um, [super], *proud, haughty.* (SUPERB)

Superbus, -i, m., [super], *Tarquinius* SUPERBUS, the seventh and last king of Rome; *Tarquin the Proud.*

superior, -ius, [comp. of superus], gen., **-ōris,** *higher, upper part of; former; previous;* SUPERIOR. As noun, *a* SUPERIOR.

superō, -āre, -āvi, -ātus, [superus], *rise above, overtop; exceed; be left over; overcome, conquer, defeat, excel, surpass.*

super-sum, -esse, -fui, —, *be left, remain; survive.*

superus, -a, -um, [super], *above, high, upper.* **Mare Superum,** *the Adriatic Sea.*

super-veniō, -ire, -vēni, -ventūrus, *come up, arrive.*

super-vivō, -ere, -vixi, —, *outlive,* SURVIVE.

sup-petō, -ere, -ivī, -itūrus, *be at hand, be available; hold out.*

sup-pleō, -ēre, -plēvī, -plētus, *fill,* SUPPLY

sup-plex, -icis, [sub + plicō, *fold*], *kneeling in entreaty,* SUPPLIANT. As noun, m., *a* SUPPLIANT.

sup-plicātiō, -ōnis, [sub + plicō, *fold*], f., *thanksgiving.* (SUPPLICATION)

sup-plicium, -ī, n., [sup-plex], *punishment, torture.*

sup-plicō, -āre, -āvī, -ātus, [sub + plicō, *fold*], (bend down), *pray humbly,* SUPPLICATE.

sup-pōnō, -ere, -posuī, -positus, [sub], *place under* or *beneath; substitute;* SUPPOSE.

sup-portō, -āre, -āvī, —, [sub], *carry up, transport, convey.* (SUPPORT)

suprā, adv., and prep. with acc., (1) As adv., *above; before, formerly.* (2) As prep. with acc., *above, over; before, beyond, more than.*

suprēmus, sup. of superus.

surgō, -ere, surrēxī, —, [sub + regō], *lift up, rise; grow.* (SURGE)

sur-repticius, -a, -um, [sub + rapiō], SURREPTITIOUS.

sus-cipiō, -ere, -cēpī, -ceptus, [sub + capiō], *undertake, take up; take upon oneself, assume; enter upon, begin.*

sus-citō, -āre, -āvī, -ātus, [sub + freq. of cieō], *rouse, stir, awaken.*

su-spectus, -a, -um, [su-spiciō], *object of suspicion, mistrusted,* SUSPECTED.

sus-pendō, -ere, -pendī, -pēnsus, [sub], *hang up,* SUSPEND.

su-spiciō, -ere, -spexī, -spectus, [sub + speciō, *look*], *look up at; admire.*

su-spiciō, -ōnis, f., [sub + speciō, *look*], *mistrust,* SUSPICION.

su-spicor, -ārī, -ātus, [sub + speciō, *look*], *mistrust,* SUSPECT; *suppose, surmise.*

sus-tentō, -āre, -āvī, -ātus, [freq. of sus-tineō], *endure, hold out.*

sus-tineō, -ēre, -uī, -tentus, [sub +
teneō], *hold up, keep up,* SUSTAIN; *hold in check, control, restrain; support; hold out, endure; withstand.*

sus-tulī, see tollō.

suus, -a, -um, [suī], *his, her, its, their; characteristic, peculiar; due, appropriate; favorable, advantageous.* As noun, suī, m., *his* or *their men, friends, people, party, side, subjects.* sua, n. pl., *his, her, their property, possessions.* sē suaque, *themselves and their possessions.*

Symplēgades, -um, (acc., -as), f., *the* SYMPLEGADES, *two small rocky islands in the Black Sea, which closed upon ships and crushed them.*

Syphāx, -ācis, m., SYPHAX, *king of Numidia.*

Syrācūsae, -ārum, f., SYRACUSE, *largest city of Sicily, on the east coast.*

Syria, -ae, f., SYRIA, *a country in Asia between the Euphrates and the Mediterranean Sea.*

Syriacus, -a, -um, [Syria], SYRIAN, *of* SYRIA.

Syrius, -a, -um, [Syria], SYRIAN.

T

T., abbreviation for Titus, *a Roman forename.*

taberna, -ae, f., *shop.* (TAVERN)

tabernāculum, -ī, n., [taberna], *tent.* (TABERNACLE)

tābēscō, -ere, -uī, —, *melt, begin to melt.*

tablinum, -ī, n., [tabula], TABLINUM, *a room between the atrium and peristyle, where the tabulae or family records were kept.*

tabula, -ae, f., *writing-*TABLET; *record;* TABLE, *paper, documents.* picta tabula, *a painted tablet, painting, picture.*

taceō, -ēre, -uī, -itus, *be silent.* (TACITURN)

tacitus, -a, -um, [taceō], *silent,* TACIT.

taeda, -ae, f., *pine torch; marriage.*

taedium, -i, n., *weariness.* (TEDIUM)

Taenarius, -a, -um, *of* TAENARUM.

tālāris, -e, *of the heel;* pl., *the* TA-LARIA, Mercury's winged sandals.

Talassiō! wedding salutation, perhaps the name of a god of marriage.

tālea, -ae, f., *block; bar.*

talentum, -i, n., TALENT, equivalent to about $1132 in gold.

tālis, -e, *such, of such a kind; the following.* **tālis . . . quālis,** *of such a kind . . . as.*

tālus, -i, m., *heel.*

tam, adv., *so, so much; so very.*

Tamasēnus, -a, -um, *of* TAMASOS, a city in Cyprus.

tamen, conj. and adv., *notwithstanding, nevertheless, yet, however, but, still.*

Tamesis, -is, m., *the* THAMES.

tam-etsi, [tamen], conj., *although, though.*

Tanaquil, -is, f., TANAQUIL, wife of Tarquinius Priscus.

tandem, [tam], adv., *at length, at last, finally.* (TANDEM)

tangō, -ere, tetigī, tāctus, *touch; influence, affect.* (TANGIBLE)

Tantalus, -i, m., TANTALUS, father of Pelops and Niobe.

tantopere, [tantō opere], adv., *so greatly, so earnestly, with so great effort.*

tantulus, -a, -um, [dim. of **tantus**], *so very small, so slight, so trifling, such trivial.* As noun, **tantulum, -i,** n., *so little, such a trifle.*

tantum, [tantus], adv., *so much; only so much, only, merely.*

tantun-dem, [tantus], adv., *just as much.*

tantus, -a, -um, *so great, so large, such, so important.* **tantus . . . quantus,** *so great, so much, only so much . . . as.* As noun, **tantum, -i,** n., *so much;* in gen. of indefinite value, **tanti,** *of such value, worth so much, worth while;* **tantō,** abl. of

degree of difference, *by so much, so much.*

tardē, [tardus], adv., *slowly,* TARDILY.

tardō, -āre, -āvī, -ātus, [tardus], *check, re-*TARD, *impede, hinder.*

tardus, -a, -um, *slow, sluggish,* TARDY, *late.*

Tarentini, -ōrum, m., [Tarentum], *inhabitants of* TARENTUM, TARENTINES.

Tarentum, -i, n., TARENTUM, a large city in southern Italy.

Tarpeia, -ae, f., TARPEIA, a Roman maiden who betrayed the citadel to the Sabines.

Tarpeius, -a, -um, [Tarpeia], *of* TARPEIA, TARPEIAN.

Tarquinius, -i, m., TARQUINIUS, (1) TARQUINIUS *Priscus,* TARQUIN *the Elder,* the fifth king of Rome. (2) TARQUINIUS *Superbus,* TARQUIN *the Proud,* the seventh king of Rome. (3) TARQUINIUS *Collatinus,* see **Collatīnus.**

Tarquinii, -ōrum, m., TARQUINII, a town in southern Etruria.

Tartarus, -i, m., TARTARUS, the abode of the damned; the Lower World.

taurus, -i, m., *bull.*

Taurus, -i, m., *the* TAURUS *Mts.* in southeastern Asia Minor.

Taximagulus, -i, m., TAXIMAGULUS, a British chieftain.

Tectosagēs, -um, m., *the* TECTOSAGES, a division of the **Volcae** in the Province, a branch of which settled near the Hercynian forest.

tēctum, -i, n., [tēgō], *building, house; covering, roof.*

tegimentum, -i, n., [tego], *covering.*

tegō, -ere, tēxī, tēctus, *cover; hide, conceal; defend, guard, pro-*TECT.

tellūs, -ūris, f., *earth.*

tēlum, -i, n., *dart, spear.*

temerārius, -a, -um, [temerē], *rash, heedless, reckless.*

temerē, adv., *blindly, rashly; without good reason.*

482

temeritās, -ātis, f., [temere], rashness. (TEMERITY)

tēmō, -ōnis, m., pole of a chariot.

temperantia, -ae, f., [temperāns, temperate], moderation, self-control. (TEMPERANCE)

temperātus, -a, -um, [temperō], TEMPERATE, mild.

temperō, -āre, -āvī, -ātus, [tempus], control oneself; refrain.

tempestās, -ātis, f., [tempus] weather; storm, TEMPEST.

templum, -ī, n., TEMPLE, shrine.

temptō, -āre, -āvī, -ātus, [freq. of tendō], try, at-TEMPT; test; attack, assail; TEMPT, bribe, tamper with.

tempus, -oris, n., time, period; opportunity, season; occasion, circumstances. in reliquum tempus, for the future. ad tempus, promptly. omni tempore, always. (TEMPORAL)

tenāx, -ācis, [teneō], holding fast, TENACIOUS.

tendō, -ere, tetendī, tentus, spread out; of a snare, lay; offer; march; aim, strive; stretch, ex-TEND, reach.

tenebrae, -ārum, f., darkness, gloom.

teneō, -ēre, -uī, tentus, hold, grasp, catch; keep in, restrain, bind; regard; take in, understand; keep; occupy, possess; of a course, keep, hold. sē tenēre, to keep oneself, to remain. memoriā tenēre, to remember.

tener, -era, -erum, TENDER, young.

tenuis, -e, thin, poor, feeble, delicate; slight, trifling. (TENUOUS)

tepeō, -ēre, (lacks perf. tenses), be warm.

tepidārium, -ī, n., [tepidus], the TEPIDARIUM, warm bathing room.

ter, adv., three times, thrice. (TERcentenary)

Terentius, see Varrō.

teres, -etis, [terō, rub], smooth; tapering.

tergō, -ere, tersī, tersus, rub.

tergum, -ī, n., back. ā tergō, post

tergum, behind, in the rear. terga vertere, to flee.

terminus, -ī, m., boundary, limit, end. (TERMINUS)

ternī, -ae, -a, [ter], three each, three apiece, three at a time.

terra, -ae, f., earth; land; territory, region, country. (TERRACE)

terrēnus, -a, -um, [terra], of earth, earthy.

terreō, -ēre, -uī, -itus, frighten, alarm, TERRI-fy; deter by fear.

terribilis, -e, [terreō], frightful, dreadful, TERRIBLE.

territōrium, -ī, n., [terra], TERRITORY.

terror, -ōris, m., [terreō], TERROR, panic, alarm, fear, object of fear.

tertius, -a, -um, [ter], third. (TERTIARY)

tessellātus, -a, -um, [tessella, small cube], (made of small cubes), mosaic. (TESSELLATED)

testimōnium, -ī, n., [testis], witness, proof, evidence, TESTIMONY.

testis, -is, c., witness.

testor, -ārī, -ātus, [testis], bear witness, (sign as) witness; make a will.

testūdō, -inis, f., [testa, potsherd], tortoise, tortoise shell; tortoise cover, TESTUDO, a covering formed by the soldiers' shields held above their heads and overlapping; tortoise shed, a movable shed, to protect soldiers at work near the enemy's wall.

Teutobodus, -ī, m., TEUTOBODUS, king of the Teutones.

Teutonēs, -um, or Teutonī, -ōrum, m., the TEUTONES, a powerful German tribe.

textrīnus, -a, -um, related to weaving.

thalamus, -ī, m., room, bedroom; marriage.

thermae, -ārum, f., warm baths, baths. (THERMO-meter)

Theseus, -ī, (dat., Theseī, acc., Thesea), m., THESEUS, most famous hero of Athens.

Thessalia, -ae, f., THESSALY, a country in northeastern Greece.

483

Thisbē, -ēs, f., THISBE, Babylonian maiden, loved by Pyramus.

Thrācēs, -um, m., THRACIANS, inhabitants of THRACE, east of Macedonia.

Thrācia, -ae, f., THRACE, a country northeast of Greece.

Thrācius, -a, -um, [Thrācia], *of* THRACE, THRACIAN.

Ti. = Tiberius, a Roman forename.

Tiberis, -is, (acc., Tiberim), m., *the* TIBER.

tibia, -ae, f., *pipe, flute.*

tibi-cen, -inis, m., [tibia, *flute* + canō], *piper, flute player.*

Ticinus, -ī, m., *the* TICINUS, a river flowing from the Alps into the Po.

Tigurinus, -a, -um, TIGURIAN. As noun, **Tigurini, -ōrum,** m., *the* TIGURIANS, one of the four divisions of the Helvetii.

timeō, -ere, -uī, —, *fear, be afraid of; be afraid.*

timidē, [timidus], adv., TIMIDLY.

timidus, -a, -um, [timeō], *cowardly,* TIMID.

timor, -ōris, m., [timeō], *fear, dread, alarm, apprehension; panic.* (TIMOROUS)

tingō, -ere, tīnxī, tīnctus, *dye.*

Titūrius, -ī, m., *Quintus* TITURIUS *Sabinus,* a lieutenant of Caesar.

titulus, -ī, m., *superscription, inscription,* TITLE; *banner, placard.*

Titus, -ī, m., TITUS, a Roman forename.

toga, -ae, f., TOGA, a flowing garment of white woolen cloth, the distinctive dress of Roman citizens in public. See **praetextus.**

togātus, -a, -um, [toga], *wearing the* TOGA, TOGAED.

tolerō, -āre, -āvī, -ātus, *bear, support, endure, sustain; maintain; hold out.* (TOLERATE)

tollō, -ere, sus-tulī, sub-lātus, *carry up, lift, raise; take on board; encourage, elate; take away, remove,* *bear away, make way with; kill, destroy.*

Tolōsātēs, -ium, m., [Tolōsa], *the* TOLOSATES, a people in the territory of the Volcae Tectosages, in the Province near **Tolōsa** (modern *Toulouse*).

tondeō, -ēre, totondī, tōnsus, *cut, clip short.*

tonitrus, -ūs, m., *thunder.*

tonō, -āre, -uī, —, *thunder.*

tōnsor, -ōris, m., [tondeō], *barber.* (TONSORIAL)

tōnstrīna, -ae, f., [tondeō], *barber's shop.*

tōnsūra, -ae, f., [tondeō], *clipping, shearing; pruning, trimming;* TONSURE.

tormentum, -ī, [torqueō, *twist*], n., *windlass;* as a military term, pl., *torsion-hurlers, engines of war, artillery.*

Torquātus, -ī, m., [torquis], TORQUATUS. See **Mānlius.**

torquis, -is, m., *necklace, collar.* (TORQUE)

torreō, -ēre, -uī, tostus, *roast, burn; scorch.* (TOAST)

tortuōsus, -a, -um, [torqueō, *twist*], *full of turns, twisting,* TORTUOUS.

torus, -ī, m., *mattress; couch, bed.*

tot, indecl., *so many.*

tot-idem, [tot], indecl., *just as many.*

tōtus, -a, -um, gen., **tōtius,** *the whole, all, entire.*

trāctō, -āre, -āvī, -ātus, [freq. of trahō], *draw, pull; handle, manage; treat.*

trā-dō, -ere, -didī, -ditus, [trāns + dō], *give over, hand over, deliver, surrender, entrust; betray; hand down, transmit, report, say; teach.* (TRADITION)

trā-dūcō, -ere, -dūxī, -ductus, [trāns], *lead across, transport, transfer; win over.* (TRADUCE)

trāgula, -ae, f., *dart, javelin.*

trahō, -ere, trāxī, trāctus, *draw, drag.* (TRACTION)

484

trā-iciō, -ere, -iēci, -iectus, [trans + iaciō], *throw across, lead across; pierce, penetrate, transfix; go over, pass over.* (TRAJECTORY)

trā-iectus, -ūs, m., [trā-iciō], *crossing, passage.*

trāmes, -itis, m., *path.*

trā-nō, -āre, -āvī, —, [trāns], *swim across, swim over.*

tranquillitās, -ātis, [tranquillus, *quiet*], f., *calm, stillness.* (TRANQUILLITY)

trāns, prep. with acc., *across, over; beyond.*

Trāns-alpīnus, -a, -um, TRANSALPINE, *beyond the* ALPS.

trān-scendō, -ere, -scendī, —, [trāns + scandō, *climb*], *climb across; board.* (TRANSCEND)

trāns-eō, -īre, -iī or -īvī, -itus, *go over, go across, cross; pass by, march through.* (TRANSIT)

trāns-ferō, -ferre, -tulī, -lātus, *bear across, transport;* TRANSFER. (TRANSLATE)

trāns-fīgō, -ere, -fīxī, -fīxus, *pierce through,* TRANSFIX.

trāns-fodiō, -ere, -fōdī, -fossus, *transfix, pierce, impale.*

trāns-fuga, -ae, m., *a deserter.*

trāns-gredior, -ī, -gressus, [gradior, *step*], *go over, cross.*

trāns-igō, -ere, -ēgī, -āctus, [agō], *finish, settle; perform,* TRANSACT; *end; pass, spend.*

trān-siliō, -īre, -uī, —, [trāns + saliō, *leap*], *leap across, jump over.*

trāns-itus, -ūs, m., *passage.* (TRANSIT)

trāns-lātus, see trāns-ferō.

trāns-marīnus, -a, -um, [mare], *beyond the sea,* TRANSMARINE.

trāns-missus, -ūs, m., [trāns-mittō], *crossing, passage.*

trāns-mittō, -ere, -mīsī, -missus, *send across; go across, traverse.* (TRANSMIT)

Trāns-padānus, -a, -um, [Padus], *across the Po.*

trāns-portō, -āre, -āvī, -ātus, *carry over, take across,* TRANSPORT.

trāns-tulī, see trāns-ferō.

Trasumēnus, -ī, m., TRASUMENUS, a lake in Etruria.

Trebia, -ae, m., *the* TREBIA, a river flowing northwest into the Po.

Trebōnius, -ī, m., *C.* TREBONIUS, a lieutenant of Caesar.

tre-centēsimus, -a, -um, [tre-centī], *three hundredth.*

tre-centī, -ae, -a, [trēs + centum], *three hundred.*

tre-decim, [trēs + decem], indecl., *thirteen.*

tremebundus, -a, -um, *trembling.*

tremō, -ere, -uī, —, *tremble at, quake with fear, shudder at.*

tremulus, -a, -um, *trembling.*

trepidātiō, -ōnis, f., [trepidō], *alarm, confusion,* TREPIDATION.

trepidō, -āre, -āvī, -ātus, *hurry about anxiously, be in confusion; be afraid, tremble, waver.*

trepidus, -a, -um, *frightened.*

trēs, tria, gen., trium, THREE.

Trēverī, -ōrum, m., *the* TREVERANS, a Belgic people near the Rhine.

Trēverus, -a, -um, TREVERAN, *of the* TREVERI.

Triārius, -ī, m., *C.* TRIARIUS, one of Pompey's officers.

Tribocēs, -um, or Triboci, -ōrum, m., *the* TRIBOCES, a German people near the Rhine.

tribūnal, -ālis, n., [tribūnus], *judgment seat,* TRIBUNAL.

tribūnātus, -ūs, m., [tribūnus], TRIBUNE-*ship.*

tribūnus, -ī, m., [tribus, *tribe*], TRIBUNE. (1) tribūnus plēbis, TRIBUNE *of the people,* whose duty it was to protect the common people; (2) tribūnus mīlitum, *military* TRIBUNE, an army officer *by appointment.*

tribuō, -ere, -uī, -ūtus, [tribus], *assign, ascribe; concede; grant; pay, render, give, bestow;* at-TRIBUTE; *devote.*

tribūtum, -ī, n., [tribus], *stated payment,* TRIBUTE.

tricēsimus, -a, -um, [trigintā], *thirtieth.*

trichila, -ae, f., *arbor, bower, summerhouse.*

tri-cliniāris, -e, [tri-clinium], *of a dining room.*

tri-clinium, -i, n., *dining room.*

tri-duum, -i, n., [trēs + diēs], (space of) *three days.*

tri-ennium, -i, n., [trēs + annus], (space of) *three years.* (TRIENNIAL)

tri-geminus, -a, -um, [trēs + gignō], *three* (born at one birth), *triplet.* As noun, tri-geminī, -ōrum, m., *triplets.*

trigintā, indecl., *thirty.*

trinī, -ae, -a, [trēs], *three each, three; threefold, triple.*

Trinobantēs, -um, m., *the* TRINOBANTES, a tribe of Britain.

tri-pertitō, [tri- + partitus], adv., *in three divisions.*

tri-plex, -icis, [trēs + plicō, *fold*], *threefold,* TRIPLE.

tri-quetrus, -a, -um, *three-cornered, triangular.*

tristis, -e, *sad, sorrowful.*

tristitia, -ae, f., [tristis], *sadness, dejection.*

triumphe (used in connection with Iō!) Iō triumphe, *hurrah for the* TRIUMPH!

triumphō, -āre, -āvi, -ātūrus, *celebrate a* TRIUMPH, TRIUMPH.

triumphus, -i, m., TRIUMPH, celebration of a victory by a triumphal entry into Rome.

trium-vir, -i, m., [trēs + vir], TRIUMVIR, one of three men associated together.

Trōia, -ae, f., TROY, a city of Phrygia in Asia Minor.

Trōiānus, -a, -um, [Trōia], *of* TROY, TROJAN. As noun, Trōiānus, -i, *a* TROJAN.

truncus, -i, m., TRUNK of a tree.

trux, trucis, *wild, savage, fierce.*

tū, tuī, pers. pron., *thou, you.*

tuba, -ae, f., *trumpet.* (TUBE)

tubı-cen, -inis, m., [tuba + canō], *trumpeter.*

tueor, -ērī, tūtus, *look at, gaze at; defend, protect.*

tugurium, -i, n., [tegō], *cottage.*

tulī, see ferō.

Tulingī, -ōrum, m., *the* TULINGI, a German people north of the Helvetii.

Tullia, -ae, f., TULLIA, the daughter of Servius Tullius, and wife of Tarquinius Superbus.

Tullius, -i, m., *Servius* TULLIUS, the sixth king of Rome. See Cicerō.

Tullus, -i, m., TULLUS *Hostilius,* third king of Rome.

tum, adv., *then, at that time, in those times; thereupon; besides, moreover.* cum . . . tum, *both . . . and, not only . . . but also.*

tumulus, -i, m., [tumeō, *swell*], *mound, hillock.* (TUMULUS)

tunc, [tum], adv., *then, at that time; accordingly.*

tunica, -ae, f., *undergarment,* TUNIC; tunica rēcta, a white woolen garment woven in one piece and falling to the feet.

turba, -ae, f., *commotion; crowd, throng.* (TURBULENT)

turbō, -āre, -āvi, -ātus, [turba], *throw into confusion, dis*-TURB, *agitate.*

turma, -ae, f., *troop* of 30 horsemen, *squadron.*

turmātim, [turma], adv., *by squadrons.*

Turonī, -ōrum, m., *the* TURONI, a Gallic people on the Liger (*Loire*); the name survives in TOURS and TOURAINE.

turpis, -e, *ugly; disgraceful, shameful.*

turpiter, [turpis], *basely, disgracefully.*

turpitūdō, -inis, f., [turpis], *baseness, disgrace.* (TURPITUDE)

turris, -is, f., *tower;* often *movable tower,* built on wheels so that it could be moved up to the wall of a besieged city. (TURRET)

Tusculum, -i, n., TUSCULUM, a town southeast of Rome.

tūtēla, -ae, f., [tueor], *guardianship;* TUTELAGE.

tūtor, -ōris, m., [tueor], *guardian,* TUTOR

tūtus, -a, -um, [tueor], *safe, secure.*

tuus, -a, -um, [tū], *thy; your, yours.*

tyrannus, -i, m., *monarch, absolute ruler; despot,* TYRANT.

U

ūber, ūberis, *fertile, rich, abundant.*

ubi, (1) adv., *where; when; where?* (2) conj., *when; where.* **ubi primum,** *as soon as.*

Ubii, -ōrum, m., *the* UBII, a people of Germany.

ubi-que, adv., *anywhere, everywhere.* (UBIQUITOUS)

ulciscor, -i, ultus, *avenge oneself on, punish; avenge.*

ūllus, -a, -um, gen., **ūllius,** *any.* As noun, **ūllus, -ius,** m., *anyone, anybody.*

ulterior, -ius, gen., **-ōris,** [ultrā], *farther, beyond, more remote* or *distant.* **Ulterior Prōvincia,** *the Farther Province.*

ultimus, -a, -um, [sup. of **ulterior**], *farthest, last.* (ULTIMATE)

ultrā, adv., and prep. with acc., *beyond, more than, besides.*

ultrō, adv., *besides, moreover, also; of one's own accord, voluntarily.*

ultus, see **ulciscor.**

ululātus, -ūs, m., *yell, shout.*

umbō, -ōnis, m., *boss* of a shield.

umbra, -ae, f., *shadow, shade.* (UMBRELLA)

umerus, -i, m., *upper arm, shoulder.* (HUMERUS)

ūmidus, -a, -um, *damp, moist, dewy.* (HUMID)

umquam, adv., *at any time, ever.*

ūnā, [ūnus], adv., *at the same time; together, in company, along.*

ūnctōrium, -i, n., [unguō], *an-*OINTING *room* in a bath.

unda, -ae, f., *wave.*

unde, adv., (1) rel., *whence; where;* (2) inter., *whence? where? on which side?*

ūn-decim, [ūnus + decem], indecl., *eleven.*

ūn-decimus, -a, -um, [ūn-decim], *eleventh.*

ūn-dē-quīnquāgintā, [ūnus], indecl., *forty-nine.*

ūn-dē-tricēsimus, -a, -um, [ūnus + dē + trigintā], *the twenty-ninth.*

ūn-dē-vīcēsimus, -a, -um, [ūnus + dē + viginti], *the nineteenth.*

ūn-dē-viginti, [ūnus], indecl., *nineteen.*

undi-que, [unde], adv., *from all sides, on all sides, everywhere.*

unguentum, -i, n., [unguō], *ointment.* (UNGUENT)

unguis, -is, m., *nail, claw, talon.*

unguō, -ere, ūnxi, ūnctus, *an-*OINT.

ūni-versus, -a, -um, [ūnus], *all together, all, the whole of, entire; general,* UNIVERSAL. As noun, **ūniversi, -ōrum,** m., *the whole body, all together.*

ūnus, -a, -um, gen., **ūnius,** *one; only one, only, sole; alone; one and the same.* Pl., **ūni,** *alone, only.* **ad ūnum omnēs,** *all to a man.*

urbānus, -a, -um, [urbs], *of the city, in the city, in Rome.* As noun, **urbāni, -ōrum,** m., *the citizens.* (URBAN)

urbānus, -i, m., [urbs], *city wit.* (URBANE)

urbs, urbis, f., *city;* often *the city,* Rome.

urgeō, urgēre, ursi, —, *press hard.* Pass., *be hard pressed.* (URGE)

urna, -ae, f., URN, *jar.*

ūrō, -ere, ussi, ūstus, *burn.*

ūrus, -i, m., *wild ox.*

ūsitātus, -a, -um, [ūsitor, freq. of ūtor], *usual, customary, common, ordinary.*

ūs-que, adv., *as far as; even.* ūsque
ad, *all the way to, as far as;* of time,
up to, until. ūsque eō, *even to this
degree.*

ūsūrpō, -āre, -āvī, -ātus, [ūsus +
rapiō], *seize upon, assume,* USURP.

ūsus, -ūs, m., [ūtor], USE, *employment; experience, training, skill;
practice; familiarity; control; need,
necessity; advantage, benefit.*

ut or utī, adv. and conj.: (1) as adv.,
*as, just as; as for instance, as if;
how; where.* ut prīmum, *as soon as.*
ut ... ita, *as ... so, while ... still.*
(2) as conj., with indic., *when, as
soon as;* with subj., *that, so that;
in order that, that; though, although.*

ut-cumque, adv., *in one way or another, somehow.*

ūter, -tris, m., *skin.*

uter, utra, utrum, gen., utrīus, (1) rel.,
which (of two), whichever, which.
(2) inter., *which (of two)? which?*

uter-que, -tra-que, -trum-que, gen.,
utrīus-que, *each, both.* As noun,
uter-que, utrīus-que, m., *both, each.*
Pl., utrī-que, *both sides, both forces,
both peoples.*

utī, see ut.

ūtilis, -e, [ūtor], *useful, serviceable,
helpful; expedient.*

utinam, interj., *Would that!*

ūtor, ūtī, ūsus, with abl., *make* USE
*of, employ, observe, maintain; have,
enjoy; exercise, show, display; find.*

utrim-que, [uter-que], adv., *from both
sides, on both sides; on both ends.*

utrum, [uter], conj., not translated
in direct questions; in indirect
questions, *whether.* utrum ...
necne, *whether ... or not.*

ūva, -ae, f., *grape.*

uxor, -ōris, f., *wife, consort.* uxōrem
dūcere, *to marry.* (UXORIOUS)

V

vacātiō, -ōnis, f., [vacō], *exemption.*
(VACATION)

vacō, -āre, -āvī, -ātus, *be empty, be*
VACANT; *be unoccupied, lie waste.*

vacuus, -a, -um, [vacō], *empty, free,*
VACANT, *unoccupied.*

vadum, -i, n., *shallow spot, shoal;
ford.*

vāgīna, -ae, f., *sheath, scabbarᵈ.*

vāgītus, -ūs, m., [vāgiō, *cry*], *crying.*

vagor, -ārī, -ātus, *wander about,
roam about.* (VAGRANT)

vagus, -a, -um, *roving, wandering.*

valē, [imperative of valeō], *farewell,
good-by.* (VALE-dictorian)

valeō, -ēre, -uī, -itūrus, *be strong, be
able; be well; have power, a-*VAIL,
*have influence, pre-*VAIL; *extend; be
worth.*

Valerius, -ī, m., VALERIUS, name of a
Roman gens.

valētūdō, -inis, f., [valeō], *good* or
bad health; illness. (VALETUDI-
NARIAN)

validus, -a, -um, [valeō], *strong,
stout, powerful,* (VALID)

vallēs or vallis, -is, f., VALLEY.

vāllum, -ī, n., *line of palisades, intrenchment;* WALL, *rampart.*

vāllus, -ī, m., *stake; rampart stake.*

valor, -ōris, m., [valeō], VALOR.

Vangiōnēs, -um, m., *the* VANGIONES,
a German tribe.

vānus, -a, -um, *empty; ostentatious,*
VAIN.

varietās, -ātis, f., [varius], VARIETY;
mottled appearance.

varius, -a, -um, *different, several,*
VARIOUS, *diverse.*

Varrō, -ōnis, m., *C. Terentius* VARRO,
consul defeated by Hannibal at
Cannae.

vās, vāsis, n., *vessel, dish;* pl., vāsa,
-ōrum, *equipments.* (VASE)

vāstō, -āre, -āvī, -ātus, [vāstus],
*lay waste, ravage, de-*VASTATE.

vāstus, -a, -um, *huge,* VAST, *immense.*

vātēs, -is, c., *soothsayer, prophet.*

vāticinātiō, -ōnis, f., [vāticinor, *predict*], *prediction, prophecy.* (VATI-
CINATION)

Vatinius, -ī, m., *P.* VATINIUS, who, as tribune, was a loyal supporter of Caesar.

-ve, enclitic conj., *or.*

vectīgal, -ālis, n., [vehō], *tax, tribute; revenue; income.*

vectōrius, -a, -um, [vehō], *for carrying;* vectōrium nāvigium, *transport.*

vegetus, -a, -um, [vegeō, *move*], *lively, quick, bright.*

vehemēns, -entis, *violent, severe.*

vehementer, [vehemēns], adv., VEHEMENTLY; *vigorously, actively, exceedingly, very much.*

vehiculum, -ī, n., [vehō], *carriage,* VEHICLE.

vehō, -ere, vexī, vectus, *bear, carry, convey, draw;* pass., *ride, sail.* (VEHICLE)

Veiēns, -entis, *of* VEII. As noun, m., *the inhabitants of* VEII.

Veientānus, -a, -um, [Veii], *of* VEII, VEIENTIAN. As noun, **Veientānus, -ī,** m., *an inhabitant of* VEII, *a* VEIENTIAN.

Veii, -ōrum, m., VEII, a city of Etruria.

vel, [volō], adv. and conj., *or, or even, indeed.* vel . . . vel, *either . . . or.*

vēlāmen, -inis, n., *veil, covering.*

Veliocassēs, -ium, and **Veliocassī, -ōrum,** m., *the* VELIOCASSES, a small state north of the Sequana.

Vellavii, -ōrum, m., *the* VELLAVII, a people of central Gaul.

vellus, -eris, n., *fleece.*

vēlō, -āre, -āvī, -ātus, [vēlum], VEIL.

vēlōcitās, -ātis, f., [vēlōx], *swiftness, rapidity, speed,* VELOCITY.

vēlōciter, [vēlōx], adv., *swiftly, quickly.*

vēlōx, -ōcis, *swift.*

vēlum, -ī, n., *sail; curtain;* VEIL. vēla ventīs dare, *to make sail, sail away.*

vel-ut or **vel-utī,** adv., *just as.* velut sī, *just as if.*

vēnātiō, -ōnis, f., [vēnor, *hunt*], *hunting; hunting spectacle.*

vēnātor, -ōris, m., [vēnor, *hunt*], *hunter.*

vēn-dō, -ere, -didī, -ditus, [vēnum, *sale,* + dō], *sell.* (VEND)

Venelli, -ōrum, m., *the* VENELLI, a Gallic people on the northwest coast.

venēnum, -ī, n., *drug; poison.*

Veneti, -ōrum, m., *the* VENETANS, a seafaring Gallic people, on the west coast.

Veneticus, -a, -um, [Veneti], *of the* VENETANS, VENETAN.

venerātiō, -ōnis, f., [veneror], *reverence,* VENERATION; *cause of respect.*

venia, -ae, f., *favor, pardon; permission.* (VENIAL)

veniō, -īre, vēnī, ventūrus, *come.*

venter, -tris, m., *belly, stomach.* (VENTRAL)

ventitō, -āre, -āvī, -ātus, [intens. of veniō], *keep coming, come frequently.*

ventus, -ī, m., *wind.* (VENTILATE)

verber, -is, n., *lash, whip; blow, flogging.*

verberō, -āre, -āvī, -ātus, [verber], *beat, strike, whip, scourge, knock.* (re-VERBERATE)

Verbigenus, -ī, m., VERBIGEN, a canton of the Helvetians.

verbōsus, -a, -um, [verbum], *full of words, wordy,* VERBOSE.

verbum, -ī, n., *word; saying, epigram.* (VERBAL)

Vercassivellaunus, -ī, m., VERCASSIVELLAUNUS, a chief of the Arverni.

Vercellae, -ārum, f., VERCELLAE, a town in northern Italy, where the Cimbri were defeated.

Vercingetorix, -rigis, m., VERCINGETORIX, a chief of the Arverni, commander-in-chief of the united forces of Gaul in 52 B.C.

verēcundia, -ae, f., [vereor], *shame; respect.*

vereor, -ērī, veritus, re-VERENCE, *respect; fear; dread.*

Vergilius, -ī, m., VERGIL, the Roman poet.

Verginia, -ae, f., VERGINIA, daughter of the centurion VERGINIUS.

Verginius, -ī, m., VERGINIUS, a centurion, who killed his own daughter to prevent her from falling into the hands of Appius Claudius.

vergō, -ere, —, —, *incline, lie, slope; be situated.* (VERGE)

vēritās, -ātis, f., [vērus], *truth, truthfulness.* (VERITY)

vērō, [vērus], adv. and conj., *in truth, truly, indeed; but, however.* (VERILY)

versiculus, -i, n., [dim. of versus], (short) VERSE.

versō, -āre, -āvi, -ātus, [freq. of vertō], *turn often; shift, change about.*

versor, -āri, -ātus, [freq. of vertō], (lit. *turn oneself about*), *move about in any place; dwell, live; be; be occupied, engaged, employed.*

versus, [vertō], adv. and prep., with acc., *toward, in the direction of.*

versus, -ūs, m., [vertō], (a turning), *line, row;* VERSE.

Verticō, -ōnis, m., VERTICO, one of the Nervii.

vertō, -ere, verti, versus, *turn, direct, change;* pass., *return.* **terga vertere,** *to turn and flee, to flee.*

vērum, -i, n., [vērus], *the truth.*

vērus, -a, -um, *true.* **rē vērā,** see **rēs.**

verūtum, -i, n., *dart.*

vesper, -eri and **-eris,** m., *evening.* (VESPERS)

vesperi, [vesper], adv., *in the evening.*

Vesta, -ae, f., VESTA, goddess of the hearth.

Vestālis, -e, [Vesta], *of* VESTA, VESTAL.

vester, -tra, -trum, [vōs], *your, yours.*

vestibulum, -i, n., *entrance court,* VESTIBULE.

vēstigium, -i, n., *footstep, step, footprint; spot; track, trace, mark,* VESTIGE.

vestimentum, -i, n., [vestis], *garment.* (VESTMENT)

vestiō, -ire, -ivi, -itus, [vestis], *clothe.*

vestis, -is, f., *clothes, clothing; garment, robe.* (VESTMENT)

vestitus, -ūs, m., [vestiō], *clothing, apparel.*

vestitus, -a, -um, [vestiō], *clothed.*

veterānus, -a, -um, [vetus], *old,* VET-ERAN. As noun, **veterāni, -ōrum,** m., VETERAN *soldiers,* VETERANS.

vetō, -āre, -ui, -itus, *forbid.* (VETO)

Veturia, -ae, f., VETURIA, mother of Coriolanus.

Veturius, -i, m., *T.* VETURIUS, consul in 321 B.C.

vetus, -eris, *old, former, longstanding, ancient.*

vēxillum, -i, n., (small) *flag* or *banner,* the standard of the cavalry and the infantry auxiliaries.

via, -ae, f., *way; road, street; passage; march, journey.* (VIA)

viātor, -ōris, m., [via], *wayfarer, traveler.*

vicēni, -ae, -a, [viginti], *twenty each.*

vicēsimus, -a, -um, [viginti], *twentieth.*

viciēs, [viginti], adv., *twenty times.*

vicinia, -ae, f., *neighborhood.*

vicinus, -a, -um, [vicus], *neighboring.* (VICINITY)

(vicis), -is, f., (nom., dat., and voc. sing., and gen. and voc. pl. not in use), *change, succession.* **in vicem,** *in turn.*

victima, -ae, f., VICTIM, *animal for sacrifice.*

victor, -ōris, m., [vincō], *conqueror,* VICTOR. As adj., *victorious, triumphant.*

victōria, -ae, f., [victor], VICTORY, *success.*

victrix, -icis, f., *conqueror.*

victus, see **vincō.**

victus, -ūs, m., [vivō], *mode of life; food, provisions.* (VICTUALS)

vicus, -i, m., (row of houses), *street, quarter; village; hamlet.*

vidē-licet, [vidēre licet, *it is permitted to see*], (one may see), *clearly, evidently.* (VIZ.)

video, -ēre, vidi, visus, *see, perceive, observe; understand.* Pass. as dep., **videor, vidēri, visus sum,** *be seen; seem, appear; seem good, seem best.* (VISION, VISIBLE)

vigilia, -ae, f., [vigil, *watchman*],

sleeplessness, wakefulness; watch, one of the four divisions of the night. (VIGIL)

vigilō, -āre, -āvi, -ātūrus, *watch, be alert.* (VIGILANCE)

viginti, indecl., *twenty.*

villa, -ae, f., [dim. of **vicus**], *country house, farm,* VILLA.

villōsus, -a, -um, *shaggy.*

vimen, -inis, n., *pliant shoot, twig.*

vinciō, -ire, vinxi, vinctus, *bind; fetter, confine, restrain.*

vinclum, see **vinculum.**

vincō, -ere, vici, victus, *conquer, defeat, subdue; exceed, surpass; have one's own way.*

vinculum or **vinclum, -i,** n., [**vinciō**], *bond, fetter, chain;* pl., *fetters, bonds, prison.*

vindex, -icis, m., *defender, protector.*

vindicō, -āre, -āvi, -ātus, [**vindex**], *demand, claim; avenge, punish.* **in libertātem vindicāre,** *to claim for liberty, set free, free.* (VINDICATE)

vinea, -ae, f., VINEA, *a movable shed; sappers' hut.*

vinum, -i, n., WINE.

violēns, -entis, [**vis**], *furious,* VIOLENT.

violentus, -a, -um, *violent.*

violō, -āre, -āvi, -ātus, [**vis**], *dishonor, outrage,* VIOLATE.

vipera, -ae, f., VIPER, *serpent.*

vir, viri, m., *man; husband.* (VIRILE)

virēs, -ium, f., [pl. of **vis**], *strength.*

virga, -ae, f., *twig; switch, rod.*

virgineus, -a, -um, *maidenly.*

virgō, -inis, f., *maiden,* VIRGIN.

virgultum, -i, n., [**virga,** *twig*], *brushwood.*

Viriāthus, -i, m., VIRIATHUS, leader of the Lusitanians in war against the Romans.

Viridomārus, -i, m., VIRIDOMARUS: (1) A Gallic king who was slain by Marcellus. (2) An Aeduan leader.

virilis, -e, [**vir**], *belonging to a man, manly,* VIRILE.

viritim, [**vir**], adv., *man by man, to each individually.*

Viromandui, -ōrum, m., *the* VIROMANDUI, a Belgic people.

virtūs, -ūtis, f., [**vir**], *manliness; courage, valor, vigor, energy, pluck; effort; worth, goodness, virtue.*

vis, vis, f., *force, violence;* (pl., **virēs**); *power, energy, impetus; influence; quantity, number.* See **virēs.** (VIM)

viscus, -eris, n., (often pl., viscera), *the flesh.*

visus, -ūs, m., [**videō**], *look; appearance, sight,* VISION.

vita, -ae, f., [**vivō**], *life.* (VITAL)

vitālis, -e, [**vita**], VITAL.

vitiō, -āre, -āvi, -ātus, *make faulty, spoil, mar, taint.* (VITIATE)

vitium, -i, n., *fault, defect, vice.*

vitō, -āre, -āvi, -ātus, *shun, avoid.*

vitrum, -i, n., *woad,* a blue dye used by the Britons.

vitta, -ae, f., *ribbon, band; headband, sacrificial fillet* (worn by brides and Vestal Virgins as a symbol of chastity; also bound around the head of victims led to sacrifice).

vivō, -ere, vixi, victus, *live, dwell.* (VIVACITY)

vivus, -a, -um, [**vivō**], *alive, living.* (VIVACIOUS).

vix, adv., *with difficulty, hardly, scarcely*

vocābulum, -i, n., [**vocō**], *name, word.* (VOCABULARY)

vocātiō, -ōnis, f., [**vocō**], *a calling.* (VOCATION)

vocō, -āre, -āvi, -ātus, [**vōx**], *call, summon; name; call for, demand.* (VOCATION)

Vocontii, -ōrum, m., *the* VOCONTII, a Gallic people settled in the Farther Province.

volātus, -ūs, m., *flight.*

Volcae, -ārum, m., *the* VOLCAE, a Gallic people in the Province, having two branches, **Arecomici** and **Tectosagēs.**

volitō, -āre, -āvi, -ātūrus, *flit about, move, fly, hasten.*

volō, -āre, -āvi, -ātūrus, *fly.*

volō, velle, voluī, —, *will, wish, desire, be willing, consent; mean, intend.* (VOLUNTARY)

Volscī, -ōrum, m., *the* VOLSCIANS, a fierce highland tribe, dwelling southeast of Rome.

Volsō, see **Mānlius.**

volūbilis, -e, *winding, twisting.*

volucer, -cris, -cre, *winged.* As noun, f., (sc. **avis**), *flying creature, bird.*

Volumnia, -ae, f., VOLUMNIA, wife of Coriolanus.

voluntārius, -a, -um, [voluntās], *willing,* VOLUNTARY, *serving as a volunteer.* As noun, **voluntāriī, -ōrum,** m., *volunteers.*

voluntās, -ātis, f., [volō], *will, wish, desire; good will, loyalty; consent.*

voluptās, -ātis, f., [volō], *pleasure, enjoyment, delight; desire, passion.* (VOLUPTUOUS)

Volusēnus, -ī, m., *C.* VOLUSENUS *Quadratus,* a tribune in Caesar's army.

Vorēnus, -ī, m., VORENUS, a brave centurion.

vōtum, -ī, n., [voveō], *vow; wish, prayer.* (de-VOTE)

voveō, -ēre, vōvī, vōtus, *vow, dedicate, consecrate.*

vōx, vōcis, f., VOICE; *utterance, cry, sound; word, saying.* Pl., **vōcēs,** *words, sayings, statements, appeals, calls.*

Vulcānus, -ī, m., VULCANUS or VULCAN, god of fire.

vulgō, [vulgus], adv., *generally, commonly, everywhere.* (VULGARLY)

vulgus, -ī, n., *common people, multitude, crowd.* (VULGAR)

vulnerō, -āre, -āvī, -ātus, [vulnus], *wound, hurt.* (VULNERABLE)

vulnus, -eris, n., *wound.*

vultus, -ūs, m., *expression, countenance, looks, visage; face.*

X

Xanthippus, -ī, m., XANTHIPPUS, a Lacedaemonian general, who defeated Regulus.

Xenophōn, -ontis, m., XENOPHON, a Greek general and historian.

Z

Zama, -ae, f., ZAMA, a town in Numidia, southwest of Carthage.

Zētēs, -ae, m., ZETES, one of the Argonauts.

English-Latin Vocabulary

Regular verbs of the first conjugation are indicated by the figure I

A

abandon, relinquō, -ere, -līquī -lictus.
ability, ingenium, -ī, *n.*
able, be able, possum, posse, potuī.
about, (*prep.*), dē, *w. abl.; (adv., w. numerals*), circiter.
absent, in one's absence, absēns, -entis.
accept, accipiō, -ere, -cēpī, -ceptus.
accomplish, cōnficiō, -ere, -fēcī, -fectus.
accordance, in accordance with, ad, *w. acc.; abl. case.*
accustomed, be, cōnsuēscō, -ere, cōnsuēvī, cōnsuētus.
acquire, obtineō, -ēre, -uī, -tentus; nancīscor, -ī, nactus *and* nanctus.
across, trāns, *w. acc.*
act of injustice, iniūria, -ae, *f.*
administer, administrō, I.
adorn, ōrnō, I.
advance, prōcēdō, -ere, -cessī, -cessūrus; prōgredior, -ī, -gressus.
advise, moneō, -ēre, -uī, -itus.
Aedui, Aeduī, -ōrum, *m.*
Aeneas, Aenēās, -ae, *m.*
Aequi, Aequī, -ōrum, *m.*
affect, commoveō, -ēre, -mōvī, -mōtus.
afraid, be afraid, timeō, -ēre, -uī.
Africa, Āfrica, -ae, *f.*
Africanus, Āfricānus, -ī, *m.*

after, (*prep.*), post, *w. acc.; (conj.*), postquam.
afterwards, posteā.
against, in, contrā, adversum, *preps. w. acc.*
age, aetās, -ātis, *f.*
aid, auxilium, -ī, *n.*
alarm, commoveō, -ēre, -mōvī, -mōtus.
Alba Longa, Alba Longa, -ae, *f.*
Alexander, Alexander, -drī, *m.*
all, omnis, -e; tōtus, -a, -um.
Allia, Allia, -ae, *f.*
Allobroges, Allobrogēs, -um, *m.*
allow, patior, -ī, passus.
ally, socius, -ī, *m.*
almost, paene.
alone, sōlus, -a, -um.
Alps, Alpēs, -ium, *f.*
already, iam.
altar, āra, -ae, *f.*
although, quamquam.
always, semper.
ambassador, lēgātus, -ī, *m.*
ambition, ambitiō, -ōnis, *f.*
ambush, īnsidiae, -ārum, *f.*
among, apud *or* inter, *preps. w. acc.*
Amulius, Amūlius, -ī, *m.*
Ancus, Ancus, -ī, *m.*
and, et, atque *or* ac, -que.
animal, animal, -ālis, *n.*
annihilate, dēleō, -ēre, -ēvī, -ētus.
announce, nūntiō, I.

493

another, alius, -a, -ud.
Antiochus, Antiochus, -ī, *m.*
any, ūllus, -a, -um.
Apollo, Apollō, -inis, *m.*
appear, appāreō, -ēre, -uī, —.
approach, appropinquō, I; accēdō, -ere, -cessī, -cessūrus.
approve, probō, I.
Aquileia, Aquileia, -ae, *f.*
Ariovistus, Ariovistus, -ī, *m.*
arms, arma, -ōrum, *n.*
army, exercitus, -ūs, *m.*
around, circum, *w. acc.*
arouse, incitō, I.
arrest, comprehendō, -ere, -hendī, -hēnsus.
arrive, perveniō, -īre, -vēnī, -ventus, *w.* ad *or* in *w. acc.*
Ascanius, Ascanius, -ī, *m.*
ascend, ascendō, -ere, -scendī, -scēnsus.
ascertain, cognōscō, -ere, -nōvī, -nitus.
ask, rogō, I.
assassin, percussor, -ōris, *m.*
assemble, conveniō, -īre, -vēnī, -ventūrus.
at, (*place where*), in, *w. abl.;* apud, *w. acc.;* (*place whither*), ad *or* in, *w. acc.*
Athens, Athēnae, -ārum, *f.*
at once, statim.
attack, impetus, -ūs, *m.*
attack, oppugnō, I; aggredior, -ī, -gressus; faciō impetum in, *w. acc.*
attendant, satelles, -itis, *c.*
at that time, then, tum *or* tunc.
augur, augur, -is, *m.*
auspices, auspicia, -ōrum, *n.*
auxiliary forces, auxiliaries, auxilia, -ōrum, *n.*
avenge, ulcīscor, -ī, ultus.
await, exspectō, I.
away, see be.

B

baggage (heavy), impedīmenta, -ōrum, *n.*

band, manus, -ūs, *f.*
banish, expellō, -ere, -pulī, -pulsus.
bank, rīpa, -ae, *f.*
barbarians, barbarī, -ōrum, *m.*
basely, turpiter.
battle, proelium, -ī, *n.*
be, sum, esse, fuī, futūrus. be away *or* distant, absum, -esse, āfuī, āfutūrus.
bear, ferō, ferre, tulī, lātus.
beautiful, pulcher, -chra, -chrum.
because, quod.
because of, ob *or* propter, *preps. w. acc.*
become, fīō, fierī, factus.
befall, obtingō, -ere, -tigī, —; accidō, -ere, -cidī, —.
before, ante, *w. acc.; conj.,* antequam.
beg (for), ōrō, I; petō, -ere, -īvī *or* -iī, -ītus.
begin, incipiō, -ere, -cēpī, -ceptus; coepī, -isse, coeptus; begin battle, proelium committō, -ere, -mīsī, -missus.
behind, post, *w. acc.*
Belgae, Belgae, -ārum, *m.*
believe, crēdō, -ere, -didī, -itūrus; arbitror, I.
besiege, obsideō, -ēre, -sēdī, -sessus.
best, optimus, -a, -um.
better, melior, melius.
between, inter., *w. acc.*
beware, (of), caveō, -ēre, cāvī, cautūrus.
Bibracte, Bibracte, -is, *n.*
Bibulus, Bibulus, -ī, *m.*
bind, vinciō, -īre, vinxī, vinctus.
bitter, most bitter enemy, inimīcissimus, -ī, *m.*
boat, linter, -tris, *f.*
book, liber, librī, *m.*
booty, praeda, -ae, *f.*
both ... and, et ... et.
both sides, utrīque, -ōrumque, *m.*
boundary, fīnis, -is, *m.*
boy, puer, -ī, *m.*
brave, fortis, -e.
bravely, fortiter.
bravery, virtūs, -ūtis, *f.*

break camp, castra moveō, -ēre, mōvī, mōtus.
break through, perrumpō, -ere, -rūpī, -ruptus.
bribe, corrumpō, -ere, -rūpī, -ruptus.
bridegroom, spōnsus, -ī, *m.*
bridge, pōns, pontis, *m.*
bring, ferō, ferre, tulī, lātus; **bring to,** addūcō, -ere, -dūxī, -ductus; afferō, -ferre, attulī, allātus; **bring forth,** prōferō, -ferre, -tulī, -lātus; **bring upon,** īnferō, -ferre, -tulī, illātus.
Britain, Britannia, -ae, *f.*
broad, lātus, -a, -um.
brother, frāter, -tris, *m.*
Brundisium, Brundisium, -ī, *n.*
Brutus, Brūtus, -ī, *m.*
build, aedificō, ɪ.
building, aedificium, -ī, *n.*; tēctum, -ī, *n.*
burn up, combūrō, -ere, -ussī, -ūstus.
business, negōtium, -ī, *n.*
but, sed.
by, *abl. case; w. abl. of agent,* ab.

C

Caesar, Caesar, -is, *m.*
call, appellō, ɪ; vocō, ɪ.
Camillus, Camillus, -ī, *m.*
camp, castra, -ōrum, *n.*
Campania, Campānia, -ae, *f.*
can, possum, posse, potuī.
candidacy, petītiō, -ōnis, *f.*
Capitoline, Capitōlīnus, -a, -um.
captive, captīvus, -ī, *m.*
capture, capiō, -ere, cēpī, captus.
carry, portō, ɪ; **carry off,** rapiō, -ere, -uī, raptus; **carry away,** tollō, -ere, sustulī, sublātus.
Carthage, Carthāgō, -inis, *f.*
Carthaginians, Carthāginiēnsēs, -ium, *m.*; Poenī, -ōrum, *m.*
Casca, Casca, -ae, *m.*
cast away, abiciō, -ere, -iēcī, -iectus.
Casticus, Casticus, -ī, *m.*
catch, capiō, -ere, cēpī, captus.
Catullus, Catullus, -ī, *m.*

cavalry, equitēs, -um, *m.*; equitātus, -ūs, *m.*
cease, dēsinō, -ere, -siī, -sitūrus.
celebrate a triumph, triumphō, ɪ.
centurion, centuriō, -ōnis, *m.*
certain, quīdam, quaedam, quoddam; certus, -a, -um.
change, commūtō, ɪ.
charge, (attack), concurrō, -ere, -cucurrī *or* -currī, -cursūrus.
chariot, currus, -ūs, *m.*
chief, prīnceps, prīncipis, *m.*
children, līberī, -ōrum, *m.*
Cicero, Cicerō, -ōnis, *m.*
Cincinnatus, Cincinnātus, -ī, *m.*
Cineas, Cīneās, -ae, *m.*
citadel, arx, arcis, *f.*
citizen, cīvis, -is, *c.*
citizenship, cīvitās, -ātis, *f.*
city, urbs, urbis, *f.*
civic, cīvicus, -a, -um.
civil, cīvīlis, -e.
climb, ascendō, -ere, ascendī, ascēnsus
close, claudō, -ere, clausī, clausus.
Cocles, Cocles, -itis, *m.*
colleague, collēga, -ae, *m.*
collect, colligō, -ere, -lēgī, -lēctus; contrahō, -ere, -trāxī, -trāctus.
colonnade, porticus, -ūs, *m.*
come, veniō, -īre, vēnī, ventūrus; **come together,** conveniō.
command, imperātum, -ī, *n.*
command, imperō, ɪ, *w. dat., and* ut *or* nē *and subj.;* iubeō, -ēre, iussī, iussus, *w. acc. and infin.*
commander, imperātor, -ōris, *m.*
compel, cōgō, -ere, coēgī, coāctus.
comrade, socius, -ī, *m.*
conceal, cēlō, ɪ.
condition, condiciō, -ōnis, *f.*
confer, colloquor, -ī, -locūtus.
confusion, perturbātiō, -ōnis, *f.*
conquer, superō, ɪ; vincō, -ere, vīcī, victus.
consecrate, dēdicō, ɪ.
conspiracy, coniūrātiō, -ōnis, *f.*
conspirators, coniūrātī, -ōrum, *m.*
conspire, coniūrō, ɪ.
consul, cōnsul, -is, *m.*

495

consulship, cōnsulātus, -ūs, *m.*
Coriolanus, Coriolānus, -ī, *m.*
Cornelia, Cornēlia, -ae, *f.*
could, see can.
country, fīnēs, -ium, *m.*
courage, virtūs, -ūtis, *f.*
course, cursus, -ūs, *m.*
cousin, patruēlis, -is, *m.*
cross, trānseō, -īre, -iī *or* -īvī, -itus.
crown, corōna, -ae, *f.*
cruel, crūdēlis, -e.
cry, exclāmō, I.
curia, cūria, -ae, *f.*
Curiatius, Cūriātius, -ī, *m.*
cut down, rescindō, -ere, -scidī, -scissus.
cut to pieces, caedō, -ere, cecīdī, caesus.
Cyrus, Cȳrus, -ī, *m.*

D

dagger, pūgiō, -ōnis, *m.*
daily, (*adj.*), cotīdiānus, -a, -um; (*adv.*), cotīdiē.
danger, perīculum, -ī, *n.*
dangerous, perīculōsus, -a, -um.
dare, audeō, -ēre, ausus.
daughter, fīlia, -ae, *f.*
dawn, lūx, lūcis, *f.*
day, diēs, diēī, *m.* and *f.*
death, mors, mortis, *f.*
debt, aes aliēnum, aeris aliēnī, *n.*
decemvir, decemvir, -ī, *m.*
decide, cōnstituō, -ere, -uī, -ūtus.
declare, cōnfīrmō, I.
deed, factum, -ī, *n.*
deep, altus, -a, -um.
defeat, superō, I; vincō, -ere, vīcī, victus.
defend, dēfendō, -ere, -fendī, -fēnsus.
delay, moror, I.
deliver, (*a speech*), habeō, -ēre, -uī, -itus.
depart, discēdō, -ere, -cessī, -cessūrus.
depth, altitūdō, -inis, *f.*
desert, dēserō, -ere, -uī, -sertus.
desire, cupiō, -ere, -īvī *or* -iī, -ītus.

destroy, dēleō, -ēre, -ēvī, -ētus.
detain, dētineō, -ēre, -uī, -tentus.
determine, cōnstituō, -ere, -uī, -ūtus; dēcernō, -ere, -crēvī, -crētus.
devastate, vāstō, I.
die, morior, morī, mortuus.
difficult, difficilis, -e.
dignity, dignitās, -ātis, *f.*
direction, in (to) all directions, in omnēs partēs.
disaster, cāsus, -ūs, *m.; * calamitās -ātis, *f.*
disavow, improbō, I.
disgraceful, flāgitiōsus, -a, -um.
dishearten, frangō, -ere, frēgī, frāctus.
dishonorable, īnfāmis, -e.
dismiss, dīmittō, -ere, -mīsī, -missus.
dismount, equō dēscendō, -ere, -scendī, -scēnsus.
distinguished, praestāns, -antis.
district, regiō, -ōnis, *f.*
divide, dīvidō, -ere, -vīsī, -vīsus.
divorce, repudiō, I.
do, faciō, -ere, fēcī, factus.
doctor, medicus, -ī, *m.*
down from, dē, *w. abl.*
draw, (*a sword*), stringō, -ere, strīnxī, strictus.
draw up, īnstruō, -ere, -strūxī -strūctus.
drive, agō, -ere, ēgī, āctus; pellō, -ere, pepulī, pulsus.
drive out, expellō, -ere, -pulī, -pulsus; exigō, -ere, -ēgī, -āctus.
dry ground, siccum, -ī, *n.*
due, be due, dēbeō, -ēre, -uī, -itus.
Dumnorix, Dumnorīx, -īgis, *m.*

E

each one, quisque, quidque.
easily, facile.
easy, facilis, -e.
Egeria, Ēgeria, -ae, *f.*
eighty, octōgintā.
elect, creō, I.
embassy, lēgātiō, -ōnis, *f.*
encamp, cōnsīdō, -ere, -sēdī, —.
encourage, cohortor, I.

end, fīnis, -is, *m.*
end, fīniō, -īre, -īvī, -ītus.
enemy, hostis, -is, *m.*; hostēs, -ium, *m.*
energetic, strēnuus, -a, -um.
engage in battle, proelium *or* pugnam committō, -ere, -mīsī, -missus.
enough, satis.
enroll, cōnscrībō, -ere, -scrīpsī, -scrīptus.
entreaty, prex, precis, *f.*
envoy, lēgātus, -ī, *m.*
equal, aequus, -a, -um.
escape, effugiō, -ere, -fūgī, —.
especially, praecipuē; maximē.
establish, cōnfirmō, I.
Etruscans, Etrūscī, -ōrum, *m.*
even if, etiam sī.
every, omnis, -e; (one by one), singulī, -ae, -a.
evil, (*noun*), malum, -ī, *n.*
excel, antecēdō, -ere, -cessī, —.
except, (*conj.*), nisi.
exercise, exerceō, -ēre, -uī, -itus.
exhausted, dēfessus, -a, um.
expel, expellō, -ere, -pulī, -pulsus.
experienced, perītus, -a, -um.
extricate, expediō, -īre, -īvī, -ītus.

F

Fabius, Fabius, -ī, *m.*
Fabricius, Fabricius, -ī, *m.*
fact, rēs, reī, *f.*
fair, aequus, -a, -um.
fairness, aequitās, -ātis, *f.*
faithful, fīdus, -a, -um.
fall, cadō, -ere, -cecidī, cāsūrus; fall into, incidō, -ere, -cidī, —; fall back, recēdō, -ere, -cessī, -cessūrus.
family, gēns, gentis, *f.*
famous, clārus, -a, -um.
far, (*adv.*), longē; farther, longius.
farmer, agricola, -ae, *m.*
farmhouse, vīlla, -ae, *f.*
fast, celer, celeris, celere.
fate, fātum, -ī, *n.*
father, pater, -tris, *m.*
fatherland, patria, -ae, *f.*
fear, (*noun*), timor, -ōris, *m.*

fear, (*verb*), timeō, -ēre, -uī, —.
feast, epulae, -ārum, *f.*
few, only a few, paucī, -ae, -a.
field, ager, agrī, *m.*
fierce, ācer, ācris, ācre; atrōx, -ōcis.
fiercely, ācriter.
fight, pugnō, I.
finally, postrēmō.
find, (*come upon*), inveniō, -īre, -vēnī, -ventus.
find out, comperiō, -īre, -perī, -pertus.
finish, fīniō, -īre, -īvī, -ītus.
fire, ignis, -is, *m.*
first, (*adj.*), prīmus, -a, -um.
first, (*adv.*), prīmum; at first, prīmō.
fitting, commodus, -a, -um.
five, quīnque.
flashing, micāns, -antis.
flee, fugiō, -ere, fūgī, —.
fleet, classis, -is, *f.*
flight, fuga, -ae, *f.*
flog, verberō, I.
follow, sequor, -ī, secūtus.
following, posterus, -a, -um.
foolish, stultus, -a, -um.
foot, pēs, pedis, *m.*
foot soldier, pedes, -itis, *m.*
force, cōgō, -ere, coēgī, coāctus.
forces, cōpiae, -ārum, *f.*
forced march, magnum iter, magnī itineris, *n.*
ford, vadum, -ī, *n.*
foremost, prīmus, -a, -um.
forest, silva, -ae, *f.*
forewarn, praemoneō, -ēre, -uī, -itus.
for fear that, nē, *with subj.*
forget, oblīvīscor, -ī, oblītus.
for the purpose, causā, *with preceding gen.;* ad, *with gerundive phrase.*
fortify, mūniō, -īre, -īvī, -ītus.
forum, forum, -ī, *n.*
found, condō, ere, -didī, -ditus.
four, quattuor.
fourth, quārtus, -a, -um.
free, līberō, I.
freedman, lībertus, -ī, *m.*
frequent, crēber, -bra, -brum.
frequently, saepe.
friend, amīcus, -ī, *m.*

friendly, amīcus, -a, -um.
friendship, amīcitia, -ae, *f.*
frighten, terreō, -ēre, -uī, -itus.
from, ab, dē, ex, *preps. w. abl.*
front, (*in front of*), prō, *w. abl.*
fugitive, fugiēns, -entis, *m.*
furnish, ēdō, -ere, ēdidī, ēditus.

G

game, lūdus, -ī, *m.*
garrison, praesidium, -ī, *n.*
gate, porta, -ae, *f.*
Gaul, Gallia, -ae, *f.*
Gauls, Gallī, -ōrum, *m.*
general, dux, ducis, *m.;* imperātor,
 -ōris, *m.*
Geneva, Genāva, -ae, *f.*
German, (*adj.*), Germānus, -a, -um.
Germans, Germānī, -ōrum, *m.*
Germany, Germānia, -ae, *f.*
get possession of, potior, -īrī, -ītus,
 w. abl.
gift, mūnus, -eris, *n.*
girl, puella, -ae, *f.*
give, dō, dare, dedī, datus.
give up, dēdō, -ere, -didī, -ditus.
glory, glōria, -ae, *f.*
go, eō, īre, īvī *or* iī, itūrus; go across,
 trānseō; go out, exeō.
god, deus, -ī, *m.*
government, rēs pūblica, reī pūblicae, *f.*
grain, frūmentum, -ī, *n.*
grateful, grātus, -a, -um.
great, magnus, -a, -um; greater,
 maior, maius; greatest, maximus,
 -a, -um; summus, -a, -um.
greatly, magnopere.
Greece, Graecia, -ae, *f.*
Greek, (*adj.*), Graecus, -a, -um.
Greeks, Graecī, -ōrum, *m.*
guard, praesidium, -ī, *n.*
guard, custōdiō, -īre, -īvī, -ītus.
guest, convīva, -ae, *c.*
guide, dux, ducis, *m.*

H

halfway, medius, -a, -um.
halt, cōnsistō, -ere, -stitī, —.
hampered, impedītus, -a, -um.
hand, manus, -ūs, *f.*
Hannibal, Hannibal, -is, *m.*
Hanno, Hannō, -ōnis, *m.*
happen, accidō, -ere, accidī; fīō.
harbour, portus, -ūs, *m.*
hard, difficilis, -e.
harm, noceō, -ēre, -uī, -itūrus.
harsh, asper, -era, -erum.
Hasdrubal, Hasdrubal, -is, *m.*
hasten, properō, 1; contendō, -ere,
 -tendī, -tentus.
hateful, invīsus, -a, -um.
have, habeō, -ēre, -uī, -itus, *or dative
 of possessor.*
he, is; hic; ille.
hear, audiō, -īre, -īvī, -ītus.
help, iuvō, -āre, iūvī, iūtus.
Helvetians, Helvētiī, -ōrum, *m.*
here, hīc.
hesitate, dubitō, 1.
hide, abdō, -ere, -didī, -ditus.
hiding place, latebra, -ae, *f.*
high, altus, -a, -um; highest, summus, -a, -um.
hill, collis, -is, *m.*; mōns, montis, *m.*
himself, (*intensive*), ipse, -a, -um;
 (*reflexive*), suī.
hinder, impediō, -īre, -īvī, -ītus.
hindrance, impedīmentum, -ī, *n.*
his, eius; his (*own*), suus, -a, -um;
 his men, suī, -ōrum, *m.*
hold, teneō, -ēre, -uī, tentus.
hold off, sustineō, -ēre, -uī, -tentus.
home, domus, -ūs, *f.*
honor, honor, -ōris, *m.*
hope, spēs, speī, *f.*
hope, spērō, 1.
Horace, Horātius, -ī, *m.*
Horatius, Horātius, -ī, *m.*
horse, equus, -ī, *m.*
horseman, eques, -itis, *m.*
hostage, obses, -idis, *c.*
hour, hōra, -ae, *f.*
house, domus, -ūs, *f.*

how, quō modo.
how many, quot (*indeclin.*).
huge, ingēns, -entis.
hundred, centum.
hurl, praecipitō, 1.
hurry, properō, 1.
hurt, noceō, -ēre, -uī, -itūrus, *w. dat.*

I

I, ego; *pl.*, nōs.
Ides, Īdūs, -uum, *f.*
if, sī.
ill, aeger, -gra, -grum.
immense, ingēns, -entis.
import, importō, 1.
in, (*place where*), in, *w. abl.*
incredible, incrēdibilis, -e.
indication, indicium, -ī, *n.*
inexperienced, imperītus, -a, -um.
infantry, peditēs, -um, *m.*; peditātus, -ūs, *m.*
influence, auctōritās, -ātis, *f.*
inform, certior faciō, -ere, fēcī, factus.
injustice, iniūria, -ae, *f.*
in order that, ut (*negative* nē), *w. subj.*
inquire, quaerō, -ere, -sīvī, -sītus.
instead of, prō, *w. abl.*
interrupt, intermittō, -ere, -mīsī, -missus.
into *or* **in,** (*place whither*), in, *w. acc.*
invade, prōgredior, -ī, -gressus, *with* in *and acc.*
island, īnsula, -ae, *f.*
Italy, Italia, -ae, *f.*

J

join battle, proelium committō, -ere, -mīsī, -missus.
journey, iter, itineris, *n.*
journey, iter faciō, -ere, fēcī, factus.
judge, iūdex, -icis, *m.*
judge, iūdicō, 1.
judgment, arbitrium, -ī, *n.*
Jugurtha, Iugurtha, -ae, *m.*
just, aequus, -a, -um.
justice, iūstitia, -ae, *f.*

K

keep away, abstineō, -ēre, -uī, -tentus.
keep out, prohibeō, -ēre, -uī, -itus.
kill, occīdō, -ere, -cīdī, -cīsus; interficiō, -ere, -fēcī, -fectus.
kindly, benignē.
king, rēx, rēgis, *m.*
kingdom, rēgnum, -ī, *n.*
know, sciō, -īre, -īvī, -īturus.

L

Labienus, Labiēnus, -ī, *m.*
labor, labōrō, 1.
lack, inopia, -ae, *f.*
Laevinus, Laevīnus, -ī, *m.*
lake, lacus, -ūs, *m.*
large, magnus; **larger,** maior, maius.
late, (*adj.*), tardus, -a, -um; (*adv.*), tardē; **too late,** (*comp.*), tardius; **late in the day,** multō diē.
Latinus, Latīnus, -ī, *m.*
Lavinia, Lāvīnia, -ae, *f.*
Lavinium, Lāvīnium, -ī, *n.*
law, lēx, lēgis, *f.*
lead, dūcō, -ere, dūxī, ductus; addūcō; **lead across,** trādūcō; **lead back,** redūcō; **lead out,** ēdūcō.
leader, dux, ducis, *m.*
leading citizen, prīnceps, -ipis, *m.*
leap down, dēsiliō, -īre, -uī, -sultus.
learn, cognōscō, -ere, -nōvī, -nitus.
leave, (*behind*), relinquō, -ere, -līquī, -lictus.
leave, (*depart*), excēdō, -ere, -cessī, -cessūrus.
legion, legiō, -ōnis, *f.*
less, (*adj.*), minor, minus; (*adv.*), minus.
letter, epistula, -ae, *f.*
lieutenant (general), lēgātus, -ī, *m.*
life, vīta, -ae, *f.*
limb, membrum, -ī, *n.*
line, (of battle), aciēs, -ēī, *f.*
listen to, audiō, -īre, -īvī, -ītus
little, (*adj.*), parvus, -a, -um; (*adv.*), (*by*) **a little,** paulō; **little by little,** paulātim.

499

live, incolō, -ere, -uī, -cultus; vīvō, -ere, vīxī, vīctus.
long, longus, -a, -um.
long (time), diū; longer, diūtius.
look at, spectō, I.
loud, magnus, -a, -um.
love, amō, I.
Lucius, Lūcius, -ī, m.
Lucretia, Lucrētia, -ae, f.

M

Macedonia, Macedonia, -ae, f.
magnificent, magnificus, -a, -um.
maiden, virgō, -inis, f.
make, faciō, -ere, fēcī, factus; make war upon, bellum īnferō, -ferre, intulī, illātus, w. dat.
man, homō, -inis, m.; vir, virī, m.
many, multī, -ae, -a.
Marcellus, Mārcellus, -ī, m.
march, (noun), iter, itineris, n.
march, (verb), iter faciō, -ere, fēcī, factus.
March, Mārtius, -a, -um.
marching column, agmen, -inis, n.
Marius, Marius, -ī, m.
marry, in mātrimōnium dūcō, -ere, dūxī, ductus.
matter, rēs, reī, f.
meanwhile, interim; intereā.
Memmius, Memmius, -ī, m.
mention, mentiō, -ōnis, f.
merchant, mercātor, -ōris, m.
messenger, nūntius, -ī, m.
Metellus, Metellus, -ī, m.
middle or midst of, medius, -a, -um.
miles, mīlia passuum; one mile, mīlle passūs.
Mithridates, Mithridātēs, -is, m.
money, pecūnia, -ae, f.
month, mēnsis, -is, m.
more, (adj.), plūs, w. gen.; pl., plūrēs, plūra.
more, (adv.), magis.
most, plūrimus, -a, -um.
mother, māter, -tris, f.
mountain, mōns, montis, m.
move, moveō, -ēre, mōvī, mōtus.

much, multus, -a, -um.
Mucius, Mūcius, -ī, m.
multitude, multitūdō, -inis, f.
murder, interimō, -ere, -ēmī, -ēmptus.

N

name, nōmen, -inis, n.
nation, nātiō, -ōnis, f.
near, ad, w. acc.
nearest, proximus, -a, -um.
neighboring, fīnitimus, -a, -um; vīcīnus, -a, -um.
neighbors, fīnitimī, -ōrum, m.
neither, neuter, -tra, -trum.
never, numquam.
new, novus, -a, -um.
night, nox, noctis, f.
no, nūllus, -a, -um.
no one, nēmō, -inis; nūllus.
nobility, nōbilitās, -ātis, f.
noble, nōbilis, -e.
not, nōn.
nothing, nihil, indecl.
now, nunc; iam.
Numa, Numa, -ae, m.
Numantia, Numantia, -ae, f.
number, numerus, -ī, m.
Numidia, Numidia, -ae, f.
Numitor, Numitor, -ōris, m.
nymph, nympha, -ae, f.

O

observe, animadvertō, -ere, -vertī, -versus.
obtain, obtineō, -ēre, -uī, -tentus; obtain money, pecūniam expediō, -īre, -īvī, -ītus.
obtain one's request, impetrō, I.
occupy, occupō, I.
often, saepe.
old (with expressions of time), nātus, -a, -um.
on, (place where), in, w. abl.
on account of, ob or propter, w. acc.
once, at once, statim.
one, ūnus, -a, -um; the one (of two)

... **the other,** alter ... alter; **one
... another,** alius ... alius.
only, sōlus, -a, -um.
only a few, paucī, -ae, -a.
open, apertus, -a, -um.
open, aperiō, -īre, -uī, -pertus.
oppose, obsistō, -ere, -stitī, —, *w. dat.*
Orbilius, Orbilius, -ī, *m.*
order, imperātum, -ī, *m.*
order, iubeō, -ēre, iussī, iussus.
order, in order that, ut (*negative* nē),
w. subj.
Orgetorix, Orgetorīx, -īgis, *m.*
other, *see* **one; the other,** cēterī,
-ae, -a.
ought, dēbeō, -ēre, -uī, -itus; oportet,
impers., foll. by acc. and infin.
our, noster, -tra, -trum; **our men,**
nostrī, -ōrum, *m.*
out of, ex *or* ē.
outside (of), extrā, *w. acc.*
overcome, superō, I.
overtake, cōnsequor, -ī, -secūtus.
overthrow, ēvertō, -ere, -vertī, -ver-
sus.

P

palaestra, palaestra, -ae, *f.*
Palatine, Palātīnus, -a, -um.
panic-stricken, perterritus, -a, -um.
Papirius, Papīrius, -ī, *m.*
part, pars, partis, *f.*
pass (*a law*), ferō, ferre, tulī, lātus.
pass by, praetereō, -īre, -īvī *or* -iī,
-itūrus.
Paulus, Paulus, -ī, *m.*
peace, pāx, pācis, *f.*
people, populus, -ī, *m.*; **common people,** plēbs, plēbis, *f.*
perish, pereō, -īre, -iī, -itūrus.
Persia, Persia, -ae, *f.*
persuade, persuādeō, -ēre, -suāsī,
-suāsūrus, *w. dat., foll. by* ut *or* nē
w. subj.
Philip, Philippus, -ī, *m.*
pike, pīlum, -ī, *n.*
pile, sublicius, -a, -um.
pile up, cōnflō, I.

pirate, pīrāta, -ae, *m.*
pitch camp, castra pōnō, -ere, posuī,
positus.
place, locus, -ī, *m. and n.*
place, pōnō, -ere, posuī, positus.
place in command, praeficiō, -ere,
-fēcī, -fectus.
plan, cōnsilium, -ī, *n.*
pleasing, grātus, -a, -um.
plebeians, plēbs, plēbis, *f.*
pluck, virtūs, -ūtis, *f.*
plunder, praeda, -ae, *f.*
plow, arō, I.
poet, poēta, -ae, *m.*
point out, dēmōnstrō, I.
poison, venēnum, -ī, *n.*
Pompey, Pompeius, -ī, *m.*
Pontius, Pontius, -ī, *m.*
Pontus, Pontus, -ī, *m.*
poor, pauper, *gen.,* -is.
Porsena, Porsena, -ae, *m.*
power, potestās, -ātis, *f.*
praise, laudō, I.
prefer, mālō, mālle, māluī.
prepare, parō, I.
present, mūnus, -eris, *n.*
present, dōnō, I.
preserve, cōnservō, I.
press, premō, -ere, pressī, pressus; **press hard,** vehementer premō.
prevent, prohibeō, -ēre, -uī, -itus.
price, pretium, -ī, *n.*
prince, prīnceps, -ipis, *m.*
prisoner, captīvus, -ī, *m.*
Proca, Proca, -ae, *m.*
proceed, prōgredior, -ī, -gressus;
prōcēdō, -ere, -cessī, -cessūrus.
prohibit, prohibeō, -ēre, -uī, -itus.
promise, polliceor, -ērī, -itus.
province, prōvincia, -ae, *f.*
Punic, Pūnicus, -a, -um.
punishment, poena, -ae, *f.*
pupil, discipulus, -ī, *m.*
purpose, for the purpose, causā *or*
grātiā, *w. preceding gen.;* ad, *w.
gerundive phrase.*
put in command, praeficiō, -ere,
-fēcī, -fectus, *w. acc. and dat.*

put to death, occīdō, -ere, -cīdī, -cīsus.
Pyrrhus, Pyrrhus, -ī, *m.*

Q

queen, rēgīna, -ae, *f.*
Questions: (1) *for information,* -ne; (2) *expecting* "*Yes,*" Nōnne; (3) *expecting* "*No,*" Num.
quick, celer, -eris, -ere; vēlōx.
quickly, as quickly as possible, quam celerrimē.
quickness, celeritās, -ātis, *f.*

R

rather, potius.
ravage, vāstō, I; dēpopulor, I.
reach, perveniō, -īre, -vēnī, -ventūrus, *w.* ad *or* in, *w. acc.*
read, legō, -ere, lēgī, lēctus.
ready, parātus, -a, -um.
realize, sentiō, -īre, sēnsī, sēnsus.
rear guard, novissimum agmen, novissimī agminis, *n.*
rebellion, sēditio, -ōnis, *f.*
recall, revocō, I.
receive, accipiō, *or* recipiō, -ere, -cēpī, -ceptūrus.
redeem, redimō, -ere, -ēmī, -ēmptus.
reduce, redigō, -ere, -ēgī, -āctus.
refrain, abstineō, -ēre, -uī, -tentus.
Regulus, Rēgulus, -ī, *m.*
release, līberō, I; dīmittō, -ere, -mīsī, -missus.
remain, maneō, -ēre, mānsī, mānsūrus.
remaining, reliquus, -a, -um.
remarkable, ēgregius, -a, -um.
remember, memoriā teneō, -ēre, -uī, tentus.
remove, moveō, -ēre, mōvī, mōtus, *or* removeō.
Remus, Remus, -ī, *m.*
renew, renovō, I.
reply, respondeō, -ēre, -spondī, -spōnsus.
report, nūntiō, I; ēnūntiō, I.

republic, rēs pūblica, reī pūblicae, *f.*
reputation, fāma, -ae, *f.*
rescue, ēripiō, -ere, -uī, ēreptus.
resist, resistō, -ere, -stitī, —, *w. dat.*
respect, (*matter*), rēs, reī, *f.*; (*regard*), reverentia, -ae, *f.*; honor, -ōris, *m.*
rest, requiēscō, -ere, -ēvī, —.
rest (the), reliquī, -ae, -a.
restore, restituō, -ere, -uī, -ūtus.
restrain, coerceō, -ēre, -uī, -itus.
retainer, cliēns, -entis, *m.*
retreat, recēdō, -ere, -cessī, -cessūrus; sē recipiō, -ere, -cēpī, -ceptus.
return, (*go back*), redeō, -īre, -iī, -itūrus; (*give back*), reddō, -ere, -didī, -ditus.
reverse, convertō, -ere, -vertī, -versus.
reward, praemium, -ī, *n.*
Rhine, Rhēnus, -ī, *m.*
Rhone, Rhodanus, -ī, *m.*
ridge, iugum, -ī, *n.*
right, iūs, iūris, *n.*
right (*hand*), dexter, -tra, -trum.
riot, sēditio, -ōnis, *f.*
river, flūmen, -inis, *n.*
road, via, -ae, *f.*; iter, itineris, *n.*
robber, latrō, -ōnis, *m.*
rod, ferula, -ae, *f.*
Roman, (*noun*), Rōmānus, -ī, *m.*; (*adj.*), Rōmānus, -a, -um.
Rome, Rōma, -ae, *f.*; **at Rome** (*locative*), Rōmae.
Romulus, Rōmulus, -ī, *m.*
room, locus, -ī, *m.*
rouse, incitō, I; commoveō, -ēre, -mōvī, -mōtus.
rout, fugō, I; fundō, -ere, fūdī, fūsus.
route, iter, itineris, *n.*
Rubicon, Rubicō, -ōnis, *m.*
rumor, rūmor, -ōris, *m.*
run, currō, -ere, cucurrī, cursūrus.

S

Sabines, Sabīnī, -ōrum, *m.*
sacred, sacer, -cra, -crum.
safety, salūs, -ūtis, *f.*
Saguntum, Saguntum, -ī, *n.*

sail, nāvigō, 1; nāvem solvō, -ere, solvī, solūtus.
same, īdem, eadem, idem.
Samnites, Samnītēs, -ium, *m.*
Sardinia, Sardinia, -ae, *f.*
save, servō, 1; cōnservō, 1.
say, dīcō, -ere, dīxī, dictus.
Scipio, Scīpiō, -ōnis, *m.*
scout, explōrātor, -ōris, *m.*
sea, mare, maris, *n.*
second, secundus, -a, -um.
second time, iterum.
secretary, scrība, -ae, *m.*
see, videō, -ēre, vīdī, vīsus.
seek, petō, -ere, -īvī or -iī, -ītus.
seem, videor, -ērī, vīsus.
seize (*hold*), occupō, 1; (*carry off*), rapiō, -ere, -uī, raptus; (*arrest*), comprehendō, -ere, -hendī, -hēnsus.
select, dēligō, -ere, -lēgī, -lēctus.
self-controlled, moderātus, -a, -um.
senate, senātus, -ūs, *m.*
senate house, cūria, -ae, *f.*
senator, senātor, -ōris, *m.*
send, mittō, -ere, mīsī, missus; send ahead, praemittō.
separate, dīvidō, -ere, -vīsī, -vīsus.
Sequani, Sēquanī, -ōrum, *m.*
serious, gravis, -e.
serve as = be for.
sesterce, sēstertius, -ī, (*gen. pl.*, sēstertium), *m.*
set in order, ōrdinō, 1.
set out, proficīscor, -ī, profectus.
seven, septem.
seventeen, septendecim.
seventh, septimus, -a, -um.
several, complūrēs, complūra, *gen.*, -ium.
severe, sevērus, -a, -um.
shepherd, pāstor, -ōris, *m.*
shield, scūtum, -ī, *n.*
ship, nāvis, -is, *f.*
short, brevis, -e.
shout, clāmor, -ōris, *m.*
show (*teach*), doceō, -ēre, -uī, doctus; (*point out*), ostendō, -ere, -tendī, -tentus.

Sicily, Sicilia, -ae, *f.*
signal, signum, -ī, *n.*
Silvius, Silvius, -ī, *m.*
since, cum, *w. subj.*
sink, mergō, -ere, mersī, mersus.
sister, soror, -ōris, *f.*
sit, sedeō, -ēre, sēdī, sessūrus.
six, sex.
sixty, sexāgintā.
size, magnitūdō, -inis, *f.*
slaughter, caedēs, -is, *f.*
slaughter, caedō, -ere, cecīdī, caesus.
slave, servus, -ī, *m.*
slavery, servitūs, -ūtis, *f.*
slay, caedō, -ere, cecīdī, caesus; occīdō, -ere, -cīdī, -cīsus.
slow, tardus, -a, -um.
small, parvus, -a, -um.
smaller, minor, minus.
so, (*with adjs. and advs.*), tam; (*with verbs*), sīc, ita.
so great, tantus, -a, -um.
soldier, mīles, -itis, *m.*
so many, tot, *indecl.*
some (one), aliquis, aliquid; some ... others, aliī ... aliī.
sometimes, aliquandō.
son, fīlius, -ī, *m.*
soothsayer, haruspex, -icis, *m.*
Spain, Hispānia, -ae, *f.*
spear, hasta, -ae, *f.*
speed, celeritās, -ātis, *f.*
speech, ōratiō, -ōnis, *f.*
Spurinna, Spūrinna, -ae, *m.*
stand, stō, -āre, stetī, statūrus.
standard-bearer, aquilifer, -ī, *m.*
state, cīvitās, -ātis, *f.*
station at intervals, dispōnō, -ere, -posuī, -positus.
still, etiam; adhūc.
stop, prohibeō, -ēre, -uī, -itus.
story, fābula, -ae, *f.*
stranger, aliēnus, -ī, *m.*
strength, vīrēs, -ium, *f.*
strike, percutiō, -ere, -cussī, -cussus.
strong, fortis, -e; potēns, -entis.
struggle, certāmen, -inis, *n.*; dīmicātiō, -ōnis, *f.*
successfully, fēlīciter; bene.

such, tālis, -e; (so great), tantus, -a, -um.

such, (in such a way), sīc, ita.

sudden, subitus, -a, -um; repentīnus, -a, -um.

Suebi, Suēbī, -ōrum, m.

sue for, petō, -ere, -īvī or iī, -ītus.

suffer punishment, poenam persolvō, -ere, -solvī, -solūtus.

suicide, commit suicide, interimō, -ere, -ēmī, -ēmptus, w. reflexive.

suitable, idōneus, -a, -um.

Sulla, Sulla, -ae, m.

sum of money, pecūnia, -ae, f.

sun, sōl, sōlis, m.

sunset, sōlis occāsus, -ūs, m.; at sunset, sōlis occāsū.

supply, cōpia, -ae, f.

surpass, superō, I.

surrender, dēditiō, -ōnis, f.

surrender, dēdō, -ere, -didī, -ditus, w. reflexive.

surround, circumveniō, -īre, -vēnī, -ventus.

survive, supersum, -esse, -fuī, —.

sustain, sustineō, -ēre, -uī, -tentus.

swamp, palūs, -ūdis, f.

swift, celer, celeris, celere.

swim across, trānō, I.

sword, gladius, -ī, m.

Syracuse, Syrācusae, -ārum, f.

T

table, mēnsa, -ae, f.

take, capiō, -ere, cēpī, captus; take away, tollō, -ere, sustulī, sublātus; take up, suscipiō, -ere, -cēpī, -ceptus.

Tanaquil, Tanaquil, -is, f.

Tarpeia, Tarpeia, -ae, f.

Tarquin, Tarquinius, -ī, m.

teacher, magister, -trī, m.

tell, nārro, I; dīcō, -ere, dīxī, dictus.

temple, templum, -ī, n.

ten, decem.

tenth, decimus, -a, -um.

terrify, perterreō, -ēre, -uī, -itus.

territory, fīnēs, -ium, m.

than, quam.

that, ille; is.

that, (conj.), ut; that . . . not, nē, w. subj.

their, eōrum; their (own), suus, -a, -um.

them, see he.

then, (at that time), tum or tunc; (thereupon), deinde.

thing, rēs, reī, f.

think, putō, I; exīstimō, I.

third, tertius, -a, -um.

thirty, trīgintā.

this, hic; is.

though, quamquam.

thousand, (indecl. adj.), mīlle; thousands (noun w. gen.), mīlia, -ium, n.

three, trēs, tria.

throne, rēgnum, -ī, n.

through, per, w. acc.

throw, iaciō, -ere, iēcī, iactus; throw aside, reiciō, -ere, -iēcī, -iectus.

thus, sīc, ita.

Tiber, Tiber, -is, m.

time, tempus, -oris, n.; at this time, tum or tunc; at one time, ōlim.

timid, timidus, -a, -um.

to, ad or in, w. acc.

today, hodiē.

togaed, togātus, -a, -um.

tomorrow, crās.

top of, summus, -a, -um.

torture, supplicium, -ī, n.

toward, ad, w. acc.

tower, turris, -is, f.

town, oppidum, -ī, n.

track, vēstīgium, -ī, n.

trader, mercātor, -ōris, m.

traitor, prōditor, -ōris, m.

treat, trāctō, I.

trial, iūdicium, -ī, n.

tribe, gēns, gentis, f.; populus, -ī, m.

tribune, tribūnus, -ī, m.

triumph, triumphus, -ī, m.

Trojans, Trōiānī, -ōrum, m.

troops, cōpiae, -ārum, f.

trouble, negōtium, -ī, n.

Troy, Trōia, -ae, f.

trumpet, tuba, -ae, f.

try, cōnor, I.

Tullus, Tullus, -ī, *m.*
turn, vertō, -ere, vertī, versus; con-
vertō; **turn from,** āvertō.
twelve, duodecim.
twenty, vīgintī.
two, duo, duae, duo.
tyrant, tyrannus, -ī, *m.*

U

unable, be unable, nōn possum, posse,
potuī.
under, (*w.* motion), sub, *w. acc.;*
(*place where*), sub, *w. abl.*
understand, intellegō, -ere, -lēxī,
-lēctus.
undertake, suscipiō, -ere, -cēpī, -cep-
tus.
undertaking, negōtium, -ī, *n.*
unfairly, inīquē.
unfinished, imperfectus, -a, -um.
unfriendly, inimīcus, -a, -um.
unite, coniungō, -ere, -iūnxī, -iūnctus,
(*often w. reflexive*).
unless, nisi.
until, dum.
unwilling, be unwilling, nōlō, nōlle,
nōluī.
upon, (*place where*), in, *w. abl.;* (*place
whither*), in, *w. acc.*
urge, hortor, -ārī, -ātus.
urge (on), concitō, ī; hortor.
use, ūtor, -ī, ūsus, *w. abl.*
utmost, summus, -a, -um.

V

vain, in vain, frūstrā.
Valerius, Valerius, -ī, *m.*
valor, virtūs, -ūtis, *f.*
Varro, Varrō, -ōnis, *m.*
Verginius, Verginius, -ī, *m.*
verse, versus, -ūs, *m.*
very, (*intensive*), ipse, ipsa, ipsum.
very large, maximus, -a, -um.
very many, plūrimī, -ae, -a.
Vesontio, Vesontiō, -ōnis, *m.*
victorious, victor, -ōris.
victory, victōria, -ae, *f.*

village, vīcus, -ī, *m.*
Viriathus, Viriāthus, -ī, *m.*

W

wage, gerō, -ere, gessī, gestus.
wait, exspectō, ī.
wall, mūrus, -ī, *m.;* (*city*) **walls,**
moenia, -ium, *n.*
want, volō, velle, voluī; cupiō.
war, bellum, -ī, *n.*
warlike, bellicōsus, -a, -um.
warn, moneō, -ēre, -uī, -itus.
watch, (*of the night*), vigilia, -ae, *f.*
wealth, opēs, -um, *f.*
weapon, tēlum, -ī, *n.*
west, sōlis occāsus, -ūs, *m.*
what, (*pron.*), quid; (*adj.*), quī.
when, ubi, *w. indic.;* cum, *in narrative generally w. subj.*
where, ubi; (*whither*), quō.
which, quī, quae, quod.
which (of two), uter, -tra, -trum.
while, dum, *w. pres. indic.;* **a little
while,** paulum.
white, albus, -a, -um.
who, (*rel.*), quī, quae, quod; (*inter.*),
quis, quid.
whole (of), tōtus, -a, -um
why, cūr; quam ob rem.
wide, lātus, -a, -um.
wife, coniūnx, -ugis, *f.*; uxor, -ōris, *f.*
wing, (*of an army*), cornū, -ūs, *n.*
winter quarters, hīberna, -ōrum, *n.*
wish, volō, velle, voluī; **not wish,**
nōlō, nōlle, nōluī.
with, cum, *w. abl.;* (*means*), abl. *without prep.*
withdraw, recēdō, -ere, -cessī, -cessū-
rus; pedem referō, -ferre, rettulī,
relātus.
without, sine, *w. abl.*
woman, mulier, -is, *f.*
wonder, mīror, ī.
wooden, ligneus, -a, -um.
word, verbum, -ī, *n.*
world, orbis terrārum.
work, opus, operis, *n.*; labor, -ōris, *m.*
work, labōrō, ī.

worst, pessimus, -a, -um.
wound, vulnus, -eris, *n.*
wound, vulnerō, I.
wretched, miser, -era, -erum.
write, scrībō, -ere, scrīpsī, scrīptus.
writer, scrīptor, -ōris, *m.*
wrong, iniūria, -ae, *f.*

Y

year, annus, -ī, *m.*
yet, not yet, nōndum.

yield, cēdō, -ere, cessī, cessūrus.
yoke, iugum, -ī, *n.*
you, tū; *pl.*, vōs.
young man, adulēscēns, -entis, *m.*;
iuvenis, -is, *m.*
your, tuus, -a, -um; *pl.*, vester, -tra,
-trum.
yourself, tū; yourselves, vōs.

Z

Zama, Zama, -ae, *f.*

Grammatical Index

(References are to pages)

Gauls, 177
genitive, description, 380; limiting, 380; of the whole (partitive), 380; possession, 380; with adjectives, 381
Germans, 202, 276
gerund, 32, 392
gerundive, 72, 391
gods, of the Romans, 58, 59, 62; of the Gauls, 283; of the Germans, 286

H

Hamilcar, 143
Hannibal, 143
Hasdrubal, 143
Helvetian campaign, 183
Heraclea, 131
Hercynian forest, 288
hic, 359
hills of Rome, 115
hindering, verbs of, 388
Hippomenes, 338
Horatii, 111
Horatius Cocles, 120
hortatory subjunctive, 387
houses, Roman, 12

I

Icarus, 330
idem, 359
ille, 359
imperative, 390
impersonal verbs, 380
indefinite pronouns, 360, 361
indicative, use of, 386; in temporal clauses, 386
indirect discourse, simple, 25, 391; subordinate clauses, 389
indirect object, dative of, 381
indirect question, 58, 389

infinitive, 24; complementary, 390; in indirect discourse, 25, 391; objective, 390; subjective, 390
insulae, 5
intensive pronouns, 360
ipse, 360, 379
irregular adjectives, 355
irregular nouns, 354
is, 359
iubeō, with infinitive, 387

J

Jason, 82
Jugurtha, 161

L

Labienus, 192, 318
limiting genitive, 380
locative, 385
Lucretia, 116

M

Macedonia, 157
mālō, 376
Mamertine prison, 113
manner, ablative of, 113
Marcellus, 147
Marius, 165
meals, Roman, 49
means, ablative of, 384
Medea, 91
Mithridates, 163
Mummius, 157

N

Nervii, 222, 267
nōlō, 376
nominative case, 380

numerals, 357, 358
Numidia, 151, 161
Numitor, 105

O

Orgetorix, 184
Orpheus, 344
Ostia, 113
Ovid, 329

P

Palatine, 107
participles, 30, 31, 356
partitive adjectives, 378
partitive genitive, 380
periphrastics, 72
Pharsalus, 315
Philip V, 153
place from which, ablative of, 383
place to which, accusative of, 383
place where, ablative of, 385
Pompey, 315
Porsena, 120
possession, genitive of, 380
possessor, dative of, 382
possum, 374
predicate nominative, 380
prepositions, 383, 385
priests, Roman, 68, 69
prohibeō, with infinitive, 388
pronouns, 19, 359, 360
Pseudo-Philip, 157
Punic Wars, 136, 142, 155
purpose, dative of, 381; gerundive
    phrases, 391; *quō* purpose clauses,
    387; relative purpose clauses,
    387; substantive clauses, 387;
    with *ut* or *nē*, 45, 387
Pyramus, 340
Pyrrhus, 130

Q

quō purpose clauses, 387
quod causal clauses, 389

R

reference, dative of, 382
Reference Books, 348
reflexive pronouns, 359, 379
Regulus, 139
relative clause, descriptive, 388
relative pronouns, 378
relative purpose clauses, 387
religion, Roman, 62
Remi, 210
Remus, 106
Republic, Roman, 118, 160
respect (specification), ablative of,
    384
result clauses, 388
Romulus, 106

S

Sabines, 108
Sabinus, 237, 263
Samnite Wars, 128
Scaevola, 121
scansion, 329
Scipio Africanus, 150
secession of the plebs, 122
semideponents, 372
separation, ablative of, 383; dative
    of, 381
Sequani, 190
sequence of tenses, 58
Servius Tullius, 114
Silvius, 105
source, ablative of, 383
Spain, 158
special verbs, dative with, 381

510

specification, ablative of, 384
Story of Rome, 102
subjunctive, forms, 37; adversative clauses, 387; anticipatory clauses, 389; conditional sentences, 390; *cum* causal, 65, 389; *cum* circumstantial, 65, 388; *cum* concessive, 65; *cum* temporal, 65; hortatory, 38; indirect questions, 58, 389; purpose clauses, 45, 387; *quō* purpose clauses, 387; relative purpose clauses, 387; result clauses, 52, 388; subordinate clauses in indirect discourse, 389; with verbs of fearing, 387; with verbs of hindering, 388
Sulla, 165
sum, 373
supine, 392
Syphax, 151
Syracuse, 140, 141

T

Tarpeia, 108
Tarquinius Priscus, 113
Tarquinius Superbus, 116
temporal clauses, 386
tenses, sequence of, 58
Teutones, 162
Thisbe, 340
time, ablative of, 383; accusative of, 382

Trasumenus, 145
triumph, Roman, 43
Tullus Hostilius, 111
Twelve Tables of the Law, 29
two accusatives, 382

U

ubi, with indicative, 386
ut, in purpose clauses, 387; in result clauses, 388; with indicative, 386; with verbs of fearing, 387
ūtor, 384

V

Veneti, 233
verbs, regular, 362; irregular, 373; deponents, 370; impersonals, 380
Vercingetorix, 291, 294
Vestal Virgins, 70
Via Sacra, 41
vīs, declension, 354
vocative, 352, 380
volō, 376
Volusenus, 240

W

wedding, Roman, 35
word list, second-year Latin, 78

Z

Zama, 150

511